S0-BRQ-603

CARL A. RUDISILL LIBRARY
LENOIR-RHYNE COLLEGE

G. R. KARL RAMMELT

DIE GESCHOLTENEN

Die Generation zwischen 1918 und 1933

G. R. KARL RAMMELT

DIE GESCHOLTENEN

Die Generation
zwischen 1918 und 1933

DRUFFEL-VERLAG
LEONI AM STARNBERGER SEE

Schutzumschlag: H. O. Pollähne, Braunschweig

ISBN 3 8061 1082 4

1991

Satz: Druffel-Verlag

Inhaltsverzeichnis

Vorwort

Mit dem vorliegenden Buch unternimmt der Verfasser den Versuch, die politischen Geschehnisse in Deutschland der 14 Jahre nach dem 1. Weltkrieg in einer Weise zu beschreiben, die erkennbar macht, wie die damaligen Ereignisse sich breiten Schichten des deutschen Volkes darstellten, wie sie von Zeitgenossen verschiedener politischer Lager erlebt und erlitten wurden, wie die Vorgänge das Denken und Empfinden der Menschen beeinflußten und in welcher Art sie schließlich ihr politisches Verhalten motivierten.

In den von Betrug, Vergewaltigung, Entrechtung, Parteihader und Wirtschaftschaos gekennzeichneten Ereignissen jener Zeit sind die Wurzeln der Entwicklung zu finden, die zum Umbruch von 1933 führten, und letztlich, vom Ausland zielstrebig vorangetrieben, in Deutschlands Spaltung und Europas Absinken zur Zweitrangigkeit mündete.

Um das damalige Geschehen plastischer darstellen, Überlegungen und Motive der von ihm betroffenen Menschen eingehender herausarbeiten, sowie gegensätzliche Standpunkte differenzierter und gemeinverständlicher beschreiben zu können, als dies im Rahmen eines reinen Sachberichtes möglich gewesen wäre, wurde eine romanhafte Form der Darlegung gewählt. Der Wahrheitsgehalt der Schilderungen wurde durch die angewandte Art der Darbietung jedoch nicht beeinträchtigt.

Die Fülle des in der zu beschreibenden Zeitspanne abgelaufenen Geschehens verlangte allerdings eine Beschränkung des Stoffes auf Ereignisse, die der politischen Entwicklung im Bewußtsein breiter Volksschichten charakteristische Konturen gaben. Vorgänge und Zeitumstände, die sich nicht als maßgeblich bewußtseinsbildend und entwicklungsbestimmend erwiesen haben, wurden nicht oder nur beiläufig erwähnt.

Leser, die jene Jahre nicht miterlebten, müssen, wollen sie das Verhalten der Menschen in der damaligen Zeit verstehen, sich des Umstandes bewußt sein, daß diese ein Wissen um Vorgänge und Zusammenhänge, die heute - wenn auch noch keineswegs vollständig und in objektiver Sachdarstellung - zumindest teilweise bekannt sind, noch nicht besaßen. Hellseherische Fähigkeiten waren noch nie Millionen eigen; und Erkenntnisse, die sich erst im Rückblick offenbarten, dürfen nicht zur Beurteilung einer Zeit herangezogen werden, in der das später Geschehene noch in der Zukunft lag.

Das Bemühen um zeitentsprechende, wirklichkeitsgetreue Schilderung der damaligen Abläufe hat auch die Form bestimmt, in der der Verfasser die Geschehnisse und deren Reflektionen wiedergibt; er stellt sie so dar, wie sie sich ihm und den Menschen seiner Umgebung, unmittelbar oder mittelbar mitteilten. Dementsprechend stützt die Beschreibung jener Jahre, die mit der frühen Jugend des Autors zusammenfielen, sich im allgemeinen auf geschichtliche Daten und unbestrittene - wenn auch heute totgeschwiegene - historische Tatsachen, sowie auf Aufzeichnungen und mündliche Berichte vertrauenswürdiger, damals älterer, Zeitzeugen, die vor allem seinem Familien-, Verwandten- und Bekanntenkreis angehörten, und spiegeln seine Darlegungen im besonderen persönliche Erlebnisse.

Die rauhe Lebenswirklichkeit in der von den Siegermächten des ersten Weltkrieges vergewaltigten Weimarer Republik, und die mannigfaltigen Nöte in den angeblich "Goldenen 20er Jahren" forderten von allen Zeitgenossen, ohne Rücksicht auf ihr Lebensalter, Stellungnahmen und Selbstbehauptung; und zwar auf geistiger wie auf materieller Ebene. Zu den Erfahrungen, die dem Autor während der ihm von den herrschenden Zuständen bereits sehr früh aufgezwungenen Auseinandersetzung mit den Lebensrealitäten zuwuchsen, gehörten, unter anderem, drei wesentliche Einsichten; nämlich: Die Erkenntnis des untrennbaren Zusammenhanges, der zwischen jeder Art von Schwäche und Rechtsnachteilen besteht; desweiteren: Das Wissen um die Abhängigkeit geistiger Freiheit von umfassenden, zutreffenden Informationen; und schließlich, in Verbindung mit diesen beiden Grunderkenntnissen: Die Erfahrung der täuschenden Wirkungen, die von Pseudo-Dokumentationen, ausgeklügelten Begriffsverfälschungen, fiktiver Meinungsvielfalt und gezielter Rollenverteilung, sowie zur Schau getragener Objektivität ausgehen.

Das in diesem Buch Dargelegte ist wertungsfrei im Sinne nachträglicher, dem gegenwärtigen Zeitgeist entsprechender Beurteilung, jedoch zeitnah und wirklichkeitsentsprechend, bezogen auf die beschriebene Zeitspanne. Alle angeführten, geschichtlichen Vorgänge, Daten und Örtlichkeiten, - ausgenommen der Pseudo-Ort Saalfurth - sowie sämtliche Zitate, die geschichtsbekannte Persönlichkeiten betreffen, sind authentisch, mehrfach belegt und quellengesichert. Die in Dialogen und Betrachtungen ausgedrückten Gedanken gaben damals charakteristische Meinungen wieder; zu einem wesentlichen Teil wurden sie in Erinnerung an tatsächlich stattgefundene Gespräche formuliert.

Nicht identisch sind die Namen solcher im Text agierender Personen, die nicht in dem als Anhang beigefügten Personen- und Stichwortverzeichnis enthalten sind. Diese Namen stehen stellvertretend für gruppentypische Repräsentanten, oder für Personen, deren Identität nicht preisgegeben werden soll. Ein eventueller Gleichlaut solcher Namen, mit denen von Personen, die nicht an den beschriebenen Ereignissen beteiligt waren, wäre rein zufällig.

Die den einzelnen Abschnitten dieses Buches vorangestellten Zeittafeln und gerafften Ausführungen zum Zeitgeschehen sollen die wichtigsten jener historischen Vorgänge ins Gedächtnis rufen, die den im jeweiligen Kapitel beschriebenen Reflexionen und Details den größeren Rahmen gaben.

Den anhängenden Erläuterungen ist die Aufgabe zugedacht, jüngeren Lesern - denen, infolge fehlender Unterrichtung, manche der früher maßgeblichen Politiker, oder bestimmte Ereignisse und Begriffe nicht bekannt sein dürften - zu erleichtern, diese verständnisabrundend einzuordnen.

Möge dieses Buch - das mit einem zweiten, in dem die Geschehnisse während der Jahre 1933 bis 1946 behandelt werden, seine Fortsetzung finden soll - seine Leser zu einer kritischen Analyse des ihnen seit Jahrzehnten oktroyierten Geschichtsbildes anregen, und sie, darüber hinaus, veranlassen, zu einer den historischen Vorgängen angemessenen Vertretung deutscher Lebensinteressen, sowie zu einer abgewogenen Wertschätzung ihres Volkes beizutragen.

D. V.

1. Kapitel
Revolution oder Chaos?
November 1918

Anmerkungen zum Zeitgeschehen 1914 - 1918.

Der November 1918 markierte das vorläufige Ende einer politischen Entwicklungsphase, die, sofern deren zu ihr hinführende Vorläufer außer näherer Betrachtung bleiben, mit der Reichsgründung von 1871 begann.In dem damals erfolgten Zusammenschluß des überwiegenden Teils der potentiellen deutschen Volkskraft im zweiten deutschen Kaiserreich, erblickten die bereits seit Jahrhunderten imperialistisch ausgerichteten Staaten - insbesondere England, Rußland und Frankreich - eine heraufsteigende Konkurrenz, die es, ihrer Meinung nach, zu beschneiden und, falls dies vom deutschen Reich und Volk nicht im gewünschten Maße akzeptiert werden sollte, zu vernichten galt.

Um die Jahrhundertwende erreichte der Aufstieg des Deutschen Reiches, obwohl im Vergleich mit anderen noch bescheiden, ein Ausmaß, das den drei sich privilegiert fühlenden, imperialen Mächten - Frankreich, England und Rußland - nicht mehr tolerabel schien. Die Einkreisung Deutschlands, mit dem Ziel seiner Ausschaltung, begann, und nahm in Geheimverträgen erste Formen an. Rückblickend, und nunmehr in Kenntnis dieser Geheimpakte, entsteht der Eindruck, als sei den damals offen abgeschlossenen Verträgen lediglich eine Täuschungsaufgabe zugewiesen worden, zu dem Zweck, die wahren Absichten der Einkreiser zu verschleiern.

Die Texte der Geheimpakte und die darin aufgezeigten Kriegsziele, insbesondere aber deren spätere Realisierung, beweisen, daß - wie jeder mit der Geschichte einigermaßen vertraute Mensch heute weiß - der Mord an dem österreich-ungarischen Thronfolger in Sarajewo, nur den willkommenen Anlaß zum Kriege lieferte. Weniger offensichtlich ist jedoch die Tatsache, daß die Vorgänge, die nach dem Mord im Juli und in den ersten Augusttagen 1914 abliefen, bereits von taktischen, politischen Manövern der Feinde Deutschlands gekennzeichnet, dem Zweck dienten, das längst beschlossene und bis in Details vorbereitete Vorhaben eines Vernichtungskrieges gegen Deutschland, vor der Weltöffentlichkeit so darstellen zu können, daß damit eine Schuldzuweisung an das in Aussicht genommene Opfer möglich werde. Diese Absicht läßt sich aus den Geheimpakten, aus den Winkelzügen dieser Wochen und Tage, sowie aus dem damaligen und späteren Ablauf der

Ereignisse unschwer entnehmen. Auf wesentliche Ursachen des Krieges, und die wichtigsten Manipulationen, die zum Kriegsausbruch führten, wird im 6. Kapitel dieses Buches eingegangen.

Die hervorstechendsten politischen und militärischen Ereignisse zwischen 1914 und 1918 sind, kurzgefaßt, nachstehend angeführt:

1914

Februar:

Ein russisches Geheimprotokoll fixiert konkrete Kriegsvorbereitungen gegen Deutschland und Österreich-Ungarn.

Juni:

Ermordung des österreichischen Thronfolgers in Serbien.

Juli:

Geheimbesprechungen des französischen Staatspräsidenten Poincaré in Petersburg.

"Probe"-Mobilmachung der britischen Flotte

Serbien lehnt österreich-ungarisches Ersuchen, an Untersuchung des Thronfolgermordes beteiligt zu werden, ab.

Rußland sichert Serbien Beistand zu.

Kriegserklärung Österreich-Ungarns an Serbien.

Zar befiehlt Generalmobilmachung. Deutschland stellt drohende Kriegsgefahr fest. Deutscher Kaiser ersucht Zaren Mobilmachung aufzuheben; Rußland lehnt ab. Deutsche Mahnung an Österreich Verhandlungen aufzunehmen.

Frankreich und England sichern Rußland militärische Unterstützung zu.

Frankreich macht gegen Deutschland mobil.

USA stellen Industrie auf Kriegsbedarf um.

August:

Deutschland erklärt Rußland und Frankreich, nach gescheiterten Klärungsversuchen und stattgefundenen Feindaufmärschen an den deutschen Grenzen, als Präventivmaßnahme den Krieg; Sozialdemokraten stimmen im Reichstag für Kriegskredite.

England erklärt Deutschland den Krieg; Beginn der Hungerblockade.

Russeneinfall in Ostpreußen. Schlacht bei Tannenberg.

Japan erklärt Deutschland und Österreich-Ungarn den Krieg.

Durchmarsch deutscher Truppen durch Belgien.

Deutsche Truppen überschreiten die Marne.

September:

Unbegründeter deutscher Rückzugsbefehl führt zum "Marnewunder".

Oktober:

Stellungskrieg im Westen.

Französische und britische Truppen greifen unter Vertragsbruch (Kongo-Akte) deutsche Kolonien an.

Engländer annektieren Zypern.

November:

England, Frankreich und Rußland erklären der Türkei den Krieg.

Dezember:

Engländer besetzen Ägypten.

1915

USA liefern Kriegsmateriel an Feinde Deutschlands; US-Dampfer "Lusitania", beladen mit Waffen und Munition für England, von deutschem U-Boot versenkt.

Italien tritt gegen seine ehemaligen Verbündeten, Deutschland und Österreich, in den Krieg.

Englisch-französische Truppen verletzen griechische Neutralität und besetzen Saloniki.

Britisch-russische Truppen überfallen das neutrale Persien und besetzen Mesopotanien.

Kriegserklärung Bulgariens an Serbien, Entente erklärt Bulgarien den Krieg.

Schwere Kämpfe an West- und Ostfront, sowie am Isonzo.

USA besetzen Haiti.

1916

Große Materialschlachten bei Verdun und in Flandern.

Russische Großoffensive im Osten.

USA erhöhen Waffenlieferungen an Feinde Deutschlands, vergrößern Heer und Marine, und bereiten den Kriegseintritt vor.

Kriegserklärung Rumäniens an Österreich-Ungarn.

Wiedererrichtung des polnischen Staates durch die Mittelmächte (Deutschland und Österreich-Ungarn).

Deutsches Friedensangebot wird von den Feinden abgelehnt.

Ausbau der "Siegfriedstellung" zur Verkürzung der Front im Westen.

1917

Rücknahme eines Teils der deutschen Westarmeen in die "Siegfriedstellung".

Verstärkter deutscher U-Bootkrieg gegen feindliche Blockadeflotten.

Abdankung des Zaren; Bildung einer bürgerlich-sozialistischen Regierung unter Kerenski in Rußland.

Vergebliche Durchbruchversuche der Franzosen und Engländer im Westen.

Umfangreiche Meutereien in französischen Armeen.

Österreichischer Kaiser läßt, hinter Deutschlands Rücken, mit Frankreich über einen Sonderfrieden verhandeln (Sixtus-Affäre; Verratsangebot Gerwins).

USA erklären Deutschland den Krieg; später auch Österreich-Ungarn.

Friedensresolution des Deutschen Reichstages, Forderung nach Verständigungsfrieden ohne Sieger und Besiegte.

Druck der USA erzwingt deutschfeindliche Haltung Perus, Boliviens, Brasiliens und weiterer Staaten.

Bolschewistische Revolution in Rußland.

Waffenstillstand zwischen den Mittelmächten und Rußland.

1918

Januar:

US-Präsident Wilson verkündet 14 Punkte zur Friedensregelung. Aufstellung der 14 Punkte Wilsons, siehe Anhang.

März:

Friedensvertrag zwischen den Mittelmächten und Rußland. Nach Polen werden die Ukraine und Finnland selbständig; auch die Baltischen Völker können aus dem russischen Imperium ausscheiden.

Mai:

Frieden zwischen den Mittelmächten und Rumänien.

Deutsche Truppen erreichen nochmals die Marne, erzielen aber keinen entscheidenden Durchbruch.

Sommer/Herbst:

Streiks der Munitionsarbeiter in Deutschland, als deren Folge Munitionsmangel an der Front und Ansteigen deutscher Verluste.

Erneute Rückverlegung der deutschen Truppen in die "Siegfriedstellung".

September/Oktober:

Abfall der Verbündeten Deutschlands (Bulgarien, Türkei).

Regierungsbeteiligung der Sozialdemokraten in Deutschland.

Revolution in Wien.

Deutsches Waffenstillstandsangebot an Präsident Wilson, auf der Grundlage der 14 Punkte.

Erneute Streiks.

Meuterei bei der deutschen Hochseeflotte; Bildung von Arbeiter- und Soldatenräten nach bolschewistischem Vorbild.

November:

8. 11. Ausrufung einer Bayerischen Räterepublik in München.

Am 9. 11. Ausrufung der Deutschen Republik in Berlin durch Scheidemann.

Abdankung Kaiser Wilhelm II. verkündet.

Spartakistenrevolte in Berlin.

11. 11. Deutsch-Österreich wird zur Republik erklärt; Kaiser Karl tritt zurück.

12. 11. Provisorische deutsch-österreichische Nationalversammlung fordert Anschluß an das Deutsche Reich.

Reflexionen und Details:

Der erste Weltkrieg neigte sich seinem Ende zu. Doch auf den Schlachtfeldern an den Fronten in Frankreich und Belgien wurde noch immer gekämpft und gestorben; für die Erhaltung der Voraussetzungen für einen Friedensschluß zu vernünftigen Bedingungen auf der deutschen Seite, für einen vollständigen Sieg auf der anderen.

Seit einigenTagen wurde in Deutschland auch hinter der eigenen Front gekämpft. Für einen Frieden um jeden Preis, für Freiheit, für die Diktatur des Proletariats, für eine bessere Zukunft. Die Zauberformel, die diese Unvereinbarkeiten zu einem Wunderresultat führen sollte, hieß Revolution. Sie sollte die Quadratur des Kreises lösen, und den Widerspruch zwischen totaler Niederlage und daraus hervorgehendem Sozialparadies, zwischen Diktat und Freiheit, überwinden.

Die Reichshauptstadt war bisher von ernstzunehmenden revolutionären Aktionen verschont geblieben.Es waren aber auch keine wirksamen Vorkehrungen getroffen worden, um ein Übergreifen der revolutionären Aktivitäten, die in Teilen Nord- und Süddeutschlands zu verzeichnen waren, auf die Nervenzentrale des Reiches zu verhindern. In Deutschland war man seit jeher, auf allen Seiten und Ebenen, im Umgang mit Revolutionären, wie auch in der Durchsetzung revolutionärer Ziele, ungeübt.

Zwar hatten sich auch schon in Berlin Arbeiter- und Soldatenräte gebildet, doch die setzten sich zunächst überwiegend aus Delegierten zusammen, die dem Aufruf des sozialdemokratischen Abgeordneten Otto Wels folgten, sich "auf den Boden der Politik zu stellen, die der "Vorwärts" vertritt." Da der Vorsitzende der Sozialdemokratischen Partei, Friedrich Ebert, von dem vor ihm amtierenden Reichskanzler, Prinz Max von Baden, zum "Nachfolger" ernannt worden war, verlieh dieser Umstand, zusammen mit Wels' Aufruf, der sozialdemokratischen Parteizeitung "Vorwärts" die Eigenschaft eines Regierungsorgans. Wie sich bald herausstellen sollte, wurde das in parteipolitischen Vorstellungen verharrende Blatt der damit verbundenen Verantwortung allerdings nur selten gerecht.

Diese Unzulänglichkeit und die der neuen Regierung erst sehr spät bewußt werdende Tatsache, daß in revolutionären Zeiten nicht abstimmende Mehrheiten, sondern entschlossen und zielbewußt handelnde Personen und Gruppen das Geschehen bestimmen, fanden auch in den Vorgängen um den 9. November ihren Niederschlag.

Am Morgen dieses Tages wurde die Situation in Berlin noch als unkritisch eingeschätzt. Daher begann auch der Dienst der Truppen in der Moabiter Kaserne der Garde-Füseliere, "wie üblich". Das galt auch für das kleine, aus vier Mann bestehende Kommando, das von dem Leutnant der Reserve Gerber geführt wurde. Wie an den Vortagen hielt der Offizier eine Besprechung ab, während der er den drei Unteroffizieren, die ihm zur Unterstützung beigegeben worden waren, die Tagesaufgaben zuwies, und Erläuterungen zu deren Durchführung gab. Die kleine Gruppe befand sich erst seit einigen Tagen, und mit einem zeitlich befristeten Auftrag, in der Kaserne. Sie war von ihrem Regiment - das wegen erlittener, hoher Verluste aus der Westfront herausgezogen worden war, und mit Sicherheitsaufgaben im Osten Verwendung finden sollte - während der Fahrt durch die Reichshauptstadt in Berlin zurückgelassen worden, um die Zuführung von personellem und materiellem Ersatz zu beschleunigen.

Da der Aufenthalt des Kommandos in der Kaserne nur vorübergehend sein sollte und auf zehn Tage befristet war, waren ihm drei Räume in einer alten, etwas abseits liegenden Baracke als Unterkunft zugewiesen worden. Daher, und weil die dienstlichen Obliegenheiten nur zu verhältnismäßig kurzen Kontakten mit einer größeren Anzahl anderer Dienststellen führten, war es in den vergangenen Tagen auch zu keiner engeren Verbindung mit Angehörigen der hier stationierten Truppenteile - fast ausschließlich Ersatz- und Nachschubeinheiten - gekommen. Entsprechend gering war der Informationsstand über die Stimmung der Masse der Soldaten in der Kaserne, und insbesondere über die Zusammensetzung und Absichten der Soldatenräte.

Der Leutnant hatte es bisher vermieden, das Thema Revolution auch nur anzudeuten; und die drei Unteroffiziere hatten ebenfalls keinen Anlaß gesehen, dieses Problem zur Diskussion zu stellen. Sie, als Frontsoldaten, setzten andere Prioritäten als die "Etappenhengste" und die "Drückeberger in der Heimat". Aus eigener bitterer Erfahrung und in klarer Erkenntnis der zwingend folgenden militärischen und politischen Konsequenzen, die sich bereits aus dem Streik der Munitionsarbeiter ergeben hatten, empfanden sie Meutereien, und sonstigen Machenschaften in Etappe und Heimat, als gegen die Fronttruppen, gegen die Interessen des Reiches und auch persönlich gegen sie selbst gerichtet. Die ungewöhnlich hohen Verluste, die ihr Regiment in den letzten Wochen erlitten hatte, waren eindeutig auf Munitionsmangel und ausgebliebenen Waffen- und Ausrüstungsnachschub zurückzuführen gewesen.

"Die Streiks und sabotierenden Maßnahmen in der Heimat mußten draußen mit Blut bezahlt werden. Doch das wollte und will keiner der sich als "Volksbeglücker" ausgebenden Revoluzzer wahrhaben! Sollen sie doch hintreten vor die Angehörigen der in den letzten Wochen und Monaten Gefallenen, vor die zu Krüppeln Geschossenen, und ihnen sagen: Der Tod deines Sohnes, Bruders, Vaters ist auf meine Mithilfe zurückzuführen, oder: Den Verlust deines Beines, deines Augenlichtes hast du meiner Sabotage zu verdanken. Sollen sie die Opfer doch fragen, ob sie mit der "besseren Welt", die sie ihn beschert haben, zufrieden sind. Doch die selbsternannten Weltverbesserer werden weder das eine noch das andere tun, weil sie die zwischen ihren Taten und dem Unglück der Anderen bestehenden Zusammenhänge nicht zugeben, und die entlarvende, nackte Wahrheit nicht hören wollen!"

Solche und ähnliche Gedanken waren der Inhalt eines Gesprächs gewesen, das die drei Unteroffiziere am Abend zuvor geführt hatten. Er kam ihnen erneut in den Sinn, als der Leutnant den fachdienstlichen Teil der Besprechung beendet hatte, und erstmals auf die, wie er sich ausdrückte, "unheilschwangere politische Situation in Teilen des Reiches" einging. Dazu sagte er allerdings nicht viel, sondern erklärte nur: "Bisher ist unser Kommando von revolutionär-sein-sollenden Auflösungserscheinungen verschont geblieben; ich hoffe, dies wird auch weiterhin und für den nicht auszuschließenden Fall so bleiben, daß die Lage sich auch in Berlin, vor unserer für übermorgen vorgesehenen Rückkehr zum Regiment, zuspitzen sollte. Falls dies geschehen sollte, so werde ich bestrebt sein, das Kommando aus allen Verwicklungen herauszuhalten. Ich nehme nicht an, daß wir diesen meinen Entschluß, der neuen Mode folgend, zur Debatte stellen und einer Abstimmung zuführen müssen." Bei den letzten Worten hattte sich zwar der Anflug eines Lächelns auf den Lippen des Offiziers gezeigt. Vizefeldwebel Seller hatte jedoch den Eindruck, als verberge sich dahinter mehr Ernst und Sorge, als es den Anschein hatte.

Er sagte deshalb: "Herr Leutnant, wir sind Männer, die gewohnt sind verantwortlich zu handeln; wir werden daher auch weiterhin unsere Pflicht tun." Sergeant Werfels unterstrich diese Worte mit einem nachdrücklichen "und zwar uneingeschränkt", während Unteroffizier Bering sie mit einem forschen "Jawoll" bekräftigte.

"Ich habe eine solche Haltung von Ihnen erwartet. Dank für Ihre Anständigkeit und Anerkennung für Ihr Verantwortungsbewußtsein!"

Eine Weile war Stille in dem Raum, dann kam der Leutnant noch einmal kurz auf einen der zuvor behandelten Besprechungspunkte zurück und erklärte: "Wie ich vorhin schon bemerkte, wird die Frage, ob und wo wir heute das restliche Gerät verladen können, erst in dem Gespräch entschieden, das ich anschließend mit dem Transportoffizier im Stabsgebäude führen werde. Ich gedenke in etwa einer halben Stunde zurück zu sein. Bleiben Sie in der Zwischenzeit hier; vielleicht ergibt die Besprechung neue Gesichtspunkte."

Der Leutnant hatte die Unterkunftsbaracke kaum einige Minuten verlassen, als die drei Zurückgebliebenen von den Hauptgebäuden der Kaserne her Schüsse vernahmen. Zuerst war vereinzeltes Gewehrfeuer hörbar, dann aber ertönte das ratternde Geräusch von Feuerstößen mehrerer Maschinengewehre, in das sich Detonationen von Handgranaten mischten. Wortlos blickten sich die drei an.

Für keinen von ihnen gab es einen Zweifel, - das war die Begleitmusik der Revolution, sie spielte auf zum Todestanz, zum Sterben unter deutschen Soldaten.

"Verdammter Irrsinn!", schrie Seller mit einer Lautstärke, die den beiden anderen die Ohren klingen ließ, und den Eindruck erweckte, als wolle der "Vice" dem gegenseitigen Abschlachten auf diese Weise Einhalt gebieten.

"Hoffentlich wird der Leutnant nicht in den Schlammassel verwickelt", sagte Werfels, weil der Kampflärm inzwischen zu erkennen gab, daß die Auseinandersetzungen in der Umgebung des Stabsgebäudes stattfanden.

"Er müßte, falls er sich unterwegs nicht aufgehalten hat, das Gebäude erreicht haben, ehe die ersten Schüsse fielen", meinte Bering und ging zum Fenster, um zu dem Komplex der Hauptgebäude hinüber zu sehen.

"Bist Du verrückt!?", rief ihm Seller zu. "Weg vom Fenster und raus aus der Baracke!"

"Warum denn das?"

"Weil fraglos auf alles geschossen wird, was sich bewegt! Und raus müssen wir, weil wir nicht wissen, wie die Schweinerei sich entwickelt! Die dünnen Holzwände der Baracke bieten uns bei Beschuß keinerlei Schutz!"

"Richtig!", stimmte Werfels zu. "Doch wo sollen wir hin?"

"Etwa 80 m hinter der Baracke beginnt die Hindernisbahn. In der ersten Grube werden wir bis auf weiteres Deckung suchen. Waffen, Munition und

Mantel mitnehmen!" Nach diesen Worten riß Seller sein Gewehr aus dem Schrank, warf sich den Mantel über und stopfte ein paar Rahmen mit Munition in die Taschen. Die anderen taten das Gleiche. Dann verließen sie die Baracke und eilten zur Eskaladierbahn hinüber. Als sie in der etwa 1,50 m tiefen Grube standen, sagte Seller:

"Von hier aus können wir sehen, wenn der Leutnant zurückkommt; wir werden ihn dann anrufen. Im übrigen verhalten wir uns still und warten die weitere Entwicklung ab. Da wir nicht wissen, wer gegen wen kämpft, bleibt uns nichts anderes übrig. Für alle Fälle werden wir jetzt die Gewehre laden. Geschossen wird jedoch nur auf meine Anweisung! Ist das klar?"

"Klar!", sagte Werfels. Bering bestätigte den Befehl mit: "In Ordnung!"

Danach wurde nur noch selten gesprochen. Nach etwa einer Stunde war die Schießerei vorbei.

"Wir warten noch eine Viertelstunde, um sicher zu sein, daß die Auseinandersetzungen beendet sind", sagte Seller. "Falls der Leutnant bis dahin nicht zurückgekommen sein sollte, werde ich ihn suchen."

Sie warteten etwas länger; fast 30 Minuten. Obwohl alles ruhig blieb, nur ab und zu trug der Wind Stimmlaute herüber, kam der Leutnant nicht zurück. Seller wurde unruhig.

"Ich werde jetzt gehen", erklärte er. "Vielleicht kann der Transportoffizier mir sagen, wo der Leutnant zu finden ist. Ihr könnt inzwischen in der Baracke auf uns warten. Sollte nochmals geschossen werden, so geht Ihr wieder hier, in der Grube, in Deckung."

Daraufhin legte er sein Gewehr auf den Rand der Grube und schwang sich danach selbst hinauf. Werfels und Bering folgten seinem Beispiel.

In der Stube, stellte er das Gewehr in den Spind und nahm die Pistole an sich. Als er sich wieder zur Tür wandte, sagte Werfels: "Sei vorsichtig, Herbert!"

Zum Zeichen, daß er den Rat verstanden habe, hob Seller nur leicht die rechte Hand; dann verließ er den Raum und begab sich auf den Weg zum Stabsgebäude. Auf den Straßen zwischen den großen Unterkunftsblocks und auf dem Platz vor dem Stabsgebäude begegneten ihm bewaffnete Gruppen. Er vermochte jedoch nicht festzustellen, ob sie Truppenteilen angehörten, die in der Kaserne stationiert waren, oder ob es Eindringlinge waren, die die Kaserne "erobert" hatten. Die neue Mode, Dienstgradabzeichen und Schulterklappen mit der Regimentsnummer abzunehmen, oder sie anderen herunterzureißen, machte eine Identifizierung nicht ohne weiters möglich.

"Freunde oder Feinde?", ging es Seller durch den Kopf. "Welch ein Unsinn unter Angehörigen des gleichen Heeres."

Doch sie hatten in den letzten Tagen aufeinander geschossen, - in Kiel, in Magdeburg, in München und in anderen Großstädten des Reiches. Vorhin auch hier in der Kaserne. Und sie würden schießen, bis der "Feind" vernichtet und eine "Partei" den "Sieg" errungen haben würde.

Ein derart irrationales Verhalten war ohne psychologische Vorbereitung, ohne Verführung mit scheinlogischen Argumenten und ohne Appelle an fragwürdige Instinkte, überhaupt nicht vorstellbar. Tatsächlich war ja auch im letzten Jahr, von interessierter Seite, ideologischer Sprengstoff angehäuft worden. Die Spartakisten hatten dann die Lunte gelegt und den ersten Funken gezündet. Doch um das mit Klassenkampfideen und utopischen Formen von Internationalismen, mit pazifistischen Wunschvorstellungen und Neidkomplexen gefüllte Pulverfaß zur Explosion zu bringen, hatte die Potenz der verhältnismäßig kleinen Gruppe um Karl Liebknecht und Rosa Luxemburg allein nicht ausgereicht. Dies zu bewerkstelligen, hatte der Hilfe der Unabhängigen Sozialdemokraten bedurft; - jenes starken Flügels der SPD, der sich 1917, unter Führung von Ledebur, Barth und anderen, von der Mutterpartei abgespalten hatte. Sie hatten, unterstützt von einem Teil der Gewerkschaftsführer, den Funken zur Flamme hochgeblasen! Sie hatten in der Etappe, in der seit Jahren untätig in den Heimathäfen liegenden Hochseeflotte, und in den Rüstungsbetrieben dafür gesorgt, daß das Chaos ausbrechen konnte!

An der Front herrschen bis zur Stunde keine chaotischen Zustände. Gott sei Dank nicht! Allein die intakte Front gibt der deutschen Delegation bei den jetzt laufenden Waffenstillstandsverhandlungen noch eine Chance!

Allerdings geben die hirnrissigen Revoluzzer sich alle Mühe, diese Chance zu zerschlagen! Gibt es denn niemand, der diese politische Selbstverstümmelung verhindern kann? Wer mag heute, hier in der Kaserne, die Oberhand gewonnen haben! Die Radikalen, oder die Gemäßigten um Ebert, Scheidemann und Noske?"

Während Seller solchen Gedanken nachhing, war er vor dem Stabsgebäude angelangt. Niemand hatte ihn aufgehalten.

Vor dem Haupteingang des Gebäudes war ein jüngerer Soldat bestrebt, mit zwei Eimern Wasser eine große Blutlache wegzuschwemmen; unwillkürlich folgten Sellers Augen dem Wasserschwall. Dabei fiel sein Blick auf das verbogene Gestell einer Brille, aus dem die Gläser herausgebrochen waren. Es lag an der Hauswand, dort, wo die unterste der drei Stufen, die zur stark beschädigten Türe führten, mit der Mauer einen rechten Winkel bildete. Von diesem Anblick seltsam berührt, ging er die drei Stufen hinauf. Als er die Türklinke ergriffen und die infolge von Beschußschäden klemmende Tür bereits halb geöffnet hatte, schloß sich in seinem Hirn plötzlich ein Kontakt. Die Brille! Das schwarze Gestell mit den Fassungen für die großen, kreisrunden Gläser! Der Leutnant hatte eine solche Brille getragen!

Seller machte hastig kehrt, nahm im Sprung die drei Stufen auf einmal, bückte sich und hob das verbogene Brillengestell auf. Aufmerksam betrachtete er das Fundstück. Nach wenigen Sekunden gab es für ihn kaum noch einen Zweifel, daß dies das Brillengestell des Leutnants war. Betroffen wandte er sich dem Jüngeren mit den Wassereimern zu. Der hatte den Vorgang interessiert beobachtet. Auf die Frage: "Weißt du, wer hier gelegen hat?", gab er bereitwillig Auskunft.

"Genau kann ich das nicht sagen, weil ich ihn nicht gesehen habe; es soll, wie mir gesagt wurde, ein Offizier gewesen sein."

"War er verwundet oder tot?"

"Keine Ahnung." Diese lapidare Antwort wurde von einem Schulterzucken begleitet.

"Eine treffende Auskunft werde ich, wenn überhaupt, nur von einem Vertreter des Soldatenrates erhalten", überlegte Seller. Ohne Zögern fragte er den nächsten Rotbebänderten, wo er den Vorsitzenden des Soldatenrates finden könne. Er wurde in den ersten Stock verwiesen. "Der Vorsitzende hat die ersten drei Zimmer links neben der Treppe belegt."

Oben angelangt, setzte der Anblick eines mit einer Maschinenpistole bewaffneten Postens, der vor der ersten der angegebenen Türen stand, seinen vorbereitenden Überlegungen ein Ende.

"Ich möchte den Vorsitzenden des Soldatenrates sprechen; es ist wichtig!"

"Das sagen alle", erklärte der Posten, "um was geht's denn?"

"Wenn ich das, was ich mitzuteilen habe, jedem bekanntgeben könnte, dann brauchte ich nicht den Vorsitzenden zu bemühen; ich sagte ja bereits, es ist wichtig!"

Nach einem Zögern sagte der andere: "Moment mal!", und verschwand gleich darauf in den Raum, den er bewachte. Es war noch keine halbe Minute vergangen, als er wieder erschien. "Du darfst hineingehen", sagte er, dabei zur Seite tretend, "den Vorsitzenden kannst du aber nicht sprechen, der hat zu tun!"

Seller nickte nur und ging an dem Posten vorbei.

"Du hast eine wichtige Mitteilung zu machen, - um was handelt es sich?"

"Bist du der Vorsitzende des Rates?", fragte Seller dagegen.

"Nein, aber ich bin Vollmitglied und habe weitgehende Entscheidungsbefugnisse. Also, was liegt an?"

Seller entschied sich, sein Ziel über einen Umweg anzugehen.

"Es geht um die Neuregelung der Befehlsgewalt in unserem Kommando, und um dessen weitere Verwendung"; die Schwäche des Häufleins erwähnte er nicht.

"Weshalb sind die Befehlsbefugnisse denn unklar? Habt Ihr keinen Delegierten im Soldatenrat?"

Den letzten Teil der Frage unberücksichtigt lassend, antwortete Seller auf deren ersten Hälfte: "Die Befehlsverhältnisse müssen neu geregelt werden, weil unser Kommandoführer, Leutnant Gerber, niedergeschossen wurde."

Bereits als er zu seiner Antwort angesetzt hatte, war die Verbindungstür zu dem Nebenzimmer geöffnet worden; auf deren Schwelle ein im Landsturmalter stehender Infanterist erschienen. Die Zugehörigkeit zu dieser Waffengattung machte die Farbe der Biesen an seiner Uniform deutlich. Vor allem aber fiel der Verband ins Auge, der den Stumpf seines linken Unterarms umschloß.

"Eine solche Verwundung holt man sich nicht hinter der Front", schoß es Seller durch den Kopf. Doch ehe das Gefühl einer gewissen Befriedigung, ausgelöst durch die Anwesenheit eines Frontsoldaten im Soldatenrat, sich ausbreiten konnte, verursachte ihm eine Bemerkung Ärger, die einer der anderen Angehörigen des Rates machte:

"Die Erschießung eures Kommdoführers war die glatteste Lösung der Befehlsfrage", erklärte ein auffallend Wohlgenährter mit einem feisten, beifällig-sein-sollenden Lächeln.

Sellers Miene unterstrich seine Entrüstung, die er mit den Worten ausdrückte: "Ich möchte zunächst klarstellen, daß es nicht wir waren, die unseren Leutnant niederschossen, und ich die Selbstzerfleischung eines Heeres, das an den Fronten noch im Abwehrkampf steht, für grundfalsch halte!"

Die Reaktion des Dicken ließ nicht auf sich warten.

"Willst du damit sagen, du lehnst die Revolution überhaupt ab?", fragte er lauernd. "Vielleicht erklärst du uns mal, wie du dazu stehst!?"

"Der Wert einer Revolution und das Urteil, das über sie gefällt wird, hängen von ihren Ergebnissen ab. Ich hoffe, die Revolution möge unserem Volk jene Zukunftschancen erhalten und sichern, für deren Erhaltung ich vor dem Krieg in der SPD und vier Jahre an der Front gekämpft habe!", erklärte Seller.

"Du bist Sozialldemokrat?", fragte der Dicke irritiert. "Wenn das stimmt, warum regst du dich dann wegen eines erschossenen Offiziers so auf?"

"Kannst du eigentlich beweisen, daß du Sozialist bist?", bohrte jetzt der dritte der Räte, dem die Auffassung Sellers ebenfalls nicht 'revolutionär' genug zu sein schien. Zumal er ja auch geäußert hatte, er habe an der Front für die Zukunft des deutschen Volkes gekämpft! Das machte ihn natürlich verdächtig.

"Erwartest du, ich würde mein Mitgliedsbuch im Uniformrock bei mir tragen? Meinst du, ich hätte es an der Front gebraucht, um es den mit Handgranaten angreifenden Franzosen vor die Nase zu halten? Wenn ich sagte: Ich bin Sozialdemokrat, so stimmt das! Im Unterschied zu manchen anderen, habe ich noch nie meinen Mantel nach dem Wind gehängt, und noch niemals darauf verzichtet, meiner wahren Meinung Ausdruck zu verleihen!"

"Das glaube ich dir aufs Wort, denn dafür hast du eben einen überzeugenden Beweis geliefert!" Mit dieser Bemerkung schaltete sich erstmals der ältere, im Türrahmen stehende "Landstürmer" in das Gespräch ein. Bisher hatte er nur wortlos zugehört, - jetzt ergriff er die Initiative: "Ich habe den Eindruck, ihr seid nunmehr mit mir zu der Überzeugung gelangt, daß der Genosse in Ordnung ist. Ich werde mich jetzt mit ihm über sein Anliegen unterhalten."

Mit einer einladenden Geste seines Armstumpfes forderte er Seller auf, in das angrenzende Zimmer einzutreten. Nachdem er die Tür hinter sich geschlossen hatte, erklärte er: "Ich bin der Vorsitzende des Soldatenrates." Seller hatte dies, aufgrund der Anweisungen, die er den anderen erteilt hatte, bereits vermutet. Er mußte sich eingestehen, daß er den Mann sympathisch fand.

"Da habe ich ja Glück gehabt, daß du eben dazu kamst", sagte Seller, um dem folgenden Gespräch eine kameradschaftliche Basis zu geben.

"Vielleicht war das Glück auf meiner Seite", entgegnete der andere, ohne seine für Seller rätselhafte Bemerkung zu begründen. Während Seller sich noch fragte, was der Ratsvorsitzende damit gemeint haben mochte, fuhr dieser fort:

"Ich möchte mich mit dir, nachdem wir dein Problem geregelt haben, etwas ausführlicher unterhalten. Eine halbe Stunde werde ich dafür erübrigen können. Leg' also deinen Mantel ab, und erzähl' mir, was es mit dem Offizier auf sich hat."

Seller entledigte sich seines Mantels und begann mit der Schilderung der Ereignisse, wie sie sich für ihn darstellten. Als er damit zu Ende war, sagte sein Gegenüber:

"Ich habe dir, ohne dich zu unterbrechen, zugehört, weil ich das Geschehen des heutigen Morgens einmal aus der Sicht eines relativ Unbeteiligten und Unvoreingenommenen dargestellt sehen wollte. Das war auch der Grund, weshalb ich bisher den Anschein erweckte, als sei mir das Schicksal eures Leutnants unbekannt."

"Wieder eine Andeutung, die Rätsel aufgibt", dachte Seller.

"Leider muß ich dir mitteilen, daß er tödlich getroffen wurde; seine Leiche befindet sich im Keller des Sanitätsgebäudes. Auch die anderen heute Gefallenen sind nach dort verbracht worden. Über die Modalitäten der Beisetzung wird wahrscheinlich der Vollzugsrat entscheiden. Es wird jedenfalls alles eine ordnungsgemäße Erledigung finden. Hast du dazu noch eine Frage?"

"Ja", antwortete Seller, "mehrere Fragen. Zunächst möchte ich wissen, ob Leutnant Gerber kämpfend gefallen ist, oder ob er ermordet wurde, und wer dies gegebenenfalls tat."

"Wie mir berichtet wurde, ist der Leutnant von einer MG-Garbe erfaßt worden, als er, nachdem die ersten Schüsse bereits gefallen waren, in einer kurzen Feuerpause versuchte, den Eingang des Stabsgebäudes zu erreichen.

Mord kann man das wohl nicht nennen, es sei denn, man bezeichnet das gegenseitige Umbringen unter Kameraden ingesamt als Mord!"

"Richtig", stimmte Seller zu, "und außerdem vorausgesetzt, die dir gegebene Darstellung des Vorganges entspricht der Wahrheit!"

"Der Wahrheitsgehalt wird schwerlich zu überprüfen sein - doch was ist deine nächste Frage?"

Seller überlegte ein paar Augenblicke. Die endgültige Gewißheit über den Tod des Leutnants hatte ihn verwirrt. Schließlich sagte er: "Meine nächste Frage muß nun leider den Ort und Zeitpunkt der Beerdigung betreffen. Meine Kameraden und ich möchten daran teilnehmen! Kannst du das sicherstellen?"

"Ich werde mein möglichstes tun", versprach der Ratsvorsitzende. Seller fand diese Antwort unbefriedigend, mußte sich aber damit zufriedengeben. "Und nun zur letzten Frage. Aus welchem Grund ist es zu dieser Schießerei gekommen? Wer hat damit begonnen, und welcher Zweck sollte damit erreicht werden?"

"Mit dieser Frage nähern wir uns dem Kern meines Problems, und damit auch den Zusammenhängen, die mich veranlassen, mit dir ein über dein Anliegen hinausgehendes Gespräch zu führen. Ich habe mich dazu spontan entschlossen, als ich vorhin deine Ansichten hörte und die Art und Weise deines Auftretens beobachtete. Doch ehe ich mich in der Lage sehe, gewisse delikate, politische Verknüpfungen und personelle Interna vor dir auszubreiten, muß ich noch ein paar Fragen an dich richten, die deine politischen Bindungen betreffen.

Der "Landstürmer" sah eine Weile sinnend vor sich hin, ehe er fortfuhr: "Aufgrund deiner, seit längerem bestehenden Mitgliedschaft in der SPD, kann ich wohl schlußfolgern, daß du auch jetzt noch der politischen Linie der SPD mehr zuneigst, als den Vorstellungen der Radikalen; - dafür sprechen auch deine vorhin gemachten Äußerungen. Liege ich mit meiner Einschätzung richtig?"

"Das kann man wohl sagen."

Er sann wieder eine Weile nach; dann streckte er Seller seine rechte Hand entgegen und sagte: "Ich heiße Brauer, Franz Brauer."

"Und mein Name ist Herbert Seller."

"Hättest du etwas dagegen, wenn wir uns, als alte Parteigenossen, mit Vornamen anreden? Das ergäbe eine persönlichere Atmosphäre und würde mir manches, was ich noch zu sagen beabsichtige, leichter von der Zunge gehen lassen."

Seller hatte, da das 'Du' ohnehin, sowohl im Kameradenkreis als auch unter Genossen üblich war, gegen diesen Vorschlag keine Einwände. "Einverstanden", sagte er. Brauer nickte befriedigt.

"Gut - und nun will ich ganz offen mit dir reden. Einmal, weil das nötig ist, damit du die Vorgänge von heute früh richtig verstehst, und zum anderen, weil ich nur so den Vorschlag, den ich dir unterbreiten möchte, eingehend begründen kann. Ich muß etwas ausholen", schickte Brauer voraus, "denn die heutige Schießerei hat natürlich Hintergründe. Die Ursachen, die zur Matrosenmeuterei vom 29. Oktober geführt haben, will ich allerdings jetzt außer Betracht lassen, sondern lediglich auf die damit verbundene Bildung von Arbeiter- und Soldatenräten kurz eingehen. Damals zeichneten sich bereits Einflüsse ab, die uns Sozialdemokraten hätten veranlassen müssen, deren Unterwanderung durch Radikale zu verhindern, oder eigene, eindeutig auf die Politik unserer Partei festgelegte Räte zu bilden. Natürlich wäre dazu vor allem eine entschiedene Stellungnahme und Anweisung unserer Parteispitze nötig gewesen. Dies ist leider nicht geschehen; andere Versäumnisse liegen noch weiter zurück. Diese Unterlassungen insgesamt sind es jedoch, die zu der gegenwärtig chaotischen Form von Revolution, und im besonderen zur jetzigen Situation in den Arbeiter- und Soldatenräten geführt haben.

Die dadurch eingetretenen, ungeordneten Verhältnisse ermöglichten es auch, die heutige Schießerei herbeizuführen; - und sie werden es auch sein, die uns, wenn nicht alles täuscht, einen längeren Bruderkrieg bescheren werden, der zu einem beträchtlichen Teil innerhalb des sozialistischen Lagers stattfinden wird! Die Fronten der A- und S-Räte sind nämlich nicht ausschließlich gegen die Vertreter des kapitalistischen Klassensystems gerichtet, sondern sie laufen quer durch die Räte. Deshalb wird bereits mit Waffengewalt um die Vorherrschaft in den Räten gekämpft. Die heutigen Vorkommnisse in der Kaserne waren ein solcher Versuch!

Delegierte der Unabhängigen, des radikalen Gewerkschaftsflügels, und der Spartakisten, haben ihn inszeniert; wäre er in vollem Umfange geglückt, so säße ich nicht mehr hier, und die Kaserne wäre in der alleinigen Gewalt der Radikalen. Wahrscheinlich wäre damit eine entscheidende Bresche in die Reihen jener Kräfte in Berlin geschlagen worden, die sich, trotz aller Konfusion, die in ihren politischen Vorstellungen herrscht, immer noch für den Ablauf der Revolution in vernünftigen Bahnen einsetzen."

"Es ist scheinbar eine unausrottbare Meinung revolutionärer Massen und Möchtegernführer, daß zunächst ein Chaos angerichtet, möglichst viel zerstört und an Werten vernichtet werden müsse, ehe sie mit dem 'Aufbau des Neuen' beginnen könnten; obwohl sich schon längst erwiesen hat, daß dies in der Regel erst nach mühseliger Wiedererrichtung des zuvor Niedergestampften möglich ist", warf Seller ein.

"Damit hast du leider recht", stimmte Brauer zu und nahm seinen Faden wieder auf. "Heute haben wir Schlimmeres nur verhüten können, indem wir den Radikalen Konzessionen machten. Einer von denen im anderen Zimmer", er deutete zur Tür des Nebenraumes, "ist mir von den Unabhängigen, der andere von den Spartakisten, zur 'ständigen Unterstützung', das heißt als Kontrolleure, beigegeben worden; nur der Ältere liegt noch auf unserer Linie.

Zwar haben wir im erweiterten Rat noch eine schwache Mehrheit, doch sobald zwei Truppenteile ein paar gemäßigte Delegierte zurückziehen und durch radikale Hitzköpfe ersetzen, ist sie dahin. Wir dürfen auch nicht einen einzigen Schritt weiter zurückweichen! Im Gegenteil! Jetzt beginnt der Wettlauf um die entscheidenden Positionen in der Reichshauptstadt! Jetzt gilt es zu retten, was noch zu retten ist! Und jetzt kommt meine Frage, um derentwillen ich diese vorbereitenden und begründeten Ausführungen gemacht habe:

Willst du unserer in Regierungsverantwortung stehenden Partei, unseren Genossen Ebert, Scheidemann und allen, die unmittelbare Verantwortung tragen, helfen das endgültige Chaos zu verhindern? Das heißt konkret: Willst du mich, und unsere Delegierten im Soldatenrat, aktiv unterstützen und einen persönlichen Beitrag leisten, um zu verhindern, daß sich Vorkommnisse wie heute morgen wiederholen?"

Seller war mehr als überrascht, er befand sich plötzlich in einer Lage, die er noch vor einer halben Stunde nicht hatte erahnen können. Zudem vermochte er sich kein Bild zu machen, auf welche Weise dies geschehen sollte. Er antwortete deshalb:

"Natürlich bin ich grundsätzlich dazu bereit, doch vermag ich nicht zu sehen, wie ich das im Rahmen meiner sehr beschränkten Möglichkeiten tun könnte."

"Nun, da du deine prinzipielle Bereitschaft erklärt hast, will ich meinen Vorschlag weiter konkretisieren. Ich möchte dir die Aufgabe übertragen, mit deinen Kameraden als Kern, einen Ordnungs- und Sicherheitsdienst aufzubauen, der für die Aufrechterhaltung eines Mindestmaßes an Disziplin sorgt, und Übergriffe jeder Art nach Möglichkeit verhindert. Mit unserer noch vorhandenen Mehrheit im Rat, würde ich deine Beauftragung durchsetzen können."

Sellers Gesichtsausdruck ließ Bedenken ahnen. Deshalb stieß Brauer sofort nach: "Du bist Vice, kannst also organisieren und führen, du verfügst über persönlichen Schneid, wie die beiden Eisernen Kreuze an deinem Rock beweisen, du vermagst dich durchzusetzen, das hat dein Auftritt vorhin im Nebenzimmer gezeigt, und vor allem, du bist verantwortungsbewußt und zuverlässig. Einen geeigneteren Mann als dich, kann ich mir für die vorgesehene Aufgabe nicht vorstellen."

"Die hohe Meinung, die du von mir hast, ehrt mich - ich selbst schätze mich übrigens bescheidener ein - doch sehe ich keine Möglichkeit, dein Angebot zu akzeptieren. Ich will meine Ablehnung gleich begründen. Du hast augenscheinlich nicht bedacht, daß ich noch eine Aufgabe im Rahmen meines Regiments zu erfüllen habe! Meine Kameraden im Osten warten auf Nachschub, - sie sollen nicht vergeblich warten. Sobald das restliche, für unser Regiment bereitstehende Gerät verladen und auf den Weg gebracht, sobald auch die Beerdigung unseres Leutnants vorüber ist, werde ich mit meinen Kameraden zum Regiment zurückkehren."

Als Brauer zu einem Einwurf ansetzte, sagte Seller schnell: "Ich bin noch nicht fertig", und fuhr fort, "wir haben noch keinen Waffenstillstand, das Ergebnis der gegenwärtig mit diesem Ziel laufenden Verhandlungen wird wesentlich davon abhängen, ob das Frontheer, zumindest bis zu deren Abschluß, verteidigungsfähig bleibt. Du hast vorhin von der Notwendigkeit gesprochen, ein Chaos zu vermeiden, - Ordnung kann man aber nur aufrechterhalten, wenn jeder auf dem Platz, auf den er gestellt wird, seine Pflicht tut.

Frieden, Abschaffung der Klassengesellschaft, Errichtung einer gerechten Sozialordnung, - alles gut und schön, doch werden wir nichts von dem erreichen können, wenn wir unsere nationalen Belange nicht wahren, sondern durch tätige oder untätige Mithilfe, die imperialistischen Kriegsgegner in die Lage versetzen, uns einen Ausbeutungsfrieden zu diktieren! Mein Platz ist in der gegenwärtigen Situation, wie bisher, in meinem Regiment!"

Brauer schien beeindruckt zu sein, denn es dauerte eine Weile, ehe er zu Sellers Ausführungen Stellung nahm. In nachdenklicher Manier sagte er: "Ich wollte dich nicht zur Untreue gegenüber deinen Prinzipien verleiten. Vielmehr ging ich, von einer anderen Beurteilung der gegebenen Lage aus. Ich hielt und halte es für völlig ausgeschlossen, daß sich dir heute noch eine einzige Hand zur Verfügung stellt, um das Nachschubgerät zu verladen. Es wird dir auch kein Transportraum von der Bahn bereitgestellt werden! Die revolutionäre Situation in Berlin hat sich über Nacht grundlegend geändert, - was gestern noch möglich schien, ist heute gänzlich ausgeschlossen!

Du beurteilst die Lage nach einem Informationsstand, der von den Ereignissen überholt worden ist; ich dagegen habe meine Hand direkt am Puls der Revolution, und fühle auch, wie das Fieber steigt. Versäumnisse haben wir schon übergenug begangen; mein an dich gerichteter Vorschlag erfolgte in dem Bestreben, endlich einmal aus dem Zustand des Reagierens heraus zu kommen und im Rahmen meiner Möglichkeiten, entwicklungsbestimmend zu wirken!"

Jetzt war es Seller, der nachdenklich dreinschaute.

"Franz", sagte er, und benutzte erstmalig den Vornamen des anderen, "deine Argumente würden es mir gewiß leichter machen, mich im Sinne deines Vorschlages zu entscheiden, wenn die Situation zu einer solchen Entscheidung eindeutig gegeben wäre. Doch das ist nicht der Fall! Und auch um meiner Selbstachtung willen muß ich weiterhin den Versuch machen, den mir von meinem Regiment übertragenen Auftrag zu erfüllen. Sollten sich dem unüberwindliche Hindernisse in den Weg stellen, so werde ich morgen früh hier sein, um dir eine Antwort zu geben."

"Gut, Herbert", gab Brauer sich widerstrebend zufrieden, "ich achte deinen Entschluß, und hoffe, deine Antwort wird eine zustimmende sein."

Als Seller seinen Mantel anzog, riet Brauer: "Herbert, du würdest dir sicher Schwierigkeiten, oder gar Schlimmeres ersparen, wenn du deine Auszeichnungen und Rangabzeichen ablegen würdest. Sie wirken auf Primitivrevolutionäre und Etappenkrieger wie rote Tücher auf Hornvieh."

"Noch besteht das deutsche Heer, noch ist es eine legitime Institution des Reiches, noch bin ich ein Angehöriger der deutschen Armee, und ich habe nicht den geringsten Grund, mich der Zeichen zu entledigen, die meinen mit höchstem Lebensrisiko verbundenen Einsatz für Volk und Reich bezeugen! Was wäre das für eine `neue Ordnung', in der man sich opferbereiten Kämpfens für Volk und Gemeinwesen schämen müßte? Daß du an mich ein solches Ansinnen stellst, nehme ich dir nur deshalb nicht übel, weil dies, deine Worte beweisen es, ein Ausdruck von Besorgnis ist. Doch sagtest du vorhin nicht, es müsse endlich Schluß sein mit dem Zurückweichen? Soll ich das jetzt tun, gegenüber wie du selbst sagtest, Primitivrevolutionären und Etappenkriegern - Etappenkriechern wäre noch treffender gewesen -, sollen die etwa in Deutschland bestimmen, was gut, wertvoll und richtig ist?"

"Nein, das sollen sie nicht; - doch auch die Kugel aus dem Gewehr eines Drückebergers, Dummkopfes oder Feiglings kann tödlich sein!"

"Ich weiß, du meinst es gut, Franz", Seller reichte Brauer die Hand zum Abschied, und sagte abschließend: "Das Gespräch mit dir war mir eine Beruhigung; - wenn auch der Anlaß ein trauriger war und das darauf bezogene Ergebnis ein bedrückenes bleibt!"

*

In der Baracke wurden der Leutnant und Seller mit Ungeduld und wachsender Sorge erwartet. Als Werfels wieder einmal aus dem Fenster schaute und Seller allein kommen sah, beschlich ihn eine böse Ahnung. "Herbert kommt allein zurück", informierte er Bering. Der kam sofort zum Fenster gestürzt, überzeugte sich und sagte:

"Tatsächlich! Was mag mit dem Leutnant geschehen sein?"

"Das werden wir gleich erfahren." Von Unruhe getrieben gingen sie Seller bis zum Eingang der Baracke entgegen. "Wo bleibt denn der Leutnant?!"

"Tot! Erschossen!", sagte Seller. In der Stube zog er das Brillengestell aus der Tasche und legte es kommentarlos auf den Tisch. Werfel nahm es auf, betrachtete es und fragte schließlich: "Wo hast du es her?"

"Ich habe es neben einer Lache seines Blutes am Eingang des Stabsgebäudes gefunden." Nach diesen Worten zog Seller seinen Mantel aus, warf ihn achtlos auf sein Bett und ließ sich auf einem der am Tische stehenden Stühle nieder. Er fühlte sich plötzlich niedergeschlagen und stützte seinen Kopf, mit beiden Händen, auf die Tischplatte.

"Mein Gott, dann haben nur wenige Meter gefehlt, nur ein paar Schritte, und er wäre in Sicherheit gewesen!", meinte Bering.

"Vielleicht", sagte Seller zweifelnd, weil er immer noch argwöhnte, der Hergang könnte anders abgelaufen sein, als Brauer berichtet worden war.

"Hast du die Leiche des Leutnants gesehen?"

"Nein", antwortete Seller, seine Hände vom Kopf nehmend. "Alles was ich über den Vorfall weiß, hat mir der Vorsitzende des Soldatenrates erzählt."

"Du warst beim Soldatenrat?", fragte Bering erstaunt, und nicht ohne Mokanz.

"Das hast du doch eben gehört", sagte Werfels etwas gereizt, weil Bering dabei einen leicht spöttischen Ton angeschlagen hatte.

"Ich fragte ja nur noch einmal, weil Herbert bisher nicht viel von diesen Räten gehalten hat, sondern der Meinung war, sie würden mehr Unsinn als vernünftige Dinge produzieren", verteidigte Bering sich.

"Dieser Meinung bin ich jetzt sogar noch mehr als zuvor", bekräftigte Seller, "dies ändert jedoch nichts an der Qualifikation des Ratsvorsitzenden, und noch weniger an der Tatsache, daß ich allein dort eine verbindliche Auskunft über den Verbleib des Leutnants erhalten konnte."

"Und was wurde dir dort gesagt?", forschte Werfels.

"Wir haben ein recht ausführliches Gespräch geführt, doch den gesamten Inhalt möchte ich jetzt nicht wiederholen, das würde zu weit führen. Ich werde mich daher auf das Wesentlichste beschränken", erklärte Seller.

Als er seine Darstellung beendet hatte, sagte Werfels:

"Ist es nicht tragisch, daß der Leutnant in der Heimat, für die er jahrelang Leben und Gesundheit riskiert hat, den Tod durch eine deutsche Kugel finden mußte?", er schüttelte voller Unverständnis seinen Kopf.

Eine Weile hing jeder seinen Gedanken nach. Dann fragte Bering:

"Was machen wir jetzt, nachdem der Leutnant tot ist?"

"Wir tun, was wir in solchen und ähnlichen Fällen an der Front getan haben", sagte Werfels in einem Ton, der seiner Verwunderung darüber Ausdruck verlieh, daß Bering eine solche Frage überhaupt gestellt hatte. Für ihn gab es nur eine absolut selbstverständliche Antwort, nämlich: "Der nächsthöchste Dienstgrad übernimmt das Kommando, und jeder erfüllt weiterhin die Aufgabe, die ihm gestellt wird!"

"Bist du etwa plötzlich anderer Meinung?", wandte Seller sich an Bering.

"Nein, nein", versicherte der Jüngere, "wieso denn?"

"Eben, wieso denn", sagte Seller, "und deshalb wollen wir uns jetzt um die Verladung der letzten Nachschubgüter kümmern. Das ist auch ganz im Sinne der Anweisungen, die der Leutnant uns heute morgen, während der Besprechung, erteilt hat. Heute abend werden wir sehen, wie weit wir gekommen sind. Allerdings", er unterbrach sich, dachte einige Augenblicke nach, und wandte sich an Werfels, "allerdings könntest du dich zunächst um die Privatsachen des Leutnants kümmern, je früher das geschieht, um so besser. Sieh' zu, daß du im Sanitätsrevier die privaten Dinge, die er bei sich getragen hat, ausgehändigt erhältst. Laß' dir darüber einen Auslieferungsschein geben, und stell' der Sanitätsdienststelle eine Empfangsbestätigung aus. Danach durchsuchst du sein Zimmer nach privaten Gegenständen. Wir werden die Sachen zusammenpacken und seiner Familie schicken. Einen begleitenden Brief werde ich heute abend schreiben. Hast du noch eine Frage dazu?"

"Nein, es ist alles klar."

Danach wandte er sich an Bering: "Kurt, du gehst ins Gerätelager und überzeugst dich, ob die restlichen Kisten ordnungsgemäß verpackt und beschriftet worden sind. Vergewissere dich auch, ob die neue Feldküche nun endlich bereitgestellt worden ist, und kontrolliere die Vollzähligkeit der Verladepapiere!"

Nach diesen Anweisungen gab er sein eigenes Vorhaben bekannt:

"Ich selbst werde mich um Transportraum und um eine Verlademannschaft bemühen", sagte er kurz, als sei trotz der zu erwartenden Widersätzlichkeiten, darüber kein weiteres Wort zu verlieren. "Um drei Uhr treffen wir uns hier in der Baracke, um noch verbleibende Aufgaben aufeinander abzustimmen."

Die Erwähnung der Feldküche hatte Seller daran erinnert, daß es Mittagszeit geworden war. Er verspürte zwar keinen Hunger, doch verlangten seine Kameraden wahrscheinlich nach einer Mahlzeit. Dem Rechnung tragend sagte er: "Ehe wir ans Werk gehen, wollen wir sehen, ob wir in der Kantine etwas zu Essen kriegen; hoffentlich hat die Schießerei nicht dazu geführt, daß die Verpflegungsausgabe unterbleibt!"

"Das glaube ich nicht", meinte Werfels, "auch Meuterer haben Hunger!"

*

Als die drei sich zur verabredeten Zeit wieder trafen, fand Seller alle Befürchtungen bestätigt, die Brauer am Morgen geäußert hatte. Von einem auch nur einigermaßen geregelten Dienstbereich konnte keine Rede mehr sein. Niemand war gewillt, für die Fronttruppen noch einen Finger zu rühren. Bering war wegen seines Bemühens als 'Kriegsverlängerer' beschimpft worden. Seller selbst war fast überall auf verschlossene Türen gestoßen; jeder tat, was er wollte. "Die Freiheit", wie die Masse sie verstand, hatte auch in der Kaserne von Moabit ihren Einzug gehalten!

Nur Werfels hatte die ihm gestellte Aufgabe mit gewohnter Gewissenhaftigkeit erledigen können. Er hatte die privaten Habseligkeiten des Leutnants sogar bereits in einen kleinen Pappkarton, den er in der Kantine aufgetrieben hatte, zum Versand bereit gelegt. Allerdings hatte auch er eine, sie alle äußerst enttäuschende Mitteilung zu machen: Uhr, Geldbörse und Ring des Toten waren verschwunden gewesen! Unter dem Deckmantel der "Wahrnehmung revolutionärer Obliegenheiten" war Leichenfledderei betrieben worden! Die "Unauffindbarkeit" der Gegenstände war auf dem Auslieferungsschein der übrigen Gegenstände mit Unterschrift und Dienstsiegel bestätigt.

"Diese verdammten Weltverbesserer!", schimpfte Werfels, mit einem galligenTon in der Stimme.

Seller sah sich, unter dem Eindruck der eben zu seiner Kenntnis gelangten Ungeheuerlichkeit, außerstande, dem verallgemeinernden Urteil Werfels zu widersprechen.

So bezeichnend für die eingerissene Disziplinlosigkeit und den Wandel, der unter den roten Fahnen, in den unteren Etagen der Revolution, stattgefunden hatte, auch sein mochte, - die entscheidenden Veränderungen, die an diesem Tage erfolgt waren, ergaben sich aus einem Flugblatt, das Bering unterwegs in die Hand gedrückt worden war. Das zog er jetzt aus seiner Tasche, entfaltete es und hielt es den anderen entgegen. In fetten Lettern und in schlagzeilenartiger Kürze stand zu lesen:

Der Kaiser hat abgedankt!

Scheidemann erklärt Deutschland zur Republik!

Das Volk hat auf der ganzen Linie gesiegt!!

Wortlos sah Seller von einem zum anderen; dann gingen seine Augen wieder zurück auf das Flugblatt, als ob er sich vergewissern wolle, daß er sich nicht getäuscht habe.

"Ob das wahr ist?", fragte Werfels, nach einem tiefen Atemzug, der verriet, wie betroffen er war.

"Ich weiß das so wenig wie du", antwortete Seller, "die ersten beiden Meldungen mögen stimmen; - doch die letzte Behauptung ist ganz bestimmt unzutreffend! Wenn dieser angebliche Sieg sich im übrigen Reich in ähnlicher Weise darstellt, wie hier in der Kaserne, dann kann ich nur sagen: Armes Deutschland!"

"Vielleicht siehst du zu schwarz", meinte Bering, "es kann ja sein, daß Deutschland jetzt, nachdem der Kaiser weg ist, bessere Waffenstillstandsbedingungen erhält und später einen vernünftigen Frieden erreichen kann?!"

"Du bildest dir doch nicht etwa ein, die Feindkoalition habe den Krieg gegen Kaiser Wilhelm geführt?", fragte Werfels.

"Wem ihr Kampf wirklich galt werden sie uns so nachdrücklich klar machen, daß es auch für den letzten Angehörigen unseres Volkes nicht den geringsten Zweifel mehr geben wird!", prophezeite Seller.

Werfels assistierte: "Dann werden auch jene Radikalen aufwachen, die jetzt ihren Amoklauf mit der Behauptung zu rechtfertigen suchen: `Der Feind steht im eigenen Land, der Feind steht rechts!'

"Wer bestimmt jetzt eigentlich in Deutschland, nachdem der Kaiser abgedankt hat?", wollte Bering wissen.

"Das ist eine Frage, die dir wahrscheinlich niemand exakt beantworten kann", meinte Seller. "Die Regierung war schon seit September nicht mehr völlig Herr der Lage; dafür haben die Streikenden, die Meuterer, und vor allem jene Demagogen gesorgt, die ihnen den Weg der Pressionen und der Gewalt gewiesen haben."

"Sie haben Regierung und Heeresleitung unter Zugzwang gesetzt, haben sie zu einem Kampf an zwei Fronten, einer äußeren und einer inneren, genötigt. In Deutschland 'bestimmt' niemand mehr, sondern streiten sich rivalisierende Klüngel."

"Die einzig noch funktionierende Institution des Reiches scheint das Frontheer, in der Hand der Obersten Heeresleitung, zu sein", meinte Werfels.

"So hat es den Anschein", schränkte Seller, unter dem Eindruck der Ereignisse des heutigen Tages stehend, ein, "doch auch, wenn dies noch zutrifft, und die Funktionstüchtigkeit des Frontheeres noch einige Zeit erhalten bleibt, werden Heeresleitung und Frontheer kaum weiterhin in der Lage sein, wie bisher, Voraussetzungen für akzeptable Lösungen, auf dem außenpolitischen Sektor zu gewährleisten. Die Entwicklung im Inneren wird ihr Bemühen zunichte machen. Es bleibt daher nur zu hoffen, daß zurückkehrende Fronttruppen und die Heeresleitung die innenpolitische Situation wieder bereinigen können, und sie dabei Unterstützung von dem Gemäßigten um Ebert erhalten!

"Wieso nimmst du das an?", fragte Bering, "die Revolution richtet sich doch zu einem guten Teil auch gegen die militärische Führung; wer soll denn daran denken, ihr maßgeblichen Einfluß auf die neue Ordnung einzuräumen?"

"Alle, die bereits erkannt haben, daß man mit Unterminierung von Autorität und Disziplin zwar eine Ordnung leicht zum Einsturz bringen, mit disziplinlosen Meutererhaufen aber keine neue aufbauen kann, und ohne intakte Exekutivorgane noch nicht einmal die eigene Führungsposition im revolutionären Getriebe zu behaupten in der Lage ist."

"Das leuchtet ein", meinte Werfels.

Solche und ähnliche Gespräche kennzeichneten den weiteren Verlauf des Tages in dem Barackenzimmer. Vermutungen und Erklärungsversuche auf der Basis unzureichender Informationen, führten zu Konfusion und Bedrücktsein. Hinzu kam die Ahnung, die Hekatomben von Opfern, die an den Fronten gebracht worden waren, könnten vollkommen vergeblich gewesen sein. Dieses dunkle Empfinden, zusammen mit den Gedanken an die Toten, die jetzt noch, in der Heimat, auf dem Altar einer höchst stümperhaft in Szene gesetzten Revolution geopfert wurden, legten sich beklemmend auf die Gemüter der drei. Sie fühlten, die Nacht, die ihnen bevorstand, würde lastend und lang sein.

Am nächsten Morgen wurde Seller in den Räumen des Soldatenrates von dem dicklichen Spartakisten begrüßt, der ihn am Vortage so inquisitorisch befragt hatte. In einem Ton, der sich von dem gestern angeschlagenen merklich unterschied, sagte er: "Na da bist du ja endlich. Genosse Brauer erwartet dich bereits."

Im Nebenzimmer streckte Brauer ihm erfreut die Hand entgegen: "Fein, daß du gekommen bist, Herbert. Leg' ab und setz' dich!"

Während Seller dieser Aufforderung entsprach, versuchte Brauer eine noch geschlossene Zigarettenpackung zu öffnen. Da ihm dies mit einer Hand nicht sofort gelang, wartete er, bis Seller sich ihm zuwandte. Er hielt ihm das Päckchen entgegen und sagte:

"Eine für dich und eine für mich; und wenn du Streichhölzer hast, kannst du mir gleich Feuer geben!"

Als die Zigaretten brannten, fragte Brauer: "Nun, Herbert? Wie hast du dich entschieden?"

"Ehe ich dir darauf endgültig antworte, möchte ich dir ein paar Vorkommnisse schildern, mit denen meine Kameraden und ich gestern, nachdem ich dich verlassen hatte, konfrontiert worden sind. Sie und die Ausrufung der Republik haben uns veranlaßt, über die gegenwärtige Lage noch gründlicher nachzudenken als bisher. Dieses Nachdenken hat zu Fragen und Vorbehalten geführt, die ich erst beantwortet, beziehungsweise ausgeräumt sehen möchte. Die völlig veränderte Situation hat auch eine andere Entscheidungsgrundlage geschaffen; ich hoffe daher, du verstehst, wenn ich dir heute nicht mehr auf der Basis unseres Gespräches von gestern antworten kann."

Seller schilderte zunächst sein und seiner Kameraden erfolgloses Bemühen, die ihnen übertragene Nachschubaufgabe doch noch zu erfüllen; und er berichtete natürlich auch von der verübten Leichenfledderei. Brauers Reaktion auf die vergeblichen Bemühungen waren von relativem Gleichmut getragen; er hatte nichts anderes erwartet. Doch die Beraubung der Leiche löste Empörung aus.

"So eine Schweinerei!", kommentierte er erregt. "Welch' ein Tiefstand! Natürlich spült die Revolution den Bodensatz der Gesellschaft hoch, - auch im Heer; das Heer ist ja nichts anderes als ein Teil der Gesellschaft!"

Brauer zog ein paar Mal hastig an seiner Zigarette, um seine Erregung zu dämpfen. Dann sagte er: "Dieser Vorfall sollte ein weiterer Anlaß sein, dich von der dringenden Notwendigkeit eines Ordnungsdienstes zu überzeugen, und dich dazu zu bewegen, meinen Vorschlag zu akzeptieren!"

Seller blickte nachdenklich, ehe er sagte: "Über die Notwendigkeit eines solchen Dienstes besteht kein Zweifel; doch das ist nur die eine Seite der Medaille. Ich aber muß auch die andere betrachten, - und auf der steht noch immer mein Regiment, dem ich nach wie vor in erster Linie verpflichtet bin!"

"Lieber Herbert", entgegnete Brauer, "du gehst immer noch von falschen Voraussetzungen aus! Gestern Abend hat im Reichstag eine Versammlung der Vertreter der radikalen Arbeiter- und Soldatenräte von ganz Berlin stattgefunden. Sie haben Beschlüsse gefaßt, die eine Realisierung deines Vorhabens gänzlich unmöglich machen! Diese Beschlüsse werden eine Signalwirkung im übrigen Reich ausüben! Weißt du, auf welcher Nebenstrecke die Transportzüge deines Regiments liegen geblieben, wohin sie umgelenkt worden sind? Willst du es wochenlang zwischen Ostsee und Karpaten suchen? Glaubst du, du würdest deine Truppe noch vor ihrer Auflösung finden? Begreif doch endlich, daß du keine Fahnenflucht begehst, wenn du dich unserem Land an anderer Stelle, mit anderen als den bisherigen Aufgaben, zur Verfügung stellst!"

Seller war nach diesen Vorstellungen unsicher geworden. "Brauer hat wahrscheinlich recht", dachte er, doch bevor er sich entscheiden konnte, waren noch andere, wichtige Fragen zu klären. Er sagte deshalb: "In einer undurchsichtigen, politischen Situation, wie der jetzigen, kann man auch mit im Grunde positiv erscheinenden Maßnahmen Kräfte in den Sattel heben, die und deren Ziele man ablehnt. Ich möchte daher erst Klarheit darüber erlangen, ob unsere Partei, ob Ebert und die anderen führenden Genossen gewillt sind, den Spartakisten und Unabhängigen entscheidende Konzessionen zu machen.

Würde dies zutreffen, so wäre nämlich eine gewisse Parallele zu den Ausgangspositionen gegeben, die den Verlauf der russischen Revolution vorzeichneten und die Machteroberung der Bolschewisten ermöglichten. Das Schicksal der Kerenski-Regierung und der Menschewisten, die Gefahr, von den Radikalen handstreichartig übertölpelt zu werden, würden mich, falls sozialdemokratische Konzessionsbereitschaft gegenüber den Spartakisten bestehen sollte, davon abhalten, mich zur Stützung einer solch' unheilschwangeren Allianz zur Verfügung zu stellen."

"Ich glaube diesbezüblich brauchen wir uns keine Sorgen zu machen", meinte Brauer. "Mit den Spartakisten werden wir niemals ein Bündnis eingehen! Vielleicht werden wir gezwungen sein, mit den Unabhängigen und den Radikalen in den Gewerkschaften enger als bisher zusammenzuarbeiten, - doch das Ausmaß, in dem wir das gegebenenfalls tun müßten, wird zu einem wesentlichen Teil davon abhängen, inwieweit wir dazu gezwungen werden, indem unsere Reihen sich lichten und qualifizierte Genossen sich dem gemäßigten, auf Konsolidierung bedachten Lager verweigern."

Brauer machte eine Pause, um Seller Gelegenheit zu einer Stellungnahme zu geben. Als dieser jedoch schwieg, fuhr er fort:

"Sollte uns hingegen, außer der Behauptung unserer bisherigen Positionen, die Hinzugewinnung weiterer gelingen, so werden wir es noch nicht einmal nötig haben, den Unabhängigen und Gewerkschaftsradikalen bedeutende

Zugeständnisse zu machen. Du siehst also, hier ist jeder aufgefordert, und trägt jeder durch sein Verhalten dazu bei, den weiteren Verlauf des Geschehens, so oder so, zu bestimmen!"

"Deine Argumente klingen logisch, Franz. Aber wer garantiert uns, daß in der Parteiführung ebenso gedacht und vor allem folgerichtig gehandelt wird? Nach den Fehlleistungen der vergangenen Wochen und Monate habe ich diesbezüglich stärkste Zweifel!"

"Du bist sehr skeptisch, wenn ich auch zugestehen muß, nicht unbegründet. Doch wer könnte dir eine Auskunft über die taktische Linie unserer Partei geben, wer eine Zusage über die Grenzen eventueller Kompromißbereitschaft machen, die in deinen Augen Verbindlichkeit besitzt? Ich bin mit meinem Latein am Ende! Und natürlich bin ich auch nicht kompetent genug. Um deine Bedenken zu beseitigen, müßtest du mit einem Mitglied des Parteivorstandes oder mit einem unserer Reichstagsabgeordneten sprechen."

"Eine gesunde Skepsis ist immer gut, - in einer Zeit wie der jetzigen aber doppelt geboten. Dennoch würde ich einem Genossen vertrauen; er ist Reichstagsabgeordneter und mir seit meiner Jugend gut bekannt. Doch wer weiß, wo er sich jetzt aufhält."

"Wie heißt denn dieser Genosse?", fragte Brauer höchst erstaunt und interesssiert.

"Cohnen, Oswald Cohnen!"

"Der Genosse Cohnen aus Halle?", frage Brauer noch einmal, um ganz sicher zu sein.

"Ja, Oswald Cohnen aus Halle", bestätigte Seller, über das in Sprechweise und Miene Brauers zum Ausdruck kommende, überdurchschnittliche Interesse verwundert. Die Erklärung für Brauers zunächst merkwürdig anmutende Gespanntheit ergab sich aus dessen folgenden Worten:

"Cohnen zu sprechen, dürfte unter den Voraussetzungen, die bei dir vorliegen, kein Problem sein! Er ist in Berlin und leitet augenblicklich im Schloß 'Unter den Linden' einen unserer Koordinationsstäbe!" Brauer war offensichtlich erfreut, Seller diese Mitteilung machen zu können.

In diesem Augenblick läutete auf Brauers Schreibtisch das Telefon. Er nahm den Hörer, meldete sich und hörte mit wechselndem Gesichtsausdruck zu, was der andere Gesprächsteilnehmer zu sagen hatte. Nur ab und zu steuerte er ein "Wann?", "Wer", "Aha!", "Klar!" oder eine ähnliche kurze Bemerkung zu der Unterhaltung bei. Zum Schluß sagte er: "Gut, ich werde das Notwendige veranlassen, und mit Sicherheit selbst daran teilnehmen. Übrigens, weißt du, ob Genosse Oswald Cohnen dabei sein wird? - "Ach so", - "Das ist erklärlich!" - "Nein, das war alles."

Nachdem er den Hörer wieder aufgelegt hatte, sah er Seller bedeutungsvoll an, ehe er sagte: "In diesenTagen erfährt man manches überhaupt nicht, anderes erst nach Verzögerung, einiges aber Gottlob doch rechtzeitig genug, um noch Maßnahmen einleiten zu können, die geeignet erscheinen, den Gang des Geschehens zu beeinflussen. Eben wurde mir mitgeteilt, Max von Baden sei gestern zurückgetreten, und habe Ebert die Wahrnehmung der Kanzlerschaft übertragen. Formalrechtlich wäre das natürlich ein Unding, - aber was bedeutet während einer Revolution der Begriff 'Recht' überhaupt?

Jedenfalls ist Friedrich Ebert seit gestern praktisch der erste Mann im Staate, - das kann uns nur freuen. Allerdings scheinen die Ereignisse sich jetzt in Richtung auf eine harte Auseinandersetzung zwischen SPD und USPD zuzuspitzen; jede möchte die neue Regierung nach ihren Vorstellungen bilden! Die Unabhängigen haben für heute Mittag eine Versammlung der radikalen A- und S-Räte im Zirkus Busch einberufen; unsere Partei hat zur gleichen Zeit ein Treffen der gemäßigten Räte im Haus des 'Vorwärts' angesetzt. Was bei beiden herauskommt, ist natürlich ungewiß.

Genosse Cohnen, so wurde mir eben gesagt, unterstützt Otto Wels in dem Bemühen, eine offene Konfrontation zu vermeiden. Wels will man übrigens die Befehlsgewalt über sämtliche in Berlin befindlichen Truppen übertragen. Cohnen ist bereits dabei, mit einem Arbeitsstab vorbereitende Maßnahmen in die Wege zu leiten. Um gegebenenfalls rasch realisierende Schritte unternehmen zu können, wird er nicht, wie Wels, am Treffen im "Vorwärts"-Gebäude teilnehmen, sondern im Schloß bleiben, - und dort wirst du ihn auch, mit etwas Glück, erreichen können. Dies kurz zu deiner Information."

"Danke, Franz! Angesichts der abermals veränderten Situation und der sich anbahnenden Entwicklung erscheint mir ein Gespräch mit Cohnen noch notwendiger als zuvor. Wenn du nichts dagegen hast, werde ich dich jetzt verlassen und mich schnellstmöglich um die Unterredung bemühen."

"In Ordnung, Herbert! Dein schneller Aufbruch erspart mir, nebenbei bemerkt, die Mühe, dich hinaus zu komplimentieren. Ich will nämlich nachher an der Versammlung im "Vorwärts"-Haus teilnehmen, und möchte zuvor noch eine Besprechung mit unserem, für die Truppen in der Kaserne zuständigen Rat abhalten."

"Natürlich, das sehe ich ein. Gegen Abend, wenn ich zurück bin, werde ich dir berichten, ob ich Cohen erreicht habe, und wie ich gegebenenfalls mit ihm verblieben bin."

"Gut, dann bis heute Abend."

Nachdem Seller seine beiden Kameraden über die neue Lage informiert, und sie von seiner Absicht in Kenntnis gesetzt hatte, umgehend ein Gespräch mit Cohnen zu suchen, erklärte Werfels spontan:

"Wenn du nichts dagegen hast, werde ich dich begleiten. Während du die Unterredung mit Cohnen führst, werde ich mir das Revolutionstheater 'Unter den Linden' ansehen."

"Was sollte ich gegen deine Begleitung einzuwenden haben? Im Gegenteil, es ist mir ganz angenehm, wenn du mitkommst!" Da Bering sich bisher nicht geäußert hatte, fragte er diesen: "Und was hast du vor, Kurt?"

"Ich bleibe hier; vielleicht gehe ich mal in die Kantine; es interessiert mich zu hören, was die anderen zu der neuen Entwicklung zu sagen haben."

"Das kann nichts schaden."

Während die Beiden sich zum Gang in die Stadt fertig machten, und Bering in seinem Spind nach Zigaretten suchte, erklärte Seller: "Gestern hat mir Brauer einen Vorschlag gemacht, über den ich mit euch noch nicht gesprochen habe, weil mir die Zeit dazu nicht reif schien. Heute abend möchte ich eure Meinung dazu hören, - die neue Lage und die Informationen, die wir im Laufe des Tages noch erhalten werden, lassen eine Aussprache darüber nun angeraten erscheinen."

"Was ist das denn für ein Vorschlag?"

"Geduldet euch bis heute abend; dann wissen wir mehr, und verfügen über eine Diskussionsgrundlage, die uns eine Entscheidung über Ablehnung oder Annahme des Vorschlages, wie überhaupt über unser weiteres Verhalten, leichter macht."

*

Nachdem Seller und Werfels die Kaserne verlassen hatten, und sich bereits dem Tiergarten näherten, kam Werfels, trotz der hinhaltenden Argumente, die sein Freund angeführt hatte, nochmals auf das Thema "Vorschlag Brauer" zurück; er sagte:

"Herbert, die Begründung, mit der du dich vorhin weigertest, vor heute Abend über Brauers Vorstellungen zu sprechen, leuchtet ein. Dennoch wäre es mir lieb, wenn du mich in die Lage versetzten würdest, mir bereits vorher ein paar Gedanken darüber zu machen. Ich möchte am Abend nicht aus dem Stegreif dazu Stellung nehmen müssen, sondern, zumindest, was das Grundsätzliche anbetrifft, einige fundierte Gedanken dazu äußern können. Also sag' mir mit zwei oder drei Sätzen, um was es sich handelt; mit allem Weiteren werde ich mich dann gedulden."

"Statt zwei oder drei Sätzen, nur einen: Brauer möchte, daß ich einen Sicherheits- und Ordnungsdienst organisiere; - das ist alles!"

"Hm", machte Werfels nur, und hielt sich nach diesem Kurzkommentar an sein Versprechen, das Thema nicht weiter zu ventilieren. In Gedanken erwog er das mit dem Vorschlag verbundene Für und Wider allerdings sehr eingehend.

Als sie das Brandenburger Tor in Anblick bekamen, und dort, neben roten Fahnen, ein breites Spruchband bemerkten, das "Frieden und Freiheit" verhieß, sagte Seller: "Ich bin der Meinung, es würde sich erübrigen Frieden und Freiheit zu fordern, wenn man sich zuerst um Gerechtigkeit bemühen und deren Geboten Geltung verschaffen würde; die beiden anderen Sehnsuchtsziele der Menschen könnten dann als reife Früchte vom Baume der Gerechtigkeit gepflückt werden."

Erstmals seit er nach der Eröffnung von Brauers Vorschlag ins Grübeln versunken war, reagierte Werfels jetzt mit einer ausführlicheren Stellungnahme: "Das hast du geradezu poetisch ausgedrückt", sagte er zunächst. "Aber gewichtiger als das ist der Wahrheitsgehalt dieser Worte! Sie sollten nicht nur den Führern der Revolution, sondern auch den Staatsmännern, die nach Beendigung des Krieges eine Friedensregelung herbeizuführen haben, hinter die Ohren geschrieben werden!"

"Ist es nicht seltsam, daß unter den Losungen der bisher stattgefundenen Revolutionen das Wort 'Gerechtigkeit' nicht zu finden war?", fragte Seller.

"Vielleicht liegt es daran, daß diejenigen, die solche Losungen prägten, sehr wohl wußten, weshalb sie auf die Forderung nach Gerechtigkeit verzichteten?", vermutete Werfels. "Wie könnten denn auch Gleichmacherei, Diktatur des Proletariats und Abschlachten politisch Andersdenkender, mit Gerechtigkeit in Einklang gebracht werden?"

Den Weg zum Schloß legten die beiden verhältnismäßig schweigsam zurück. Vor dessen Hauptportal stand eine Gruppe bewaffneter Revolutionäre, die das Kommen und Gehen überwachten.

Als sie sich denen näherten, meinte Werfels: "Nun sieh' dir mal diese Kämpfer für die neue Zeit an! Ein paar Feldgraue vom Ersatzheer, einige Revoluzzer in Zivil und einige Frühgeburtshelfer der Revolution von der Marine!"

Die in der Gruppe befindlichen Matrosen gehörten jenen Marineeinheiten an, die, nachdem sie in den Hafenstädten zur unrechten Zeit Revolution gespielt hatten, seit einigen Tagen Berlin zur Stätte ihres fragwürdigen Tuns erkoren, und nunmehr die Reichshauptstadt mit ihrer Meuterermentalität zu beglücken versuchten. Als selbsternannte Lehrmeister im Revoltieren führten sie ein großes Wort. Das mußten auch Seller und Werfels erfahren. Bei dem Versuch, das Schloß zu betreten, wurden sie von einem der marinierten Wichtigtuer angehalten.

"Halt! Wo wollt ihr hin?", rief er barsch.

"Dreimal darfst du raten!", reagierte Werfels spöttisch.

"Ich möchte wissen, wo ihr hinwollt!", wiederholte der andere schärfer als zuvor.

"Das sagtest du bereits", mischte Seller sich ein, "doch deine Neugier gibt dir nicht das Recht, hier einen Kommandoton anzuschlagen, und dich als Herr von eigenen Gnaden aufzuspielen!"

Er hatte diese Worte mit Bedacht gewählt, weil Begriffe wie "Kommandoton" und "Herr" durch Primitivinterpreten revolutionären Wesens in Mißkredit gebracht worden waren, und dadurch jeder, der in Verbindung mit solch vermeintlich reaktionären Attributen genannt wurde, sich in eine

Position gedrängt sah, in der er sich verteidigen mußte. Dieser von Seller erwartete Effekt trat auch prompt ein.

"Ich habe mich ja nur erkundigen wollen, um euch vielleicht einen Hinweis geben zu können", log der Mariner.

"Was ist denn hier los?", fragte einer seiner Genossen, der, auf den Disput aufmerksam geworden, hinzugetreten war.

"Nichts besonderes, der Genosse wollte uns nur behilflich sein!", antwortete Seller, mit einem sarkastischen Blick auf den anderen, "dabei gab es lediglich ein kleines Mißverständnis!"

"Ja gewiß", pflichtete der Blaue, froh sein Gesicht wahren zu können, schnell bei. "Geht nur rein, es ist alles in Ordnung!"

"In diesen Tagen scheint jeder soviel Befugnisse zu haben, wie er sich nimmt, beziehungsweise nur soviel Rechte zu behalten, wie er erfolgreich verteidigt", sagte Werfels, während sie durch den Vorraum der Eingangshalle zuschritten.

"Prinzipiell gilt das wohl auch für andere Zeiten, und für Einzelpersonen ebenso wie für Bevölkerungsgruppen und ganze Völker", meinte Seller.

In der großen Halle herrschte ein fast chaotisches Treiben. Es gab noch Spuren des Kampfes, der am gestrigen Tag um Schloß und Marstall stattgefunden hatte.

"Sieh mal dort", riß Werfel ihn aus seinen Betrachtungen. Er folgte mit seinen Augen dem ausgestreckten Arm seines Freundes, und erblickte an der Wand ein Schild, auf dem mit Kreide das Wort 'Auskunft' geschrieben stand. Als die Beiden sich durch das Gewühl näher heran drängten, gewahrten sie unter dem 'Schild' - drei U-förmig zusammengestellte, zierlich gearbeitete, halbhohe Tische. Dahinter saßen zwei weniger zierliche Frauen. Sie trugen rote Schleifen an ihren Kleidern und waren damit beschäftigt, einem älteren Mann, der an beiden Armen weiße Binden mit dem Roten Kreuz trug, in dem Lärm, der in der Halle herrschte, irgend etwas verständlich zu machen.

Das war ihnen gelungen, als Seller und Freund herantraten.

"Was habt ihr auf dem Herzen?", wandte sich die offensichtlich energischere der Frauen an Seller. Der nannte seinen Namen und sagte: "Wir kommen aus der Maikäfer-Kaserne und möchten den Genossen Oswald Cohnen sprechen. Können Sie uns sagen, wo wir ihn finden?"

Ehe die Angesprochene jedoch zu antworten vermochte, belehrte ihn die andere: "Ihr könnt ruhig 'du' zu uns sagen, die Revolution hat alle gleich gemacht, es gibt keinen Unterschied mehr, zwischen Mann und Frau!"

"Keinen Unterschied mehr?", warf Werfels ein, "hoffentlich ist das nur ein Gerücht, denn wenn dies wirklich zuträfe, so wäre es wahrhaftig jammerschade!"

Ein paar Augenblicke sahen die Frauen Werfels erstaunt an. Als sie jedoch den Hintersinn seiner Worte begriffen, kicherten sie wie Schulmädchen im Backfischalter.

Nachdem sie sich ausgeschüttet hatten, fragte die Kleinere: "Seid ihr bei dem Genossen Cohnen angemeldet?"

"Angemeldet? Nein! Wir wußten nicht, daß die Revolution nur nach vorheriger Anmeldung weitergehen darf!", flachste Werfel noch einmal, setzte jedoch sogleich, ernst geworden, hinzu: "Es handelt sich um eine wichtige Angelegenheit; wenn ihr uns helfen könntet, wären wir dankbar."

"Wir können euch nur an sein Vorzimmer verweisen. Vielleicht kann man euch dort etwas Verbindlicheres sagen. Doch macht euch keine großen Hoffnungen, Genosse Cohnen ist nämlich sehr beschäftigt!"

"Heh! Genosse Ordner!", rief die Kleinere einen in der Nähe stehenden Matrosen. Der drehte sich langsam um und schlenderte gemächlich heran. Unterdessen fragte die Ältere, indem sie ihre Worte mit einem Blick begleitete, der von den verblichenen Feldmützen der beiden, über die abgenutzten, von Wetter- und Schützengrabenverschleiß gezeichneten Uniformen, bis herunter zu den Wickelgamaschen und den ausgetretenen Kommißschuhen ging: "Ihr kommt sicher von der Front, wie?"

"Ja", bestätigte Seller, und stellte im Stillen fest, daß ihm erst die Bemerkung dieser Frau bewußt werden ließ, wie sehr sie sich, mit ihren abgetragenen Uniformen, von den anderen Soldaten in der Halle unterschieden. Die Uniformen der anderen waren niemals mit dem Dreck eines Schützengrabens in Berührung gekommen.

Auch Werfels stellte ähnliche Betrachtungen an. Nur wurden seine diesbezüglichen Überlegungen, durch den Anblick der blauen Uniform des inzwischen heran gekommenen Matrosen, auf die Marine gelenkt.

"Landfein", ging es ihm durch den Sinn, wobei er über diesen, bei der Flotte gebräuchlichen Ausdruck, lächelte. Ja, "landfein" hatten die Angehörigen des größten Teils der Hochseeflotte sich über viele Jahre hinweg gemacht. Das war ihre Hauptbeschäftigung gewesen.

Wenn man von der zum Renomiereinsatz hochgejubelten Seeschlacht am Skagerrak, und von einigen kleineren Kreuzerunternehmen absah, mußte man feststellen, daß die Hochseeflotte den Krieg im Hafenwasser verbracht hatte.

Die U-Bootbesatzungen, die Mannschaften der Blockadebrecher und der Kaperschiffe, die bravourös gekämpft hatten, die hatten nicht gemeutert. Wie beim Heer, so hatten auch bei der Flotte die nicht im Kampfeinsatz stehenden Verbände - nach zersetzender Beeinflussung durch radikale marxistische Parteifunktionäre - "erschöpfte Front" gemimt und "Zusammenbruch" veranstaltet!

"Bring' die beiden Genossen mal zum Vorzimmer des Genossen Cohnen", sagte die Kleine zu dem Blauen, "und sorg' dafür, daß sie dort nicht vor der Tür abgewimmelt werden!" Die guten Absichten der beiden Frauen honorierte Seller mit einem freundlichen: "Habt vielen Dank! Ihr habt uns sehr geholfen!"

"Wir müssen zur rechten Seitentreppe, und dort in den ersten Stock", erklärte der Matrose, ehe er den beiden voranschritt.

Oben angekommen, bemerkten sie, in der Mitte des Flures, eine Gruppe bei der eine Frau und ein Mann gestenreich auf einen Dritten einredeten. Bei näherem Hinsehen erkannte Seller in diesem Dritten Oswald Cohnen. Noch ehe sie jedoch die Hälfte der sie trennenden Distanz zurückgelegt hatte, löste die Gruppe sich auf. Cohnen wandte sich dem hinteren Teil des Flures zu, während die beiden anderen ihnen entgegenkamen. Cohnen hatte es offensichtlich eilig, denn er entfernte sich im Geschwindschritt.

Um zu verhindern, daß Cohnen in einem der hinten befindlichen Räume verschwand, und dann vielleicht nicht mehr ansprechbar war, entschied Seller sich, seinen Freund anzurufen: "Hallo, Oswald! Hast du ein paar Augenblicke Zeit für mich?!"

Cohnen blieb daraufhin stehen; Seller beschleunigte seine Schritte.

"Herbert! du hier?!" Er kam Seller die letzten Schritte entgegen, breitete seine Arme aus, und schloß sie hinter dessen Rücken, nachdem er ihn erreicht hatte.

"Dich habe ich wahrhaftig hier nicht erwartet!", sagte er, indem er Seller leicht von sich schob, um ihn eingehend zu betrachten.

"Es war nicht nur das Gegenlicht, weshalb ich dich nicht sofort erkannte", sagte er nach einigen Augenblicken prüfenden Anschauens. "Du bist mager geworden, und hast einen herben Zug um den Mund."

Cohnens Blick richtete sich nun auf die beiden anderen, die einige Schritte entfernt stehen geblieben waren.

Daraufhin sagte der Matrose: "Ich habe die beiden Genossen bloß hierher gebracht; doch werde jetzt wieder gehen. Ich werde nämlich unten erwartet!"

Diese Bemerkung schien auch für Cohnen ein Stichwort zu sein. Er blickte auf seine Uhr, und sagte: "Schrecklich, dieser Zeitdruck!"

Nach dem Weggang des Matrosen sagte Seller auf Werfels deutend: "Das ist mein Freund und Kamerad Franz Werfels!"

Cohnen streckte ihm die Hand entgegen: "Wen Herbert als Freund bezeichnet, der ist auch mir willkommen!"

Dann sagte Cohnen frei heraus: "Ich freue mich sehr über euren Besuch, doch er erfolgt zum ungünstigsten Zeitpunkt der sich denken läßt!" Er sah nochmals nach seiner Uhr. "Fünf, höchstens zehn Minuten kann ich jetzt für euch erübrigen, - ein längeres Zusammensein müssen wir auf einen der nächsten Tage verschieben! Kommt ein paar Minuten in mein Zimmer, damit wir uns nicht im Flur unterhalten müssen!"

"Nein, Oswald, wir können uns vorstellen, daß du es eilig hast." Vom Vorsitzenden des Soldatenrates der Maikäferkaserne weiß ich, was heute im "Vorwärts"-Haus und im Zirkus "Busch" vor sich gehen soll."

"Du bist Mitglied des Soldatenrates der Maikäferkasserne?"

"Nein, aber Genosse Brauer, so heißt dessen Vorsitzender, hat mir einen Vorschlag gemacht, zu dem ich deinen Rat einholen möchte. Wir sollen bei der Aufstellung einer Ordnungstruppe mitwirken. Doch bevor ich dazu Stellung nehmen kann, möchte ich wissen, ob ich, indem ich mithelfe, die chaotische Lage erträglicher zu machen, möglicherweise Liebknecht und den radikalen Unabhängigen in die Hände arbeite. Kannst du mir darauf eine Antwort geben?"

"In Kürze und ohne große Erläuterungen dazu folgendes: Wenn wir Liebknecht und den extremen Flügel der Unabhängigen im Zaum halten wollen, so müssen wir sie an uns binden."

"Gewiß, doch sollten wir uns hüten, dafür einen zu hohen Preis zu bezahlen, und unbedacht zu weitgehende, politische Konzessionen zu machen!"

Doch Cohnen stellte gelassen fest:

"Konzessionsbereitschaft bei Bündnisverhandlungen unter Beweis zu stellen, ist eine Sache; Zugeständnisse in konkreten Fällen aber eine ganz andere. Bei der gegenwärtigen Kräftekonstellation sind wir gezwungen, geschickt zu taktieren; insbesondere, weil die Revolution auch nach der reaktionären Seite hin noch nicht endgültig abgesichert ist.

Ich persönlich sehe allerdings von rechts keine allzu große Gefahr; im Gegenteil, die gemäßigten bürgerlichen Rechtskreise müssen wir sogar als potentielle Verbündete gegen die Spartakisten ins Kalkül ziehen. Das mag in diesen Tagen, am Beginn einer sozialistischen Revolution, seltsam klingen; aber reale Politik ist eben etwas anderes als ideologische Phantasterei!"

"Zwang zu Kompromissen und zu gewagten taktischen Winkelzügen ist oft ein Zeichen von Schwäche", bemerkte Seller, "befinden wir uns in einer solchen, bedenklichen Situation?"

"Besonders stark ist unsere Position im Augenblick nicht.Die hierfür maßgeblichen Gründe sind vielfältig, sie darzulegen ist, jetzt wegen Zeitmangels, nicht möglich. Doch eines ist gewiß: Taktische Manöver, die wir auszuführen gezwungen sind, ändern an den Grundsätzen und Endzielen unserer Partei nicht das Geringste! Wichtig ist, daß es uns zunächst gelingt, die Hauptrichtung festzulegen, in der der Zug in die neue Zeit fahren soll.

Ich rate euch daher dringend, den Vorschlag eures Vorsitzenden im Soldatenrat zu akzeptieren, und eine Ordnungstruppe aufzustellen. Damit könnt ihr einen wichtigen Beitrag zum Gelingen unserer Politik leisten; - und ihr braucht euch später keine Vorwürfe zu machen, wenn, trotz unserer Bemühungen, etwas schief laufen sollte!"

“Meinst du wirklich, es käme bei dem, was jetzt und künftig geschieht, auf meine, beziehungsweise unser beider Mitwirkung an?”

“Es kommt auf jeden an, und zwar auf allen Ebenen! Zudem werdet ihr bald wirksame Unterstützung erhalten. Genosse Wels wird ein paar tausend Matrosen aus Kiel nach Berlin holen, die hier ebenfalls für die Aufrechterhaltung einer zweckdienlichen Ordnung sorgen werden!”

“Ausgerechnet Matrosen hält Wels als Ordnungshüter geeignet?”, fragte Seller erstaunt.

“Es werden nur zuverlässige Männer ausgewählt werden. Gustav Noske, der in Kiel Regie führt, wird dafür Sorge tragen!”, versuchte Cohnen Sellers Bedenken zu beschwichtigen.

“Ich könnte mir vorstellen, daß Wels mit den Matrosen einen Fehlgriff tut, und eine jener falschen Weichenstellungen vorzunehmen im Begriffe steht, die ich aufgrund der Fehlkalkulationen, die unseren führenden Genossen bisher unterlaufen sind, auch weiterhin befürchte. Die Matrosen sind Meuterer, und alles andere als politisch verantwortungsbewußt handelnde Revolutionäre! Das haben sie bisher zur Genüge bewiesen!”

“Diese Auffassung teile ich nur bedingt. Doch gerade deine Befürchtungen sollten dich veranlassen, beim Aufbau eines Gegengewichts mitzuhelfen!”

In diesem Augenblick kam aus einem der am Ende des Flures liegenden Räume ein älterer Mann in Zivil, der in Haar- und Barttracht augenscheinlich August Bebel zu imitieren versuchte. Als er Cohnen und die beiden anderen bemerkte, kam er eilends heran.

“Entschuldigung”, sagte er mit einem kurzen Blick auf Seller und Werfels. Bevor er jedoch ein Wort an Cohnen richten konnte, sagte dieser schnell: “Ich komme gleich! Sag' den Genossen, es dauert nur noch ein paar Minuten!”

“Sie sind bereits sehr ungeduldig”, versicherte der Bebel-Imitator.

“Ich werde den Genossen erklären, weshalb ich mich verspätete; sie werden Verständnis haben”, sagte Cohnen beruhigend, aber ohne selbst davon überzeugt zu sein.

Zunächst hatte es den Anschein, als wolle der Spitzbärtige etwas erwidern; doch nach kurzem Zögern entfernte er sich mit einem angedeuteten Kopfnicken.

“Es tut mir wirklich leid, aber ihr seht ja, daß ich mich euch im Augenblick nicht mehr allzulange widmen kann.” Cohnens Bedauern war echt.

Ähnlich ging es Seller, obwohl er bereits einmal, aus Höflichkeit, versichert hatte, daß er für die Inanspruchnahme seines Freundes durch wichtigere politische Anliegen Verständnis habe, vermochte er seine Enttäuschung über die Kürze der Unterhaltung nur mit Mühe zu verbergen. Dennoch sagte er: “Wir wollen dich jetzt nicht länger aufhalten, Oswald. Zwar hätten wir noch eine Menge Fragen, aber die zu erörtern braucht Zeit.”

“Deren Erörterung werden wir an einem der nächsten Tage nachholen. Doch jetzt sagt mir schnell noch, ob ich inzwischen etwas für euch tun kann!?”

“Danke, Oswald. Im Augenblick brauchen wir deine Hilfsbereitschaft nicht in Anspruch zu nehmen.”

“Jedenfalls wird es nützlich sein, wenn ich euch ein paar Sonderausweise ausstellen lasse, und euch mit einigen Vollmachten ausstatte. Sie könnten sich sowohl für euch persönlich, als auch bei der Lösung der Ordnungsaufgaben von Vorteil erweisen.”

Die Ausweise könnt ihr in etwa einer Viertelstunde unten bei der dafür zuständigen Stelle abholen. Ich werde sofort eine entsprechende Anweisung geben. Bei der ‘Auskunft’ wird man euch sagen, in welchem Raum ihr sie findet. Und nun kommt, ich begleite euch bis zur Treppe.”

Während sie der Treppe zuschritten, sagte Cohnen: “Morgen oder übermorgen werde ich ins Regierungsviertel umsiedeln. Ich werde dir über den Vorsitzenden eures Soldatenrates mitteilen, wie und wo du mich erreichen kannst.”

In der Halle steuerten die beiden wieder auf die ‘Auskunft’ zu. Bevor sie diese erreichten, wurden sie jedoch von dem Matrosen angesprochen, der sie vorhin nach oben geleitet hatte. “Ihr habt mehr als Glück gehabt! Ihr seid wohl gute Bekannte von ihm? Wenn ich euch irgendwie behilflich sein kann, bin ich gern bereit, euch einen Gefallen zu tun. Vielleicht soll ich euch ein paar rote Armbinden besorgen”, schlug er vor, da er festgestellt hatte, daß die beiden keine trugen.

“Rote Armbinden? Wofür sollen die denn gut sein?”, fragte Werfels.

“Solche Binden sind wichtig!”, erklärte der Matrose, “man muß doch wissen, wer Freund oder Feind ist!”

“Freund oder Feind”, Seller stolperte auch jetzt wieder über diese Bezeichnung. Für ihn, als Frontsoldaten, war vier Jahre lang klar gewesen, daß der Feind ‘drüben’ stand, eine andere Sprache sprach, und sich die Vernichtung des deutschen Heeres, als Voraussetzung zur Verwirklichung weiterreichender Ambitionen zur Aufgabe gestellt hatte.

“Für die antideutsche Allianz gibt es nach wie vor nur einen Feind: Das deutsche Volk in seiner Gesamtheit!”, überlegte er. Es gilt auch heute noch die gleichen nationalen Interessen zu verteidigen wie 1914! Was soll sich denn geändert haben? Etwa die Vorherrschaftsgelüste der Engländer und Franzosen, die seit Jahrhunderten deren Politik in Europa und der Welt bestimmten, und auch diesen Krieg mitmaßgeblich herbeigeführt haben? Oder hat sich die geographische Lage Deutschlands in der Mitte Europas verändert? Sind die Gefährdungen geringer geworden, die sich aus der damit verbundenen Hypothek, im Schnittpunkt der Interessen vieler Nachbarstaaten zu liegen, ergeben? Ist etwa das Bestreben der politisch kaum erwachsen gewordenen Amerikaner aufgegeben worden, die Welt mit ihren unausgegorenen Vorstellungen zu beglücken, und einem Teil ihrer europäischen Eltern eine sogenannte Friedensordnung zu oktroyieren; deren Unheilsfracht sich bereits in einigen der 14 Punkte Wilsons abzeichnet?

Nichts was unser Volk und Reich bedroht, hat sich geändert! Doch diese fundamentale Tatsache ist unserem Volk mit großem Propagandaaufwand, aus dem Bewußtsein gerückt worden. Mit anderen, künstlich aufgebauschten und, entgegen ihrer tatsächlichen Bedeutung in den Vordergrund gerückten Sachverhalten, mit Herauslösung politisch wirksamer Faktoren aus ihrem Primärzusammenhängen, hat man unserem Volk den Blick auf die Wirklichkeit verstellt! Damit wurde aber auch das bisher dominierende Gemeinschaftsgefühl aufgelöst, und wurde, mit dem Solidarbewußtsein, auch das darauf ruhende Solidarverhalten ausgelöscht!"

"Heh, Herbert! Wo warst du denn eben mit deinen Gedanken! Du hattest einen Ausdruck in den Augen, als habest du durch Wände hindurch gesehen."

"Vielleicht habe ich das tatsächlich getan", sagte Seller, noch immer unter dem Eindruck seiner Überlegungen stehend.

"Wollen wir nun zur Auskunft gehen, und uns dort sagen lassen, wo wir die versprochenen Papiere abholen können?", fragte Werfels zu Seller gewandt.

"Papiere? Was für Papiere?"

"Wir haben bei der Ausweisstelle einiges zu erledigen", erklärte er dem Matrosen.

"Gut, ich zeige euch, wo die ist!", sagte der Blaue und ging voraus.

Am Ziel angekommen öffnete er die Tür, ließ die beiden eintreten und folgte ihnen auf dem Fuße.

Während Seller und Werfels neben der Tür des saalartig wirkenden Raumes stehen blieben, stürzte ihr Begleiter an ihnen vorbei, auf eine lange Tafel zu, an deren beiden Enden je drei Matrosen saßen. Die Platte der Tafel war mit Papieren, Stempelhaltern, Stempelkissen und Aktenordnern bedeckt. Vor jeder Matrosen-Troika hatten sich etwa 20 Uniformierte und ungefähr die gleiche Anzahl Zivilpersonen in Reihen angestellt.

Sie warteten fraglos ebenfalls auf Ausweise oder sonstige "Papiere". Ihr 'Führer' ging an der "Schlange" der Uniformierten vorbei, und begann auf den am Kopfende sitzenden Matrosen einzureden. Einmal wies er auch mit der Hand auf die beiden noch neben der Tür Stehenden, worauf sich die Köpfe aller drei Blaujacken in die angedeutete Richtung drehten. Dadurch wurden deren Gesichter Seller und Werfels erstmals voll zugewandt; - mit dem Erfolg, daß die beiden Freunde sich erstaunt und ungläubig ansahen. Das waren Gesichter von Halbwüchsigen, denen kaum der erste Flaum unter den naseweis in die Welt gereckten Gesichtserkern spross! Das in ihren Mienen zur Schau getragene Kompetenz- und Machtbewußtsein wirkte angesichts ihrer sichtbaren Unreife komisch und reizte die Lachmuskeln!

Ähnlichem, was Seller eben gedacht hatte, verlieh Werfels mit den Worten Ausdruck: "Soll das ein Witz sein? Wenn es nicht einer Brüskierung Cohnens gleichkäme, würde ich mich weigern, mir mit einem papierenen Wisch aus den Händen dieser Schnösel 'Autorität' verleihen zu lassen! Vor wem kapitulieren eigentlich die Kräfte, die die alte Ordnung stützten, beziehungsweise jene, die einen Wandel auf evolutionärem Wege anstrebten? Vor Krakelern, Opportunisten und Halbwüchsigen? Vor disziplinlosen Meuterern und Vertretern der dritten und vierten Garnitur?"

"Ich meine, sie kapitulieren vor ihren eigenen Fehlern, und vor inneren Widersachern, denen ohne Hilfe durch den äußeren Feind, ohne den Druck, den dieser auf die Fronten und mit der Hungerblockade auf die Heimat ausübt, kein Erfolg beschieden gewesen wäre!", antwortete Seller.

Werfels zog daraus die Konsequenz: "Ich halte es für möglich, daß, wenn unserem Volk eines Tages bewußt wird, daß die neue Ordnung eine mit Hilfe der Feinde Deutschlands zustande gekommene ist, und die derzeit führenden politischen Kräfte in Deutschland sie trotz dieser Wurzeln und Geburtshelfer akzeptierten - ich glaube, dann werden die gegenwärtig maßgeblichen politischen Gruppen als Erfüllungsgehilfen der Sieger bezeichnet werden, und wird diese Ordnung schließlich keine Stützen und Verteidiger mehr finden."

"Es kommt darauf an, welche Akzente die 'neue Ordnung' setzt, welcher Geist sie schließlich ausfüllt", meinte Seller. "Macht dieser Geist sich wesentliche Argumente der Kriegsgegner zu eigen, drückt er sich in Gesetzen und Maßnahmen aus, die als ungerecht, als Duldung von nationaler Diskriminierung empfunden werden, dann werden ihre Tage bald gezählt sein."

Ihr Lotse hatte sich von der blauen Troika gelöst und kam den beiden mit schnellen Schritten entgegen.

"Die Genossen brauchen nur noch eure Truppenausweise wegen Eintragung der persönlichen Daten; alles andere ist schon fertig", erklärte er als er heran war. Dabei streckte er seine Hand aus, nahm die Papiere in Empfang und brachte sie zu den Dreien am Tisch.

In diesem Augenblick erschien in der Tür des Raumes die kleine Rothaarige von der Auskunftsstelle. "Genosse Winkelmann!", rief sie mit heller Stimme. "Wir brauchen dich!"

Der Angerufene nahm sich daraufhin nicht mehr die Zeit, noch einmal zu den beiden herüber zu kommen. Er rief nur vom Tisch her: "Ihr habt es ja gehört! Ich werde dringend gebraucht! Vergeßt meinen Namen nicht! Winkelmann! Ich habe euch geholfen!"

Er eilte zur Tür und verschwand. "Ein aufdringlicher Mensch", kommentierte Werfels dessen Abgang.

Wenig später kam einer der blauen Jünglinge vom Tisch herüber. Er gab den beiden ihre Truppenausweise zurück und überreichte ihnen mit den neuen Sonderausweisen, zwei mit Stempelabdrücken versehene rote Armbinden, und jedem einen Waffenschein. Dazu erläuterte er:

"In den Sonderausweisen sind Vermerke eingetragen, die euch berechtigen Festnahmen vorzunehmen, Posten zu kontrollieren, Absperrungen zu durchschreiten und jederzeit Gebäude zu betreten, in denen Regierungsämter oder führende revolutionäre Organe untergebracht sind. Genosse Cohnen hat das angeordnet."

"Was sollen wir denn mit den Armbinden und den Waffenscheinen?"

"Es werden in den nächsten Tagen neue Bestimmungen erlassen. Danach darf nur noch Waffen tragen, wer eine von der neuen Regierung ausgestellte Berechtigung besitzt."

"Na gut, - und vielen Dank für die schnelle Erledigung."

Seller und Werfels sahen sich nun die Sonderausweise in Ruhe an. Augenscheinlich waren sie vorgefertigt, so daß nur noch die Personalien und eventuelle Zusatzvermerke eingesetzt zu werden brauchten. Das bewiesen auch die Blanko-Unterschriften. Zum Erstaunen der beiden trugen die Stempel, mit denen den Signaturen Nachdruck verliehen wurde, Inschriften des Deutschen Reichstages.

"Unglaublich", sagte Seller nach dieser Fertigstellung.

Während sie die Ausweise und Armbinden in Taschen ihrer Mäntel steckten, fuhr Seller fort: "Quasi im Namen des Deutschen Reichstages, entscheiden hier drei Halbwüchsige, wem Verfügungsrechte zugestanden werden. Niemand kontrolliert ihre Tätigkeit, keiner überwacht, welche Zusatzvermerke in die Sonderausweise eingetragen werden, noch nicht einmal Empfangsbestätigungen werden verlangt! Wenn aus diesem Stegreifspiel mit Unzulänglichkeiten eine belastungsfähige Ordnung hervorgehen soll, dann müssen Wunder am laufenden Band geschehen!"

Sie gingen in Richtung Brandenburger Tor. Jenseits der Spreebrücken, in der Gegend des Alexanderplatzes, fielen Schüsse. Vom Brandenburger Tor her kamen, mit abgefahrenen Vollgummireifen laut ratternd, zwei Lastkraftwagen. Rechts und links von den Führerhäusern wehten rote Fahnen, auf ihren Dächern waren Maschinengewehre plaziert, und auf den offenen Ladeflächen standen dicht gedrängt, Bewaffnete. Die auf dem letzten Fahrzeug sangen die 'Internationale'. Da es bei deren Mehrzahl teils mit dem Text, teils mit der Melodie zu hapern schien, klang der Gesang dünn, uneinheitlich und wurde vom Geratter der Räder und Motoren fast verschluckt.

"Die Stimme der Revolution", ging es Seller durch den Kopf, "weder einheitlich, noch selbstbewußt und nicht im geringsten mitreißend oder gar sieghaft!"

Seit sie das Schloß verlassen hatten, waren zwischen den beiden nur wenige Worte gewechselt worden. Jetzt fühlte Werfels sich aber zu der Feststellung veranlaßt: "Von Revolutionsbegeisterung kann in Berlin wahrhaftig keine Rede sein; noch nicht einmal ein Ausdruck der Freude über das nunmehr bevorstehende Kriegsende ist zu bemerken. Es hat den Anschein, als werde die Revolution hier, in der Hauptstadt, als ein aus den Hafenstädten kommender, nicht begrüßenswerter Importartikel empfunden, und das bevorstehende Ende des Krieges keineswegs als ein seligmachendes Ereignis angesehen."

"Ja, dieser Eindruck drängt sich auf", stimmte Seller zu. "Vielleicht haben die Berliner schneller als andere begriffen, daß nach dem Kriegsende die Folgen der Niederlage auf uns zukommen!"

"Stell' dir mal vor, du würdest der deutschen Delegation angehören, die jetzt in Frankreich über den Waffenstillstand verhandelt," sagte Werfels. "Dann ständest du einer Feindkoalition gegenüber, der maßgebliche deutsche Politiker mit verantwortungslosen Reden schon seit langem signalisiert haben, daß sie gewillt sind, den Krieg auf jeden Fall und ohne Rücksicht auf Bedingungen zu beenden!

Deine Verhandlungspartner wären also revanchelüsterne und beutegierige Feinde, denen mit Streiks, Aufständen und pazifistisch verbrämter Kapitulationsbereitschaft bereits klargemacht worden ist, daß es für dich gar nichts mehr zu verhandeln gibt, weil deutsche Revoluzzer ihnen die Kapitulation zu Füßen legen werden, gleichgültig, wie hochgeschraubt ihre Forderungen auch sein mögen! Meinst du, es wäre dir in einer solchen Position noch möglich, irgend etwas für Deutschland herauszuholen? Glaubst du nicht, du würdest jene im eigenen Land verfluchen, die dir auch die kleinste Verhandlungschance genommen haben?"

"Ganz gewiß würde ich das tun, auch wenn ich davon ausgehen müßte, daß die Gegner sich nach dem Kriegseintritt Amerikas, ihrer Stärke ebenso bewußt gewesen seien, wie unserer relativen Schwäche." Seller ging ein paar Augenblicke schweigend weiter, ehe er hinzusetzte: "Nachdem die USA ihre, schon seit Jahren durchgeführte Unterstützung der Feindmächte mit ihrer Kriegserklärung in eine offene verwandelt hatten, und immer größere Truppen- und Materialmassen nach Europa warfen, war der Krieg nicht mehr für uns zu gewinnen. Doch die Opfer, die die gegnerische Allianz bis zu einer militärischen Unterwerfung Deutschlands noch hätten bringen müssen, hätten sie vielleicht veranlaßt, günstigere Bedingungen für einen Waffenstillstand zu gewähren, als sie in einigen der 14 Punkte Wilsons angeboten werden. Dazu hätte es aber eines deutschen Durchhaltewillens bedurft, und keiner durch Wort und Tat angezeigten Kapitulationsbereitschaft! Diesbezüglich stimme ich dir zu!"

Der Wind wehte ihnen einige jener Flugblätter vor die Füße, mit denen gestern die Abdankung des Kaisers und die Ausrufung der Republik verkündet worden waren, und auf denen zu lesen stand, das Volk habe auf der ganzen Linie gesiegt. Sie lagen, als Makulatur der Revolution, noch allenthalben auf den Straßen herum. Für Werfels waren sie Anlaß zu der Frage:

"Wenn das Volk gesiegt haben soll, - wer sollen denn die Verlierer sein?"

"Wir sind alle Verlierer", antwortete Seller, "nur die Lastenverteilung, sowie die Fähigkeit, die Bürden zu tragen, werden unterschiedlich sein! Wer sich heute in Deutschland als Sieger fühlt, ist ein Illusionist!"

Die beiden hatten die Straße "Unter den Linden" erreicht, und näherten sich nun dem Brandenburger Tor. Die Quadriga mit der Siegesgöttin hob sich in seltsam erstarrter Pose gegen den dunklen Himmel des Novembertages ab.

"Als ob die Göttin, im letzten Augenblick, erkannt habe, daß sie in die falsche Richtung fahre, in der Hauptstadt des Deutschen Reiches nicht am rechten Platze sei, und deshalb ihr Gespann erschreckt anhalte", ging es Seller durch den Sinn, während sie das Tor durchschritten und hinter sich ließen.

Rechts lag breit und behäbig das Reichstagsgebäude. Neben den Säulen oberhalb der breiten Freitreppe und an den massigen Ecktürmern waren Maschinengewehre in Stellung gebracht. Die Inschrift über dem Eingang wirkte, in unmittelbarer Nachbarschaft drohender Waffen, ähnlich deplaziert, wie in der gegenwärtigen Situation die Siegesgöttinnen auf dem Brandenburger Tor und auf der Siegessäule vor dem Reichstag.

DEM DEUTSCHEN VOLKE stand dort in Stein gehauen.

Werfels wurde dadurch zu der Äußerung angeregt: "Wenn nur ein Zehntel von dem, was seit dem Altertum dem Volke gewidmet, im Namen des Volkes getan, oder auch zu seinem angeblichen Nutz und Frommen unterlassen wurde, - dann hätte das 'Goldene Zeitalter' vielleicht schon längst seinen Einzug gehalten!"

"Glaubst du, daß sich diesbezüglich etwas ändern würde, wenn das parlamentarische System im Zuge der revolutionären Entwicklung vervollkommnet werden sollte?"

"Parlamentarismus bedeutet in keiner Form notwendigerweise Demokratie. Es kommt darauf an, wie das Parlament beschickt wird, wer es kontrolliert, und wer die wirkliche Macht in den Händen hält. Verfügt das Volk nicht unmittelbar über entscheidende Machtmittel, und damit über die Fähigkeit, die Parlamentarier zur Durchführung oder Unterlassung bestimmter Maßnahmen zu zwingen, so kann auch das parlamentarische System sich in einer

Geisel für das Volk auswachsen. Der Stimmzettel ist ein Blanko-Schek für eine Zeitspanne von mehreren Jahren. Wenn in dieser Zeit von den Parlamentariern nachteilige, gar irreparable Maßnahmen getroffen werden, dann hat das Volk ebenfalls wieder das Nachsehen."

"Angesichts solcher Realitäten können wir nur hoffen, daß aus den vorliegenden Tatsachen und Einsichten bei uns die richtige Schlußfolgerungen gezogen, und diese beim Aufbau der neuen Ordnung nutzbringend angewandt werden!", sagte Werfels.

"Andernfalls wäre die jetzige Revolte von A bis Z ein Verbrechen! Denn nur für die Vorverlegung des Kriegsendes und die Abdankung des Kaisers wäre der Preis, den unser Volk zu zahlen haben wird, zu hoch!"

Die Erwähnung des Kaisers veranlaßte Werfels zu der Bemerkung: "Wilhelm den Zweiten haben die Engländer, mit ihrer Propaganda, zu einer Schreckfigur aufgebaut, neben der Nero und Caligula sich wie Unschuldslämmer ausnehmen!"

"So haben sie es auch mit Napoleon dem Ersten gemacht, und so werden sie es wieder und mit jedem machen, der als Führer eines potenten Staates ihren macht- und wirtschaftspolitischen Zielen im Wege steht!", meinte Seller.

Werfels empfand diese Worte seines Freundes als Ausdruck eigener, unausgesprochener Gedanken. Er erwiderte daher nichts. Schweigend und sorgenvollen Gedanken nachhängend, schritten sie nebeneinander in die hereinbrechende Dunkelheit.

Seller hatte Brauer am Abend nicht mehr erreicht, weil dieser, bis in die späte Nacht hinein, an einer weiteren Sitzung der Arbeiter- und Soldatenräte im Reichstag teilgenommen hatte. Doch am Morgen des 11. November saß er Brauer in dessen Büro gegenüber. Nachdem er über sein kurzes Gespräch mit Cohnen, sowie über weitere Vorgänge und Eindrücke des Vortages berichtet hatte, schilderte auch Brauer in zusammenfassender Kürze das gestrige Geschehen im "Vorwärts-Haus", im Zirkus "Busch" und im Reichstagsgebäude.

Hauptpunkt seiner Ausführungen war die Mitteilung, daß ein "Rat der Volksbeauftragten", mit Friedrich Ebert als Vorsitzenden, gebildet worden sei. Ebert sei damit quasi auch im Amt des Reichskanzlers bestätigt worden, sei daher auch nicht mehr "Kanzler von Prinz Maxens Gnaden", sondern nun von Vertretern der Revolution gewählt und mit Regierungsvollmacht ausgestattet. Das sei wesentlich.

"Jetzt werden wir den Staatsapperat voll in den Griff bekommen, und die Revolution, unter Ausnutzung der mit der Verfügungsgewalt über die Behördenmaschine gegebenen Mittel und Möglichkeiten, zu einem vollständigen Sieg führen können. Wenn wir es geschickt anstellen, steht nun durchgreifenden Veränderungen auf allen Gebieten kaum noch etwas im Wege", erklärte Brauer voller Zuversicht.

Seller vermochte diese optimistische Einstellung nicht zu teilen. "Die Revolution sieht sich nicht nur gesellschafts- und anderen innenpolitischen Problemen gegenüber, sondern auch schwerwiegenden außenpolitischen!", entgegnete er.

"Manchmal habe ich den Eindruck, als habe man bei der Ingangsetzung der Revolution die Tatsache, daß wir uns am Ende eines verlorenen Krieges und damit am Beginn einer sehr schweren Zeit befinden, überhaupt vergessen.

Richtig scheint mir jedenfalls, erst einmal den Waffenstillstandsvertrag und insbesondere den Friedensvertrag abzuwarten, ehe wir uns ein einigermaßen zutreffendes Bild von unseren verbleibenden Mitteln und Möglichkeiten machen können. Es kann nämlich durchaus der Fall eintreten, daß die künftige, politische Entwicklung in Deutschland in einem viel entscheidenderen Maße in den Hauptstädten der Siegerstaaten bestimmt wird, als in Berlin!"

"Ich glaube, du siehst etwas zu schwarz", widersprach Brauer, "der Einfluß der Alliierten auf die deutsche Nachkriegsentwicklung wird sich in Grenzen halten. Das ergibt sich schon aus den 14 Punkten des amerikanischen Präsidenten Wilson, die ja die Grundlage zum Waffenstillstands- und Friedensvertrag bilden sollen. Ich muß sagen, daß außer der verlangten Abtretung Elsaß-Lothringens an Frankreich, und den, allerdings sehr unpräzise gefaßten, Formulierungen in Punkt 13, wo von einem Zugang Polens zum Meer die Rede ist, es in Wilsons Vorschlag nur wenig gibt, was wir, angesichts unserer Situation, nicht akzeptieren können.

Auch über die beiden eben erwähnten Punkte sollten wir uns keine allzugroßen Sorgen machen, insbesondere nicht, weil ja, abgesehen von Elsaß-Lothringen, Gebietsabtretungen mit dem Prinzip des Selbstbestimmungsrechtes der Völker nicht zu vereinbaren wären."

Seller unterließ es, Einwände gegen Brauers Auffassung auszusprechen; sie würden doch nur zur Erörterung weiterer Hypothesen führen; stattdessen nahm er sich vor, die Frage über den realen Wert der 14 Punkte Wilsons für die kommenden Friedensverhandlungen, mit Cohnen zu besprechen. Er gab diesem Vorsatz auch Ausdruck, indem er sagte: "In den nächsten Tagen werde ich Gelegenheit haben, die Ansicht des Genossen Cohnen über die Stärken und Schwächen der deutschen Verhandlungsposition zu erfahren. Sein Informationsstand wird eine einigermaßen zutreffende Beurteilung der Lage erlauben."

Zu seiner Überraschung erklärte Brauer daraufhin: "Den Genossen Cohnen wirst Du in nächster Zeit wohl schwerlich erreichen können, - ich bin bis jetzt noch nicht dazu gekommen, dir das zu sagen, und dir den dafür maßgeblichen Grund zu nennen. Wie ich gestern am späten Abend hörte, sollte Cohnen mit einigen anderen Genossen aus der Parteileitung, noch in der Nacht nach München fahren, um mit jenen Genossen zu verhandeln, die dort bereits vorgestern eine Bayerische Republik ausgerufen haben. Es muß mit allen Mitteln verhindert werden, daß die staatliche Einheit des Reiches gefährdet wird."

Seller fühlte sich wie vor den Kopf geschlagen. Diese Nachricht war ihm neu und schien ihm ungeheuerlich! Erhob in München kleinkarierter, selbstzerstörerischer Seperatismus sein Haupt? Wurde dort der Versuch gemacht, sich vor der Niederlage davonzustehlen? Hatte denn niemand daran gedacht, daß auch andere, zentrifugale Kräfte freigesetzt werden, wenn man das bisher einigende, als gemeinsame Aufgabe empfundene Anliegen, das Reich und seine Einheit nach außen zu verteidigen, aufgibt?

"Wo bist du denn mit deinen Gedanken?", fragte Brauer, auf eine Reaktion Sellers abwartend, "du scheinst enttäuscht zu sein, das ist unschwer an deinem Gesicht abzulesen."

"Enttäuscht und besorgt ...", Seller unterbrach sich, weil das auf dem Schreibtisch stehende Telefon zu läuten begann und Brauer nach dem Hörer griff.

Nachdem er sich gemeldet und ein paar Augenblicke zugehört hatte, nahmen seine Züge einen gespannten Ausdruck an. Der Teilnehmer am anderen Ende der Leitung schien aufregende Dinge zu sagen. Kurz darauf sagte er: "Sind denn alle verrückt geworden!... Nein, ich habe nur zwei Lastwagen zur Verfügung. ... Etwa 80 Mann. ... Nur Infanteriewaffen. ... Bestenfalls in einer Viertelstunde. ...Wo? ... Gut, Moltkebrücke, Kronprinzen-Ufer. ... In Ordnung, - Ende."

Er warf den Hörer auf die Gabel, und stürzte, ohne ein Wort der Erklärung abzugeben, ins Nebenzimmer; dieTür ließ er offen. Seller hörte daher, wie er nebenan, mit deutlich erregter Stimme, Anweisungen erteilte: "Die mobile Alarmeinheit muß auf dem schnellsten Wege in die Nähe des Reichstagsgebäudes gebracht werden! Dort, am Brandenburger Tor, am Schloß und am Marstall sind wieder heftige Schießereien mit Spartakisten im Gange! Die Lastkraftwagen mit der Alarmtruppe sollen am Kronprinzen-Ufer, zwischen Moltkebrücke und Alsenstraße, abgestellt werden. Leiter der Ordnungskräfte am Reichstag ist ein gewisser Schulte oder Schulze, Unteroffizier von den Pionieren, - er wird unsere Männer abrufen und der Lage entsprechend einsetzen!"

Als Brauer ins Zimmer zurückkehrte, sagte er: "Ist das nicht traurig? Aber was sollen wir anderes tun, wenn wir den wildgewordenen Bolschewistenmietlingen Berlin und die Republik nicht zum Fraß überlassen wollen?"

Seller antwortete nicht sogleich, weil ihn die Frage beschäftigte, wie Brauer, angesichts der Vorgänge in Bayern, und der sich verschärfenden

Entwicklung in Berlin, die ganz sicher eine weitere Eskalation erfahren würde, sich vorhin so optimistisch äußern konnte. Hoffentlich spiegelt sich in seiner zuversichtlichen Einstellung nicht die gestern von unseren Parteiführern, im Hause des 'Vorwärts', im Zirkus 'Busch' und im Reichstag getroffene Beurteilung der Lage. Wäre dies der Fall, so würde man nämlich weiterhin einem Wunschdenken huldigen, aus dem es ein böses Erwachen geben müßte.

In seine Gedanken hinein mischten sich Brauers Worte: "Wenn wir die nächsten Tage überstehen, dann haben wir gewonnen. Alles hängt vom Verhalten der zurückkehrenden Fronttruppen ab; wenn sie den Rat der Volksbeauftragten und Ebert als Kanzler tolerieren, ist die Entscheidung zu unseren Gunsten gefallen. Mit zusätzlicher Hereinnahme von Vertretern bürgerlicher Parteien, des Zentrums und der Liberalen, in den Rat der Volksbeauftragten, beziehungsweise in die Regierung, dürfte eine entscheidende Voraussetzung für eine zumindest reservierte Tolerierung der Republik seitens der Frontarmeen zu schaffen sein."

"Diese Meinung wird sich wahrscheinlich als richtig erweisen", gab Seller zu, "doch die Schwierigkeiten, die ich noch kommen sehe, stehen ja auch nicht von Seiten der Fronttruppen zu erwarten, - die haben sich, in der Masse, stets in erster Linie Deutschland, und erst nachgeordnet der Monarchie, verpflichtet gefühlt! Die Staatsform ist dem Frontheer von zweitrangiger Bedeutung, wenn sie gerecht ist und nationale Belange verkörpert. Die Gefahren für unsere Zukunft sehe ich, wie ich schon sagte, aus dem feindlichen Ausland kommen, sowie aus den Gruppenegoismen und politideologisch begründeten Prinzipienreitereien der Parteien erwachsen. Wir, die Sozialdemokraten, sollten ein solides Bündnis mit den Fronttruppen schließen, - sie repräsentieren in ihrer Zusammensetzung alle Schichten des Volkes - statt uns mit Meuterern und befrackten Parteifunktionären ohne wirkliches Mandat, auf 'Kuhhändel' einzulassen. Zusammen mit dem Frontheer könnten wir ein umfassendes Reformwerk auf den Weg bringen! Keinesfalls aber mit disziplinlosen Krakelern, mit spießerischen Honoratioren, mit Vertretern ultramontaner Kreise und reaktionärem Klüngel aus den Reihen der Junker und Schlotbarone! Wenn denen Einfluß eingeräumt wird, dann wird es weder eine revolutionäre Umgestaltung noch ein echtes Reformwerk geben!"

"Der Gedanke eines Bündnisses mit der Fronttruppe ist auch mir nicht unsympatisch", sagte Brauer, "und deine Bedenken wegen einer Verwässerung des Umgestaltungswillens durch falsche Partner sind durchaus berechtigt. Doch meine ich, hier vermag unsere Parteiführung nicht über ihren eigenen Schatten zu springen. Ihre traditionelle und grundsätzlich ja auch richtige Antikriegshaltung hat sich im Laufe der letzten Jahre in eine Antimilitär- und sogar Antisoldateneinstellung gewandelt. Das war kurzsichtig, gewiß, doch bei der nun einmal gegebenen, vorurteilsbeladenen Auffassung, die diesbezüglich in unserer Partei herrscht, wird man sich wahrscheinlich eher mit Vertretern der Großagrarier, Bankherren und römischen Kurie in ein langfristiges Bündnis begeben, als mit Militärs. Es sei denn", fügte er hinzu, "das Wasser steht uns bis zum Hals; dann werden unseren Parteigrößen auch Generale zu akzeptablen Verbündeten werden!"

"Eine solche Meinung von dem Vorsitzenden eines Soldatenrates zu hören, erstaunt mich, obwohl du bisher, mir gegenüber, immer offen gewesen bist. Unverständlich ist mir aber, angesichts deiner klaren Beurteilung der Situation, dein vorhin zum Ausdruck gebrachter Optimismus", sagte Seller.

"Du brauchst dich weder zu wundern, noch mir, unausgesprochen, Widersprüchlichkeiten zu unterstellen, denn in meiner Meinung sehe ich keine Inkonsequenz. Ich bin mir nämlich, spätestens seit gestern, darüber im klaren, daß die Soldatenräte nur als periodisch geduldete und benutzte Zweckinstrumente angesehen werden. Ihnen fehlt fachliche und politische Kompetenz. Sie können, in der jetzigen Zusammensetzung, nur die Rollen von Statisten und Exekutoren spielen."

"Ich muß dir gestehen, diese Einschätzung beruhigt mich, zumal es sich bei den A- und S-Räten fast ausschließlich um Etappen- und Heimatkrieger handelt. Hätten diese tatsächlich etwas zu bestimmen, so würden sie über die Köpfe von Millionen Frontsoldaten hinweg entscheiden! Dieser Umstand würde sich als eine Mine mit großer Sprengkraft erweisen!"

"Die Gefahr, die du hier andeutest, wird allerdings nicht dadurch geringer, daß Frontsoldaten, die sich zufällig in der Heimat aufhalten, ihre Mitwirkung bei der Steuerung der revolutionären Entwicklung verweigern!", sagte Brauer mit leichter Anzüglichkeit.

Doch er ließ es nicht bei dieser Anspielung, sondern fuhr, direkter werdend, fort: "Du hast gestern selbst erlebt, welch ungeeignete Leute derzeit Ordnungsfunktionen ausüben, und wohin es führt, wenn der revolutionär getarnten Anarchie freie Bahn gelassen wird. Gesetzt den Fall, die Revolution erfüllt nicht die gehegten Erwartungen, wirst du dann später sagen können, du hättest für deinen Teil alles getan, um Fehlentwicklungen zu verhindern, wenn du jetzt weiterhin abseits stehst?

Ich gehöre, ebenso wie du, nicht zu denen, die die Revolution vorbereitet und ausgelöst haben. Doch ich habe, trotz noch nicht gänzlich verheilter Wunde an meinem Armstumpf, das Lazarett verlassen, und habe mich unserer Partei zur Verfügung gestellt, damit nicht Radikaleren das Feld überlassen wird, und sie oder andere Quertreiber, ihre Einflußmöglichkeiten nur deshalb ungehindert vergrößern können, weil zu viele, die unseres Geistes sind, passiv bleiben!"

Seller war von den Argumenten Brauers und dem inneren Engagement, mit dem er sie vorgetragen hatte, beeindruckt. Er sagte deshalb beschwichtigend: "Glaub mir, Franz, ich schätze dein Verantwortungsbewußtsein und dein tätiges Engagement sehr. Sei auch überzeugt, daß ich mir bereits ähnliche Gedanken gemacht habe, wie du sie eben vorgetragen hast. Es ist ja auch nicht meine Absicht, mich den Aufgaben, die sich jetzt unserer Partei und unserem Volk stellen, zu verweigern; nur bin ich, vor allem in Anbetracht der neuen Lage, nicht sicher, ob die mir zugedachte Verwendung und die Basis, von der aus sie geschehen soll, noch sinnvoll, beziehungsweise geeignet ist."

"Ich verstehe nicht, was du damit sagen willst."

"Nun, ich meine, wenn Ebert und der Rat der Volksbeauftragten ab sofort und künftig voll über den Staatsapparat verfügen können, so müßten sie zunächst einmal einige politische Entscheidungen über die Kompetenzen treffen, die den bisherigen Ordnungskräften - der Polizei, den militärischen Ordnungs- und Sicherheitsdiensten, und so weiter - auch jetzt und künftig vorbehalten bleiben sollen, und jene Aufgaben klar umreißen, die den neu formierten oder noch im Entstehen begriffenen Sicherheitskräften zugedacht sind. Ein Nebeneinander von Ordnungsorganen mit getrennten, vielleicht politisch gegensätzlich orientierten, oder auch nur unkoordiniert tätigen Steuerungszentren, könnte zu erheblichen Komplikationen, eventuell sogar zu Schießereien innerhalb des Regierungslagers führen. Truppe gegen Truppe, - das wäre das vollendete Chaos!"

"Ja, dieses Problem muß vorrangig gelöst werden; ich werde heute noch einen entsprechenden Antrag stellen. Im übrigen bin ich dir für deine, allein mit diesem Vorschlag bewiesene Bereitschaft zur Mitarbeit dankbar. Ungeachtet der noch nicht erfolgten grundlegenden Klärung solltest du dir aber schon einmal einen detaillierten Plan zur Aufstellung einer Ordnungs- und Sicherheitsgruppe, mit Aufgabenzuteilung im, und Aufgabenbegrenzung auf, den Kasernenbereich, befassen. Eine solche Gruppe ist notwendig, damit sich Vorgänge wie gestern, denen euer Leutnant und vier andere Männer zum Opfer fielen, nicht wiederholen."

"Gut, Franz, das werde ich tun", sagte Seller zu. Die Erwähnung der gestern sinnlos Erschossenen, machte ihm seine Zusage um ein beträchtliches leichter.

Die Erinnerung an den Tod des Leutnants ließ Seller auch die Frage nach dem Zeitpunkt und der vorgesehenen Form der Beisetzung stellen. Nachdem Brauer mitgeteilt hatte, die Beerdigung der fünf Toten werde am übernächsten Tag, und, wie er versicherte, in würdiger Weise erfolgen, erhob er sich. Brauer tat daraufhin das Gleiche. Seller die Hand entgegenstreckend, sagte er: "Hoffen wir, daß die Toten dieses Krieges und dieser Revolution die letzten sein werden, die auf dem von Irrtümern und Fehlverhalten gesäumten Weg in die Zukunft Deutschlands und Europas ihr Leben lassen mußten!"

*

Nachdem am 9. November die Republik ausgerufen und damit ein weiteres psychologisches Faktum geschaffen worden war, das die Feindseite zu hochgespannten Forderungen ermutigte, sah die 'Revolutionsregierung' sich gezwungen am 11. November ein Waffenstillstandsdiktat zu akzeptieren.

Die Bedingungen machten Deutschland völlig wehrlos, lieferten das deutsche Volk der Willkür seiner Gegner aus.

Die Hauptforderungen waren:

1. Räumung der von deutschen Truppen noch besetzten Länder
2. Räumung des gesamten linksrheinischen Reichsgebietes und Zurückziehung der deutschen Truppen hinter eine Zone von 10 km Tiefe rechts des Rheins
3. Sofortige Auflösung des deutschen Heeres und der Kriegsmarine
4. Auslieferung des gesamten Kriegsmaterials, bis auf geringe Reste; Überführung der deutschen Kriegsflotte nach England
5. Ablieferung von 5 000 Lokomotiven und 150 000 Eisenbahnwagen
6. Ungültigkeit der deutschen Friedensverträge mit Rußland und Rumänien (darin war die Selbständigkeit Polens, der baltischen Staaten, der Ukraine und Finnlands vereinbart worden)
7. Sofortige Auslieferung aller alliierten Kriegsgefangenen
8. Zurückbehaltung aller deutschen Kriegsgefangenen in alliiertem Gewahrsam auf unbestimmte Zeit
9. Aufrechterhaltung der Hungerblockade gegen Deutschland auf unbestimmte Zeit

Eine Vielzahl anderer Forderungen, - darunter die Lieferung großer Teile des deutschen Viehbestandes, - ergänzte den mit den Hauptbedingungen verfolgten Zweck: Die Wehrlosmachung Deutschlands.

Dieser Zielsetzung der Sieger ungeachtet, ging innerhalb Deutschlands das parteipolitische Hick-Hack weiter; schlug man sich weiter die Schädel ein, nahm das Chaos immer größere Ausmaße an, und begann eine innerpolitische Entwicklung, die deutsche Zerrissenheit auf Jahre hinaus vorzeichnete. Die dadurch erfolgte Potenzierung der deutschen Schwäche ermunterte die Feindstaaten schließlich, die Unterwerfung des deutschen Volkes für Jahrzehnte vorzusehen, und sogenannte Friedensbedingungen zu diktieren, die Millionen Deutsche zu Schacherobjekten und jeden einzelnen Deutschen zu einem Tributsklaven degradierten.

2. Kapitel
Wofür und wogegen?
Dezember 1918

Zum Zeitgeschehen

Die Erfüllung der außerordentlich harten und demütigenden Bedingungen des am 11. November, auf Weisung des Rates der Volksbeauftragten, von dem Staatssekretär Mathias Erzberger unterzeichneten Waffenstillstandsvertrages hatte die Auslieferung des Deutschen Reiches und Volkes an die Willkür der Feindstaaten zur Folge gehabt. Die deutschen Anstrengungen, die von den Einkreisungsmächten angestrebte Entmachtung Deutschlands und seine Ausschaltung als gleichberechtigten Wirtschaftsfaktor in der Welt zu verhindern, waren vergeblich gewesen.

An Opfern waren zu beklagen: 1,808 Millionen Gefallene, über 750.000 Verhungerte, 4,249 Millionen Verwundete; an Folgen von Verwundungen und Unterernährung starben später noch Hunderttausende. In Kriegsgefangenschaft gerieten 994.000 deutsche Soldaten. Ungerechnet der in der Folgezeit zu leistenden Tribute und Sachlieferungen, beliefen die deutschen Kriegskosten sich auf 165 Milliarden Mark.

Nach Rückzug der deutschen Truppen hinter den Rhein, besetzten ab 1. Dezember alliierte Armeen das geräumte Reichsgebiet. Im Osten wurden, zum Schutz gegen polnische und russische Annektionsvorbereitungen Grenzschutzformationen aufgestellt. Die lettische Regierung bot deutschen Freiwilligen, für Hilfe im Kampf gegen die Bolschewisten, Land und Bürgerrechte an.

In der Reichshauptstadt kam es zu heftigen Kämpfen zwischen den spartakistisch infizierten "Sicherheitswehren", sowie der linksradikalen "Volksmarinedivision" und regierungstreuen Truppen.

Gegen Ende des Monats schieden die Unabhängigen Sozialdemokraten aus der Regierung aus. Der SPD-Abgeordnete Gustav Noske wurde Wehrminister. Unter der Geisel der fortdauernden Hungerblockade und der beginnenden Ausplünderung leidend, wurde in Deutschland zunehmend nach dem Sinn der Kapitulation von Compiègne gefragt. Für viele politisch denkende Deutsche stellten die Vorgänge, die zur Annahme der Waffenstillstandsbedingungen geführt hatten, sich wie folgt dar:

Die Feinde hatten hoch gepokert und damit Erfolg gehabt, obwohl sie keineswegs alle Trümpfe in ihren Händen hielten. Ihre hochgesteckten militärischen Forderungen hätten der deutschen Seite signalisieren müssen, daß die Alliierten das Vorhandensein immer noch abwehrfähiger, nach wie vor in Feindesland stehender deutscher Frontarmeen, durchaus als eine gewichtige Karte in deutscher Hand ansahen. In Paris und in den anderen Hauptstädten der Feindkoalition wußte man zwar, daß dem deutschen Frontheer die Unterstützung der Heimat entzogen worden war, - man wußte aber auch, aus eigener Geschichte, daß der Widerstandswille eines Volkes, wenn ihm Demütigung und Knechtschaft drohen, von einer entschlossenen Regierung wieder entfacht und sogar gesteigert werden kann. Diese Möglichkeit auszuschließen war daher vorrangiges Bestreben der Feinde gewesen - und die in Diplomatie und staatsmännischer Kunst ungeübten Politiker in der neuen deutschen Regierung waren auf die französischen Pokertricks hereingefallen!

Enttäuschung und Nöte ließen nach 'Verantwortlichen' und 'Sündenböcken' suchen.

Reflexionen und Details

Nach Herbert Sellers Meinung schienen die meisten deutschen Politiker in Regierung und Parteien dem Volk nicht eingestehen zu wollen, daß in Compiègne kein üblicher Waffenstillstand abgeschlossen worden war, sondern eine Unterwerfung auf Gnade und Ungnade der Feinde stattgefunden hatte.

Wer jetzt noch, angesichts der Tatsache, daß in dem sogenannten Waffenstillstandsvertrag nicht der leiseste Hinweis auf die zuvor hoch gerühmten und als Schlüsselgarantie für einen "Frieden ohne Sieger und Besiegte" angesehenen 14 Punkte Wilsons zu finden war, - wer jetzt noch an einen effektiv mäßigenden Einfluß des Präsidenten, und an den späteren Friedensverhandlungen glaubte, der war in Sellers Augen ein Narr!

Dem deutschen Volke wurde in den Zeitungen, auf Flugblättern, und in Versammlungen ein X für ein U vorgemacht! Bestenfalls wurde es mit Halbwahrheiten gefüttert! Im übrigen erging man sich in Schuldzuweisungen.

Seller fragte sich, ob Cohnen ihm auf Tatsachen gegründete Informationen liefern könne, und ihm reinen Wein einschenken werde. Diesbezüglich begannen sich allerdings bei ihm bereits erste Zweifel zu regen.

So oft er nämlich in Cohnens Sekretariat wegen eines Gesprächstermins angerufen hatte, so oft hatte er auch eine unbefriedigende Antwort erhalten. Es hieß entweder: "Der Genosse Cohnen befindet sich in Königsberg, in Köln, in Breslau oder in einer anderen Stadt; oder man sagte ihm, Cohnen sei für ein paar Tage in Sondermission im Ausland."

Die ständige Wiederholung solcher und ähnlicher Auskünfte führte Seller zu der Frage, ob Cohnen einem Gespräch mit ihm aus dem Wege gehen wolle.

Seller beschloß, diese Frage schnellstens zu klären. Er rief daher nochmals in Cohnens Sekretariat an, und sagte schließlich: "Ihr werdet fraglos täglich telefonischen Kontakt mit dem Genossen Cohnen haben. Fragt ihn bitte bei nächster Gelegenheit, ob in den nächsten Tagen für mich eine reale Möglichkeit zu einem Zusammentreffen mit ihm besteht oder nicht. Sollte dies nicht der Fall sein, so werde ich Berlin verlassen und zu meiner Familie zurückkehren. Morgen werde ich noch einmal anrufen, um mir Bescheid zu holen!"

Den Bescheid über die Möglichkeit eines Gesprächs mit Cohnen, brauchte Seller bei dessen Sekretariat jedoch nicht selbst zu erfragen. Noch am Abend des gleichen Tages, an dem er sein mit ultimativem Abschluß beendetes Telefongespräch geführt hatte, ließ Brauer ihm eine Nachricht aus Cohnens Büro übermitteln. Sie besagte: Cohnen habe sein Versprechen bisher infolge Abwesenheit nicht einlösen können; er habe jedoch seinen Vertreter Weinberger angewiesen, ihn, Seller, am nächsten Tag, um drei Uhr nachmittags, zu empfangen.

Tags darauf betrat Seller, fünf Minuten vor der angegebenen Zeit, das Vorzimmer der Büroflucht, die von Cohnens Mitarbeiterstab belegt war. Die Vorzimmerdame schien, so schloß er aus deren korrektem Habitus, aus dem Personalfundus der alten Ministerialbürokratie zu stammen. Dieser Ministerial- und Beamtenapparat befähigte jetzt die Revolutionsregierung, die Staatsfunktionen, trotz der Quertreibereien von unabhängigen "Genossen" und deren radikalen Verbündeten, aufrechtzuerhalten.

Seller wurde, nachdem er seinen Namen genannt hatte, mit distanzierter Höflichkeit aufgefordert, Platz zu nehmen.

Nachdem er bereits eine Viertelstunde gewartet hatte, sagte die Dame: "Bitte, gedulden Sie sich noch ein wenig; es kann nur noch Minuten dauern." Die Minuten dehnten sich jedoch zu einer weiteren Viertelstunde. Dann wurde die Tür vom Nebenzimmer geöffnet. Ein sorgfältig gekleideter, schwarzhaariger Mittvierziger geleitete mit geschmeidigen Worten und Gesten zwei "Herren" hinaus, von denen einer auf glatten Wangen zwei deutlich sichtbare Mensurschmisse trug, während der andere durch eine polierte Vollglatze auffiel.

Die Atmosphäre, die sich mit dem Eintritt der drei in dem Raum verbreitete, mißfiel Seller. Er empfand eine instinktive Ablehnung. Nachdem die beiden in Gehpelze gehüllten und mit dicken Aktentaschen bewaffneten "Herren" das Vorzimmer verlassen hatten, wandte der Schwarzhaarige sich an den Wartenden: "Genosse Seller, nehme ich an?"

"Die Annahme ist richtig", antwortete Seller, während er sich erhob. "Weinberger", sagte der Geschniegelte, und "hier hinein, bitte", fuhr er lächelnd fort, mit leichter Kopfwendung zur Tür des Raumes hindeutend, aus dem er mit den beiden "Herren" gekommen war.

Drinnen ging Weinberger auf eine mit hellbraunem Saffianleder überzogene Sitzgruppe zu. "Nehmen wir hier Platz", schlug er vor, "die Stühle am Schreibtisch sind weniger bequem."

Nachdem sie sich niedergelassen hatten, erklärte er: "Zunächst soll ich Ihnen - er sagte nicht wie sonst unter Genossen üblich, du - wärmste Grüße des Genossen Cohnen übermitteln. Er bedauert sehr, infolge übermäßiger Inanspruchnahme noch keine Zeit für ein persönliches Gespräch gefunden zu haben. Mit Nachdruck hat er mir jedoch aufgetragen, Ihnen nach bestem Vermögen zu helfen; - und daher auch gleich meine Frage: Was kann ich für Sie tun, welche Türen soll ich Ihnen öffnen, welche Verbindungen für Sie knüpfen, welche materielle Hilfe benötigen Sie?"

Seller vermochte sein Erstaunen kaum zu verbergen. "Bewegt Weinberger sich noch in den Bahnen des Gesprächs, das er vor wenigen Minuten mit den beiden Großbürgern geführt hat, oder sind die Anliegen, die ihm vorgetragen werden, zum überwiegenden Teil auch dann von persönlichem Vorteilsstreben bestimmt, wenn sie ihm von Genossen der eigenen, sich revolutionär gebärenden Partei nahegebracht werden?", fragte er sich im Stillen.

Die Art in der Weinberger sein Anerbieten formuliert hatte, ließ jedenfalls einen solchen Eindruck entstehen. Die Frage, welcher Preis gegebenenfalls für ein, natürlich mit politischen Motiven verbrämtes, Entgegenkommen geboten oder gefordert werde, und der Begriff Korruption drängten sich ihm für ein paar Augenblicke auf.

Doch selbstkritisch schob Seller den ihm plötzlich zugeflogenen Verdacht beiseite: Er war weder durch Tatsachenbeweise noch durch Indizien zu rechtfertigen. Unumwunden gestand er sich ein, daß sein Mißtrauen in einer gefühlsbestimmten Voreingenommenheit gegenüber dem glatten Gehabe Weinbergers seinen Ursprung hatte, und wohl auch in dem Erscheinen der beiden Bilderbuch-Kapitalisten von vorhin, die sich wie Fremdkörper in den Räumen der Revolutionszentrale ausgenommen hatten.

Auf die Worte seines Gegenübers eingehend, sagte er: "Sie können mir am besten helfen, indem Sie mich ungeschminkt über ein paar Vorgänge, deren Motive und Ziele informieren, die, aufgrund meines bisherigen Informationsstandes, stärkste Zweifel an der Richtigkeit des von unserer Partei eingeschlagenen Weges ausgelöst haben."

Weinberger antwortete ohne Zögern: "Soweit ich mich dazu in der Lage sehe, will ich gern dazu beitragen, Ihren Informationsmangel zu beheben. Doch dazu müßte ich zunächst wissen, wo Sie einen Nachholbedarf empfinden."

"Soweit ich mich dazu in der Lage sehe, - das kann natürlich auch heißen: Soweit ich es für geboten halte", dachte Seller und fragte sich, ob es mit einem solchen Vorbehalt überhaupt Sinn habe, das Gespräch zu führen.

Er nahm sich vor, die Probe aufs Exempel zu machen: "Können Sie mir sagen, weshalb unsere Partei, und sei es nur durch stillschweigende Duldung spartakistischer Zersetzungspropaganda, mitgeholfen hat, die Widerstandsfähigkeit unseres Volkes zu untergraben, obwohl die Bedingungen, unter denen ein Waffenstillstand abgeschlossen werden konnte, noch nicht bekannt waren?"

Weinberger überlegte einen Augenblick, ehe er, statt zu antworten, eine doppelte Gegenfrage stellte: "Wollen Sie mit Ihren Worten andeuten, es sei möglich gewesen, mit der Revolution zu warten, bis die Allliierten ihre Karten auf den Tisch gelegt hätten? Glauben Sie, es habe die Möglichkeit bestanden, den Krieg weiterzuführen, bis eine akzeptable Waffenstillstandsvereinbarung erzielt worden sei?"

"Eigentlich bin ich hierher gekommen, um Antworten zu erhalten, statt welche zu erteilen", stellte Seller fest, ehe er auf Weinbergers Einlassung einging: "Die Revolution hätte sich, meiner Meinung nach, verhindern lassen, wenn unsere Parteiführung bei den ersten Anzeichen spartakistischer Wühlarbeit und Sabotage, obwohl noch nicht in der Regierung, in staatspolitischer Verantwortung gehandelt hätte. Das Problem der Revolutionsverhinderung stellte sich ja nicht erst in den letzten Wochen vor dem 9. November, sondern bereits 1917, als erste Anzeichen sichtbar wurden. Ein solcher konsequenter, Freund und Feind beeindruckender Versuch, der höchst wahrscheinlich zum Erfolg geführt hätte, ist jedoch, leider, nicht unternommen worden; daher wird auch jede, jetzt oder später erfolgende Argumentation, mit der das gegenwärtige Geschehen und dessen Folgen entschuldigt werden sollen, keine Überzeugungskraft besitzen."

Um Weinbergers Mund spielte ein amüsiert sein sollendes Lächeln. "Sie scheinen zu vergessen, daß die Oberste Heeresleitung es war, die den Abschluß eines Waffenstillstandsvertrages forderte, und Erzberger erst danach unterschrieb; - wie ja auch Max von Baden den Rücktritt des Kaisers verlangte, um damit einen Stein auf den Weg aus der Misere zu beseitigen!"

"Wir sollten unter uns ehrlich bleiben", entgegnete Seller, "und nicht jene Version in unser Gespräch einführen, die unsere Propaganda dem Volke vorsetzt! Mit dieser Darstellung werden doch Ursachen und Wirkungen verwechselt, wird der zeitliche Ablauf auf den Kopf gestellt!

Tatsache ist doch, daß die Matrosen bereits am 28. Oktober meuterten, wenn man von Reichpietsch und Köbes absieht, die das noch früher taten; Tatsachen sind ferner, daß bereits am 7. November eine bayerische und am 9. die deutsche Republik ausgerufen worden war, daß der Nachschub für die Fronttruppen schon lange vorher durch Streiks sabotiert worden war, und wir nichts dagegen unternahmen, sondern, im Gegenteil, das Hauptquartier in Spa damit massiv unter Druck setzten!

Was blieb denn Hindenburg anderes übrig, als sich unter diesen Umständen am 10. November zu dem Einverständnis zur Unterzeichnung des Vertrages, auf der Grundlage der von der Regierung akzeptierten 14 Punkte Wilsons, durchzuringen? Und daß Erzberger, auf Weisung aus Berlin, unterschrieb, ohne auf eine Erwähnung dieser Punkte im Text der Dokumente des Waffenstillstandes zu bestehen, ist ebenfalls nicht Hindenburgs Schuld! - - -

Auch bezüglich der Abdankung Wilhelms hat Max von Baden mit seinem Vorschlag nur die Konsequenz aus den Pressionen gezogen, und zwar, wie wir inzwischen wissen, nur was Wilhelm persönlich betraf! Die Monarchie sollte bestehen bleiben.

Ich weine den Hohenzollern und den übrigen Fürstenhäusern keine Träne nach, doch Tatsachen wollen wir Tatsachen bleiben lassen!"

"Richtig", sagte Weinberger, "aber dazu gehört auch die Anerkennung der Tatsache, daß die Oberste Heeresleitung die Reichsregierung bereits Ende September/Anfang Oktober ersucht hat, die Voraussetzungen für die Aufnahme von Waffenstillstandsverhandlungen auszuloten, und damit den Anstoß für das am 4. Oktober unterbreitete deutsche Waffenstillstandsangebot gab! Die Heeresleitung hat damit praktisch die Kapitulation gefordert! - Niemand sonst!"

"Von dieser Initiative der Heeresleitung wußte ich bisher nichts", sagte Seller, "aber falls es sich so verhalten hat, dann kann man damit doch nicht die absurde Behauptung stützen, die Heeresführung habe die Kapitulation gefordert! Das ist doch kompletter Unsinn!

Sowenig das deutsche Friedensangebot an die Feindmächte vom Dezember 1916 als Kapitulationsbereitschaft gedeutet werden kann, so wenig auch, und noch viel weniger, ein an die Regierung gerichtetes Ersuchen um Sondierung der gegnerischen Bereitschaft zu Waffenstillstandsverhandlungen! Die Heeresleitung hat nur gefordert zu klären, unter welchen Voraussetzungen solche Verhandlungen gegebenenfalls geführt werden könnten!

Im übrigen muß man sich in unserer Partei allmählich entscheiden, was sie der Heeresleitung nun eigentlich vorwerfen will! Jedenfalls geht es nicht an, ihr einmal Uneinsichtigkeit und die Absicht den Krieg zu verlängern, zu unterstellen, und ihr im nächsten Augenblick vorzuwerfen, sie habe die Kapitulation eingeleitet! Damit machen wir uns selbst unglaubwürdig!

Ein Generalstab hat alle Faktoren und Möglichkeiten in's Kalkül einzubeziehen! Auch die Möglichkeit durch rechtzeitige Verhandlungen Waffenstillstandsbedingungen zu erreichen, die akzeptabel sind. Das ist aber nur möglich, solange man selbst noch etwas zu bieten hat. Ende September war das noch eine ganze Menge; - daß dies dann, teils durch unser aktives Zutun, teils durch unsere Duldung laufend entwertet wurde, das ist nicht Schuld der Heeresleitung! Vielmehr müssen sich hier nicht wenige unserer Partei- und Gewerkschaftsführer an die Nase fassen!"

“So in Bausch und Bogen kann ich diesen Vorwurf nicht stehen lassen”, wehrte Weinberger ab. “Revolutionen erfolgen nach den gleichen Gesetzen wie Dammbrüche, sie lassen sich, was Zeitpunkt, Ort und Ausmaß betrifft, nicht voraus bestimmen!”

“Diejenigen, die den Damm unterwühlen, vermögen sehr wohl Zeitpunkt, Ort und Ausmaß des Dammbruches zu beeinflußen”, hielt Seller entgegen, “und wer das nicht glaubt, der sollte sich mit Lenins Revolutionsstrategie und -taktik vertraut machen.”

“Sie berufen sich, bei ihrer Argumentation, auf prominente Strategen, Genosse Seller; was die Revolution angeht, auf Lenin, und was die Weiterführung des Krieges betrifft, wahrscheinlich auf Ludendorff; der trat ja ebenfalls für eine Kriegsverlängerung ein!”

“Die in ihren Worten verborgene Anzüglichkeit stört mich nicht im geringsten. Doch die mit negativen Vorzeichen belastete, auf Emotionen zielende Formulierung ‘Kriegsverlängerung’ halte ich für unangbracht, insbesondere wenn nicht zugleich Gründe und Ziele eines weiteren Widerstandes berücksichtigt werden. Ludendorffs Motive verdienen eine sachliche Würdigung, zumal seine Befürchtungen, durch die extrem harten Waffenstillstandsbedingungen bereits bestätigt worden sind!”

“Sie scheinen zu vergessen, daß Ludendorff wegen seiner Absichten, den Krieg weiterzuführen, entlassen wurde, und zwar vom Kaiser!”

“Nein, das habe ich nicht vergessen; doch finde ich es höchst interessant, daß der sonst so geschmähte Kaiser in dieser Angelegenheit plötzlich aus quasi nicht irren könnender Kronzeuge angerufen wird.

Im übrigen gibt es aber auch respaktable, revolutionäre Vorbilder für Ludendorffs leider nicht verwirklichte Absichten. Zum Beispiel die Führer der französischen Revolution, die die Konkursmasse der royalistischen Epoche gegen ausländischen Zugriff, 1792 bei Valmy, verteidigten, und, zu allem Überfluß, sogar in Savoyen, in die Niederlande und in die rheinischen Gebiete einfielen, um die Basis der neuen Republik zu verbreitern und zu festigen!

Oder auch Leon Gambetta, der, nach dem Zusammenbruch des französischen Kaiserreiches 1870, die Nation noch aus dem bereits belagerten Paris zum Widerstand gegen die fremden Truppen aufrief.”

“Ich glaube nicht, daß man die damals gegebenen Voraussetzungen einfach mit den heute vorliegenden vergleichen kann”, wandte Weinberger ein.

“So einfach, in Bausch und Bogen, sicherlich nicht, aber doch im Prinzipiellen”, bestand Seller auf seiner Meinung, “und zu dem Nichtvergleichbaren gehört zunächst einmal die Tatsache, daß die Franzosen damals den Widerstand fortsetzten, als der Gegner bereits tief in ihrem Land stand, während wir ihn jetzt aufgaben, während unsere Truppen sich noch weit auf dem Territorium der Feindstaaten befanden! Aber wir Deutschen neigen ja häufig dazu, bei uns zu verurteilen, was wir bei anderen bestaunen und bewundern!"

"Wenn man Sie reden hört, so könnte man meinen, Sie seien auf nationalistische Linie eingeschwenkt, Genosse Seller!"

Seller bedauerte, daß er bisher noch immer nicht dazu gekommen war, wenigstens einen Teil der ihn interessierenden Fragen zu stellen. Doch er sah sich auch nicht in der Lage, die von Weinberger geäußerten Meinungen einfach unwidersprochen hinzunehmen.

An Weinbergers letzte Worte anknüpfend, sagte er: "Mein Nationalbewußtsein teile ich mit Gustav Noske, sowie mit anderen klar denkenden Sozialdemokraten!

Wie Sie wissen, hat auch Noske, leider ohne massiv unterstützt zu werden, Ende Oktober dazu aufgerufen, alle Kräfte zusammenzufassen, um einen militärischen Zusammenbruch zu verhindern, - und haben sogar einige vernünftige Unabhängige, wie zuvor Ludendorff und Noske, noch am 1. November gefordert, die Revolution zu verschieben, bis ein annehmbarer Friede erreicht sei!

Nebenbei bemerkt: Da die Unabhängigen der Überzeugung waren, die Revolution könne verschoben werden, so muß diese Möglichkeit doch auch in realer Weise bestanden haben; und da, wie inzwischen feststeht, Barth, Ledebur, Däumig, Liebknecht und einige Obleute der Gewerkschaften sich stritten, ob in Berlin am 4.8. oder am 11. November losgeschlagen werden solle, spricht auch das überzeugend für die realbestehende Möglichkeit einer Steuerung, gegen Ihre vorhin geäußerte Dammbruchthese, und für einen geplanten, bewußt ausgelösten Zusammenbruch! Die Frage, was Ebert trotz dieser Tatsachen bewogen hat, den Wühler Liebknecht am 9. November auch noch in die Regierung zu berufen, - Gott sei Dank lehnte der ab. -, diese Frage möchte ich nachher gern beantwortet haben."

Als Weinberger zu einer Entgegnung ansetzte, bedeutete ihm Seller mit einer knappen Handbewegung, noch abzuwarten.

"Damit Sie in Ihrer Antwort gleich einige weitere, mich bewegende Gesichtspunkte berücksichtigen können, lassen Sie mich bitte noch einiges hinzusetzen, beziehungsweise klarstellen: Zunächst möchte ich nochmals betonen, daß ich kein doktrinengläubiger Marxist - sondern ein sozialer Demokrat bin, der sich seines Volkstums bewußt und nicht weltfremd genug ist, um der Meinung huldigen zu können, es gäbe in diesem von Nationalstaaten geprägten Europa, keine nationalen deutschen Interessen mehr zu verteidigen.

Der Glaube an eine mit Erfolg praktizierbare Solidarität des Internationalen Proletariats in Situationen, in denen elementare Lebensfragen der Nation auf dem Spiel stehen, ist für mich so gut wie tot, seit die Sozialistische Internationale 1914 jeden ernsthaften Versuch unterließ, den Ausbruch des Krieges zu verhindern; sondern sich mit ein paar substanzlosen Konferenzen zufrieden gab."

"Das Versagen der Sozialistischen Internationale bei Kriegsausbruch ist leider eine bedauerliche Tatsache", räumte Weinberger ein, "aber schließlich war es ja für keine Sektion möglich, ohne größte Risiken für das eigene Land, und natürlich auch für die eigene Partei, den ersten Schritt zu einer Vereitelung des Krieges zu tun. Sie kennen ja das Kaiserwort von den angeblich 'vaterlandslosen Gesellen', das hat...."

"Für das unser Angeordneter Crispien, mit dem blödsinnigen Satz: 'Ich kenne kein Vaterland, das Deutschland heißt', den Anlaß gab", warf Seller ein. "Er hat uns damit einen Bärendienst erwiesen!"

Weinberger nickte gezwungenermaßen, und beendete seine entschuldigend-sollenden Ausführungen mit der nicht überzeugenden Bemerkung: "Wie dem auch sei, solche oder ähnliche Vorwürfe haben natürlich alle sozialistischen Parteien in den voraussichtlich in den Krieg verwickelt werdenden Ländern befürchtet."

"Und statt möglicher Vorwürfe haben sie lieber den Krieg mit Millionen Toten in Kauf genommen", ergänzte Seller, um sofort klarstellend anzufügen, "so könnte ich jedenfalls argumentieren, wenn ich mit gleicher Scheinlogik und in ähnlich vereinfachender Manier kritisieren wollte, in der unsere Parteipropaganda dies gegenwärtig mit Bezug auf Entscheidungen tut, die während des Krieges unter wirklichen Sachzwängen stehend, von politischen Vertretern des alten Regimes, und speziell von der Heeresleitung, getroffen worden sind."

Seller hielt inne, um Weinberger Gelegenheit zu einer Stellungnahme zu geben. Als dieser jedoch schwieg, knüpfte er seine Gedanken weiter: "Angesichts des Debakels beim Kriegsausbruch ist es sicherlich kein Wagnis, jetzt vorauszusagen, daß die Sozialistische Internationale, oder, da praktisch nichts mehr von ihr übrig ist, die 'Proletarier aller Länder' bei der Friedensregelung ebenso vollkommen versagen werden, wie bei Kriegsbeginn.

Nur können sie jetzt nicht mit ähnlichen Argumenten auf tatsächliche oder angebliche Risiken für ihre Parteien und Völker hinweisen wie damals! Denn Deutschland stellt heute kein militärisches Sicherheitsrisiko mehr dar. Jetzt geht es lediglich um Verhinderung ungerechter Ausbeutung auf völkischer Basis, um Gewährleistung der Selbstbestimmung, um Blockierung imperialistischer Annektionen, bei denen nicht nur ganze Provinzen, sondern auch die dort beheimateten Menschen als Beutestücke betrachtet werden, und es geht zuerst und zuletzt um Friedenssicherung, indem verhindert wird, daß neue Kriegsursachen geschaffen werden.

Das sind alles Forderungen, die die sozialistischen Parteien seit langem auf ihre Fahnen geschrieben haben; und deshalb gilt auch den damit zusammenhängenden Problemen eine meiner Fragen, derenthalber ich hergekommen bin. Sie lautet: Was hat unsere Partei bisher unternommen, um in Hinblick auf die Friedensregelung, wenigstens eine sozialistische Mindestsolidarität auf internationaler Ebene zu erreichen, und auf welches Echo ist sie bei ihren Bemühungen gestoßen?"

Weinberger antwortete zögernd und mit peinlich berührtem Gesichtsausdruck: "Darauf kann ich im Augenblick keine verbindliche Antwort geben. Mir ist jedenfalls nicht bekannt, ob unsere Partei sich gegenwärtig in dieser Richtung bemüht. Allerdings möchte ich darauf hinweisen, daß sie sich schon während des Krieges für einen Frieden ohne Annektionen und Tribute eingesetzt hat!"

"Das hat Reichskanzler Bethmann-Hollweg 1916 und 1917 ebenfalls getan", ergänzte Seller sachlich, "aber jetzt wo eine gänzlich andere Situation gegeben ist, wurde, Ihren Worten nach zu schließen, nichts unternommen. Dabei wäre ein, auch auf diese Weise verfolgtes Bestreben zur Friedenssicherung und Verhinderung eines neuen Krieges - der sich, wie die Geschichte lehrt, stets aus Knechtung und Demütigung anderer Völker ergibt -, ein Bemühen, das auf alle Fälle, früher oder später, einmal positiv zu Buche schlagen müßte!"

"Dieser Auffassung stimme ich zu; Genosse Seller, und ich meine auch, daß in dieser Richtung etwas getan werden müßte, falls noch nichts unternommen worden sein sollte. Aber gegenwärtig sind Regierung und Partei mit Vorrang bestrebt, die Republik im Innern zu konsolidieren; außenpolitische Vorgänge sind derzeit unserer Einflußnahme weitestgehend entzogen!"

"Diese Antwort stellt mich in keiner Weise zufrieden", stellte Seller fest, "sie führt mich aber zu einer anderen Frage, die mich täglich beschäftigt, nämlich: Was wird unternommen, um die unmenschlichsten der Waffenstillstandsbedingungen bereits vor Abschluß eines Friedensvertrages aufzuheben, oder wenigstens in ihren furchtbarsten Auswirkungen zu mildern?

Einer sozialdemokratisch geführten Regierung und unserer Partei muß das ein Hauptanliegen sein! Denn die bereits über 750 000 Hungertoten, die die Verhängung und Aufrechterhaltung der Hungerblockade der Alliierten bisher in der deutschen Zivilbevölkerung gefordert hat, kommen aus den Reihen der Ärmsten und der Schwächsten in unserem Volk! Es sind vorzugsweise die Kinder, die Kranken, die Alten in den Arbeiter- und Armenvierteln unserer Städte, die an Hunger und Auszehrung sterben; auch die Millionen deutscher Kriegsgefangener, die entgegen internationaler Rechtsnormen, weiterhin Sklavenarbeit für ausländische Großkapitalisten zu leisten gezwungen werden, sind überwiegend deutsche Arbeiter!"

Seller war Erregung anzumerken, und Weinberger schien beeindruckt. Eine zeitlang war nur das Ticken der großen, reich verzierten Standuhr zu hören, die in einer der Ecken des Raumes stand.

Dann unterbrach Weinberger die Stille: "Wir haben den Krieg verloren. Die Möglichkeiten, kurzfristig, selbst an unerträglich erscheinenden Zuständen, etwas zu ändern, sind außerordentlich beschränkt!" Mehr wußte er auf Sellers Ausführungen nicht zu sagen.

Seller jedoch, der das Ausmaß der Hilflosigkeit, in der Deutschland sich gegenwärtig befand, in Übereinstimmung mit nicht wenigen politischen und militärischen Experten, auf die unverantwortliche Art und Weise zurückführte, in der das Kriegsende deutscherseits herbeigeführt worden war, zog ein anderes Fazit:

"Gleichgültig, wodurch führende deutsche Politiker sich am Zusammenbruch schuldig oder mitschuldig gemacht haben, sie haben geholfen unser Volk, und insbesondere die deutsche Arbeiterschaft, der Siegerwillkür auszuliefern! Selbst jene, die mit der Revolution soziale und sonstige Ungerechtigkeiten, die es, wie überall, auch in unserer Staats- und Gesellschaftsordnung gab, beseitigen wollten, haben das Gebot der Verhältnismäßigkeit der Mittel gröblichst verletzt, und damit unserem Volk größten Schaden zugefügt! Sie sollten dafür unnachsichtlich zur Rechenschaft gezogen werden!"

"Sind Sie sich bewußt, daß Sie damit auch prominente Mitglieder unserer neuen Regierung und unserer Parteispitze zumindest moralisch verurteilen?", fragte Weinberger von Sellers Konsequenz und Heftigkeit überrascht, "ich meine, Sie gehen damit zu weit!"

"Diese Meinung sollten Sie einmal gegenüber den Verhungernden in den Elendsvierteln, und in den Sklavenlagern gegenüber unseren zurückgehaltenen deutschen Kriegsgefangenen äußern", konterte Seller, "dort wird man Ihnen sagen, wer, wo und wann zu weit gegangen ist!

Regierung und Parteien haben dem Volke zu dienen und zu nützen; -das Wohl des Volkes hat der alleinige Maßstab ihres Handelns zu sein; und dessen Ergebnisse bestimmen auch allein den Urteilsspruch! Mit der Elle, mit der wir, nicht immer in korrekter Weise, die Politik des Kaiserreiches gemessen haben und noch messen, müssen wir, und zwar exakt, uns ebenfalls messen lassen! Andernfalls verfahren wir nach einer doppelten Moral!"

"Nun, es wäre sicher nicht haltbar, wenn ich behaupten wollte, es seien unsererseits keine Fehler gemacht worden, doch wir können Geschehenes nicht mehr ändern, sondern nur noch versuchen, aus der gegebenen Situation das Beste herauszuholen. Innenpolitisch ist da gewiß noch eine ganze Menge positiver Entwicklungspotenz vorhanden!"

"Letzterem stimme ich zu, doch muß diese Potenz auf geeignete Weise erschloßen werden. Ich vermag natürlich kein Patentrezept anzubieten, doch meine ich, wir sollten schnellstmöglich Voraussetzungen schaffen, die es erlauben, die Rechten, und die gemäßigt radikalen Linken, als Gleichberechtigte in ein neues, bisher noch nicht dagewesenes Gesellschaftssystem einzuflechten. Das kann nur gelingen, wenn wir die soziale, die nationale und die demokratische Komponente gleichwertig behandeln! Wir dürfen auf keinen Fall in unserem eigenen Volk Sieger und Besiegte schaffen, alte Ungerechtigkeiten durch neue ersetzen, bisher gehätschelte Vorurteile in die Zukunft tragen, und der Republik damit den Samen zu einer Opposition in den Wurzelboden legen, die sie schließlich überwuchern könnte. Stattdessen müßten wir nationale Solidarität auf realer Grundlage praktizieren; und ein demokratisches Mitwirkungssystem errichten, das die tatsächlich tragenden Kräfte der Gesellschaft und des Staates in die gesetzgebenden, ausführenden und kontrollierenden Körperschaften führt!"

"Das sind kühne Vorstellungen", kommentierte Weinberger, "zu deren Verwirklichung allerdings von vornherein eine wesentliche Voraussetzung fehlt. Ihre Vorstellung geht davon aus, daß die existierenden Parteien, einschließlich der unsrigen, sich selbst aufgeben. Eine Mehrheit für einen solchen Beschluß werden wir, unter den gegebenen Verhältnissen, nicht zustande bringen!"

"Dessen bin ich mir bewußt, aber weshalb braucht man denn dazu Mehrheiten von Parteifunktionären, die selbst keine Rücksicht auf den Willen der Volksmehrheit nehmen? Außerdem: Revolutionäre haben noch nie nach Legitimation gefragt, wenn es um Durchsetzung ihrer Ziele ging! Auch die vom 9. November nicht! Welche Mehrheit unseres Volkes hat denn Scheidemann autorisiert, die Republik auszurufen? Wer hat denn unser Volk gefragt, ob es die schändlichen, menschenverachtenden Bestimmungen des Waffenstillstandsdiktates akzeptieren will?

Ich pfeife auf pseudodemokratische Prüderie und auf Spielregeln, die als Fallstricke die effektive Demokratisierung unserer Lebensform verhindern können oder sollen! Bei der Grundsteinlegung für eine neue Gesellschaftsordnung müssen wir, im Hinblick auf die Wahrung unserer nationalen und gesellschaftspolitischen Interessen nach einem so unglücklichen Ausgang des Krieges, neue Maßstäbe anlegen! Die besonderen Aufgaben, die uns bevorstehen, erfordern zudem ungewöhnliche, neuartige Methoden, um sie zu bewältigen. Keinesfalls wird uns ein neuer Aufguß alter Kamellen, und ein Schwindel mit neuen Etiketten zum Ziele führen!

Ich fürchte allerdings, daß die ideologische Fixierung unserer Partei, auch hier die von ihr abhängige Regierung hindert, pragmatische Politik zu betreiben und das Notwendige zu tun! Deshalb hat es auch keinen Zweck mehr, daß wir uns weiterhin über hypothetische politische Möglichkeiten unterhalten.

Seller sah nach der Uhr: "Schade um die Zeit die ich diesem nutzlosen Gespräch geopfert habe", ging es ihm durch den Kopf.

"Ich möchte daher unser Gespräch beenden und mich für die Zeit, die Sie mir gewidmet haben, bedanken", sagte er danach.

"Schade, daß unsere Ansichten in manchner Hinsicht erheblich divergieren", stellte Weinberger bedauernd fest. "Doch ehe wir unser Gespräch abbrechen, möchte ich Ihnen noch eine erfreuliche Entwicklung zur Kenntnis bringen. Danach werden Sie etwas hoffnungsvoller in die Zukunft blicken. Cohnen hält sich seit einigen Tagen in Wien auf, um dort Gespräche über die Angliederung der von Deutschen bewohnten Gebiete des auseinander gefallenen habsburgischen Vielvölkerstaates an das Deutsche Reich zu führen. Wie bereits in Beschlüssen der deutsch-österreichischen Volksvertretung, bei Massenkundgebungen und Abstimmungen nachdrücklich zum Ausdruck gebracht, ist dies der einhellige Wille der gesamten Bevölkerung und aller Parteien Deutsch-Österreichs. In den jetzt stattfindenden Gesprächen sollen die mit der Angliederung verbundenen Durchführungsprobleme vorgeklärt werden. Ist das nicht eine erfreuliche Entwicklung?"

"Sie ist sogar sehr erfreulich, weil die Deutschen des Alpenraumes und Böhmens und Mährens sich mit seltener Einmütigkeit zu ihrem Volkstum und wieder zum Deutschen Reich bekennen, dem sie bereits seit der Jahrtausendwende angehörten. Leider gibt es in der deutschen Geschichte auch andere Beispiele, die zeigen, daß, speziell nach Niederlagen und angeführt von Fürstenhäusern, Versuche unternommen wurden, unter die Fittiche fremder Sieger zu schlüpfen, oder das Heil in seperatistischer Eigenbrötelei zu suchen! Doch ob die Siegermächte den Wiedervereinigungswillen der Deutsch-Österreicher respektieren bleibt abzuwarten. Ihr Ziel ist die Schwächung des Reiches, nicht seine Stärkung durch Zuwachs!"

"Vielleicht machen die Sieger in dieser Angelegenheit doch Zugeständnisse", sagte Weinberger. Seine Hoffnung begründete er wie folgt: "Es sind in den letzten Jahren Veränderungen in der Welt vor sich gegangen, die zu einer Revision von Bestrebungen zwingen, die vor 1914, meist sogar schon vor der Jahrhundertwende konzipiert worden sind. In Europa sind nicht nur drei Throne umgestoßen worden, sondern es hat sich auch, im größten Staat der Erde, ein System etabliert, das die übrige Welt revolutionieren und ein den Globus umspannendes, bolschewistisches Imperium errichten will! Zudem werden Frankreich und England mit den USA und Japan neue Konkurrenten entstehen. Die Kräftekonstellation in der Welt wird sich auch dadurch wesentlich verändern!

Daraus müssen auch von Seiten der europäischen Siegermächte Konsequenzen gezogen werden! Der Zwang, darauf Rücksicht zu nehmen, verbietet es, uns machtpolitisch all zu sehr zu schwächen."

Seller wies diese Meinung zunächst mit einem verneinenden Kopfschütteln zurück. Dann sagte er:

"Wahrscheinlich wird man aus den stattgefundenen Veränderungen Konsequenzen ziehen, aber sicher nicht in einer Weise, die unserem Wunschdenken, diesem Erbübel, das besonders ausgeprägt in unserer Partei zu Hause ist, entspricht. Alle Vorzeichen, nicht zuletzt die Waffenstillstandsbedingungen, deuten auf das Gegenteil hin!" Seller erhob sich und leitete damit seinen Abschied ein.

Nach Rückkehr in die Kaserne, es war mittlerweile Abend geworden, sprach Seller mit Werfels über einige Eindrücke, die ihm die Unterredung mit Weinberger vermittelt hatte. Als er auf das Problem Liebknecht zu sprechen kam, und dabei auch die Umtriebe Landauers und Eisners in Bayern erwähnte, sagte Werfels: "Diese Namen erinnern mich an einen Vorfall von heute nachmittag, über den ich ohnehin mit dir reden wollte. Ich glaube, er paßt ganz gut in diesen Zusammenhang; also hör' zu: Kurz nachdem du zu Weinberger gegangen warst, wurde in dem Block, der unserm schräg gegenüber liegt, eine Kadereinheit einquartiert, die aus drei oder vier Offizieren, etwa einem Dutzend Unteroffizieren, und ungefähr zwanzig Mannschaftsdienstgraden besteht. Wie ich später in der Kantine erfuhr, soll diese Stammeinheit mit Freiwilligen aus anderen Verbänden aufgefüllt, und zu einer Verfügungstruppe der Regierung gemacht werden."

"Aha, die Aufstellung neuer Verbände, kommt nun, nachdem lange gezögert wurde, scheinbar doch ins richtige Gleis. Diese Truppen sind zur Bekämpfung der Linksradikalen vorgesehen, falls diese sich zu einer ernsthaften Gefahr für die Regierung auswachsen sollten", erklärte er seinem Freund.

"Ich habe dieses Thema allerdings nicht angeschnitten, um die mögliche Verwendung dieser Einheit zu erörtern", sagte Werfels, "sondern aus einem gänzlich anderen Grund. Als ich auf dem Weg zum Fassen der Abendverpflegung war, begegneten mir, kurz vor der Kantine, zwei Offiziere der Kadertruppe; im Vorbeigehen hörte ich, wie der eine, ein Hauptmann mit einer großen, frischverheilten Wunde am Unterkiefer, zu dem anderen sagte: 'Vor vierzehn Tagen habe ich mir noch nicht träumen lassen, daß ich einmal zur Verteidigung der Judenrepublik bereit sein könnte'.

Über diese Bemerkung habe ich mir anschließend eingehendere Gedanken gemacht, weil ja, in der vorigen Woche, auch unser Kamerad Bering die Bezeichnung 'Judenrepublik' gebrauchte, und mit der Begründung, diesem 'Sauladen' nicht dienen zu wollen, gekündigt hat."

"Und zu welchem Ergebnis bis du bei deinen Überlegungen gekommen?"

"Nun, ich meine, diese Bezeichnung hat eine gewisse Berechtigung! Welche Namen tragen denn die führenden Köpfe der Revolution? Sie heißen Liebknecht, Luxemburg, Haase, Hirsch, Landsberg, Cohen, Landauer, Hertzfeld, Eisner, David, Levi und so weiter; die Reihe solcher, eindeutig jüdischer Namen kann mit Leichtigkeit verlängert werden. Ist es verwunderlich, wenn, mit solchen Gallionsfiguren, der Eindruck entsteht, als sei die Revolution vorwiegend ihr Werk, und die Republik dazu ausersehen, ihnen Pfründe zu liefern?"

"Ich gebe zu, daß, von der Optik her, eine solche Schlußfolgerung gezogen werden kann; doch das heißt noch lange nicht, daß sie richtig ist! Gewiß, wir haben eine größere Anzahl führender Männer auf der linken Seite, die jüdischer Herkunft sind; aber was ist denn dabei ungewöhnlich? Es gibt, seit sozialitische Parteien existieren, nicht nur in Deutschland, sondern auch in anderen Ländern Christen, Juden, Freidenker und Angehöriger anderer Bekenntnisse in deren Reihen. - Sollen wir nun plötzlich nach Herkommen, religiösem Glauben, Augen- oder Haarfarbe unterscheiden? Ich bin keineswegs dazu bereit!"

"Darf ich dich daran erinnern, daß du, schlußfolgernd aus dem Kriegserlebnis, seit einiger Zeit sogar gewisse Unterschiede zwischen Sozialisten der verschiedenen Länder erkannt hast? Daß du den Glauben an die Wirksamkeit internationaler Ideen verloren hast, weil sie auf dem Prüfstand der Wirklichkeit, auf dem Lebensfragen der Völker gemessen werden, versagt haben? Wer will denn behaupten, daß die Judenfrage nur eine religiöse und nicht auch eine völkische Frage ist? Daß die völkischen Bindungen der Juden zu ihrer Art im allgemeinen stärker sind, als die zu dem Land und Volk, in denen sie jeweils leben, ist doch bekannt!"

"Fritz", ging Seller auf die Worte seines Freundes ein, "ich will versuchen, dich, aus dem Stegreif, auf ein paar Tatsachen und Zusammenhänge aufmerksam zu machen, die, so hoffe ich, den, ich gebe zu, unverhältnismäßig großen Anteilen jüdischer Köpfe in den Führungsstäben sozialistischer Parteien, in einem anderen Licht erscheinen lassen, als dies, mit negativem Vorzeichen, von interessierter Seite dargestellt wird. Vorausschicken möchte ich nur noch die Feststellung, daß es grundsätzlich nicht darauf ankommt, wer etwas tut, sondern allein was jemand tut! Das gilt ..."

"So kann ich das nicht akzeptieren", unterbrach Werfels. "Denn es ist keinesfalls unwesentlich, was von wem getan wird! Gerade im vorliegenden, konkreten Fall beißt die Katze sich nämlich in den Schwanz! Ich will damit sagen: Wenn erst vor relativ kurzer Zeit zugewanderte Angehörige eines fremden Volkes, in dem gewählten Gastland, sich führend am Zustandekommen einer Revolution beteiligen, und diese zu einem militärischen Zusammenbruch, unter an sich vermeidbaren Umständen, führt, dann ist das etwas anderes, als wenn die Niederlage auf andere Weise, etwa durch Meuterei der eigenen Fronttruppen, erfolgt wäre!

In dieser Welt wird vorzugsweise national und völkisch gedacht und empfunden; nicht zuletzt von den Juden! Und wer's nicht glaubt, der wird sich in Zukunft von Tatsachen überzeugen lassen müssen. Die 'Friedensregelung' wird das ebenfalls deutlich machen!"

"Ich will dir nicht in allem, was du eben sagtest, widersprechen, aber gegen eine allzu kollektive Bewertung jüdischer Bürger, insbesondere sozialistischer Führer jüdischer Herkunft in Verbindung mit der Revolution, möchte ich Einspruch erheben! Kämpfen nicht Simon, Braun, Cohnen, Weinberger und andere gegen Liebknecht und Luxemburg? Machen nicht Bernstein und David gegen Eisner und Landauer Front? Stehen nicht auch andere jüdische Politiker Seite an Seite mit Ebert, Scheidemann und so weiter?"

"Ja, das tun sie", antworte Werfels, "doch wer will, der kann auch durchaus mit einiger Berechtigung behaupten: Das tun sie erst jetzt, wo es um die Inbesitznahme der Revolutionsbeute geht; vorher, als es galt, die alte Ordnung zur Strecke zu bringen, da waren sie sich einig! Arbeiteten sie, als Marxisten oder Freimauerer firmiert, Hand in Hand!"

"Leute, die das behaupten, braucht man nur entgegenzuhalten, daß es eine nicht geringe Anzahl jüdischer Frontkämpfer gibt, die sogar hoch ausgezeichnet wurden; - und noch mehr großbürgerliche Juden, die den Niedergang des monarchistischen Systems aufrichtig bedauern!"

"Letzteres vielleicht nur aus dem Grund, weil dieses System, mit dem Kapitalismus vermählt, ihnen besonders günstige Geschäftsbedingungen gewährleistete, die sie jetzt zumindest in Frage gestellt sehen?! Und was die Frontkämpfer angeht, so wollen wir den jüdischen Anteil nicht überschätzen. Gemessen an dem, was andere ihres Volkes zum Zusammenbruch Deutschlands beigetragen haben, wiegt er gering!

Ich kann nur in ihrem und unserem Interesse hoffen, daß die Juden in Deutschland die Lage richtig einschätzen und daraus Konsequenzen ziehen. Stell' dir einmal vor, eingewanderte Deutsche hätten in einem Gastland, das sich im Krieg befände, in gleicher Weise und in ähnlich entscheidender Situation eine Revolution angezettelt und dessen Niederlage, zumindest was deren Ausmaß betrifft, in der Weise beeinflußt, wie Juden dies in Deutschland taten! Stell' dir das mal in Frankreich vor!

Binnen kurzem würden sämtliche dort eingewanderten Deutschen außer Landes gejagt werden, wenn nicht gar Schlimmeres mit ihnen geschähe; und zwar ohne Rücksicht darauf, ob eine gewisse Anzahl von ihnen in der französischen Armee gekämpft hätte. In Angelegenheiten, die Sieg oder Niederlage der Nation betreffen, ist man nicht nur in Frankreich, sondern auch in anderen Ländern konsequent und unerbittlich, - sogar angestammten Landsleuten gegenüber! In Frankreich wurde das zuletzt mit Massenerschießungen von Meuterern 1917 bewiesen!"

"Wir sind nicht in Frankreich, sondern in Deutschland", sagte Herbert, "und ich persönlich bin nicht bereit, dem Antisemitismus, dem die Kirchen die Basis lieferten, indem sie die Juden jahrhundertelang als Jesusmörder verteufelten, auf einer anderen, völkisch-nationalen Ebene das Wort zu reden!"

"Das verlangt auch niemand von dir, - und auch ich beabsichtige das nicht zu tun. Aber es gibt nun einmal bestimmte Tatsachen, die nicht zu bestreiten sind!"

“Ja”, bestätigte Seller, “und dazu gehört auch eine Manipulierbarkeit der Menschen, die scheinbar keine Grenzen hat.”

“Um die schädliche Rolle jüdischer Revoluzzer zu kennzeichnen, braucht man aber nicht zu manipulieren, sondern nur auf offenkundige Fakten hinzuweisen.

Als, neben anderen, Gustav Noske sich bereits vor dem Kriege veranlaßt sah, massive Kritik an deren überhand nehmenden Einfluß auf die deutsche Arbeiterbewegung zu üben, und sich gegen die, wie er sagte ostjüdischen Schulmeister der deutschen Arbeiterschaft’ wandte, wenn er ihnen vorwarf, sie ‘diskretieren mit ihren marxistisch gefärbten Geheimwissenschaften die deutsche Arbeiterbewegung’, so hätte das die Gerügten nachdenklich machen und zu einer reservierteren Haltung veranlassen sollen!

Doch was müssen wir jetzt feststellen? Die Revolution wurde ausgelöst, und wird noch maßgeblich geführt von Advokaten, Journalisten, halbseidenen Intellektuellen und Abgeordneten aus dem jüdischen Großbürgertum.”

Seller hatte wieder geduldig zugehört. Natürlich wußte auch er um die von Werfels beanstandeten Verhältnisse; und er war sich auch bewußt, daß es Wirkung ohne Ursache nicht gibt, und dort, wo Rauch ist, auch ein Feuer brennt.

“Mußt du nachdenken, über das, was ich sagte?”, fragte Werfels.

“Ja, sowohl über deine Worte, als auch über Schlußfolgerungen, die daraus und aus anderen Phänomenen zu ziehen sind. Wir werden bei anderer Gelegenheit darüber ausführlicher reden. Doch im Augenblick möchte ich nur auf die von dir, mit der Bezeichnung ‘Angehörige des jüdischen Großbürgertums’ vorgenommene Charakterisierung von Führern der Revolution eingehen und einiges dagegen halten. Dazu gehört zunächst einmal die These, daß, hätten deutsche Großbürger sich in der Vergangenheit, in gleicher Weise und Anzahl der Belange der deutschen Arbeiterschaft angenommen, wie jüdische dies taten, dann wären heute sie, statt jener, in den führenden sozialisitischen Gremien vertreten, beziehungsweise wäre es gar nicht zu marxistischen Massenparteien und jetzt nicht zur Revolution gekommen!

Da die deutschen Großbürger dies nicht taten, blieben Friedrich Engels und einige andere rühmliche Ausnahmen, und blieben deutschen Arbeitern, was wesentlich ist, auch jene Bildungsmöglichkeiten verschlossen, die sie befähigt hätten, ihre Angelegenheiten im Rahmen des Volksganzen selbst in die Hand zu nehmen, und auf personelle Anleihen aus anderen sozialen Schichten oder völkischen Gruppen zu verzichten.

Aus dem Bildungsprivileg ergibt sich, - je komplizierter Wirtschaft, Verwaltung, Technik und so weiter werden, umso mehr - zwangsläufig auch ein Führungsprivileg. Wenn heute jemand aus bürgerlichen Kreisen sich darüber aufregt, daß in der Führungsspitze der deutschen Arbeiterparteien zu viele qualifizierte Juden zu finden sind, dann soll er sich gefälligst an die eigene Nase fassen und nach dem 'Warum' fragen!"

"Es würde der Revolution gut anstehen, wenn sie das auf wirtschaftlicher Basis ruhende Bildungsprivileg abschaffen würde", meinte Werfels. "Das wäre eine wahrhaft revolutionäre, befreiende Tat, mit der auf einem fundamental wichtigen, in die Zukunft wirkenden Gebiet, Chancengleichheit und Gerechtigkeit hergestellt werden könnten. Bereits nach einer oder zwei Generationen würde die Führungsschicht in unserem Volk sich anders zusammensetzen als bisher, und als deren Folge manches, was heute noch Anstoß erregt, sich ohne große Friktionen, von selbst zu erledigen!"

"Zudem würden gleiche Bildungschancen für alle Begabten die Ausschöpfung der geistigen Leistungsfähigkeit unseres Volkes auf breitester Basis ermöglichen!"

Seller verzog plötzlich sein Gesicht zu einem schmerzhaften Ausdruck.

"Machen dir die Granatsplitter wieder Schwierigkeiten?", fragte Werfels.

"Ja, und zwar in letzter Zeit häufiger!"

"Vielleicht trägt das naßkalte Dezemberwetter dazu bei; auch mich plagt mein rheumatisches Andenken an die schlammigen Schützengräben in Flandern. Möglicherweise wird das aber besser, nachdem wir, morgen vormittag, neue Klamotten empfangen haben. Die sind sicher wärmer, als unsere alten, abgewetzten."

"Neue Uniformen? Weshalb?", wollte Seller wissen.

"Brauer ist der Ansicht, wir würden mit unsererm abgetragenen Zeug keinen besonders guten Eindruck machen. Da der Winter vor der Tür steht, wäre es vielleicht klug, seinem Vorschlag zu folgen."

"Ich weiß nicht, ob sich das noch lohnt; denn allzu lange werden wir die Uniform ja nicht mehr tragen. Bei mir kann das sogar recht schnell ein Ende haben. Meine Familie braucht mich dringender, als diese verkorkste Revolution!"

Werfels ging nicht gleich darauf ein; in seinem Kopf formten sich andere Gedanken. Schließlich sagte er: "Ich kann mir nicht helfen, irgendwie hänge ich an den alten Sachen; sie atmen noch ungebrochene Kameradschaft und Bereitschaft zu gemeinsamen Einsatz für ein großes Ziel!"

*

Herbert Seller hatte für drei Tage Urlaub eingereicht. Am 23. Dezember war er zu seiner Familie nach Saalfurth gefahren.

Am Abend des nächsten Tages, dem sogenannten Heiligen Abend der Christenheit, hatte Martha Seller die in der Nachbarschaft wohnenden Eltern ihres Mannes zum Abendessen eingeladen. Wenige Tage vorher war es der jungen Frau mit viel Glück gelungen, ein paar Pfund Roggenkleie aufzutreiben; daraus und aus Kartoffeln, die sie in den letzten Wochen von den täglichen Rationen für Weihnachten abgeknapst hatte, hatte sie ein Mahl bereitet, das reichlicher als üblich ausgefallen war. Es sollte ihr Weihnachtsgeschenk an die Familie sein. Es gab eine Suppe aus Kleie, Wasser und Salz; sowie Fladen aus einem Gemisch von gekochten Kartoffeln und aufgequollner Kleie, die, mangels Fett, auf der blanken Herdplatte abgebräunt worden waren.

Als die Kinder nach dem 'Festmahl' ein Weihnachtslied singen wollten, wurden an dem mit spärlichem Schmuck behängten Tannenbaum die Stümpfe der zwei Kerzen angezündet, die, als letztes Überbleibsel eines früher zahlreicheren Kerzenbestandes, nach vier Kriegsweihnachten noch vorhanden waren. Nachdem die Lichter brannten, stimmte die Großmutter das Lied von der Stillen Nacht an; die Kinder fielen ein, und auch der Großvater summte leise mit. Doch Herbert und Martha Seller schwiegen; sie hatten in den angeblich stillen und heiligen Nächten, in der vorgeblich so friedvollen Weihnachtszeit, während der letzten Jahre zu viel erlebt, was dem tieferen Sinn dieses Liedes entgegenstand!

Herbert erinnerte sich daran, welche Enttäuschung und Gedanken die Ablehnung des deutschen Friedensangebotes durch die Feindmächte, um die Weihnachtszeit 1916, bei ihm und seinen Kameraden an der Front hervorgerufen hatte. Und Martha rief sich den Heiligen Abend vom letzten Jahr ins Gedächtnis, an dem sie die Nachricht vom Tod ihres Bruders in russischer Kriegsgefangenschaft erhielt.

Als das Lied verklungen war, sagte Georg: "Ich kenne noch eine Strophe; soll ich sie euch vorsingen?" Als nicht sofort eine Antwort kam, nahm er das Schweigen als Zustimmung und begann:

Stille Nacht, heilige Nacht / unten tief, in dem
Schacht / gräbt der Bergmann für niedrigen Lohn /
und zu Hause, der Arbeit zum Hohn / liegt die
Armut auf Stroh / liegt die Armut auf Stroh!

Die vier Erwachsenen blickten sich erstaunt an. "Wer hat dir denn diesen Text beigebracht?", fragte die Mutter.

"Paul, von nebenan. Der hat das Lied von seinem Onkel, der in den Kupferbergwerken von Mansfeld arbeitet. Es gibt noch ein paar Strophen, aber ich habe nur die erste im Kopf behalten."

Martha und Herbert wechselten einen vielsagenden Blick, und der alte Seller fragte seinen Enkel: "Was hältst du denn von dem Text, Georg?"

Ohne sich zu besinnen, antwortete der Junge: "Na, das weiß doch jeder, daß es so ist!"

Martha Seller hielt es nicht für angebracht, dieses Thema am Weihnachtsabend und in Gegenwart der Kinder, zu vertiefen. Sie lenkte deshalb ab: "Wenn es morgen früh nicht zu kalt ist, werden wir einen Spaziergang durch den verschneiten Wald machen; da könnt ihr im Schnee die Spuren der Tiere sehen, die dort zu Hause sind. Vater wird euch erklären, welche Fährten von welchem Wild hinterlasen wurden."

Nach einer Weile sagte sie: "Ich glaube, es wird jetzt Zeit für euch, schlafen zu gehen. Wenn ihr noch länger aufbleibt, dann werden die warmen Steine kalt, die ich euch in die Betten gelegt habe; und ihr würdet wohlmöglich auch noch müde sein, wenn wir morgen früh den Waldspaziergang machen wollen."

Die Vorstellung, später in kalte Betten steigen zu müssen, ließ die Kinder die jetzt noch zu erhoffende Wärme wählen. Sie wünschten daher den Großeltern und ihrem Vater eine gute Nacht, und verschwanden mit der Mutter in der Schlafkammer. Nachdem die Tür zu dem an die Stube anschließenden Schlafraum geschlossen worden war, erhob Herbert Seller sich, um die Stümpfe der beiden Kerzen an dem Tannenbäumchen auszublasen. Es sollte auch am nächsten Abend noch etwas Kerzenschein für die Kinder geben. Ehe er die zweite Kerze löschte, hielt er ein kleines Tannenreis in die Flamme.

Mit geschlossenen Augen zog er den harzigen Durft ein, den die verbrennenden Nadeln in der Stube verbreiteten. Dieser Wohlgeruch erinnerte ihn an die Weihnachten seiner Kinderjahre, nur war damals auch das Duftaroma von Bratäpfeln, die auf der Opfenplatte schmorten, durch die Stube gezogen. Seinen Kindern waren solche Köstlichkeiten unbekannt; denn die Früchte wurden schon seit Jahren beschlagnahmt, während sie noch am Baum hingen.

Nachdem er den glimmenden Rest des Reises sorgsam ausgedrückt hatte, ging er zu seinem Platz zurück.

"Du kannst stolz sein, auf deine Kinder", sagte der alte Seller, "sie haben gute Anlagen; und Martha hat bei ihrer Erziehung große Sorgfalt aufgewandt."

"Vielen Dank für die Blumen", ließ die junge Frau sich hören. Sie war bei den letzten Worten ihres Schwiegervaters wieder aus der Kammertür getreten und hatte daher dessen abschließenden Satz vernommen.

"Du bist so schnell wieder hier; machen die Kinder sich allein zur Nacht fertig?", wandte Berta Seller sich an ihre Schwiegertochter.

"Ja, sie helfen sich gegenseitig."

"Du solltest die Jungs nicht mit Gerda zusammen in einem Zimmer schlafen lassen. Mädchen und Jungen müssen getrennt schlafen."

"Das wird geschehen, sobald die Zeit dazu gekommen ist; wenn ich auch noch nicht weiß, wie wir dies räumlich lösen sollen. Außerdem wissen die Kinder bereits, daß es zweierlei Menschen gibt.

In unserer räumlicher Enge ist es einfach nicht zu vermeiden, daß ihnen in einem Alter Dinge zur Kenntnis gelangen, die sie vielleicht, ich betone vielleicht, erst später erfahren sollten. Doch da dem so ist, halte ich es für richtiger das nun einmal Naturgebende durch Bekenntnis zu Wahrheit und Natürlichkeit zu entgiften, und auf moralinsaure Tuerei zu verzichten!"

"Die Kinder werden durch die Verhältnisse schon mit ganz anderen Dingen konfrontiert; - mit solchen, die wirklich von ihnen ferngehalten werden sollten, bei denen aber nur die Wenigsten etwas daran zu finden scheinen, wenn sie dennoch deren schädlichen Einflüsse ausgesetzt werden! Ich meine den Hunger, die Kälte, die Not und die von ihr diktierten Verzichte, die soziale Ungerechtigkeit mit ihren Benachteiligungen auf fast allen Gebieten!"

"Damit hast du völlig recht, Vater", stimmte Herbert zu. "Mir ist vorhin aufgefallen, mit welcher Spontanität und Entschiedenheit Georg vorhin auf deine Frage, nach seiner Meinung zu dem Text der Liederstrophe, in der von niedrigem Lohn und Armut auf Stroh die Rede war, antwortete: `Das weiß doch jeder, daß es so ist!'

Die Kinder in unserer sozialen Schicht werden von ihrer, sie täglich umgebenden Umwelt angeregt, sich von Kindesbeinen an mit gesellschaftspolitischen Problemen auseinander zu setzen."

"Ich bin überzeugt, daß Ebert und seine Regierung alles tun werden, um soziale Gerechtigkeit herbeizuführen. Und auch Wilson wird, vielleicht sogar unterstützt von Sozialisten anderer Länder, dafür sorgen, daß der Friedensvertrag zu einem wirklichen Frieden führt", sagte der alte Seller.

Während Herbert noch erwog, ob er widersprechen solle, nahm seine Mutter das Wort: "Wenn unser Volk sich wie eine intakte Familie verhalten würde, wenn einer für den anderen einstehen würde, dann hätten wir soziale Gerechtigkeit, und würden wir, als Volk, von außen kommende Schwierigkeiten genau so überwinden, wie wir, als Familie jene bewältigt haben, die der Krieg uns auferlegte!"

"Meine Hochachtung!", sagte Herbert. Er war voller Bewunderung für den Kern tiefer Weisheit, die aus den Worten seiner Mutter sprach. In der Tat gab es nirgends eine natürlichere Interessengemeinschaft, nirgends engere, auf natürlicherer und daher belastungsfähigerer Basis ruhende Bindungen als in einer Familie, in der die Spaltpilze halsbrecherischer, entwurzelnder Pseudo-Fortschrittsideen noch keinen Eingang gefunden, und daher auch ihr Zerstörungswerk noch nicht verrichtet hatten. Herbert ging zu seiner Mutter hinüber, küßte sie auf die Stirn und zitierte, zu seinem Vater gewandt, Goethe: "Wen Gott lieb hat, dem gibt er so ein Weib!"

Sein Vater nickte bedächtig und sagte, auf Martha weisend: "Da sitzt noch so ein Gottesgeschenk!"

"Dessen bin ich mir auch voll bewußt, Vater!" Neben seiner Frau wieder Platz nehmend, ergriff Herbert deren Hand und drückte sie mit Wärme.

"Für mich wäre das schönste Weihnachtsgeschenk, das ich mir denken könnte, wenn Walter jetzt zur Tür hereinkäme und wir alle zusammen wären", sagte Bertha Seller mit einem sorgenvollen Seufzer. "Ich verstehe nicht, was in seinem Kopf vorgeht und was er sich von einem Sieg der Spartakisten verspricht."

"Die Spartakisten werden sich niemals gegen die Ansichten und Methoden Lenins durchsetzen können; und innerhalb Deutschlands nicht gegen die Truppen der Regierung Ebert!", sagte Herbert mit Nachdruck.

"Sollte Walter jetzt, nachdem er heil aus dem Krieg zurückgekehrt ist, bei den Kämpfen in Berlin etwas zustoßen, dann werde ich die ganze Revolution verfluchen!" Ihre in einer Aufwallung mütterlicher Gefühle herausgestoßenen Worte, unterstrich die alte Frau mit einer drohenden Gebärde ihrer abgearbeiteten Hände. "Sollen sie doch endlich auch in Deutschland einen Waffenstillstand machen! Dann würde wenigstens nicht mehr auf unsinnige Weise gestorben!"

"Auch auf Waffenstillstand folgt manchmal ein unnötiges Sterben", sagte Herbert. "Die am 13. Dezember erfolgte Verlängerung des Waffenstillstandes haben die Siegermächte neben anderen erpresserischen Forderungen, von der Ablieferung weiterer Viehbestände, Futter- und Nahrungsmittel sowie von der Auslieferung der gesamten deutschen Hochseehandelsflotte und der Fischereiflottte abhängig gemacht! Damit haben sie uns die technische Möglichkeit, Nahrungsmittel bedarfsgemäß einzuführen, auf Jahre hinaus abgeschnitten. Es wird also, auch nach einem innerdeutschen Waffenstillstand, weiterhin Hungertote in unserem Lande geben. Deren Sterben erfüllt für Herrn Clemenceau, für den es noch 20 Millionen Deutsche zu viel gibt, sogar einen höheren Sinn!"

"Ich schlage vor, dieses Thema nicht zu vertiefen, sondern uns der Frage zuzuwenden, wie wir Walter in Berlin ausfindig machen und nach Hause holen können", sagte der alte Seller.

"Ihn bei den Spartakisten zu finden wird schwierig sein; und ihn zur Rückkehr zu bewegen vielleicht noch problematischer!", vermutete Herbert.

"Vielleicht hat er ein Einsehen, wenn wir ihm sagen, daß Lore, die er sehr gern hat, ihn jetzt, nach dem Tod ihrer Mutter ganz dringend braucht!? Daß sie gestorben ist und Lore nun ganz allein steht, weiß Walter ja noch nicht. Ich kann mir vorstellen, daß er zu der Erkenntnis kommt, es sei richtiger, Notlagen dort zu beseitigen, wo dies im Rahmen gegebener Möglichkeiten liegt, statt im Namen fragwürdiger Ideologien fernen, wahrscheinlich nie erreichbaren Zielen nachzulaufen?"

"Möglicherweise gelangt er zu dieser Einsicht, Martha. Doch wie schon gesagt, erst muß er gefunden werden."

"Das Mädel tut mir aufrichtig leid", versicherte Bertha, "so kurz hintereinander beide Eltern zu verlieren, ist wahrhaftig ein schwerer Schlag!"

"Ich glaube, Lore hat die Vertretung ihrer Kollegin während der heutigen Nachtschicht gleichermaßen aus Hilfsbereitschaft, wie aus Angst vor diesem Abend übernommen. Sie fürchtete wohl die Gemütsverfassung, die man gemeinhin Weihnachtsstimmung nennt", meinte Robert Seller.

"Damit könntest du recht haben", sagte seine Frau, "doch wegen der Weihnachtsstimmung hätte sie sich keine Sorgen zu machen brauchen. Sie ist heute Abend nur einmal, als die Kinder sangen und die Kerzen brannten, kurz und in Ansätzen vorhanden gewesen. Seitdem ist nichts mehr davon zu bemerken."

"Das hat ja auch Gründe, Mutter! Die Sorgen und Nöte, denen wir ausgesetzt sind, dominieren unser Leben in dieser Zeit; sie sind lastend und allgegenwärtig, deshalb bestimmen sie unser Denken und damit auch die Gespräche am heutigen Abend. Vorgänge, die sich vor rund 2000 Jahren im Vorderen Orient abgespielt haben mögen und bei denen sehr zweifelhaft ist, ob sie wirklich in der überlieferten Weise abliefen, - solches legendäre Geschehen wird nicht nur von den brennend aktuellen Problemen in den Hintergrund gedrängt, sondern wird vom offenkundigen Versagen der davon ausgehenden christlichen Idee, als bestimmend formendes Element in der Lebenswirklichkeit, überhaupt fragwürdig gemacht!"

"Ja", stimmte Robert Seller seinem Sohn zu, "die Friedens- und Erlösungsbotschaft, die von Bethlehem ausgehen soll, hat fast zwei Jahrtausend Zeit gehabt, sich in der Wirklichkeit als wahr und formkräftig zu erweisen; doch wenn wir uns umschauen, sehen wir nichts als das Gegenteil der Verheißung!"

"Und dabei haben wir uns in den vergangenen Jahren so sehr auf das erste Weihnachtsfest nach dem Krieg gefreut", erinnerte die Großmutter sich, "damals glaubten wir, alle Angst und Not würde vorüber sein!"

"Glauben! Hoffen! Kaum zwei andere Regungen, zu denen Menschen fähig sind, wurden im Verlauf der Jahrtausende so oft und skrupellos mißbraucht, wie diese beiden!"

Zunächst sagte niemand etwas; aber bald darauf gab Bertha Seller dem Gespräch eine von der unmittelbaren Gegenwart bestimmte Wende.

"Es ist kühl geworden in der Stube", stellte sie fest, indem sie sich ihr Umschlagtuch enger um die Schultern zog.

"Obwohl ich heute schon länger geheizt habe als an anderen Tagen", erklärte Martha dazu, "aber du weißt ja, wie wir uns einschränken müssen. Was ich heute an Brennmaterial mehr verbrauche, das muß ich morgen wieder einsparen. Bisher ist es mir gelungen, die Stube täglich wenigstens solange erträglich temperiert zu halten, wie die Kinder sich darin aufhielten. Trotzdem habe ich sie zwei- bis dreimal in der Woche schon am Nachmittag in die Betten schicken müssen, damit ich das Feuer im Ofen ausgehen lassen konnte."

“Habt ihr denn nicht genug Braunkohle”, fragte Herbert erstaunt, “wir haben doch mit den großen Baunkohlenlagern im Geiseltal, jede Menge Brennmaterial so gut wie vor der Haustür liegen!”

“Die Braunkohle ist nach Kriegsende noch schärfer kontingentiert worden, als während des Krieges”, erkläte sein Vater, “seit die Sieger fast die gesamte deutsche Steinkohlenförderung beschlagnahmen, ist es noch weniger als bisher möglich, den Heizbedarf unserer Bevölkerung nur mit Braunkohle zu decken. Eine weitere Verknappung wird durch die Streiks verursacht!”

“Auch das sind Früchte eines Kriegsendes und einer Revolution um jeden Preis”, dachte Herbert. Gleichzeitig wurde ihm aber auch klar, wie ungenügend er, aufgrund seiner langen Abwesenheit, über die Nöte seiner Familie orientiert war; und wieviel Rücksichtnahme Martha in ihren Briefen geübt hatte, um diesbezügliche Sorgen von ihm fernzuhalten.

“Mir ist kalt”, sagte Herberts Mutter noch einmal. “Es wird auch für uns Zeit, in die Strohsäcke zu kriechen, damit uns Gicht und Rheuma morgen nicht allzu sehr plagen.”

Die beiden Alten erhoben sich und leiteten damit ihren Abschied ein. An der Stubentür wandte Berta sich noch einmal an Martha. “Wir danken dir für alles, meine Tochter.”

Danach umarmte sie Schwiegertochter und Sohn und wandte sich mit ihrem Mann, der es bei einem herzlichen Händedruck beließ, zum Gehen.

Herbert begleitete die beiden hinaus. Als er, vor der Haustür stehend, seine Eltern, von Alter und einem Leben harter Arbeit gebeugt, in die kalte Winternacht hinausgehen sah, empfand er die Botschaft “Frieden auf Erden und den Menschen ein Wohlgefallen” wie Hohn.

3. Kapitel
Spartakisten-Aufstand, Freikorps, Weimar und Versailles
1919

Zum Zeitgeschehen

In den Tagen um Weihnachten 1918 waren in der Reichshauptstadt turbulente Ereignisse abgelaufen. Am 24. Dezember hatte die sogenannte Volksmarinedivision den Stadtkommandanten, Otto Wels, und mehrere andere Führer der Sozialdemokraten verhaftet. Die Reichskanzlei war abgeriegelt und belagert worden, die nach außen führenden Telefonleitungen hatten die Belagerer zerschnitten. Eine geheime Leitung war allerdings intakt geblieben; sie hatte es dem eingeschlossenen Friedrich Ebert ermöglicht, reguläre Truppen herbeizurufen.

Diese Truppen waren jedoch nicht in der Lage gewesen, den Aufstand vollständig niederzuschlagen, weil die "Sicherheitswehr" unter dem Polizeipräsidenten Eichhorn (USPD) und Otto Wels "Republikanische Soldantenwehr", plötzlich mit den radikalen Matrosen gemeinsame Sache machten und der regulären Truppe in den Rücken fielen.

Nach diesen Vorfällen kamen Ebert, Noske, Scheidemann und andere Spitzenpolitiker endgültig zu der Überzeugung, daß allein Freikorps - von Offizieren geführt, die sich gesamtvölkischer Verantwortung bewußt waren, und aus Unteroffizieren und Mannschaften zusammengestellt, deren patriotische Gesinnung außer Zweifel stand - in der Lage sein würden, die Regierung zu retten und die Republik vor einem kommunistischen Zugriff zu bewahren. Die Aufstellung weiterer solcher Verbände wurde folglich nunmehr energisch vorangetrieben.

Auch andere Konsequenzen wurden gezogen. Insbesondere wurde der Einfluß der in unterschiedlichste Richtungen tendierenden, und chaotischen Zustände auslösenden Arbeiter- und Soldatenräte eingedämmt. Um die Abkehr von dem System der A- und S-Räte auch nach außen hin erkennbar zu machen, war die Regierung, die sich bis Ende Dezember als "Rat der Volksbeauftragten" bezeichnet hatte, in den letzten Tagen des alten Jahres in "Reichsregierung" umbenannt worden. Diese Maßnahmen hatte die 'Unabhängigen Sozialdemokraten' veranlaßt, aus der Regierungsverantwortung auszuscheiden.

Teile der Unabhängigen Sozialdemokraten schlossen sich der Liebknecht-Luxemburg-Gruppe um den Spartakusbund an. Aus dieser Verbindung, mit der weitere extreme Splittergruppen sich vereinigten, war am 31. Dezember die Kommunistische Partei hervorgegangen. An der Gründungsversammlung der KPD hatte, als ein Abgesandter Lenins, und als österreichischer Kriegsgefangener verkleidet, Karl Radek-Sobelsohn, teilgenommen. Seine Teilnahme am Gründungskongreß steigerte die Befürchtungen der Regierung, vor einem neuerlichen, bolschewistischen Umsturzversuch. Um, für den Fall eines großangelegten Putsches, bereits erwiesene Risikofaktoren auszuschalten und soweit wie möglich klare Fronten zu schaffen, wurde der zwielichtige Berliner Polizeipräsident Eichhorn, der die Spartakisten mit Waffen versorgt hatte, abgelöst. Für die Kommunisten, Unabhängigen Sozialdemokraten und radikalen Gewerkschaften, war diese Maßnahme letzter Anlaß zum sogenannten Ersten Spartakusaufstand. Er begann, verbunden mit einem Generalstreik, am 5. Januar 1919.

Einen Tag später wurde Gustav Noske zum Befehlsinhaber aller Regierungstruppen im Großraum Berlin ernannt.

Nachdem es auch in Stuttgart zu Kämpfen gekommen und in Bremen eine Sowjetrepublik ausgerufen worden war, verstärkten in Oberschlesien polnische Eindringlinge ihre Bemühungen, dem in innere Kämpfe verstrickten Deutschland dieses Gebiet zu entreißen.

Am 18. 1. traten in Versailles die Vertreter der Siegermächte zusammen, um Deutschland ihre sogenannten Friedensbedingungen zu diktieren. Die Teilnahme deutscher Vertreter an der Konferenz wurde von den Siegern von vornherein strikt abgelehnt! Statt ihrer wurden polnische und tschechische Delegierte zugelassen, die Staaten vertraten, die sich überhaupt nicht im Kriegszustand mit Deutschland befunden hatten, sondern wie Polen, erst 1916 mit deutscher Hilfe neu erstanden waren, oder gar, wie die Tschechen, in den Armeen der Habsburger als Verbündete Deutschlands gekämpft hatten, und denen erst, per Diktat, ein neuer Vielvölkerstaat, der dem Selbstbestimmungsrecht Hohn sprach, zu Füßen gelegt werden sollte.

Einen Tag nach Beginn der Diktatkonferenz in Versailles, fanden im Deutschen Reich die Wahlen zur Nationalversammlung statt. Als die Versammlung am 6. Februar in Weimar zusammentrat, um eine neue Regierung zu wählen und eine Verfassung auszuarbeiten, war nur einer Minderheit in Deutschland bewußt, daß ungeachtet dessen, was immer auch in Weimar beschlossen werden mochte, über das künftige Schicksal des Deutschen Reiches und Volkes letztendlich von fremden Mächten, in Versailles, entschieden wurde. Ignoranz, Wunschdenken und Gruppenegoismus beherrschten die Szene im Reich.

Daher wurde innerhalb Deutschlands auch weiter geputscht und der Illusion gehuldigt, die Zukunft des Deutschen Volkes werde in Bruderkämpfen auf Barrikaden in deutschen Städten bestimmt. Im März wurde in München, erneut, eine Sowjetrepublik ausgerufen und ein Terrorregiment nach bolschewistischem Vorbild eingerichtet; zudem wurden in Mitteldeutschland, im Ruhrgebiet und Berlin schwere Kämpfe ausgelöst. Dort tobte, zwischen dem 2. und 9. März, der sogenannte zweite Spartakusaufstand.

Unterdessen arbeiteten die Sieger in Versailles weiter an dem für Deutschland bestimmten Erniedrigungs- und Ausbeutungsdiktat; verfertigten sie auch die Satzung für einen sogenannten Völkerbund, aus dem Deutschland zwar ebenfalls von vornherein ausgeschlossen bleiben, dessen Statut aber, als einem wesentlichen Bestandteil, das Deutschland betreffende Siegerdiktat enthalten sollte. Damit wurde der "Völkerbund" bereits vor seiner konstituierenden Sitzung zu einem Instrument der machtpolitischen Ziele der Siegerkoalition gemacht.

All dies focht die deutschen Nachkriegspolitiker jedoch nur wenig an. Sie widmeten sich weiterhin, auch bei der Abfassung der Verfassung, dem Parteienstreit und Gruppenegoismus, und fielen erst aus allen Wolken, als Ende April, eine deutsche Delegation zur Entgegennahme des fix und fertigen Versklavungsdiktats nach Versailles befohlen wurde. Danach mußten sie feststellen, daß darin von den, vorher als eine Zauberformel eingeschätzten 14 Punkte Wilsons, nicht eine Silbe zu finden war, statt ihrer aber die ungeheuerlichsten Ausplünderungs- und Demütigungsbestimmungen, die jemals einem Kulturvolk in neuerer Zeit auferlegt worden waren.*

Angesichts des Betruges, der Infamie, und der Beute- und Rachegier, die in diesem Diktat Ausdruck gefunden hatten, trat Reichskanzler Scheidemann, aus Protest gegen die beabsichtigte und am 28. 6. vorgenommene Unterzeichnung des Schandvertrages zurück.

Trotz der Erniedrigung Deutschlands erklärte die deutsch-österreichische Nationalversammlung zum wiederholten mal, daß Deutsch-Österreich sich als "einen Bestandteil der Deutschen Republik" betrachte. Dieser Akt der Selbstbestimmung wurde jedoch, in den Diktaten von Versailles und St. Germain, von den "demokratischen" Siegern für ungültig erklärt.

Reflexionen und Details

Der Aufstand vom 5. Januar in Berlin begann mit großangelegten Massenaufmärschen. Im Tiergarten und Unter den Linden formierten sich etwa 200 000 Radikale, die aus allen Teilen des Reiches nach Berlin beordert worden waren. Der Zug der radikalen Weltverbesserer bewegte sich zum Polizeipräsidium am Alexanderplatz. Dieses befand sich bereits in den Händen der Aufständischen, die im Verlauf ihrer weiteren Aktionen auch

---

* Kurzfassung, siehe Anhang.

das Gebäude des sozialdemokratischen "Vorwärts", andere Zeitungsverlage, sowie öffentliche Einrichtungen besetzten. Der Befehl zum Losschlagen auf der ganzen Linie erfolgte jedoch zunächst nicht. Erst am Abend faßten Liebknecht, Pieck, das Zentralkomitee der USPD und radikale Obleute der Gewerkschaften den Beschluß, die Regierung Ebert zu stürzen. Doch zu diesem Zeitpunkt waren die Revolutionäre der Straße des Wartens bereits müde geworden und liefen auseinander.

Auch am nächsten Tag kam es nur zur Besetzung mehrerer Berliner Bahnhöfe, zum Sturm auf einige öffentliche Gebäude und zu anderen örtlich begrenzten Aktionen. Diese trugen teils einen komödienhaften Charakter, teils äußerst blutige Züge. Um einen durchschlagenden Erfolg zu erzielen, fehlte es den Aufständischen, oben wie unten, an Führerpersönlichkeiten und an Disziplin in den bewaffneten Einheiten.

In eine der teilweise sehr heftigen und verlustreichen Schießereien, die zwischen dem 5. und 12. Januar in verschiedenen Stadtteilen Berlins stattfanden, waren auch Seller und Werfels verwickelt worden. In Wahrnehmung ihrer Aufgabe, die Effektivität der Bewachung wichtiger Versorgungs- und Verwaltungszentren, sowie einiger Hotels zu kontrollieren, in denen ortsfremde Regierungsmitglieder und Parteigrößen untergebracht waren, hatten sie sich plötzlich, am Rande des Regierungsviertels, in einer recht brenzlichen Situation zwischen zwei Feuern befunden.

Während sie die "Französische Straße" entlang schritten, wurde diese, völlig überraschend, an der Ecke zur Mauerstraße von Regierungstruppen, an der Kreuzung zur Friedrichstraße von Aufständischen, abgeriegelt. Als die ersten Schüsse fielen, suchten sie Schutz in einem Hauseingang; und als das Feuer lebhafter wurde, Maschinengewehre zu belfern begannen und Querschläger durch die Straßen pfiffen, zogen sie sich auf eine in die Kellerräume führende Treppe zurück; auf deren Stufen hockten sie sich nieder.

Während die Knallerei draußen, auf der Straße, in unregelmäßigen Abstanden auf und abschwoll, sagte Werfels: "Wir sind wahrhaftig tapfere Beschützter der Republik!" Er setzte aber gleich hinzu: "Natürlich hat es auch nichts mit Feigheit zu tun, wenn wir, nur mit Pistolen bewaffnet, darauf verzichten, uns den Maschinengewehren beider Seiten, als Zielscheibe zu präsentieren."

"Offen gestanden, bin ich ganz zufrieden, daß mir, aufgrund unserer völlig unzureichenden Bewaffnung, die Entscheidung über eine Beteiligung an dem Feuergefecht abgenommen worden ist! Die Wahrscheinlichkeit, daß mir zufällig mein leiblicher Bruder gegenüberliegt und ich ihn, oder er mich, erschießen könnte, ist zwar gering, aber die Möglichkeit ist auch nicht auszuschließen."

"Ja, Herbert, das ist eine zweischneidige Situation, in der du dich befindest."

"In der wir uns alle befinden", stellte Seller richtig, "denn der Unterschied zwischen dir und mir und allen, die da draußen aufeinander schießen, ist nur gradueller Natur. Brüder! Deutsche Brüder! Wie oft und wie gedankenlos wurden diese Worte gebraucht! Wäre dem nicht so gewesen, dann würde man von der Brüderlichkeit jetzt etwas merken! Lippenbekenntnisse, abgelegt in Stunden, in denen es leicht ist, sie abzugeben, weil niemand sofort eine Einlösung fordert, sind leider häufig in Zeiten vergessen, in denen ihre Sinngebung durch die Tat verlangt wird!"

Nach einem reissenden Stakkato der Maschinengewehre trat draußen plötzlich Stille ein. Wortlos warteten die beiden eine Weile. Als sich nichts mehr rührte, sagte Seller: "Ich schaue einmal vorsichtig nach, was draußen los ist."

In diesem Augenblick ertönten, kurz hintereinander, mehrere sehr heftige Explosionen. Ein Teil der Haustür wurde eingedrückt und von der Decke des Hausflures löste sich ein Regen von Stuck und Kalk, der auch die beiden überschüttete.

"Haben die etwa Artillerie eingesetzt?"

"Wahrscheinlich haben sie nur gebündelte Handgranaten geworfen."

Draußen trat nun Ruhe ein. Nach einer Weile waren, durch die halbzertrümmerte Tür, von der Straße her, Rufe zu vernehmen. Gebückt schob Seller sich an der Wand entlang, nach vorn. Durch einen Spalt, im Holz der Tür, sah er schräg gegenüber einen Soldaten stehen, der, sein Gewehr schußbereit in den Händen, die Fensterfront auf ihrer Seite der Straße beobachtete.

Vollständige Montur und Stahlhelm ließen zweifelsfrei erkennen, daß es sich um Angehörige der Regierungstruppen handelte.

Nach kurzem Überlegen rief Seller durch den Spalt: "He, Kamerad, da drüben auf der anderen Straßenseite! Wir sind in dem Hausflur schräg gegenüber und gehören zu dem selben Verein wie du! Hast du mich verstanden!?"

Der Angerufene hob, statt einer Antwort, zunächst sein Gewehr und zog den Kolben in die Schulter. Erst dann fragte er, über den Lauf sehend: "Wo seid ihr genau?" Seller überlegte, ob der andere vielleicht eine Falle wittere und durch die Tür schießen würde, nachdem er seinen Standort genau beschrieben habe.

Mißtrauen wucherte seit der Revolution wie üppiges Unkraut! Schließlich rief er hinüber: "Schick' uns keine blauen Bohnen! Wir sind nur zu zweit und befinden uns hinter der zersplitterten Tür mit der dunkelbraunen Farbe! Wenn es dir recht ist, kommen wir jetzt mit erhobenen Händen hinaus!?"

Seller sah, wie der andere, ohne das Gewehr abzusetzen, mit einer Kopfbewegung zu ihrer Tür weisend, über die Straße hinweg ein Zeichen gab. Es befand sich also ein anderer unweit des Hauseinganges. Der Gegenüberstehende wartete noch ein paar Augenblicke, wahrscheinlich um seinen Kameraden auf dieser Seite Gelegenheit zu geben, eine günstige Position einzunehmen. Dann rief er: "Gut, kommt jetzt heraus, aber einzeln und mit hochgestreckten Armen!"

Seller nickte seinem Freund zu und versuchte die Tür zu öffnen. Dabei fiel sie auseinander. Er schob die Bretter mit dem Fuß beiseite und trat hinaus.

Er kam jedoch nicht weit, weil der neben dem Hauseingang befindliche Soldat befahl: "Halt! Stehenbleiben und mit dem Gesicht zur Wand!"

Als Seller sich umwandte, um der Weisung nachzukommen, sagte der bis dahin schräg hinter ihm Postierte plötzlich:

"Mensch, Seller! wie kommst du denn hierher? Und da ist ja auch Werfels!"

"Nehmt nun endlich die Hände runter", fuhr er fort, "oder glaubt ihr, der Himmel würde niederstürzen, und ihr müßtet ihn auffangen?"

Die beiden waren vielen, der in der Maikäferkaserne untergebrachten Soldaten von Angesicht bekannt; der aber, der jetzt eine mißliche Situation klärte, kannte sie, von wiederholten Skatspielen in der Kantine her, persönlich näher.

Währenddessen wanderten die Augen der beiden über die Szene in der Straße. Sanitäter und andere Angehörige der Truppe bemühten sich um Verwundete.

"Wir sollten uns jetzt ebenfalls nützlich machen und mithelfen, die Verwundeten zu bergen", schlug Seller vor.

"Ja, tut das", sagte der andere, "wir wissen nicht, wie lange dazu Zeit bleibt; vielleicht knallt es bald wieder. Unser Hauptmann wird eure Hilfe als einen weiteren Beitrag zur Verbesserung der Zusammenarbeit zwischen eurem militärischen Sicherheitsdienst und unserem Freikorps zu schätzen wissen. Ich habe ihn das letztemal dort vorn, in der Nähe des Hauses mit dem Säuleneingang gesehen; sicher werdet ihr ihn aber nachher am Verwundetensammelplatz treffen; der befindet sich im Hinterhof des letzten Hauses rechts am Ende der Straße."

Die beiden Freunde setzten sich im Laufschritt in Bewegung. Doch als sie den Säuleneingang des vorhin erwähnten Hauses passierten, wurde ihr Lauf durch ein Stöhnen gehemmt, das hinter der Ballustrade herkam. Gleichzeitig bemerkten sie die Blutspur, die dorthin führte.

Mit einem Satz schwangen sie sich über die niedrige Ziermauer und standen vor einem, in einer Blutlache zusammengekrümmten, stöhnenden Offizier. Ein Blick auf die Schulterstücke belehrte sie, daß sie den Hauptmann vor sich hatten. Vorsichtig hob Seller dessen Kopf, löste den Sturmriemen des Stahlhelms unterm Kinn und legte den Helm beiseite. Unterdessen hatte Werfels seinen Mantel ausgezogen und zusammengerollt. Er schob ihn nun unter den Kopf des Verwundeten. In diesem Augenblick hob der Hauptmann erstmals seine Augenlider. Seine Augen gingen von einem zu anderen. "Danke", hauchte er, "danke".

"Schnell, sag' den Sanitätern Bescheid, wir brauchen Verbandszeug und eine Trage!"

Als Werfels sich abwenden wollte, hob der Verwundete, mit sichtlicher Anstrengung, abwehrend die Hand: "Meine Zeit ist um, ich weiß das", flüsterte er.

Während er das herauspresste, hatte Seller die Bahn der blutigen Ein- und Ausschüsse am Körper des auf der linken Körperseite liegenden Offiziers betrachtet. Der Hauptmann war augenscheinlich in eine Maschinengewehrsalve geraten. Er hatte wahrscheinlich recht; es bestand kaum noch Hoffnung. Dennoch gab Seller seinem Freund einen Wink Sanitäter herbeizuholen.

Wenig später bekam der Offizier einen Hustenanfall. Hellroter, blasiger Blutschaum trat aus seinem Mund. Lungenschuß, dachte Seller, zog sein Taschentuch heraus und befreite Mund und Nasenöffnungen des Verwundeten von der schaumigen Masse. Dabei bemerkte er die noch gar nicht sehr alte, verheilte Narbe, die an dessen Unterkiefer entlanglief. Werfels hatte einmal von einem Hauptmann erzählt, der eine solche Narbe trug und im Vorbeigehen eine Bemerkung über die angebliche "Judenrepublik" gemacht hatte.

Der Verwundete bewegte erneut seine Augenlider für einen Blick, der die Augen des anderen suchte. Auch seine Lippen begannen erneut zu zucken. Seller, noch neben dem Liegenden knieend, beugte sein Ohr an dessen Mund und nahm, einer plötzlichen Regung folgend, die Hand des Kameraden in die seine. Der fühlte den sanften Druck und erwiderte ihn, kaum merklich, mit kraftlosen Fingern. "Mein .... Deutschland ...", kam es mit letzter Anstrengung von seinen Lippen; dann ließ der schwache Druck seiner Finger nach und seine gebrochenen Augen blickten in den wolkenverhangenen Januarhimmel.

Seller drückte die Augenlider des Gefallenen sanft zu.

Das Getrappel eiliger Schritte schlug an sein Ohr. Werfels kam in Begleitung von zwei Sanitätern, die eine Trage bei sich hatten. Als sie sich genähert hatten, rief er ihnen mit verhaltener Stimme entgegen: "Es eilt nicht mehr, der Hauptmann ist seinen Verletzungen erlegen!"

"Der Hauptmann ist nicht der einzige; am Verbandsplatz haben wir noch weitere Gefallene", sagte der Sanitäter.

"Und wieviel auf der anderen Seite ihr Leben gelassen haben, das wissen bis jetzt nur die Spartakisten", dachte Seller. Gemeinsam legten sie den Toten auf die Trage. Als Werfels seinen Mantel wieder anzog, bemerkte er auf dessen Ärmel ein paar größere Flocken roten Schaums. Er schüttelte sie ab; doch der Uniformstoff hatte die darin enthaltene Flüssigkeit bereits aufgesaugt. Die Flecke ließen sich nicht ohne weiteres entfernen.

Als sie den Gefallenen auf die Trage legten, warf Werfels nochmals einen Blick auf das Gesicht des Toten, - dabei entdeckte auch er die Narbe, die sich vom Kinn bis fast zum Ohr zog.

Werfels schien beeindruckt zu sein. "Nun hat er sogar sein Leben für die `Judenrepublik' in die Schanze geschlagen", sagte er.

Am Sammelplatz angekommen, sagte Seller: "Jetzt ist der Hauptmann bei jener großen Armee, in der die Gefallenen aller Schlachten, ohne Unterschied vereint sind."

Die übrigen Sanitäter und die gehfähigen Verwundeten scharten sich um ihren toten Kompaniechef. Einer der Verwundeten sagte: "Das ist doch Wahnsinn! Das ist doch Wahnsinn!"

"Ist es auch Wahnsinn, hat es doch Methode!", zitierte ein blasser Jüngling mit Brille, aus Shakespeares Hamlet. Seller hielt ihn für einen 'ungedienten Studenten', der sich der Freiwilligentruppe als Sanitäter angeschlossen hatte. Von den Hochschulen und Universitäten kamen neuerdings in zunehmender Anzahl Bewerber für den Dienst in den Freikorps.

In den nächsten Tagen gelang es weder den Aufständischen, die Regierung zu stürzen, noch waren die in Berlin verfügbaren Regierungstruppen in der Lage, den Aufstand völlig zu unterdrücken. Letzteres gelang erst, als die Garde-Kavallerie-Schützendivision, in die Reichshauptstadt gerufen wurde. Verstärkt wurde diese Division durch einige der neu gebildeten Freiwilligeneinheiten.

Der sozialdemokratische Abgeordnete Noske, Befehlshaber im Großraum Berlin, führte die Truppen zusammen und marschierte an ihrer Spitze in die Hauptstadt ein. Das geschah am 11. Januar; zwei Tage später war der Aufstand niedergeschlagen.

Liebknecht und Luxemburg geiferten nunmehr mit gesteigertem Haß gegen die "Ebert-Bande". Insbesondere Gustav Noske wurde zur Zielscheibe heftigster Angriffe gemacht. Unter anderem wurde ein Reim aus der Versenkung hervorgeholt, der bereits 1907 in einer satirischen Zeitschrift erschienen war. Damals hatte Noske im Reichstag, im Namen seiner Partei, für das Militärbudget der Regierung plädiert und dies mit der, ausführlich gestützten, Begründung getan, die kaiserliche Regierung treibe nachweisbar eine Friedenspolitik, die jedoch, um erfolgreich zu sein, einer militärischen Abschirmung bedürfe. In dem Reim hatte es zum Schluß geheißen:

Noske schnallt den Säbel um / Noske geht aufs Ganze
Noske feuert bum, bum, bum / Noske stürmt die Schanze
Noske schreit: Hurra! Hurra! / Noske hält die Wachen
Noske schießt: Viktoria / Noske wird's schon machen!

Jetzt wurden ihm und der "blutbefleckten Ebert Bande" dieses Pamphlet wieder um die Ohren geschlagen.

*

Am Abend des 15. Januars saßen Seller und sein Freund Werfels in der Kantine der Kaserne. Es waren Bezugsmarken ausgegeben worden, die zur Entgegennahme von zweimal einem viertel Liter Bier berechtigten. Die beiden hatten ihr erstes Glas zur Hälfte geleert. Seller beobachtete von einem Ecktisch aus das Treiben in dem Raum, während Werfels in einer Ausgabe des "Vorwärts" vom vorgestrigen Tag blätterte. In der Zeitung wurde vorwiegend über die Ereignisse der letzten Tage berichtet; insbesondere wurden die blutigen Vorgänge kommentiert, die in Verbindung mit der Erstürmung des von den Aufständischen besetzten 'Vorwärts'-Hauses durch Regierungstruppen standen. Einen kommentierenden Beitrag leistete auch ein Gedicht, das Werfels, nachdem er es selbst überflogen hatte, nun seinem Freund halblaut vorlas:

'Viel hundert Tote in einer Reih'-
Proletarier!
Es fragten nicht Eisen, Pulver und Blei,
ob einer rechts, links oder Spartakus sei,
Proletarier!
Wer hat die Gewalt in die Straßen gesandt,
Proletarier?
Wer nahm die Waffe zuerst zur Hand
und wer hat auf Entscheidung gebrannt?
Spartakus!
Viel hundert Tote in einer Reih'-
Proletarier!
Karl, Rosa, Radek und Kumpanei -
es ist keiner dabei, es ist keiner dabei!
Proletarier!

Als Werfels geendet hatte, fragte er: "Was sagst du dazu?"

"Lies es noch einmal vor!"

Werfels entsprach Sellers Bitte und sah ihn danach erwartungsvoll an. Doch der Kommentar seines Freundes ließ auf sich warten; der dachte erst über den Text nach, ehe er sich äußerte:

"Zunächst ist festzustellen, daß der manchmal von Pazifismus triefende 'Vorwärts' sich auch recht martialisch äußern kann; ferner ist zu sagen, daß die gegebene Darstellung der Ereignisse richtig ist; und schließlich habe ich den Eindruck, daß aus den letzten Zeilen des 'Gedichtes' nicht nur ein Bedauern spricht, weil Liebknecht, die Luxemburg und Radek sich nicht unter den Toten befinden, sondern, daß man aus ihnen auch die Aufforderung entnehmen kann, das Versäumte schleunigst nachzuholen, also die Reihe der Leichen um die von 'Karl, Rosa, Radek und Kumpanei' möglichst schnell zu verlängern!"

"Genau denselben Eindruck habe ich auch", sagte Werfels. "Das ist eine glatte Aufforderung zum Mord! Denn, daß die drei nicht auf Barrikaden kämpfen und bei einer solchen Gelegenheit fallen könnten, das wissen die Redakteure vom 'Vorwärts' sehr genau! Der Tod der drei Kumpane kann also nur auf andere Weise herbeigeführt werden: Durch Mord!

Außerdem sind die Vorwärtsleute, wie sie täglich beweisen, ja außerordentlich geübte Begriffsakrobaten, denen es leicht gefallen wäre, Formulierungen zu finden, die jede nicht gewünschte Deutung ausgeschlossen hätte.

Hier ist jener Gedankenfaden konsequent weitergesponnen worden, dessen Anfang in der von Ebert und Scheidemann unterzeichneten Regierungserklärung vom 8. Januar zu finden war.

Dort hieß es unter anderem: 'Wir werden die spartakistische Schreckensherrschaft zertrümmern', ferner, 'Es muß gründlich abgerechnet werden' und schließlich 'Die Stunde der Abrechnung naht!'"

"Nun, wenn der Ton in diesem Aufruf auch recht rauh war, - man darf nicht vergessen, daß er von den vorausgegangenen Provokationen bestimmt wurde. Was ich an diesem Aufruf wirklich auszusetzen habe, ist etwas anderes. Er kam genau um zwei Monate zu spät! Hätten die bereits damals Verantwortlichen, Ebert und Scheidemann, am 8. November oder besser noch früher, mit der gleichen Entschiedenheit gegen die umstürzlerischen Umtriebe Front gemacht, wie sie es jetzt tun, wo ihre Sessel wackeln, dann wäre uns allen viel erspart geblieben!"

"Du kannst ja übermorgen, wenn du dein langersehntes Gespräch mit Cohnen nun endlich führen kannst, den einmal fragen, warum das nicht geschah!"

"Darauf kanst du dich verlassen; das werde ich tun! Vorausgesetzt, daß in letzter Minute nicht doch wieder etwas dazwischen kommt."

"Und vergiß auch nicht, ihn wegen der Angelegenheit Joffé zu fragen; Cohnens Stellungnahme dazu interessiert mich ebenfalls sehr!"

"Mich auch! Doch wie ich dir schon nach dem Bekanntwerden der Vorwürfe sagte, ich kann mir einfach nicht vorstellen, daß Cohnen ein Werkzeug des sowjetischen Botschafters Joffé sein soll!"

"Zweifelsfrei fest steht jedenfalls, daß Joffé, unmittelbar nachdem er 1917 seinen Botschafterposten in Berlin übernahm, hohe linksgedrallte Regierungsbeamte und Reichstagsabgeordnete mit russischen Geldern bestochen und mit Informationsmaterial beliefert hat, das diese bei der Regierungsarbeit und im Reichstag gegen die deutsche Regierung verwenden sollten und auch verwendet haben! In seinem Aufruf vom 15. Dezember hat Joffé betont, daß die Russische Botschaft bei der Vorbereitung der Revolution in Deutschland, stets sehr enge Verbindungen mit deutschen Sozialisten gepflegt und für hunderttausend Goldmark, also eine sehr hohe Summe, Waffen an die deutschen Revolutionäre geliefert hat!

In dem gleichen Aufruf verkündete er ja auch, er habe Cohnen zehn Millionen Rubel zur weiteren Unterstützung der Revolutionäre zur Verfügung gestellt!"

Sellers Augen glitten, während er über Joffés Behauptungen nachdachte, über die Zeitung, die sein Freund auf den Tisch gelegt hatte. Dabei fiel ihm eine Schlagzeile auf, die die Verhaftung und strenge Bestrafung der Rädelsführer des letzten Aufstandes forderte. Auf die Ergreifung von Lenins Abgesandten Radek war eine Belohnung von zehntausend Mark ausgesetzt worden.

"Überall ist Geld im Spiel, soll jemand zu irgendeinem Zweck gekauft werden"; ging es ihm durch den Sinn.

In diesem Augenblick betraten zwei Angehörige der Freiwilligeneinheit den Raum. Mit lauter Stimme verkündeten sie: "Liebknecht, Pieck und Luxemburg sind verhaftet worden. Bei einem anschließenden Fluchtversuch wurde Liebknecht erschossen!"

"Wie, und wo ist denn das passiert?", rief der Kantinenwirt hinter der Theke. Die beiden Hereingekommenen setzten sich nach dort in Bewegung. Sie wurden sofort von Neugierigen umringt, die Näheres zu erfahren hofften. Auch Werfels und Seller schlossen sich diesem Kreis an.

"Für diese gute Nachricht kriegt ihr ein Freibier", tönte der Wirt.

Auf durcheinander schwirrende Fragen berichtete der eine:

"Die Spartakistenführer sind von der Bürgerwehr in Wilmersdorf verhaftet worden. Anschließend wurden sie der Garde-Kavallerie-Schützendivision übergeben und zum Verhör ins Stabsquartier der Division, ins Hotel Eden, gebracht. Wann Liebknecht den Fluchtversuch unternahm, wissen wir nicht. Rosa Luxemburg soll an anderen Orten noch weiter verhört werden."

"Und was ist mit Pieck?", fragte einer.

"Der ist nach dem Verhör entlassen worden."

"Wieso denn entlassen worden? Das gibt's doch nicht!"

"Doch, doch! Aber weshalb man ihn laufen ließ, ist uns unbekannt."

Seller und Werfels gingen an ihren Tisch zurück. Dort angekommen, sagte Seller: "Ein seltsamer Zufall, daß das passierte, nachdem wir vorhin darüber gesprochen haben; und noch seltsamer, daß ein hochkarätiger Spartakist wie Pieck, einfach entlassen wurde!"

"Wirklich eine seltsame Geschichte! Der eine wird auf der Flucht erschossen und der andere, nicht weniger gefährlich, wird nach einer Plauderstunde entlassen! Wenn da nicht etwas dahinter steckt! Jedenfalls wird es dir übermorgen, wenn du mit Cohnen zusammentriffst, nicht an Gesprächstoff mangeln!"

"Gewiß nicht! Was mich aber im Augenblick beschäftigt, das ist die Erschießung Liebknechts. Nachdem, was die beiden eben mit soviel Bestimmtheit sagten, scheint der Tod Liebknechts sicher zu sein. Doch die Begründung, 'auf der Flucht erschossen', wird in aller Welt zu häufig gebraucht, um die Ermordung von Menschen, die den jeweiligen Machthabern unbequem oder gar gefährlich sind, zu erklären, als daß bei einer solchen Nachricht nicht grundsätzlich eine gewisse Skepsis am Platze wäre!"

"In diesem Fall halte ich Skepsis für unberechtigt", meinte Werfels. "Die unterschiedliche Behandlung zweier fast gleichgefährlicher Spartakusführer, ist nur durch deren verschiedenartiges Verhalten zu erklären. Liebknecht floh und wurde dabei erschossen. Pieck unternahm einen solchen Versuch nicht, wurde verhört und entlassen. Das einzige mysteriöse ist meiner Meinung nach die Entlassung, nicht die Erschießung!"

"Möglich, und trotzdem will mir der Tod Liebknechts nicht gefallen. Wenn politische Führerfiguren als Gefangene ihr Leben verlieren, so werden sie, auch wenn ihr Tod auf natürliche Weise oder selbstverschuldet erfolgte, sehr gern zu Märtyrern gemacht; irgendeine Legende läßt sich immer zusammenbasteln. Märtyrerblut ist aber eine denkbar ungeeignete Taufflüssigkeit für eine junge Republik!"

"Das ist nicht zu bestreiten, Herbert. Dieser Umstand könnte allerdings auch für die politisch Verantwortlichen ein zwingender Grund sein, einen Sündenbock für die Tat zu suchen, von dem sie sich jederzeit und unbeschadet distanzieren können.

Die Garde-Kavallerie-Schützendivision eignet sich bestens dazu. Die Tatsache, daß sie im Dienste der Regierung steht, wird man vergessen machen. Schon ihr Name, der förmlich nach Monarchismus und Rechtskonservatismus riecht, prädestiniert sie zum Prügelknaben! Die Regierung und die Sozialdemokraten haben dann doppelten Grund, sich die Hände zu reiben!"

"Was willst du damit sagen", fragte Seller.

"Ich bin der Meinung, die Regierung, die ja personell mit der Führung der SPD fast identisch ist, wird über die Tatsache, daß sie den Mann, der ihr fast den Garaus machte, nun für immer los ist, ebenso froh sein, wie sie darüber Genugtuung empfinden wird, daß ihr andere, die in ihr altes, den sozialistischen Massen längst vertraut gemachtes Feindbild passen, die Arbeit abgenommen haben.

Regierung und Partei werden das in ihrem 'Vorwärts' veröffentlichte Mord-Gedicht in Vergessenheit geraten lassen; und sobald darüber Gras gewachsen ist, versuchen, mit einer Verteufelung der 'militärischen Liebknechtmörder' jene Gefolgschaft zurückzuholen, die ihr in der Vergangenheit zu Liebknecht und den radikalen Unabhängigen davongelaufen ist."

Seller sah keine Möglichkeit zu überzeugendem Widerspruch. Stattdessen sagte er: "Liebknecht hat ernten müssen, was er gesät hat! Diese nüchterne Feststellung muß man treffen.

Die Anzahl der Toten der letzten Tage werden allein in Berlin auf über einhundertfünfzig geschätzt. In den nächsten Tagen wird sich diese Anzahl erhöhen, weil noch manche an Verwundungen sterben werden. Ähnlich mag es sich in anderen Städten verhalten, auf die das von Liebknecht und seinen Kumpanen gelegte Feuer übersprang!"

"Diese Toten und die lebenslang zu Krüppeln Geschossenen werden aber für jene, die aus Liebknecht einen Märtyrer machen wollen, kein Grund sein, darauf zu verzichten, ihm einen Heiligenschein umzuhängen", meinte Werfels.

Als Seller zu seinen Ausführungen schwieg, fragte er: "Warum sagst du denn nichts?"

"Ich habe mich eben gefragt, ob eine Parallele von Liebknechts Schicksal zu den Schicksalen von Danton, Robespierre oder anderen Führern der französischen Revolution, gezogen werden kann."

"Weshalb denn nicht? Der eine wie die anderen wurden von Vertretern des politischen Lagers umgebracht, dem sie einmal selbst angehörten."

"Richtig, nur wird es vielen schwerfallen, die Gardedivision als Vertreterin des revolutionären Lagers anzusehen!"

"Und doch ist es so, denn sie steht im Dienst der aus der Revolution hervorgegangenen Regierung! Niemand wird ernsthaft behaupten wollen, Danton und Robespierre seien von Royalisten umgebracht worden, nur weil die Truppen, die das Blutgerüst abschirmten, bereits unter der Monarchie gedient hatten und der Henker, der die Guillotine bediente, schon unter dem König die gleiche Funktion ausübte! Nein, dafür war damals die Revolution verantwortlich! Und hier und heute ist es ebenso! Daß der objektive Sachverhalt aber selten etwas mit späterer Geschichtsschreibung, und mit späteren Propagandabehauptungen überhaupt nichts zu tun haben wird, das kann man, nach vergleichender Betrachtung ähnlicher Vorfälle in der Vergangenheit, schon jetzt voraussagen!"

"Du hast recht. Doch ich könnte aus der Haut fahren bei dem Gedanken, wie sich selbst eindeutige, objektive Sachverhalte verfälschend deuten lassen."

"Im vorliegenden, konkreten Fall dürfte es auch der letzte Mann der eingesetzten Truppe nicht hinnehmen, wenn die Regierung zwar die positiven Effekte ihres Einsatzes hocherfreut entgegennehmen würde, aber gleichzeitig, oder auch später, versuchen sollte, sich von den nicht wünschbaren, jedoch wesensimmanenten Begleiterscheinungen der von ihr befohlenen Aktionen, scheinheilig zu distanzieren, und der Truppe, oder einigen ihrer Angehörigen, den Schwarzen Peter zuzuspielen!"

"Sehr richtig", ertönte eine Stimme von rechts. Einer der vorhin hereingekommenen Freiwilligen hatte, von den beiden Freunden nicht sonderlich beachtet, am übernächsten Tisch Platz genommen und den letzten Teil des nicht gerade leise geführten Gesprächs mit angehört.

"Einen zweiten Verrat werden wir uns nicht gefallen lassen", fuhr der andere fort, "vier Jahre lang haben wir an den Fronten des Krieges unsere Haut zu Markte getragen; jetzt tun wir dasselbe im Kampf gegen die deutschen Bolschewisten! Um die Früchte unseres Einsatzes in den Schützengräben wurden wir bereits betrogen, - sollte das ein zweitesmal passieren, werden wir andere Konsequenzen ziehen, als bisher!"

Die beiden Freunde hatten sich inzwischen dem Sprecher voll zugewandt. Es war noch ein ziemlich junger Mann, mit intelligentem Gesichtsausdruck. Seller vermutete, daß er einem jener Studentenjahrgänge angehört hatte, die sich, von der Schulbank weg und aus den Hörsälen heraus, 1914 freiwillig zu Zehntausenden zur Front gemeldet und bei Langemark einen furchtbaren Blutzoll entrichtet hatten. Die Auszeichnungen an seiner Brust schienen diese Vermutung zu bestätigen.

"Hoffen wir, daß die Regierung sich erkenntlich zeigt", sagte Seller, weil ihm der sich betrogen fühlende und neue Entäuschungen fürchtende junge Kamerad leid tat.

"Dazu hat sie auch allen Grund; denn sie hat vieles wiedergutzumachen, und wird auch einsehen müssen, daß Loyalität auf Gegenseitigkeit beruhen muß, wenn sie von Dauer sein soll!"

An einem Tisch, an der anderen Seite des Raumes wurde ein bekanntes Soldatenlied angestimmt. "Argonnerwald, um Mitternacht/ Ein Pionier steht auf der Wacht", klang es von dort.

Seller verspürte plötzlich ein Bedürfnis nach Stille. Er wollte über das heute Abend Gehörte in Ruhe nachdenken. Deshalb wandte er sich an Werfels mit der Frage: "Was meinst du, sollen wir austrinken und auf unsere Stube gehen?"

"Einverstanden", sagte sein Freund, und ergriff sogleich sein Glas. Den darin befindlichen Rest leerte er mit einem Zug. Seller tat es ihm nach.

"Schade, daß ihr schon gehen wollt", ließ der Freiwillige sich vom Nebentisch vernehmen, "ich hätte mich gern noch mit euch unterhalten. Ihr seid doch die beiden, die neulich unseren Hauptmann in seinen letzten Minuten versorgt haben?"

"Ja, das sind wir; doch konnten wir leider nur noch sehr wenig für ihn tun."

"Trotzdem, auch wenig kann großes Gewicht haben, wenn es in einem entscheidenden Augenblick geschieht!"

"Vielleicht ergibt sich bald einmal die Gelegenheit zu einem ausführlichen Gespräch", stellte Seller in Aussicht, "für heute wünsche ich dir eine gute Nacht!"

"Ich wünsche euch das Gleiche!"

Werfels nickte dem anderen nur wortlos zu; dann verließen die beiden die Kantine. "In deiner kühlen Erde ruht, so manches tapfere Soldatenblut", klang die letzte Zeile des Liedes hinter ihnen beiden her. Doch wie lange wird man noch von denen singen, die im Feindesland zu Hunderttausenden begraben liegen? Vielleicht wird Liebknecht, der mitgeholfen hatte ihr Opfer sinnlos zu machen, in nächster Zeit und vielleicht auch länger, in vieler Munde sein!?, ging es Seller durch den Sinn.

In ihrer Stube angekommen, entledigte Seller sich seiner Schuhe, löste die obersten Knöpfe seines Uniformrocks und streckte sich auf seinem Bett aus. Die Splitter in seinem Rücken, hatte ihm wieder den ganzen Tag Schwierigkeiten gemacht. In ausgestreckter Lage empfand er Erleichterung.

Während Werfels in seinem Spind herumkramte und sich schließlich damit beschäftigte, einen lockeren Knopf an seinem Mantel wieder festzunähen, ließ Seller die Ereignisse der letzten Tage nochmals in Gedanken vorüberziehen.

Als der Knopf wieder fest war, sagte Werfels, den Ärmel seines Mantels betrachtend: "Das Blut des Hauptmanns hat braune Flecken hinterlassen, obwohl ich mehrfach versucht habe, sie mit Wasser zu entfernen. Blut ist eben eine Flüssigkeit die haftet."

"Auch das Blut des ermordeten Liebknecht wird haften", sagte Seller.

Werfels sah seinen Freund fragend an.

"Ermordet? Wo fängt im Verlauf einer Revolution Mord an? Welches geschriebene oder ungeschriebene Gesetz kann hier eine Grenze ziehen? Wurde unser Leutnant Gerber ermordet? Damals, am 9. November?"

"Jede Gruppe versucht die neue Ordnung nach ihren Vorstellungen, das will heißen, nach den Machtinteressen ihrer Führer zu gestalten. Daher kommen auch die sehr unterschiedlichen Deutungen der politischen und moralischen Imperative, sowie die unterschiedlichen Methoden der Kampfführung, mit denen die Machtpositionen erobert werden sollen, beziehungsweise verteidigt werden. Was soll denn in solcher Situation Begriffsjongliererei? Diese doppelte Moral und Rechtsauslegung mit dreifachem Boden, ist zum Kotzen! Einmal tönt es, von Ebert bis Wissel, es müsse "gründliche Arbeit getan werden" und "Gewalt kann nur mit Gewalt" bekämpft werden und im nächsten Moment ruft man wieder zu "Ruhe und Ordnung" auf und distanziert sich von unangenehmen Begleiterscheinungen der eben noch für notwendig erachteten Gegengewalt! Das ist doch schizophren!"

"Wahrscheinlich tragen auch die bevorstehenden Wahlen zur Nationalversammlung dazu bei, gegenseitige Verteufelung und begriffsalchimistische Aktivitäten auf neue Gipfel zu treiben!"

"Nationalversammlung! Das ist auch so ein Schwindelbegriff!", ereiferte Werfel sich. "Wer wird sich dort denn treffen? Funktionäre, Cafehaus-Literaten, Meinungsmacher, Vertreternaturen verschiedenster Art und Futterkrippenaspiranten! Aber keinesfalls die Nation, oder auch nur wahrhaftige

Vertreter des Volkes, die seinen Willen tatsächlich kennen und repräsentieren und sich an den Auftrag der Wähler gebunden fühlen!"

"Deine Ansicht und Entrüstung sind begründet. Doch da wir nichts ändern können, bleibt uns nichts anderes übrig, als mit den Zähnen zu knirschen. Nebenbei bemerkt wäre es mir lieber, wenn die Wahlen erst stattfänden, wenn sämtliche, oder wenigstens die Masse, der noch in Feindeshand befindlichen Kriegsgefangenen zurückgekehrt sein würden. Ohne deren Stimmen ergeben die Wahlen ein falsches Bild, werden Millionen Männer von der, zumindest relativen, Mitbestimmung bei der parlamentarischen Grundsteinlegung der Republik ausgeschlossen. Ich halte das nicht für gut!"

"Gut ist es sicher nicht, aber vielleicht Absicht!", meinte Werfels. "Manipulation ist, gerade in Verbindung mit Wahlen, Trumpf! Und bei der SPD vor allem dann, wenn es sich um Ausschaltung der politischen Einflüsse der waffenröcketragenden Söhne unseres Volkes handelt!"

Seller dachte über die Worte seines Freundes nach; auch er hielt das für möglich. Die Schlußfolgerungen, die er aus diesen Gedanken zog, faßte er in die Befürchtung zusammen: "Weißt du, Fritz, ich meine, daß unsere Partei jetzt eine vielleicht einmalige Chance, in einer möglicherweise nie wiederkehrenden, geschichtlichen Stunde versäumt, nämlich den Anfang zu einem neuen Verhältnis der SPD zur bewaffneten Macht zu machen. Die Truppe, bis hinauf zu Teilen der Generalität, hat mit ihrem Verhalten seit dem 9. November nicht nur einen, sondern bereits mehrere Schritte in Richtung Republik und ihre sozialdemokratisch geführte Regierung getan. Es wäre jetzt an den Sozialdemokraten, ihr zumindest ebenso viele Schritte entgegenzugehen und wenigstens ebensoviele Vorbehalte abzubauen, wie die angeblich unverbesserlichen, vermeintlich erzreaktionären Militärs dies schon taten."

"Viel eher ist allerdings anzunehmen, daß sie sich, sobald die noch immer akute Gefahr durch die Truppen abgewendet worden ist, wieder, wie gehabt, in wirklichkeitsfernen Pazifismus flüchten und wohlmöglich auch alle schmähen, die noch einige Monate nach Kriegsende, im Dienste ihrer republikanischen Regierung, Waffen und Uniform getragen haben!"

"Dafür gibt es bereits Anzeichen. Gestern hörte ich zum erstenmal den Ausdruck "Weißgardist Noske", und auf einem Flugblatt der Unabhängigen wurden die Angehörigen der Regierungstruppen als "verkrachte Existenzen, Landsknechtsnaturen, Abenteurer und monarchistisches Gesindel" bezeichnet. Da wir beide auch zu den solcher Art Apostrophierten gehören, wissen wir, was von solcher Verleumdung zu halten ist. Schlimm ist nur, daß es Gründe gibt, die befürchten lassen, daß solche Begriffe eines Tages auch wieder im 'Vorwärts' stehen werden.

Die Journaille ist eine Dauer-Hure und die Geschichtsschreibung, auf jeden Fall in ihren jungen Jahren, ebenfalls ein Strichmädchen, daß erst im hohen

Alter zu einer gewissen Sittsamkeit findet! Wozu nur noch zu bemerken ist, daß Geschichte nur sehr langsam altert!"

"Wenn ich alles bedenke, was wir bisher, ich meine seit dem 9. November bis heute, erlebt haben und dazu noch die Zukunftsperspektiven berücksichtige, dann hängt mir die ganze Pseudorevolution zum Halse heraus! Eins ist jedenfalls sicher, wenn du das Dienstverhältnis kündigst, dann tu' ich das auch! Dann entfällt auch für mich der letzte Grund, noch länger in Berlin zu bleiben!"

In der Stube war es unbehaglich kühl geworden. Werfels ging deshalb zu dem eisernen Ofen, der in der Ecke stand, um noch ein Brikett nachzulegen. Doch das Feuer war erloschen.

*

Am Abend des übernächsten Tages trafen Cohnen und Seller sich im "Kaiserhof". Cohnen hatte seinen Freund zum Abendessen eingeladen. Im Speisesaal, in dem die Tafeln wie zu einem Galaessen dekoriert waren, hatte Cohnen einen Tisch für zwei reservieren lassen.

Seller war geblendet, von all der Pracht, - vom Gefunkel der Kristalllüster, von den kunstvoll geschliffenen Gläsern, in denen das Licht der auf reichverzierten Tischleuchtern brennenden Kerzen sich brach. Er sah verwundert auf die blütenweißen Tischdecken und Servietten, das Porzellan und die Bestecke.

"So etwas gibt es also schon wieder", dachte er.

Doch seine Augen fielen ihm fast aus dem Kopf, als die Speisen aufgetragen wurden. An den Nebentischen wurden Gerichte serviert, von denen er bisher nur gehört hatte. An einem Tisch, schräg gegenüber, wurden raffiniert dekorierte Platten mit Wildgeflügel aufgetragen. Sektkühler und Champagnerflaschen schienen zur Standardausrüstung zu gehören.

Seller gab sich keine Mühe, sein Erstaunen und seine Mißbilligung zu verbergen. Er fragte sich, woher diese erlesenen Speisen und Getränke kamen, und wunderte sich, mit welcher Selbstverständlichkeit sie von den Vertretern der neuen, von der Revolution nach oben getragenen Oberschicht entgegengenommen wurden; - während draußen das Volk grausamen Hunger litt!

Seller wäre am liebsten aufgestanden, um die ganze Fressbande hinauszujagen! Nur die Rücksichtnahme auf Cohnen hielt ihn zurück. Daß der so etwas mitmachte, enttäuschte ihn; und er gedachte seinem Mißfallen auch sofort Ausdruck zu geben.

"Weißt du, Oswald, wozu ich jetzt Lust hätte?"

"Ich sehe es an deinem Gesicht an! Du möchtest eine Peitsche nehmen, und die ganze Gesellschaft hinaustreiben; - ohne mich dabei auszunehmen!"

"Erraten!"

"Das war nicht schwer. Ich kenne dich doch."

Später, in den Zimmern angekommen, die Cohnen im "Kaiserhof" bewohnte, sagte dieser mit Hinweis auf die Einrichtung des Wohnraumes: "Es riecht alles ein bißchen nach Plüsch und Überladensein, nicht wahr? Auch Schlafzimmer und Bad sind mehr üppig als zweckmäßig eingerichtet. Na ja, irgendwo mußte man mich ja unterbringen. Doch nun nimm bitte Platz; mich entschuldigst du noch für einen Moment, ich will es mir nur ein wenig bequem machen."

Kurz darauf kam er, angetan mit einer Hausjacke aus dem Nebenzimmer zurück. Im gleichen Augenblick klopfte der Zimmerkellner an die Tür und brachte den bereits im Speisesaal bestellten Wein.

Als der das Zimmer wieder verlassen hatte, sagte Cohnen: "Ehe wir uns mit anderen Themen befassen, will ich ein paar erklärende Worte zu dem Aufwand sagen, der dich im Speiseraum so schockiert hat. Natürlich, ein Teil dessen, was du auf den Tischen gesehen hast, wird von Schiebern auf dunklen Kanälen geliefert. Anderes aber wird durch Vermittlung ausländischer, meist diplomatischer Stellen, offiziell eingeführt. Wir dulden das, weil Hotels wie der "Kaiserhof" Treffpunkte sind, an denen auch wir sehr wichtige Informationen sammeln und Fäden knüpfen können. Selbstverständlich würden die Leute, auf die es uns ankommt, keine Lokalität aufsuchen, in der nur Bratkartoffeln angeboten werden.

So, dies nur zur Erläuterung, und um deine Skrupel abzubauen! Und jetzt gehört der Abend dir. Nimmst du eine Zigarre? Ich kann sie wärmstens empfehlen, es ist ein ausgezeichnetes Kraut." Mit einem aufmunternden Kopfnicken hielt er Seller die Zigarrenkiste entgegen.

Ja, die Zigarre war aus erlesenem Tabak und der Wein aus nicht minder erstklassigen Trauben; wie er wenig später feststellen konnte. Nachdem sie den ersten Schluck getan hatten, sagte Cohnen:

"Also, wo wollen wir anfangen? Die Gesprächsleitung hast du!"

"Ich habe eine ganze Reihe von Fragen; zwei Themen, Nationalversammlung und Friedensvertrag, hast du vorhin bei Tisch schon kurz erwähnt; weitere sind der Fall Liebknecht und Luxemburg, und die Angelegenheit, die dich mit den Machenschaften des russischen Botschafters Joffé in Verbindung gebracht hat. Beginnen wir mit dem letztgenannten Problem. Vor einigen Tagen wurde mir ein Gerücht zugetragen, demzufolge der ehemalige russische Botschafter ...".

"Ich weiß, ich weiß!", unterbrach Cohnen lachend seinen Freund, "gut, daß du darauf zu sprechen kommst, sonst hätte ich vielleicht vergessen, die Sache zu erwähnen. Doch du kannst ganz beruhigt sein, ich bin in der Bestechungs-, Waffenschieber- und Konspirationsangelegenheit unschuldig wie ein neugeborenes Kind!"

"Ich habe es gehofft, Oswald. Doch bisher konnte ich dem Gerücht immer nur mit Floskeln, wie 'Das ist unmöglich' oder 'So etwas tut Oswald Cohnen nicht' entgegentreten und das sind, wie du selbst zugeben wirst, keine besonders überzeugenden Argumente!"

"Sicher nicht; doch zunächst vielen Dank, daß du mich verteidigt hast und nun einige aufklärende Worte. Der gegen mich gerichtete Verdacht beruht auf einer Namensverwechslung! Sowohl in seinen mündlichen Auslassungen als auch in schriftlichen, hat Joffé, ob mit Absicht oder nicht, meist den Namen 'Cohn' gebraucht! Außer mir ist, wegen der phonetischen Ähnlichkeit der Namen, auch der Abgeordnete Cohen, von der USDP, in Verdacht geraten. Bei mir kam hinzu, daß die Initialien unserer Vor- und Familiennamen identisch sind. Cohn heißt Oscar, ich Oswald; in beiden Fällen also O.C.! Dieser Umstand und die Tatsache, daß Joffé in seinen Aufzeichnungen meist nur die Anfangsbuchstaben verwandt hat, haben der Verwechslung fraglos Vorschub geleistet."

"Ich bin froh, jetzt die Zusammenhänge kennengelernt zu haben und dem Gerücht künftig mit überzeugenden Argumenten entgegentreten zu können." Er ergriff sein Glas und sagte: "Auf dein Wohl, und auf einen Knoten in den Zungen aller Schandmäuler!"

"Sei nur bedachtsam, bei der Wahl der Verteidigungsargumente! Denn ich kann mich natürlich nicht für den Wahrheitsgehalt der Angaben Joffé's verbürgen, die die Abgeordneten Cohn und Cohen betreffen!"

"Ich werde nicht mehr sagen, als vertretbar ist. Und jetzt Schluß mit diesem Thema!" Seller zog ein paarmal an seiner Zigarre, ehe er sagte: "Mich interessieren jetzt die Vorgänge um den Tod Liebknechts und der Luxemburg. Weißt du diesbezüglich etwas Näheres?"

"Den Tod der Luxemburg? Ist deren Tod denn gewiß? Ist ihre Leiche gefunden worden?"

"Das wollte ich von dir erfahren!"

"Ich weiß nur, was in der offiziellen Regierungserklärung steht. Danach wurde Liebknecht auf der Flucht erschossen, und die Luxemburg soll von wütenden, erzürnten Menschen ihren Bewachern entrissen worden sein, als sie das Hotel 'Eden' verließ, um zu einer Gegenüberstellung gebracht zu werden."

"Sind mit den 'wütenden Massen' Angehörige der Garde-Division gemeint?", fragte Seller.

"Sicher nicht! Denn davon steht nichts in der Regierungserklärung."

"Glaubst du an die Korrektheit der amtlichen Darstellung?"

"Warum sollte ich nicht? Tatsachen und Indizien sprechen dafür! Es ist auch kein Grund zu sehen, weshalb die Regierungstruppe, in deren Gewalt die Spartakistenführer sich befanden, die Erschießung Liebknechts sofort bekannt gab, und dessen Leiche den Polizei- und Bestattungsbehörden zur Verfügung stellte, mit einer möglicherweise getöteten Luxemburg jedoch anders verfahren sollte! Ich meine gerade diese Unterschiedlichkeit weist darauf hin, daß die Luxemburg ihren Bewachern entrissen und vom Mob verschleppt worden ist. Vielleicht wird sie irgendwo gefangengehalten!"

"Möglich ist alles. In diesen Wochen ist soviel Ungereimtes, Verwirrendes und Widersprüchliches getan und gesagt worden, daß man überhaupt nicht mehr weiß, was man noch glauben soll! Weißt du übrigens etwas über die sehr merkwürdig erscheindende Entlassung Piecks?"

"Mir wurde berichtet, Wilhelm Pieck sei mit einem Schutzbrief des Vernehmungsoffiziers entlassen worden, weil er wichtige Querverbindungen der Aufständischen, auch solche die nach Rußland führen, preisgegeben und sich bereit erklärt habe, künftig weitere Informationen zu liefern!"

"Das wäre die einzige einleuchtende Erklärung für die völlig andere Behandlung, die ihm zuteil geworden ist. Vielleicht hat er sogar den Aufenthalt von Luxemburg und Liebknecht in Wilmersdorf verraten und sich dort nur mitverhaften lassen, damit kein Verdacht auf ihn fällt? Na, eines Tages wird vielleicht Licht in die ganze Angelegenheit kommen? Wenden wir uns jetzt den beiden anderen, ungleich wichtigeren Themen 'Nationalversammlung' und 'Friedensvertrag' zu."

"In Ordnung", sagte Cohnen zustimmend, "ich schlage allerdings vor, wir befeuchten zunächst einmal unsere trocken gewordenen Kehlen und du beginnst dann mit deinen Fragen, die die Wahlen zur Nationalversammlung betreffen." Nachdem sie die Gläser geleert und Cohnen sie neu gefüllt hatte, sagte Seller:

"Mich interessieren nicht nur die Wahlvorbereitungen und der voraussichtliche Ausgang der Wahlen, sondern auch die Konzeption unserer Partei für die künftige Verfassung der Republik. Doch eines nach dem anderen! Glaubst du, daß in der herrschenden Aufstandsatmosphäre, die Wahlen überhaupt in Ruhe abgehalten werden können, und die Nationalversammlung ihre Arbeit in Bälde aufnehmen kann?"

"Ebert und Noske waren kürzlich im Lager Zossen, um sich der Loyalität des Freikorps unter General Maerker zu vergewissern. Maerker hat Ebert versichert, er würde unter allen Umständen loyal bleiben, solange die Regierung mit den Kommunisten und anderen Linksradikalen keine gemeinsame Sache macht. Maerker hat sich bereit erklärt, die Durchführung der Nationalversammlung mit seiner Truppe zu garantieren!"

"Reicht die Stärke dieses Korps denn aus, um Ruhe und Ordnung in Berlin zu gewährleisten? Und was geschieht im übrigen Reich?"

"Auch in anderen Teilen des Reiches werden Freikorps gebildet. In Wilhelmshaven stellt Korvettenkapitän Ehrhardt ein solches Korps auf; im Ruhrgebiet besorgt das gleiche ein Hauptmann Lichtschlag und in Bayern, Mitteldeutschland und Pommern geschieht ähnliches. Was Berlin betrifft, so werden wir uns, neben Maerker, auf die Freiwilligeneinheiten verlassen müssen, die in der Stadt selbst, in Potsdam und Döberitz stationiert sind.

Maerker allein hat etwa 5 000 Mann zur Verfügung; sie sind bestens ausgerüstet und diszipliniert.

Trotzdem bestehen Zweifel daran, ob Berlin der rechte Ort für eine längere Tagungsperiode der Nationalversammlung sein kann; hier sind noch zuviele Unsicherheitsfaktoren vorhanden! Wahrscheinlich wird sie in einer anderen Stadt zusammentreten. Weimar ist im Gespräch. Maerker würde mit seinem Freikorps den Schutz der Versammlung auch dort übernehmen."

"Mit welchem Wahlergebnis rechnest du für unsere Partei?"

"Das ist schwer vorauszusagen; nicht zuletzt, weil erstmals auch die Frauen ihre Stimme abgeben werden. Für deren Wahlverhalten gibt es bis jetzt noch kein Beispiel. Ich nehme aber an, daß sie sich im allgemeinen ähnlich verhalten werden wie die Männer. Da die Kommunisten die Wahl boykottieren wollen, wird ein Teil ihrer potentiellen Wähler wahrscheinlich für die Unabhängigen stimmen. Von rund dreißig Millionen Wahlberechtigten dürften etwa zwölf Millionen für uns, die SPD, votieren, ein bis zwei Millionen für die Unabhängigen, und die übrigen sechzehn Millionen werden voraussichtlich Parteien der Mitte und der Rechten ihre Stimme geben. Ich meine, mit einem solchen Resultat könnten wir sehr zufrieden sein; denn das in uns gesetzte Vertrauen ist am Zerbröckeln."

Seller war von dieser pessimistischen Voraussage keineswegs überrascht. Er hielt sie sogar für ein wenig zu günstig, weil er mit einem schnelleren Umsichgreifen der Enttäuschung rechnete. Er fragte deshalb nur: "Sieht die Mehrzahl der Genossen in unserer Parteiführung die Lage ebenso wie du?"

"Die Mehrzahl tut das nicht; sie hofft auf die absolute Stimmenmehrheit; überdies rechnet sie damit, daß Ebert Reichspräsident wird. Deshalb soll dieses Amt auch verfassungsmäßig mit einer Fülle von Vollmachten ausgestattet werden; - mit Vollmachten, die sogar die Verfassung zeitweilig außer Kraft setzen können und ein autoritäres Regime ermöglichen!"

"Sind die denn verrückt!?", fragte Seller aufgebracht.

"Erinnerst du dich an unsere Gespräche, die wir vor dem Kriege im Anschluß einer Vortragsreihe führten, die die Ortsgruppe unserer Partei in Halle veranstaltete?", fragte Cohnen dagegen. "Damals haben wir festgestellt, daß Macht immer nur solange verteufelt wird, wie andere sie besitzen. Sobald man aber selbst über sie verfügt, kann sie gar nicht umfassend genug sein, wird sie plötzlich als höchst segensreich hingestellt und ist auch Machtmißbrauch keine Gefahr mehr.

Aller Wahrscheinlichkeit nach werden wir die Macht jedoch mit anderen Parteien teilen müssen, zumindest solange, wie wir nicht mit dem soeben erwähnten Ausnahmerecht des Präsidenten operieren wollen. Vorausgesetzt natürlich, daß wir diese Vollmachten in der Nationalversammlung durchsetzen können und wir den Präsidenten stellen. Davon bin ich allerdings überzeugt. Wahrscheinlich werden wir mit dem Zentrum eine Koalition eingehen. In dieser Partei sind katholische und ultramontane Elemente maßgebend. Diese Kreise sind durch Kirche und Papsttum an patriarchalische Strukturen gewöhnt; sie dürften daher den von uns gewünschten Ermächtigungsartikeln für den Präsidenten zustimmen, wenn wir ihnen auf kirchenpolitischem Gebiet Zugeständnisse machen. Vielleicht können wir auch noch die Deutsche Demokratische Volkspartei für unsere Pläne gewinnen!"

"Wann soll die Nationalversammlung denn zusammentreten?"

"Möglichst bald nach den Wahlen, wahrscheinlich Anfang Februar."

"In Paris soll ja einen Tag vor unserer Wahl, auch die Friedenskonferenz beginnen."

"Ja, aber was dort auf uns zukommt, das wird uns den Atem verschlagen! Nach allem, was wir bis jetzt über die Vorstellungen der Feindmächte wissen, wird das der größte Raub- und Schmachfriede werden, der in der neueren Geschichte der sich zivilisiert nennenden Völker diktiert worden ist!"

Besorgt fragte Seller: "Verfügst du schon über nähere Informationen?"

"Es liegen uns Nachrichten aus mehreren, zuverlässigen und gut orientierten Quellen vor, die keinen Zweifel an den Absichten der Alliierten lassen. Etwa siebzigtausend Quadratkilometer des Reichsgebietes sollen abgetrennt und ungefähr sieben Millionen Deutsche fremder Herrschaft unterstellt werden! Damit werden uns etwa ein Fünftel unserer landwirtschaftlichen Nutzfläche, fünfunddreißig Prozent unserer Kohlenlager und fünfundsiebzig Prozent unserer Erzvorkommen geraubt!

Im Osten sollen ganze Provinzen vom Reich hinweggerissen werden! Ungeheure Sachleistungen sind vorgesehen und außerdem sollten Tribute auf Goldbasis gezahlt werden, die jenseits der Zweihundert-Milliarden-Grenze liegen! Bezogen auf unser jährliches Nationaleinkommen bedeutet das eine Versklavung auf Jahrzehnte hinaus!"

Seller war als hätte ihn jemand vor den Kopf geschlagen. Schließlich sagte er:

"Nachdem Weinberger schon einiges angedeutet hat, und ich mir aufgrund der halsabschneiderischen Forderungen, die mit den jeweiligen Verlängerungen des Waffenstillstandes verbunden wurden, auch selbst schon verschiedenes zusammengereimt habe, war mir klar, daß uns Schlimmes erwartet, doch das, was du eben in Aussicht gestellt hast, übersteigt mein Vorstellungsvermögen!

Eine solche Vergewaltigung wäre doch heller Wahnsin! Kein Volk der Welt kann so etwas akzeptieren! Aber wenn ihm so eine Knechtschaft aufgezwungen wird, so wird nur ein einziger Gedanke seine wachen Geister beherrschen, nämlich dieses Joch abzuschütteln, koste es was es wolle!

Auflehnung gegen ein auferlegtes Joch ist das Recht jedes Sklaven! Er verliert seine Ehre, wenn er nicht versucht, die Ketten, in die man ihn geschlagen hat, zu brechen! Was haben wir denn unseren Arbeitern immer gesagt? Genau dasselbe! Zerreißt die Fesseln!"

"Du weißt noch nicht alles", fuhr Cohnen mit seiner Hiobsbotschaft fort, "das Schlimmste ist die Schmach, die man unserem Volk in einer besonders verletzenden, demütigenden Weise antun will, indem man ihm die Alleinschuld am Ausbruch dieses Krieges zuschieben will und indem die Auslieferung von neunhundert sogenannten Kriegsverbrechern - vom Kaiser angefangen, über Minister, Heerführer und Wirtschaftsführer bis zu Parteifunktionären - zum Zwecke der Verurteilung durch Pseudo-Gerichte der Sieger verlangt!"

"Die sind doch von allen guten Geistern verlassen", sagte Seller. "So drückend materielle Lasten auch sein mögen, moralische Demütigung und seelische Schmach wiegen schwerer! Ich sage noch einmal: KeinVolk, das noch nicht geistig verkrüppelt ist, das noch nicht auf den Stand entnervter Parias abgesunken ist und sich noch nicht mit einem psychischen Fellachen-Dasein abgefunden hat, wird so eine Ächtung und Zumutung hinnehmen!"

"Ich glaube, wir werden der jahrelang durch alliierte Hetzpropaganda vergifteten Weltmeinung nur schwer verständlich machen können, wie ungeheuerlich die an uns gestellte Zumutung ist."

"Es ist auch nicht eine primäre Aufgabe, dies der übrigen Welt bewußt zu machen, sondern vielmehr und in erster Linie unserem eigenen Volk!", erklärte Seller mit Nachdruck. "Wenn wir das versäumen, dann werden dies in den nächsten Jahren, und zwar mit Recht, andere tun! Und die werden dann Gehör finden!"

Cohnen nickte zustimmend. "Auch ich halte es für möglich, daß die beabsichtige Vergewaltigung Deutschlands durch die Feindmächte eines Tages ein revolutionäres Wollen hervorruft, das nach innen wie außen wirksam werden müßte. Es kann sein, daß das beabsichtigte Siegerdiktat dann sowohl das Ende der Parteien, die es jetzt möglicherweise akzeptieren, herbeiführt, als auch einen nächsten Krieg vorbestimmt. Die Frage ist nur, ob die wahrscheinlich zu erwartende Freiheitsbewegung eine linkspatriotische Prägung haben wird oder eine rechtsnationale."

"Wenn die Sieger jetzt keine Vernunft und Rücksichtnahme walten lassen, dann wird möglicherweise auch in Deutschland abwägendes Denken eines Tages einen geringen Stellenwert erhalten. Die uns bedrückende Unvernunft der anderen und die uns demonstrierte Wirksamkeit der Formel 'Macht geht vor Recht', wird dann auch bei uns Rücksichtnahme als ein Relikt erscheinen lassen, das nicht mehr in diese Welt paßt!"

"Ich nehme an, die Alliierten rechnen jetzt bereits mit dieser Möglichkeit", sagte Cohnen. "Deshalb werden sie auch möglichst viele Nachbarn Deutschlands an der Beute beteiligen, um damit auch sie an der dauernden Niederhaltung Deutschlands unmittelbar zu interessieren.

Polen soll Oberschlesien, Posen, Westpreußen und wahrscheinlich auch Danzig erhalten; dem tschechischen Retortenstaat sollen die von Deutschen bewohnten Gebiete Böhmens und Mährens zugeschlagen werden, Dänemark will Nordschlesien, Belgien Eupen und Malmedy und Frankreich möglichst das ganze linke Rheinufer!"

"Haben die angeblich mit demokratischem Öl gesalbten Polit-Pharisäer, die jetzt in Paris das künftige Schicksal Europas bestimmen, vergessen, daß die ungelösten Volkstumsprobleme auf dem Balkan und im Habsburger Reich zu den mitmaßgeblichen Gründen gehörten, die zum Weltkrieg führten? Begreifen sie denn nicht, daß eine neue Einkreisung nichts nützt, wenn den Beute-Teilhaberstaaten mit starken Volkstumsminderheiten Sprengsätze in die Wiege gelegt werden?", fragte Seller ohne eine Antwort zu erwarten.

Voller Entrüstung setzte er hinzu: "Und dann diese Ironie! Die Tschechen, die aus Mangel an Potenz zur Eigenstaatlichkeit, jahrhundertelang zum alten Deutschen Reich, beziehungsweise zum Deutschen Bund gehörten, die während des Krieges unter der K.u.K. -Flagge gegen die Alliierten kämpften, werden jetzt zu einem Siegervolk erklärt! Und die Polen! Ausgerechnet die, denen wir nach mehr als 100jähriger russischer Herrschaft, neben Finnland und den baltischen Völkern und den Ukrainern, die Eigenstaatlichkeit wiedergegeben haben, sie fordern jetzt, in typisch polnischer Dankbarkeit, große Teile Deutschlands!"

Um seine Erregung zu dämpfen, produzierte er mit seiner Zigarre Rauchwolken. Danach nahm er das Gespräch wieder auf: "Unsere ehemaligen Verbündeten werden von den alliierten 'Glücksbringern' wahrscheinlich ähnlich behandelt werden wie wir?"

"Ja, ich habe überschlägig errechnet, daß nach den bisher bekannten Plänen etwa ein Dutzend Volksgruppen mit ungefähr 20 Millionen Menschen, unter fremde Herrschaft gepreßt werden; zählt man die Ukrainer hinzu, sind es 60 Millionen! Menschen als Ware, völkischer Kulturboden als Schacherobjekt! Und das im Namen des 'Friedens'!"

"Ich muß es immer wieder sagen: Das Schicksal möge uns von der Doppelzüngigkeit und der stümperhaften Politik amerikanischer Präsidenten bewahren! Jetzt und in aller Zukunft! Was ist denn aus dem von Wilson propagierten Gedanken eines Völkerbundes geworden? Das ist doch sicherlich auch ein faules Ei! Weißt du etwas darüber?"

"Darüber weiß ich nicht viel, Herbert. Doch hat es den Anschein, als solle auf der Grundlage der Siegerkoalition ein Staatenbund geschaffen werden, der dazu ausersehen ist, der imperialistischen Politik der Gewinner dieses Krieges als Resonanzboden zu dienen und eine Klassengesellschaft unter den zivilisierten Völkern zu errichten."

Seller überfiel plötzlich ein Gefühl von Hoffnungslosigkeit, deshalb sagte er: "Was nützt uns denn alles Mühen, alles Opfern, wenn irgendwelche

Marotten und Abartigkeiten, wenn Dummheit und Wahnvorstellungen Einzelner oder kleiner Cliquen das Schicksal der Völker bestimmen?"

Enttäuscht sah er nach diesen Worten auf seine Uhr und sagte: "Es ist spät geworden, Oswald; Zeit, mich zu verabschieden!"

"Nimm deine Enttäuschung nicht zum Anlaß für einen abrupten Aufbruch, Herbert. Was meinst du, wie oft ich mich über die Uneinsichtigkeit, dogmatische Prinzipienreiterei, Vorurteile und unlogisches Wunschdenken ärgere? Wir müssen die Menschen und die Welt nehmen wie sie sind!"

Seller sah erneut nach seiner Uhr. "In 12 Minuten werden die Sicherheitswachen hier am Hotel abgelöst", sagte er. "Ich könnte mit dem Lastwagen, der die ablösende Gruppe bringt, in die Kaserne zurückfahren. Sicherlich verstehst du, daß ich diese Gelegenheit wahrnehmen möchte?"

"Das verstehe ich, doch bedauere ich zugleich, daß unser erster gemeinsamer Abend zu Ende geht, bevor wir uns, etwas eingehender als bei Tisch, über einige private Angelegenheiten unterhalten haben."

"Oswald, ich muß morgen früh um vier Uhr mit zwei Gruppen Streife fahren. Ich habe, wie du von Weinberger weißt, mein Dienstverhältnis zwar gekündigt, aber solange ich noch Dienst versehe, will ich das in korrekter Weise tun. Erst am 31. Januar wird endgültig Schluß sein, dann fahre ich nach Hause!"

"Na, dann will ich dich nicht länger aufhalten. Mich wird die Politik zwar noch länger von Halle fernhalten, doch wir werden dort wohnen bleiben. Sobald die revolutionären Vorgänge ihren Abschluß gefunden haben, werde ich wieder öfter zu Hause bei meiner Familie sein. Bei diesen Gelegenheiten werden wir uns dann öfters sehen und auch einen Gedankenaustausch pflegen können!"

"Diese Absicht erscheint mir wie ein Silberstreifen am Horizont. Ich glaube wir alle werden in den nächsten Jahren geistiger Anlehnung und gegenseitiger Aufmunterng bedürfen, wenn wir die vor uns liegende Zeit mit Anstand überstehen wollen! Mit Anstand überstehen, das ist das Wichtigste! Aufrecht bleiben im Unglück, Selbstachtung behalten, wenn man geschmäht wird, an die Zukunft des Volkes glauben, auch wenn es danieder liegt, und Zusammenhalt pflegen, je größer das Unglück ist, umso mehr! Anders hätte das Volk deines Großvaters die Jahrtausende in der Diaspora nicht überstehen können! Ich meine, wir Deutsche könnten uns an seinem Selbstbehauptungswillen ein Beispiel nehmen!"

Nachdem die Freunde sich am Eingang des Hotels verabschiedet hatten und Seller neben dem Fahrer des Lastwagens sitzend, durch die spärlich erleuchteten Straßen fuhr, fiel ihm ein, daß übermorgen, am 18. Januar, der Reichsgründungstag sich zum 48ten Male jähren würde.

"Reichsgründungstag! In Paris wird möglicherweise der Anfang vom Ende des Reiches vorbereitet", ging es ihm durch den Kopf. "Doch schon häufiger hat, wie die Weltgeschichte lehrt, der Untergang eines Reiches Jahrzehnte später, auch zum Untergang derer geführt, die dessen Zusammenbruch herbeiführten und sich davon Vorteile versprachen. Ein Trost ist das allerdings nicht!"

Die Ergebnisse der Wahl zur Nationalversammlung waren für Seller der endgültige Beweis für die Richtigkeit seiner schon vorher getroffenen Einschätzung, daß eine Revolution, selbst in engen Grenzen, nicht stattgefunden hatte, und auch Versuche, eine neue Ordnung auf sozialgerechtem Mindestniveau auf den Weg zu bringen, endgültig gescheitert seien. Von den insgesamt 421 gewählten Abgeordneten konnte die SPD nur 163 entsenden. Die Unabhängigen Sozialdemokraten, denen auch, infolge "offizieller" Nichtteilnahme der KPD, ein Großteil der Stimmen der Spartakisten/Kommunisten zugefallen war, vermochten nicht mehr als 22 Abgeordnete in die Nationalversammlung zu schicken. Bei der Regierungsbildung waren die Sozialdemokraten zu einer Koalition mit dem Zentrum und den Demokraten gezwungen. Nach ihrer Eröffnung wurden Friedrich Ebert zum Reichspräsidenten und Philipp Scheidemann zum Reichskanzler gewählt.

Trotz stattgefundener Wahl und dabei erlittener Niederlage, strebten Kommunisten, Unabhängige Sozialdemokraten und radikale Gewerkschaften weiter einen gewaltsamen Umsturz an: Mit massiver Unterstützung der russischen Bolschewisten wurden, in mehreren Teilen des Reiches, neue Streiks und Aufstände organisiert. Es blieb also zunächst alles beim Alten.

Am Abend des 29. Januar verfaßte Seller, wie üblich, seinen schriftlichen Tagesreport. Er erledigte diese Arbeit in der Wohnunterkunft, weil die Büroräume nach der regulären Dienstzeit nicht mehr geheizt wurden. Als er damit fertig war, begann Werfels ein Gespräch über die politische Entwicklung in Bayern, wo der von Unabhängigen und Kommunisten gestützte, seit dem November als "Ministerpräsident" fungierende Unabhängige Sozialdemokrat Kurt Eisner-Kosmanowski sich weigerte, aus der vernichtenden Wahlniederlage, die seine Partei bei den Landtagswahlen am 12. Januar erlitten hatte, mit einem Rücktritt von dem usurpierten Amt die Konsequenz zu ziehen. Seine Partei hatte von insgesamt 190 Sitzen nur ganze drei erringen können; nach Eisners und seiner Freunde Verständnis von Demokratie genügten die jedoch, um weiterhin den politischen Kurs anzugeben. Werfels sagte dazu:

"Wenn jemand, der, im Bunde mit einer kleinen Minderheit, eine Machtstellung erobert hat, sich trotz eindeutiger Ablehnung seines Regimes durch die Bevölkerung weigert, dem Volkswillen zu entsprechen, sondern sich an die erkaperte Machtposition klammert, der muß damit rechnen, daß er mit ebensolchen gewaltsamen Methoden entfernt wird, mit denen er die Macht eroberte. Das war schon zu allen Zeiten so!

Nebenbei bemerkt, halte ich Eisners Verhalten und das seiner Genossen Toller, Levine, Landauer, Mühsam und so weiter, für besonders geeignet, Wasser auf die Mühlen derer zu gießen, die die Republik für ein Produkt jüdischer Machenschaften halten! So wie Eisner und seine Komplizen, darf man es nicht machen, wenn man der Theorie von einer jüdischen Verschwörung den Boden entziehen will!"

"Darin stimme ich dir zu. Doch wollen wir dieses leidige Thema nicht zum Gegenstand weiterer Erörterungen machen! Du kennst meine Meinung zu diesem Behauptungskomplex! Nach meinem Verständnis ist ein Mensch das, was er sein will, zu dem er sich freiwillig bekennt und was zu sein er durch Taten unter Beweis stellt! Jude ist nur, wer glaubt Angehöriger eines Volkes zu sein, das auserwählt, höherwertig als andere Völker, in seinen Rechten privilegiert, sowie dazu ausersehen ist, wie es im Alten Testament steht, die Schätze der Völker der Erde entgegenzunehmen, - und wer sich entsprechend benimmt."

"Das war eine Erklärung, die logisch klingt. Ich werde darüber nachdenken; und jetzt ist endgültig Schluß mit diesem Thema!"

"Und auch damit ist künftig Schluß", sagte Seller mit einer hinweisenden Handbewegung auf seinen auf dem Tisch liegenden Tagesreport:

"Das ist der letzte Bericht, den ich verfaßt habe; morgen übergebe ich die Einheit und dann geht es ab, nach Hause! Meine Familie erwartet und braucht mich!"

"Sei froh, daß du eine Familie hast. Mich erwartet und braucht niemand mehr. Seit mein Vater im Dezember verstarb, steht unser Häuschen leer. Wenn ich, in den nächsten Tagen, dort die Tür öffnen werde, dann wird mich niemand begrüßen, dann wird vielleicht sogar manches liebe Erinnerungsstück, das schon meinen Eltern von Bedeutung war, verschwunden sein, weil es von polnischen Plünderern weggeschleppt wurde. Die sind nämlich, wie mir in einem Brief, den ich heute erhielt, mitgeteilt wurde, schon zweimal nachts bei uns eingebrochen und haben gestohlen, was ihnen gefiel und leicht transportierbar war."

"Wer hat dir denn diesen Brief geschrieben?"

"Einer unserer Nachbarn. Der hat die polnischen Einbrecher beim letztenmal überrascht; dabei ist er von ihnen zusammengeschlagen worden."

"In Oberschlesien herrschen wahrscheinlich, wenn auch mit einem anderen Vorzeichen, ähnlich chaotische Zustände, wie hier in Berlin und in anderen Städten des Reiches", vermutete Seller.

"Dieses Chaos wird, im großen Stil, bewußt von den Polen herbeigeführt. Wahrscheinlich sind auch die Einbrüche Teil einer Verunsicherungskampagne, mit der die Deutschen in Oberschlesien eingeschüchtert werden sollen."

Die Sorgen um den möglichen Verlust der Heimat, einer der wesentlichsten Konstanten im Leben eines Menschen, hatte Werfels schon seit längerer Zeit mit sich herumgetragen; er hatte ihnen jedoch nur selten und nur in schwachen Andeutungen Ausdruck verliehen, weil letzte Gewißheit über das Schicksal Oberschlesiens noch fehlte. Erste Ursache seiner Befürchtungen waren einige Passagen in dem Brief gewesen, mit dem ihm ein Freund seines Vaters von dessen Anfang Dezember erfolgten Ableben unterrichtete. Der Brief hatte ihn in der Weihnachtswoche erreicht, als Seller in Urlaub war. Schon damals hatte der alte Mann ihm mitgeteilt, daß nachts polnische Terrorgrupppen über die Grenze kämen, die psychischen und physischen Schrecken verbreiteten, um Oberschlesien für eine Annexion reif zu machen.

Seitdem waren Werfels Befürchtungen gestiegen. Ein übriges hatte der heutige Brief getan. Er gab seinen Sorgen jetzt Ausdruck: "Ich halte es für unwahrscheinlich, daß mein Heimatort nach der Abtrennung von Teilen Oberschlesiens bei Deutschland verbleiben wird. Er liegt mitten im dortigen Bergbaugebiet, und die dortigen Steinkohlelager dürften das Ziel der polnischen Raubgelüste sein. Sohrau, die Stadt meiner Geburt, wurde 1272 gegründet. Das oberschlesische Land gehörte schon um diese Zeit zum alten Deutschen Reich und ist seither, - kurzzeitige Annektionen durch Polen ausgenommen, die jedoch die Bevölkerungsstruktur kaum berührten, deutsch geblieben. Es ist deutsches Kulturland! Unsere Vorfahren haben die erste Scholle gebrochen, haben die Städte gebaut, haben die Bodenschätze erschlossen und haben es insgesamt zu dem gemacht, was es heute und seit Jahrhunderten ist. Wir haben damit ein unbestreitbares Erstgeburts- und Besitzrrecht begründet! An diesen Tatsachen ändern zwischenzeitliche polnische Invasionen nicht das geringste!"

Noch während Werfels diese Worte sprach, ging er zu seinem Spind und kramte dort in dem Fach, in dem seine Briefsachen sich befanden. Als er den Brief, den er am Nachmittag erhalten hatte, in der Hand hielt, kam er zum Tisch zurück. Er erklärte dazu: "Ich werde dir ein paar Zeilen daraus vorlesen! Er suchte einige Augenblicke, bis er die Stellen gefunden hatte, die er seinem Freund zur Kenntnis bringen wollte; dann zitierte er: "Die Polen drohen jetzt schon ganz offen, daß sie uns verjagen wollen, sobald die deutschen Truppen Oberschlesien verlassen haben."

Werfels sah kurz von dem Brief auf und blickte seinen Freund bedeutungsvoll an. Dann wandte er sich wieder dem Schreiben zu und las weiter: "An den Amtsgebäuden haben sie nachts die deutschen Bezeichnungen mit Ölfarbe überpinselt und statt ihrer polnische Adler hingemalt. Sie stehlen, zerschlagen Fensterscheiben und verüben Sabotage. Auch Flugblätter verteilen sie in den Nächten. Sie sind in deutscher Sprache abgefaßt, damit wir sie lesen können. Sie wollen uns einschüchtern. Ihre Texte lassen Schlimmes befürchten. Eines dieser Flugblätter lege ich bei. Sie sollen in Frankreich gedruckt worden sein."

Werfels faltete den Brief wieder zusammen. Das Flugblatt überreichte er Seller, und der las:

Polnisches Kampflied

Brüder, Sensen in die Hände! Auf zum Kampfe laßt
uns eilen!
Polens Knechtschaft hat ein Ende. Länger wollen
wir nicht weilen.
Sammelt Scharen um Euch alle! Unser Feind, der
Deutsche, falle!
Plündert! Raubet! Senget! Brennet! Laßt die
Feinde qualvoll sterben!
Wer die deutschen Hunde hänget, wird sich Gottes
Lohn erwerben!
Ich, der Probst, versprech Euch fest das Himmelreich!
Jede Sünd' wird Euch vergeben, selbst der
wohlbedachte Mord, der der Polen freies Leben
unterstützt von Ort zu Ort!
Aber Fluch dem Bösewicht, der vor uns von
Deutschland spricht!
Polen soll und muß besteh'n! Papst und Gott
versprich es mir!
Rußland, Preußen muß vergeh'n! Heil dem polnischen
Panier!
Darum jauchzet froh darein 'Polska zvie' groß und
klein!

"Das ist ungeheuerlich!", kommentierte Seller, nachdem er diesen Haßgesang gelesen hatte. 'Laßt die Feinde qualvoll sterben', - welch ein Sadismus! 'Wohlbedachter Mord', hier offenbart sich menschliche Niedrigkeit im Quadrat! 'Gottes Lohn', 'Probst', 'Papst und Gott', - treffender konnte die Rolle der katholischen Kirche des Papsttums und des Nationalismus in Polen nicht beschrieben werden! 'Berufenere' Zeugen für die Tatsache dieser unheiligen Allianz kann es gar nicht geben, als die polnischen Verfasser dieses Pamphlets. Hier wird der Katholizismus zur Nationalreligion, zum Panier des polnischen Größenwahns gemacht!"

"Bemerkenswert ist auch der Angriff auf Rußland. Die Annektion der westrussischen Gebiete, Wolhyniens, Galiziens, des litauischen Wilna-Gebietes ist ebenfalls ein Ziel polnischer Maßlosigkeit! Polnische Unersättlichkeit wie eh und je! Dort wollen sie die Staatsgrenze 250 Kilometer über die polnische Volkstumsgrenze hinausschieben! Bei uns wollen sie Ähnliches tun! Doch da gehören zwei dazu; einer der raubt, und einer, der sich das gefallen läßt! Und wir werden uns diese Räuberei nicht gefallen lassen, darauf können sie Gift nehmen!"

“Nein”, stimmte Seller zu, “das werden wir nicht dulden, denn das würde eine Einladung an alle anderen Nachbarn Deutschlands bedeuten, sich ebenfalls nach Gutdünken an deutschem Land und an den Früchten der Arbeit von Generationen zu bedienen! Wir müssen ihnen klar machen, daß wir, auch wenn wir uns jetzt nicht wehren können, niemals auf unser mit harter Arbeit und Schweiß über Jahrhunderte hinweg wohlbegründeten Recht verzichten werden. Wir müssen ihnen zu verstehen geben, daß der Tag kommen wird, an dem wir Rechenschaft fordern, auch wenn das erst nach Jahrzehnten oder Jahrhunderten geschehen kann! Vielleicht veranlaßt eine solche, jeden Zweifel an unserer Einstellung ausschließende Haltung, die anderen zur Mäßigung!”

“Ich werde mich mit aller Kraft dafür einsetzen, damit Oberschlesien nicht in eine polnische Gefängniszelle für die dortige deutsche Bevölkerung wird! Ich werde in eine der Grenzschutzformationen eintreten, zu deren Bildung jetzt sogar die Regierung aufruft!”

“Um dein Elternhaus kann sich ja zunächst deine Schwester kümmern, die, wie du mir einmal erzähltest, in Waldenburg verheiratet ist!”

“Das geht nicht, sie wohnt nicht mehr dort. Sie ist jetzt in Straßburg verheiratet.”

“Und deine anderen Verwandten? Du hattest doch noch andere Angehörige in Schlesien?”

“Ich habe nur noch einen Onkel, einen Bruder meines Vaters; er ist Witwer und wohnt in Hultschin. Doch das Hultschiner Gebiet soll ja an die sogenannte Tschecho-Slowakei abgetreten werden.

Er wird sich also, in seinem hohen Alter, noch zum Tschechen machen lassen müssen und damit ebenfalls zum Ausländer werden!”

Plötzlich brach Werfels in ein irritiertes Lachen aus; doch seine Worte waren gefüllt mit Bitterkeit: “Zwangs-Polen aus Königshütte, Beute-Franzosen aus Waldenburg und Straßburg, Retorten-Tschechen aus Karlsbad und Hultschin, geklaute Belgier aus Eupen und Malmedy, Pfropf-Italiener aus Tirol, und so weiter und so fort! Sind denn bei der sogenannten Neuordnung Europas in Versailles lauter Verrückte am Werk?”

“Auch bei uns sind geistig Minderbemittelte in Scharen daheim! Sie verkünden, trotz der eben gekennzeichneten Tatsachen, noch immer Frieden und Freiheit, sie glauben nach wie vor, daß ‘Gott und Wilson’ weiterhelfen werden und sie singen, wie eh und je das Lied, wonach unbeschadet zweimaligen, kläglichen Versagens, die ‘Internationale’ das Recht der Menschen erkämpfen werde!”

“Ja, Borniertheit ist überall daheim, doch jetzt erlebt sie eine Blütezeit.”

Um seinem Freund etwas Tröstliches zu sagen, erklärte Seller mit Ernst und Nachdruck:

"Falls du einmal nicht weißt, wo du dich hinwenden sollst, lade ich dich schon jetzt ein, zu mir nach Saalfuhrt zu kommen. Wir leben zwar räumlich ziemlich beengt, aber ein Dach über den Kopf können wir dir zumindest solange bieten, bis du etwas Besseres und eine Arbeitsstelle gefunden hast."

"Das ist sehr anständig von dir, Herbert! Vielen Dank! Doch annehmen möchte ich deine freundliche Einladung nur im äußersten Notfall. Du hast mir schon sehr viel gegeben, indem du mir eben die Gewißheit gabst, daß es für mich eine Fluchtburg, eine Insel geben wird, auf die ich mich, zum Atemholen, retten kann, wenn es einmal zu stürmisch in meinem Leben hergehen sollte.

*

Die folgenden Monate des Jahres 1919 waren von weiteren Unruhen und Aufständen, sowie von folgenschweren Entscheidungen gekennzeichnet, die die weitere Entwicklung in Deutschland, Europa und der Welt maßgeblich beeinflussen sollten. Diese Entscheidungen wurden beim Zustandekommen der Weimarer Verfassung und im besonderen bei der Abfassung des Versailler Diktats* gefällt.

Der eine Entscheidungskomplex ermöglichte in Deutschland einen verheerenden Wildwuchs von Parteien und die Einführung diktatorischer Regierungsformen, der andere sah die Vergewaltigung von über 100 Millionen Menschen in Europa vor und häufte, indem er Deutschland versklavte und zerstückelte, und, neben Deutschen, auch Millionen Angehörige anderer Völker in fremde, teilweise nach abstrakten Vorstellungen neu geschaffene Staaten preßte, politischen Sprengstoff mit Zeitzünder an.

Während die Nationalversammlung theoretisierend über die Verfassung beriet, beseitigte das Freikorps Gerstenberg die in Bremen etablierte Sowjetherrschaft. Andere Verbände beendeten im Verlauf des Februar das von schweren Streiks und blutigen Zusammenstößen begleitete Chaos im Ruhrgebiet. Anfang März wurde, mit abschließenden Kämpfen in Halle, von dem zum Schutz der Nationalversammlung in Thüringen und der südlichen Provinz Sachsen stationierten Freikorps Maerker, ein in Mitteldeutschland ausgebrochener Aufstand niedergeworfen und der dort ausgerufene Generalstreik beendet.

Einen Tag nach Ende der Kämpfe in Mitteldeutschland, begann, unterstützt von Unabhängigen und Gewerkschaften, in Berlin der sogenannte Zweite Spartakusaufstand. Um die heftigen, verlustreichen Kampfhandlungen schnellmöglichst zu beenden, erließ der inzwischen zum Reichswehrminister berufene Gustav Noske einen Befehl, der ihm unversöhnlichen Haß der Linksradikalen einbrachte. Er lautete: "Jede Person, die im Kampf gegen

---

* Kurzfassung siehe Anhang

die Regierungstruppen mit der Waffe in der Hand angetroffen wird, ist sofort zu erschießen!" Die Gesamtzahl der Toten auf beiden Seiten betrug am Ende der Kämpfe mehr als 1 200, die Anzahl der Verwundeten überstieg diese Ziffer um ein Mehrfaches.

Mittlerweile hatte die Lage sich auch in Bayern erneut zugespitzt. Nachem "Ministerpräsident" Kurt Eisner sich, nach seiner vernichtenden Wahlniederlage sechs Wochen lang geweigert hatte, von seinem unrechtmäßig erworbenen und widerrechtlich besetzt gehaltenen Amt zurückzutreten, war er von dem Grafen Arco-Valley erschossen worden. In seinem Nachlaß fand man Unterlagen über den Empfang von 164 Millionen Mark, wie es hieß "unbekannter Herkunft".

Der Tod Eisners wurde, am 7. April, von linksradikalen Kräften mit einem Aufstand und der erneuten Ausrufung einer Bayerischen Sowjetrepublik beantwortet. Initiatoren waren abermals volksfremde "Intellektuelle". Die bereits von der Novemberrevolution her bekannten Revoluzzer Landauer, Mühsam, Joffé, Axelrod, Süßheim und Sontheim betätigten sich erneut als "Führer der deutschen Arbeiterklasse". Nicht neu in diesem Kreis war auch nicht der Abgesandte und Schwager Lenins, Levine-Nissen.

Die seit dem 22. Februar von dem Sozialdemokraten Hoffmann geführte Bayerische Regierung flüchtete, unter dem Eindruck der Münchner Aufstandsereignisse, nach Bamberg. Daraufhin schickte Gustav Noske starke Kontingente regulärer Truppen und Freikorps nach München. Als die Regierungstruppen am 29. und 30. April den Ring um die Landeshauptstadt geschlossen hatten, ließen die Führer des Aufstandes zehn Geiseln erschießen; darunter befand sich auch eine Frau, die Gräfin Westarp.

Am 1. Mai wurde der Aufstand der "Irrenhäusler" und "russischen Sendboten" - so Reichskanzler Scheidemann -, sowie der "Meute vertierter Lausbuben und internationalen Gesindels" - so der Bayerische Justizminister Ernst Müller-Meiningen - niedergeschlagen. Die detaillierten Anweisungen, die der russische Bolschewistenführer, Lenin, den Häuptern des Aufstandes in einem persönlichen Schreiben "für den Kampf mit den bürgerlichen Henkern Scheidemann und Co." erteilt hatte, hatten den Mißerfolg der Sowjetisierungsversuche ebensowenig verhindern können, wie seine Wünsche für eine glorreiche Durchführung. Was von dem Machtstreben des "internationalen Gesindels" übrigblieb, waren 700 Tote!

Ein besonders schwarzer Tag in der deutschen Geschichte war die am 28. 6. 1919, von der Mehrheit der Nationalversammlung, gegen die Stimmen der Abgeordneten der Rechtsparteien, erfolgte Annahme des Versailler Diktats. Zunächst war dieses Diktat bei dem überwiegenden Teil der Abgeordneten auf Ablehnung gestoßen; dann aber hatte ein "Gutachten" des Zentrumsabgeordneten Mathias Erzberger, das sich durch mit blühender Phantasie gezeichneten Schreckensvisionen, sowie Fehlen von politischem

Sachverstand und Weitblick auszeichnete, bei den "parteiorientierten Volksvertretern" einen Stimmungsumschwung herbeigeführt.

Daher wurde dieses Dikat, das der amerikanische Außenminister Knox als "ein Verbrechen gegen die Zivilisation" bezeichnete, mit dem "ein besiegtes Volk an Leib und Seele vergewaltigt (wird), wie nie ein Volk zuvor" - so SPD-Reichskanzler Bauer - unterzeichnet und ratifiziert. Bauers Vorgänger Scheidemann, war am 21. Juni, als die Bereitschaft zur Annahme des Diktats sich abzeichnete, aus Protest gegen die darin verfügte Zerstückelung, Ausplünderung und Demütigung Deutschlands demonstrativ zurückgetreten. In diesem Zusammenhang hatte er die Formulierung gebraucht, daß jedem, der dieses Unterwerfungsdikat unterzeichnen wolle, "die Hand verdorren" müsse. Mit der Erklärung, daß sie die im Diktat enthaltene Klausel von der Alleinschuld Deutschlands am Kriege nicht anerkennen würden, glaubten die Abgeordneten sich aber eine Hintertür geöffnet zu haben, aus der sie vor der Verantwortung für die Annahme des Schanddiktats entschlüpfen könnten und stimmten ihm deshalb zu.

Spuren des Versailler Diktats waren auch in der am 11. August verabschiedeten Weimarer Verfassung zu erkennen. Unter anderem mußte der, im Entwurf vorgesehene Artikel 61 gestrichen werden, der in Konsequenz des gesamtdeutschen Volkswillens und in Vollzug der Anschlußentscheidung der deutsch-österreichischen Nationalversammlung vom 12. 11. 1918, die Wiedervereinigung Deutsch-Österreichs mit dem Reich vorsah.

Mit dem Siegerdiktat von St. Germain vom 2. Juni wurde auch Deutsch-Österreich zerstückelt, wurde das Selbstbestimmungsrecht abermals mit Füßen getreten und wurde sogar die Bezeichnung Deutsch-Österreich verboten! Die Friedensgöttin stöhnte, in Ketten, über die ihr angetane Schmach!

4. Kapitel
Weitere Aufstände und Putschversuche
1920 bis 1922

Zum Zeitgeschehen 1920

Im Januar 1920 begannen die Alliierten und deren nutznießenden Erfüllungsgehilfen mit der militärischen Besetzung der zur gewaltsamen Abtrennung vorgesehenen deutschen Reichsgebiete.

Wenige Wochen später überreichten sie, zusammen mit einer Namensliste, ihre Forderung nach Auslieferung angeblicher deutscher 'Kriegsverbrecher'. General Seekt, der mit der Reorganisation der Reichswehr beauftragt worden war, ordnete daraufhin Kampfbereitschaft für die Reichswehr und Freikorps an. Nachdem die Reichsregierung den Alliierten die Durchführung von Verfahren gegen die Beschuldigten zugesagt hatte, wurde die Auslieferungsforderung von den Siegern fallengelassen.

Unter dem Eindruck der seit dem November 1918 fast ohne Unterbrechung andauernden Umsturzversuche von links, unzufrieden mit der Erfüllungspolitik, mit der dem Schanddiktat und sonstigen Forderungen der Alliierten in serviler Weise entsprochen wurde, und nicht zuletzt empört über das ständige Parteigezänk, die Parteibuchwirtschaft und die offensichtliche Unfähigkeit der meisten Minister, forderte der ostpreußische Generallandschaftsdirektor Kapp im Einvernehmen mit dem General von Lüttwitz, sowie Politikern verschiedener Parteien, Neuwahlen des Reichstages und die Berufung von fachlich qualifizierten Ministern.

Daraufhin wurde Lüttwitz am nächsten Tag seines Postens als Kommandeur des Wehrbezirkskommandos I enthoben. Zu den Forderungen Kapps bekannte sich in aller Offenheit nur noch der Freikorpsführer Kapitän Erhardt. Unter anderem entzogen auch zwei sozialdemokratische Oberpräsidenten preußischer Provinzen, sowie der sozialdemokratische Polizeipräsident von Berlin und einige Mitglieder von Ministerien, die ursprünglich für Kapps Forderungen eingetreten waren, Kapp die weitere Unterstützung. Als, um Kapps Forderungen Nachdruck zu verleihen, Erhardt mit seiner Brigade nach Berlin marschierte, mußte er überdies feststellen, daß ihm die Reichswehrführung und die preußische Beamtenschaft entgegenstand. Er zog daher nach wenigen Tagen, in denen Kapp sich zum Reichskanzler ernannt hatte, unverrichteter Dinge wieder ab. Der Putsch war gescheitert, noch ehe er begonnen hatte. Kapp und Lüttwitz flüchteten ins Ausland, Ehrhard tauchte zunächst in Süddeutschland unter.

Die Machenschaften Kapps, Lüttwitz' und Ehrhardts boten jedoch den radikalen Linken in den marxistischen Parteien und Gewerkschaften einen willkommenen Anlaß, erneut einen Generalstreik auszurufen und unter dem Deckmantel eines "Kampfes gegen die Reaktion", einen bereits vorbereiteten, erneuten Versuch zum Sturz der Regierung und zur Errichtung eines radikalsozialistischen Regimes zu unternehmen.

Im Ruhrgebiet wurde, aufgrund der längst getroffenen Vorbereitungen in kürzester Zeit, eine "Rote Armee" gebildet, die sogar mit Artillerie ausgerüstet war und schnell eine Stärke von 60.000 Mann erreichte. Der Terror, den sie gegenüber der Bevölkerung ausübte, veranlaßte die Reichsregierung, schnellmöglichst Reichswehr und Freikorps ins Ruhrgebiet zu verlegen. Als Reichskommissar für das bedrohte Gebiet an der Ruhr wurde der SPD-Spitzenpolitiker Severing eingesetzt.

Die blutigen Kämpfe, in denen der Aufstand niedergeworfen wurde, dauerten fast vier Wochen, bis zum 8. April 1920; letzte Säuberungsaktionen wurden noch wesentlich länger erforderlich. Das Resultat des roten Aufstandes, der auch auf Hamburg und andere Städte übergegriffen hatte, waren über 1800 Tote, ein mehrfaches dieser Anzahl an Verwundeten und Zerstörungen großen Ausmaßes.

Reflexionen und Details

Nachdem im März der in Thüringen inszenierte Aufstand zusammengebrochen war, versuchten die Linksradikalen, unter Führung von Max Hoelz, im Vogtland einen neuen Brand zu entfachen. Dies war ein Anlaß für die Familie Seller, sich erneut wegen Walter Sorgen zu machen. Walter hatte sich zwar, nachdem der Zweite Spartakusaufstand erfolglos geblieben war, nicht mehr an Aufstandsaktivitäten beteiligt, doch die Nähe des Brandherdes im Vogtland konnte geeignet sein, ihn erneut in Versuchung zu führen.

Sorgen machte sich vor allem seine junge Frau Lore. Seit die beiden im letzten Herbst geheiratet hatten, lebten sie in dem kleinen Haus, das Lore von ihren Eltern geerbt hatte. Walter arbeitete in Merseburg bei einer Firma, die sich hochtrabend "Rohproduktengroßverwertung" nannte, jedoch nichts anderes als eine mittelgroße Schrotthandlung war. Zumindest erweckte sie diesen Anschein.

In der Schrotthandlung verdiente Walter nicht allzu viel; doch es war genug, um Lore von der Notwendigkeit zu befreien, weiterhin im Chemiewerk von Leuna zu arbeiten. "Du hast genug geschuftet", hatte er eines Tages zu seiner jungen Frau gesagt, "ich möchte, daß du dich erst einmal ein Jahr erholst - dann werden wir weitersehen."

Um Walter von Unbedachtheiten abzuhalten, hatte Lore auch Herbert und Martha um vorsichtige Einflußnahme gebeten; nachdem sie das Ihrige bereits getan hatte. Zu diesem Zweck war, unter dem Vorwand einen "Skat- und Plauschnachmittag" abzuhalten, am Sonntag eine Zusammenkunft vereinbart worden.

Zunächst wurde über das Wetter geredet, und das Wetter bildete schließlich auch die Brücke zu dem in Aussicht genommenen Thema. Als der Wind erste Regentropfen gegen die Fensterscheiben trieb, ergriff Martha die Gelegenheit beim Schopf.

"Bei diesem Wetter sollte Hoelz den Aufstand in einem Tanzsaal abhalten, das wäre für Anhänger und Gegner angenehmer", sagte sie durch die Fensterscheiben schauend. Auf diesen scheinbar ohne besondere Absicht, hingeworfenen Satz, ging Walter, wie erhofft, sofort ein.

"Ich kann mir nicht helfen", sagte er, "mein Herz ist nach wie vor bei den Aufständischen und ihren Zielen."

"Solange nur dein Herz dort ist, hat ja auch niemand etwas dagegen", griff Herbert den Faden auf; scherzhaft fügte er hinzu: "Es fragt sich nur, was Lore dazu sagt, die ja ebenfalls einen Anspruch darauf hat!"

Während die beiden letzten Sätze gewechselt wurden, war Georg in den Raum getreten. Nachdem er Tante und Onkel begrüßt hatte, fragte Martha: "Wo sind denn Gerda und Hans?"

"Sie sind noch bei der Großmutter; Oma hat gesagt, sie wird mit ihnen herkommen, wenn es Zeit zum Abendbrot ist."

"Und was willst du tun?", fragte die Mutter, da sie meinte, sie müsse ihn veranlassen, sich außerhalb der Stube zu beschäftigen, weil seine Gegenwart das beabsichtigte Gespräch stören könne.

"Ich würde gern hierbleiben."

"Natürlich bleib hier", sagte Walter, da er von dem Plan der anderen keine Ahnung hatte.

"Der Junge darf ruhig hören, was ich über den Aufstand denke", knüpfte er an das, durch dessen Hereinkommen, unterbrochene Thema wieder an.

"Was denkst du denn darüber?", sagte Georg interessiert.

"Auch falls du nicht alles verstehen solltest, will ich es dir sagen: Ich glaube, daß ihre Ziele richtig sind, daß es für die Arbeiter besser wäre, wenn wir in Deutschland einen sozialistischen Staat errichten könnten, in dem auch die Arbeiter und die kleinen Leute mitbestimmen können."

"Meint ihr nicht, daß Georg als Teilnehmer an so einem Gespräch noch zu jung ist?", fragte die Mutter nun frei heraus.

"Die Entscheidung liegt natürlich bei euch", sagte Walter, "aber ich meine es nicht. Kein Mensch hat etwas dagegen, wenn die Kinder in einem noch viel früheren Alter, in den Kindergärten, in der Schule und in der Kirche mit noch viel strittigeren Themen konfrontiert werden!

Kaum jemand wendet etwas dagegen ein, daß die geistige Dressur, die die Macht der Kirchen, das heißt des Klerus, der auf religiöser Welle schwimmenden Funktionäre, begründet, bereits in einem Alter beginnt, in dem die Kinder gerade Lallen können! Da findet eine höchst einseitige, ausgeklügelte, mit allen Verführungskünsten, von schönsten Versprechungen bis zur seelischen Erpressung mit eingeimpften Angstgefühlen reichende und betriebene geistige Verkrüppelung statt und niemand regt sich darüber auf! Demut, Duldung, Hoffnung, das alles mündet in Hörigkeit! Hier und jetzt wird wenigstens Meinung gegen Meinung gestellt! Hier kann der Junge sich heraussuchen, was er für richtig hält, - soweit es ihm verständlich ist!"

"Ich stimme dir in allem zu, was du eben ausgeführt hast", sagte Herbert, "nur fürchte ich, du wirst mir nicht zustimmen, wenn ich dich darauf hinweise, daß alles, was du eben kritisiert hast, im kommunistischen System ebenfalls, genau mit den gleichen Methoden, nur mit einer anderen Ideologie praktiziert wird! Auch dort wird eine geistige Verkrüppelung betrieben, wird indoktriniert und absolute Hörigkeit und Unterwerfung verlangt.

Das Gegenüberstellen verschiedener Meinungen hat im kommunistischen System keinen Platz! Bereits Rosa Luxemburg hat gegen den dortigen Meinungsterror gewettert; wäre sie nicht in Berlin umgebracht worden, dann würde das bei ihrem nächsten Besuch in Moskau geschehen sein! Dort werden ja schon seit zwei Jahren die sogenannten Abweichler massenweise physisch liquidiert und 'weggesäubert'!"

"Gut, daß du Rosa erwähnt hast!", hakte Walter ein." Sie hatte die Schwächen des Leninismus erkannt und hätte dem gesamten Kommunismus ein anderes Gesicht geben können!"

"Du bist ein unverbesserlicher Optimist", sagte Herbert.

"Die Art und Weise in der man in Berlin mit Rosa Luxemburg und ihrer Leiche verfuhr, hat übrigens eine auffallende Parallele in der Methode gefunden, mit der die Aufständischen, im vorigen Jahr, den Offizier, der als Beauftragter der Reichsregierung beim Freikorps Maerker in Halle fungierte, ermordeten!", schaltete Martha sich ein. "Sie haben ihn erst halbtot geschlagen, dann blutend und schwerverletzt in die Saale geworfen und als er mit letztem Kraftaufwand ans Ufer zu schwimmen versuchte, erschossen!

Wenn du hier zwischen Mensch und Mensch, Mord und Mord, zwischen Landwehrkanal und Saale Unterschiede zu konstruieren versuchen solltest, dann kannst du mir mit deinem angeblich geläuterten deutschen Kommunismus a la Luxemburg gestohlen bleiben!"

"Davon weiß ich nichts, damals war ich wahrscheinlich noch in Berlin."

"Aber wir wissen es", sagte Herbert, "und ganz Halle weiß es. Es handelt sich um den Oberstleutnant von Klüver. Er war übrigens in Zivil, als man ihn ermordete. Von einer Provokation durch das Tragen einer Uniform, mit der man den Mord zu entschuldigen suchte, kann also keine Rede sein."

"Ich heiße Lynchjustiz nicht gut, doch wo gehobelt wird, fallen Späne! Das ist eine alte Erkenntnis!"

"War die Luxemburg auch nur ein solcher Span? Waren es die Geiseln, die in München ermordet wurden? Welchen Unterschied willst du zwischen der Ermordung der Luxemburg und der Gräfin Westarp machen? Tausende solcher sogenannten Späne sind schon gefallen, Walter. Ich vermag keinen Unterschied zwischen ihnen zu erkennen und lehne es ab, auch noch eine Klassengesellschaft der Toten einzuführen!", sagte Martha.

Lore war noch mit Walters schlecht gewählter und angreifbarer Metapher von den "Hobelspänen" beschäftigt; sie glaubte ihn unterstützen und entschuldigen zu müssen. Daher sagte sie: "Ihr kennt Walter ebenso gut wie ich, ihr wißt daher auch, daß er ein Idealist ist und seine Bemerkung über das Hobeln und Spänefallen nur eine Ausflucht war. Was mich bedrückt an seiner Meinung, das ist sein Glaube, die Verhältnisse könnten nur mit Gewalt geändert werden, und er müsse persönlich etwas dazu tun!"

"Die Wahl der Mittel, die angewendet werden müssen, um eine Änderung ungerechter Verhältnisse zu erreichen, schreiben diejenigen vor, die sie geschaffen haben und verteidigen! Das gilt nach innen wie nach außen! Und um die gewünschte Veränderung zu erreichen, muß man sich natürlich auch persönlich engagieren! Man kann nicht erwarten, daß andere die Kohlen aus dem Feuer holen, während man selbst nur als späterer Nutznießer des Erreichten auftreten will!"

"Ich habe nicht die Absicht, dir diesbezüglich im Prinzipiellen zu widersprechen, Walter!", ging Herbert auf die Meinung seines Bruders ein. "Doch der Teufel steckt bekanntlich im Detail und ist meist auch in den Ideologien verborgen. Die 'Erlöserideologie' des Christentums führte zu Inquisition, Folterkammern, Scheiterhaufen und einem Riesengeschäft mit der Angst vor dem Tode! Bei Marx ist der Weg in die Unfreiheit gleich von vornherein vorgezeichnet! Und seit seine Diktaturanweisungen über den Transmissionsriemen Lenin wirksam geworden sind, müßte man, angesichts der geschaffenen Tatsachen, entweder ein Narr oder ein Ignorant sein, wenn man weiterhin glauben würde, eine nach dieser Ideologie ausgerichtete Politik würde zu Freiheit und Gerechtigkeit führen!"

"Sollte ein kommunistisches System in Deutschland keine gerechte Ordnung schaffen, sondern große Teile unseres Volkes in ähnlicher Weise enttäuschen, wie die Weimarer Republik, dann wird es mich ebenso zum Gegner haben, wie jetzt das gegenwärtige System!", erklärte Walter.

"Da kannst du mit deiner Gegnerschaft zum Kommunismus gleich beginnen, denn die Beispiele seines Wirkens, die er bisher in Deutschland geliefert hat, machen erkennbar, was wir zu erwarten hätten!", sagte Martha.

"Gibt es denn keinen gewaltlosen Sozialismus?", fragte Lore, immer noch bestrebt, Walter eine andere Perspektive aufzuzeigen.

“Nein”, antwortete Herbert, “wenn man darunter den marxistisch geprägten Sozialismus versteht. Denn der bedeutet Enteignung, Gleichmacherei, Reglementierung und Einengung der persönlichen Freiheitsräume.”

“Aber die soziale Demokratie, die dir vorschwebt, wird sich wahrscheinlich auch nicht mit dem Stimmzettel herstellen lassen”, hielt Walter entgegen.

“Das habe ich bis vor kurzem auch nicht für möglich gehalten, aber jetzt tue ich das, sofern die Funktion des Stimmzettels geändert würde, ergänzende Regulatoren eingeschaltet und unvollständige Information, sowie betrügerische Meinungsmache unter Strafe gestellt würden!”

“Dafür zu kämpfen, wäre doch auch für dich eine lohnende und befriedigende Aufgabe, bei der du sogar meiner Unterstützung sicher sein könntest!”, sagte Lore zu Walter gewandt. “Im Juni, das heißt in 14 Tagen, werden Reichstagswahlen stattfinden; warte erst einmal deren Ausgang ab, vielleicht ergeben sie eine Basis für Reformen, von der wir uns jetzt noch nichts träumen lassen!” Die junge Frau klammerte sich förmlich an die von Herbert aufgezeigte Perspektive; ihr war jedes Mittel recht, um ihren Mann von erneuten Aufstandsabenteuern abzuhalten!

Walter wußte das. Ihr rührendes Bemühen veranlaßte ihn, ihr vorläufig diese Sorge zu nehmen. Er sagte daher: “Ich bin zwar nach wie vor davon überzeugt, daß herrschende Gewalt nur mit einem höheren Grad an Gegengewalt gebrochen werden kann, aber ich bin damit einverstanden, die Ergebnisse der Wahlen abzuwarten. Danach werdet auch ihr einsehen, daß sich nicht das Geringste ändern wird und es keine andere Möglichkeit gibt, die gegenwärtigen Verhältnisse zu ändern, als eine neue, eine wirkliche Revolution!”

“Wenn wir Frauen doch etwas tun könnten, um die Politik zu beeinflussen! Wahrscheinlich ginge es dann friedlicher in unserer Welt zu!”, meinte Lore mit einem verhaltenen Seufzer.

“Im Juni können wir mit dem Stimmzettel zumindest ein Zeichen setzen”, sagte Martha.

“Mehr aber auch nicht”, meinte Herbert, um dann fortzufahren:

“Skeptisch stehe ich auch der von Lore geäußerten Meinung gegenüber, Frauen seien weniger aggressiv als Männer. Ihre relative, physische Schwäche darf nicht über ihre latente Fähigkeit zur Gewaltanwendung hinwegtäuschen. Die Blutgerüste der französischen Revolution waren überwiegend von Frauen umlagert, denen das blutige Handwerk der Henker eine ergötzliche Unterhaltung war!

Ich meine, wir sollten es überhaupt unterlassen, in dieser Beziehung einen Gegensatz zwischen Männern und Frauen zu konstruieren. Es gibt genug Gegensätzlichkeiten in unserem Volk. Der Beifall der Feindmächte wäre uns sicher, wenn wir die naturgewollten Spannungsverhältnisse zwischen den Geschlechtern, oder auch die zwischen den Generationen, in politische

Gegensätze transformieren, unser Volk noch mehr paralysieren und mit zusätzlichen Zwistigkeiten weitere Lähmungskomponenten schaffen würden!"

"Das wurde durch die Streiks und linken Aufstände, zuletzt im Ruhrgebiet, bereits in einem geradezu selbstzerstörerischen Maße besorgt", sagte Martha.

"Vergiß den Kapp-Putsch nicht!", erinnerte Walter.

"Ich bin der Meinung, hier müssen wir einige wesentliche Unterschiede feststellen", erklärte Herbert. "Während seit 1918 von links ein Streik oder Aufstand nach dem anderen ausgelöst wurde und dabei bewaffnete Verbände in Armeestärke aufeinander schlugen, war der Kapp-Putsch in Berlin kaum mehr als eine Dreitage-Angelegenheit, bei der überhaupt nicht gekämpft wurde!

Während das seit zwei Jahren in kurzen Abständen kollapierende Ruhrgebiet, als Herz der deutschen Wirtschaft, das ganze Reich in Mitleidenschaft zieht, hat der Kapp-Putsch sich noch nicht einmal in Berlin merkbar ausgewirkt! Höchst nachteilig für die gesamte Bevölkerung war allein der Generalstreik der Gewerkschaften und der Aufstand der mit ihnen verbündeten Radikalen Linken!

Während im Ruhrgebiet Tausende von Toten und Verwundeten zu verzeichnen sind, kamen nach Ende des Kapp-Putsches zwölf Provokateure ums Leben, die man, den Begleitumständen gemäß, auch als Selbstmörder bezeichnen könnte. Denn dieses Dutzend Tote war, von der Ursache her, ebenso unnötig wie der Generalstreik und rote Aufstand!"

"Wieso denn das?", fragte Lore.

"Ich will versuchen, meine Ansicht zu begründen", ging Herbert auf die Frage ein.

"Das wahre Ziel dieses Streiks und des damit verbundenen Aufstandes war ein anderes als jetzt behauptet wird! Das ergibt sich zum einen aus der Tatsache, daß sie erst richtig wirksam wurden, als das Kapp-Theater schon vorbei war und zum anderen aus dem Umstand, daß sie weitergeführt wurden, als nichts mehr zu bekämpfen war, - außer die gewählte Regierung und ihre Organe! Beide, Streik und Aufstand, fanden nach einem bereits seit längerem festgelegten Programm statt. Man kann nicht eine 60 000 Mann starke Rote Armee in wenigen Tagen, aus dem Handgelenk heraus, aufstellen und sie einschließlich schwerer Geschütze bewaffnen! Die Organisation einer solchen Truppe braucht Zeit! Viel Zeit!

Seit den Wahlen zur verfassungsgebenden Nationalversammlung haben alle Umsturzversuche sich gegen Regierungen gerichtet, die aus dem gewählten Parlament hervorgegangen sind! Gegen wen denn sonst? Doch wegen dieser zahlreichen, zum Unterschied zum Kapp-Theater wirklich gefährlichen Umsturzbemühungen wurde nicht ein einziges Mal 'zum Schutz der rechtmäßigen Regierung' ein Generalstreik ausgerufen! Wie hätten die Gewerkschaften das auch tun können, ohne gegen ihre eigenen Umsturzziele zu streiken?"

"Der Umstand, daß der Streik schließlich abgebrochen wurde, ehe er sein Ziel erreicht hatte, ist auf Streitereien zurückzuführen, die zwischen den USPD-Funktionären um Ernst Däumig, sowie den Genossen um Wilhelm Pieck einerseits, und den Gewerkschaftsführern um Legien andererseits ausbrachen, - aus Eifersuchtsgründen und wegen unterschiedlicher Vorstellungen über das, was nach dem Umsturz zu geschehen habe. Nur deshalb und natürlich wegen des opferbereiten Einsatzes der Freikorps, unterblieb der an sich von allen radikalen Linken gewünschte Sturz der 'rechtmäßigen Regierung', und mußte die Streikflagge gestrichen werden. Der durch den Streik ausgelöste Aufstand aber tobte bis zum 8. April!"

"Aber weshalb rühmt man angesichts solcher Zusammenhänge den Aufstand und den Generalstreik jetzt als Heldentaten und als selbstlose Rettungsaktionen?", wollte Lore wissen.

"Weil die Linken meinen, damit von den eigenen, finsteren Absichten der Märztage ablenken zu können, und glauben, damit auch die Urheberschaft oder Beteiligung an den vorausgegangenen Umsturzversuchen in Vergessenheit geraten zu lassen. Sie verfahren nach der Methode 'Haltet den Dieb'! Deshalb habe ich ja auch meinen Austritt aus der Gewerkschaft erklärt."

"Ist das richtig, was Herbert gesagt hat?", fragte Lore ihren Mann.

"Ja, das stimmt. Doch möchte ich zu Wilhelm Piecks Verhalten noch sagen, daß er die weitergehenden Forderungen der USPD- und Gewerkschaftsführer nur deshalb ablehnte, weil er glaubte, sie seien zum damaligen Zeitpunkt gegen die Bevölkerungsmehrheit und die Regierungstruppen nicht durchzusetzen."

"Möglich, daß diese Motivierung seines Verhaltens zutrifft", dachte Herbert und erinnerte sich dabei an die zwielichtige Rolle, die Pieck bei der Verhaftung Liebknechts und Rosa Luxemburgs gespielt hatte. Doch er tat dem keine Erwähnung.

"Wieso glaubst du, vom Kapp-Putsch sei überhaupt keine Gefahr größeren Ausmaßes ausgegangen?", kam Lore noch einmal auf das Kapp-Thema zurück.

"Weil von vornherein feststand, daß die regulären Truppen, insbesondere aber die höheren Offiziere, wie Reinhard, Groener, Seekt und andere, zu ihrem Eid stehen würden. Das hat sich auch später bestätigt. Zudem war von Anbeginn klar, daß der Putsch sich, gewißermaßen mangels Masse, totlaufen würde, noch ehe er die erste Hürde zu nehmen imstande sei.

Man war ja in Regierung und Heer über die Vorhaben informiert und konnte daher der Entwicklung gelassen entgegensehen. General Lüttwitz, der Kapps Absichten guthieß, hatte ja schon am 10. März den Reichspräsidenten

Ebert und den Wehrminister Noske von Kapps und seiner eigenen Einstellung unterrichtet. Weshalb den Herren der Regierung das tapfere Herz dennoch in die Hose rutschte, und sie nach Dresden und Stuttgart türmten, ist nur zu vermuten.

Wahrscheinlich deshalb, weil sie ihrer eigenen Leute nicht sicher sein konnten. Dafür sprechen gewichtige Gründe. Erstens: Kapp hatte bei seinen Versuchen, Unterstützung für seine Forderungen zu finden, auch die Zusage einiger hoher SPD-Funktionäre, beziehungsweise hoher Amtsträger erhalten. Dazu gehörten, unter anderem, der Redakteur Erwin Barth vom 'Vorwärts', der Staatssekretär August Müller, der SPD-Polizeipräsident von Berlin, Eugen Ernst, und die sozialdemokratischen Oberpräsidenten zweier preußischer Provinzen, nämlich Adolf Philipp aus Schlesien, und August Winnig aus Ostpreußen.

Auch ihnen hing, wie Kapp und vielen anderen, das Chaos im Reich und die Unfähigkeit der Parteibuch-Minister zum Hals heraus! Sie standen daher Kapp's Forderungen nach Reichstagswahlen und fachlich qualifizierten Ministern aufgeschlossen gegenüber."

"Das waren ja auch sehr berechtigte Anliegen, denn seit der Wahl zur Nationalversammlung, die im Chaos des Januar 1919 durchgeführt worden war, hat keine Wahl mehr stattgefunden. Seither haben die Verhältnisse sich aber sehr geändert, sind Versailler Diktat und Verfassung über die Bühne gegangen, und wird die Unfähigkeit der Minister von den Spatzen auf den Dächern gepfiffen", warf Martha kommentierend ein.

"Sie pfeifen auch heute noch, und deshalb werden ja nun auch in Kürze Wahlen stattfinden", setzte Walter hinzu.

"Womit einer der Hauptforderungen Kapps entsprochen werden wird, und die Frage sich stellt, weshalb man sie ihm nicht zusagte, sondern stattdessen eine Staatsaktion daraus machte!"

"Du sprachst vorhin von mehreren Gründen, die die Regierung zur Flucht veranlaßt haben könnten", erinnerte Lore und fragte zugleich: "Was soll denn der zweite Grund gewesen sein?"

"Der zweite war das Wissen um die bereits akute Aufstandsgefahr im Ruhrgebiet und in anderen Reichsteilen, sowie der begründete Verdacht, daß der Generalstreik den Zündfunken liefern sollte. Deshalb distanzierte die Regierung sich ja auch sehr nachdrücklich von dem Streik unmittelbar nach dessen Ausrufung! Sie hatte Angst vor denen, die sich jetzt als Retter aufspielen!

Aber wie dem auch gewesen sein mag, - die Regierung türmte und überließ den Schutz der Republik und der Reichszentrale, wieder einmal, den Militärs! Und die taten ihre beschworene Pflicht, - sehr zum Unterschied zu den angeblichen Freunden und vermeintlichen Stützen der Regierung, die schon seit Jahren auf Verfassungsbruch und Umsturz hinarbeiteten!"

"Was geschah denn nun im einzelnen in Berlin?", fragte Lore, deren Wunsch nach Wissen um Details immer ausgeprägter zu werden schien.

"Man möchte fast sagen, die Vorgänge waren bühnenreif", erklärte Herbert. "Stellt euch einmal bildlich vor: Da kommt der Landschaftsdirektor Kapp aus Ostpreußen angereist und versucht einige hohe Regierungsbeamte, SPD-Funktionäre und nachgeordnete Truppenführer für seine - im Grunde durchaus berechtigten - Vorstellungen zu gewinnen. Der Erfolg seiner Bemühungen ist jedoch sehr mäßig; insbesondere erhält er von den Truppenkommandeuren nicht die erhofften Zusagen. Selbst General Lüttwitz, der jetzt als eine der Schlüsselfiguren vermarktet wird, erweist sich nur als ein unentschlossener Partner, der sich tags darauf mit einer 'Beurlaubung' kaltstellen läßt.

Lediglich in dem Freikorpsführer Ehrhardt findet er einen Mann, der zur Konsequenz bereit ist. Daraufhin erklärt Kapp sich zum neuen Reichskanzler, und Ehrhardt läßt seine Truppe von Döberitz gen Berlin marschieren. Er selbst verbleibt aber zunächst in Döberitz. Am nächsten Tag fährt er hinter seiner Truppe her und führt sie, mit Musik voran und Marschlieder singend, durch das Brandenburger Tor. Am Pariser Platz veranstaltet er ein Standkonzert, läßt Feldküchen auffahren und Eintopfessen an die Bevölkerung verteilen. Die Leute lassen es sich schmecken und spenden Beifall! Vor 'Gulaschkanonen' braucht man keine Angst zu haben!

Putsch? Wie wird denn der gemacht? Gegner? Keine zu sehen! Seine Truppe wartet. Nichts geschieht. Alles läuft so, wie die maßgebliche Generalität, insbesondere der kühle, nüchtern und souverän denkende und handelnde General von Seekt, es vorausgesehen haben. Nicht ein einziger Schuß fällt!

Schließlich wird ein Kommando zur Reichsbank geschickt, um Geld zu holen. Reichsbankpräsident Havenstein verweigert die Herausgabe; daraufhin zieht das Kommando unverrichteter Dinge wieder ab. Als man Ehrhardt vorschlägt, das Geld nun mit Gewalt zu holen, reagiert der schroff und entrüstet: 'Nein, ich bin doch kein Bankräuber!'

Unterdessen geht Seekt, erst jetzt mit Befehlsgewalt ausgestattet, ans Telefon und enthebt einige unsicher erscheinende Offiziere ihrer Posten. Die stehen am anderen Ende der Leitung stramm, sagen 'Jawoll', ziehen ihre Uniform aus und gehen nach Hause. Der angeblich staatsgefährdende Putsch wird per Telefon niedergeschlagen! Am dritten Tag nach seinem Eintreffen in Berlin schickt Ehrhardt einen Unterhändler zu Vizekanzler Schiffer, und seine Männer wieder nach Döberitz. Es wird angetreten und erneut, mit Pauken und Trompeten, abmarschiert. Der Vorhang fällt!

Im Lande aber läuft der Generalstreik weiter. Er trifft, mit der Stillegung aller Versorgungseinrichtungen und öffentlichen Institutionen, wie wir ja aus eigener Erfahrung wissen, ausschließlich die Bevölkerung und schürt deren

Unzufriedenheit mit der Regierung, die dies nicht verhindern kann oder nicht zu verhindern wagt! Ein übriges tun die Aufstände, die nun im Ruhrgebiet ausbrechen und von dort nach Harburg, Thüringen und Sachsen übergreifen!"

"Mich würde jetzt noch interessieren, wie es, am Ende der Vorgänge in Berlin, zu den 12 Toten gekommen ist. Weißt du etwas darüber?"

"Da ist nicht viel darüber zu sagen; nach meiner Meinung sind sie selbst Schuld an ihrem Tod. Als Ehrhardt schon wieder in Richtung Spandau-Döberitz abmarschierte, stürzten sich plötzlich einige hundert aufgehetzte, radikale Linke auf die letzte Einheit der Truppe. Die nunmehr Angegriffenen wehrten sich natürlich und schossen. Die Toten lieferten mit der Ursache ihres Todes aber auch den Beweis, daß Seekt mit seinem Entschluß, eine offene Konfrontation zu vermeiden, völlig richtig lag."

"Woher weißt du denn all' diese Einzelheiten?"

"Darüber hat mich Oswald Cohnen informiert, als wir uns vor einigen Tagen in Halle trafen. Er hat das Geschehen in Berlin unmittelbar miterlebt. Von ihm habe ich auch die Mitteilung, daß Kapp sich nach Schweden abgesetzt hat und Ehrhardt wahrscheinlich in Bayern untergetaucht ist. Über die Amtsenthebungen von Ernst, Winnig, Philipp und so weiter ist in den Zeitungen berichtet worden; ebenso über die Opferung Noskes, den man, trotz seiner Verdienste um die Verteidigung der Republik, vermutlich wegen seines Vorgehens gegen die Rote Ruhrarmee, als Reichswehrminister ablöste und der radikalen Meute zum Fraß vorwarf.

Einziger Lichtblick in diesem Kapitel politischer Kurzsichtigkeit, Undankbarkeit und Falschmünzerei ist eine Äußerung des Chefradakteurs des 'Vorwärts', Stampfer, der die sofort nach den Fehlschlägen von Generalstreik und Aufständen einsetzenden Bemühungen der Gewerkschaften, eine die Tatsachen verfälschende Kapp-Legende zu basteln, in der sie sich eine Heldenrolle zuteilten, als den Versuch bezeichnete, einen falschen 'Mythos' zu bilden.

Das ist zwar sehr gelinde ausgedrückt, hat aber, angesichts der Verfilzung von SPD und Gewerkschaften und deshalb geübter Rücksichtnahme, besonderes Gewicht."

"Ich mache mir Sorgen um meine Schwester Anna und ihren Sohn Albert", sagte Martha. "Wir haben immer noch keine Post von ihr, weil in Essen und im ganzen Ruhrgebiet wahrscheinlich bis zum heutigen Tage keine normalen Verhältnisse zurückgekehrt sind."

"Albert, ist jetzt einundzwanig", bemerkte Herbert, "er wird ihr sicherlich eine Stütze sein; jedenfalls hat sie sich in ihren Briefen schon mehrfach in diesem Sinn lobend über ihn geäußert."

"Hoffentlich hat der Junge sich aus den Auseinandersetzungen herausgehalten und hält sich auch aus jetzt und künftig noch möglichen heraus", sagte Martha.

Doch Walter war anderer Meinung. Er widersprach daher: "Wir müssen endlich begreifen, daß alles in dieser Welt seinen Preis hat und uns nichts in den Schoß fällt! Je höher das Gut, das es zu erringen oder zu verteidigen gilt, um so höher auch der Preis! Wer Freiheit und Gerechtigkeit am höchsten schätzt, wer der Meinung ist, daß ohne sie nicht von Menschenwürde gesprochen werden kann, und wem diese Würde mehr wert ist als ein Lippenbekenntnis, der muß auch bereit sein, dafür, wenn es sein muß, sein Leben einzusetzen!

Ich mag das ganze pazifistische Geschwafel nicht! Diesen Selbstbetrug, dieses weinerliche Flüchten aus der Wirklichkeit und diese Feigheit, die sich hinter öligen Friedensphrasen versteckt. Am meisten verachte ich aber dieses Parasitentum, das Freiheiten und Errungenschaften genießen will, die andere mit Schweiß, Blut und Lebensopfer erkämpft oder bewahrt haben. Das meine ich prinzipiell und möchte es auch so verstanden wissen. Insbesondere wollte ich mit meinen Worten keine Spitze gegen Martha richten!"

"Was sagst du dazu?", fragte Lore nach einer Weile verwirrten Schweigens.

Da Herbert, an den sie diese Frage gerichtet hatte, wußte, welche Antwort Lore erhoffte, sagte er: "Ich muß dich leider enttäuschen; Walter hat recht und ich teile seine Meinung, wenn ich auch den Einsatz des Lebens von der Wertigkeit des Zieles und vom Vorhandensein bestimmter Erfolgsaussichten abhängig mache, deren Herbeiführung dem letzten Einsatz vorgeschaltet werden muß! Verzicht auf Kampf, Frieden um jeden Preis, bedeuten Knechtschaft, Demütigung und Absinken zum Objekt fremder Willkür; das wird uns ja täglich bewiesen."

Im Flur wurden Kinderstimmen laut.

"Jetzt kommt Oma mit Hans und Gerda", sagte Georg.

Das Hereinkommen der drei beendete das Gespräch und veranlaßte Lore, auf Herberts Worte nicht mehr einzugehen.

*

Die zweite Hälfte des Jahres 1920 stand zunächst unter dem Eindruck der Ergebnisse der Reichstagswahlen vom 6. Juni. Bei höherer Wahlbeteiligung, die die Gesamtzahl der Abgeordneten von 421 auf 459 anwachsen ließ, gelang es der Weimarer Koallition (SPD, Zentrum, DDP) nicht, ihre bisherige Position zu behaupten. Die Sozialdemokraten mußten 61 Mandate abgeben und konnten nur noch mit 102 Abgeordneten in den Reichstag einziehen. Das Zentrum erzielte, statt bisher 91 nur noch 64 Sitze und die Anzahl der Abgeordneten der Deutschen Demokratischen Partei verringerte sich von 75 auf 39.

Gewinner der Wahl waren die radikalen Unabhängigen Sozialdemokraten, die die Anzahl ihrer Mandate von 22 auf 86 erhöhen konnten, sowie die Deutsche Volkspartei und die Deutschnationale Volkspartei. Die DVP konnte ihren Anteil von 19 auf 65 Abgeordnete, die DNVP den ihren von 44 auf 71 erhöhen. Erstmals hatten sich die Bayerische Volkspartei und die Kommunistische Partei an den Wahlen beteiligt. Die BVP erhielt 21, die KPD nur 2 Sitze.

Insgesamt ergab die Reichstagswahl eine Wählerwanderung zu rechten und linken Flügelparteien. Dennoch wurde der neue Reichskanzler, mit Konstantin Fehrenbach, vom Zentrum gestellt.

Eine Volksabstimmung gab es im Juli in Teilen Ostpreußens. Dort stimmten 97,5% der Bevölkerung für einen Verbleib im Deutschen Reich. Zuvor waren allerdings die Provinzen Westpreußen, Posen, die Stadt Danzig samt Umland und Elsaß-Lothringen ohne Volksbefragung vom Reich abgetrennt worden. Bei der Volksabstimmung in den Kreisen Eupen und Malmedy wurde derart manipuliert, daß die bereits vorher beschlossene Einverleibung dieses Gebietes in den belgischen Staat zwangsläufig "bestätigt" wurde.

Die Mühe der Inszenierung einer Wahlfarce ersparte man sich bei der Abtrennung des Teschener Gebietes. Diese Region wurde auf Beschluß einer Botschafterkonferenz der Diktatmächte am 28. Juli, zwischen Polen und der Tschecho-Slowakei aufgeteilt.

Einigermaßen korrekt war es lediglich bei der, bereits im Frühjahr stattgefundenen, Abstimmung in Nordschleswig zugegangen, obwohl auch dabei durch ausgeklügelte Einteilung der Abstimmungsbezirke, Einfluß auf das Ergebnis genommen worden war. Daher hatte dort das Votum für Deutschland zwischen 25 und 80% geschwankt.

Im Juli wurde der Druck der Diktatmächte auf Deutschland erneut verstärkt, indem, während der Siegerkonferenz von Spa, die Ablieferungsmenge deutscher Kohle auf 2 Millionen Tonnen monatlich heraufgesetzt und, bei nicht pünktlicher Lieferung dieser Menge, die militärische Besetzung weiterer Reichsteile angedroht wurde.

Die im Ergebnis der Reichstagswahl vom Juni zum Ausdruck gekommene Tendenz zur Teilung des Deutschen Volkes in ein linkes und ein rechtes Lager, fand auch in der Beurteilung der innen- und außenpolitischen Vorgänge einen entsprechenden Niederschlag. Während die national und patriotisch orientierten Parteien der Rechten den Vorgängen an Deutschlands Grenzen und den innenpolitischen Auswirkungen der Diktatbestimmungen eine größere Aufmerksamkeit zuwandten, schenkten die marxistischen Linksparteien den von Klassenstandpunkten beeinflußten, gesellschaftspolitischen Verhältnissen mehr Beachtung.

Daher stießen auch die Unterstellung des Memellandes unter französische Verwaltung, sowie ein erneuter, von den alliierten Besatzungstruppen augenzwinkernd geduldeter Einfall polnischer Verbände in Schlesien nicht auf einhelligen Protest aller Parteien. Die Äußerungen Gustav Noskes, derzufolge das deutsche Volk nach der Niederlage "national verkommen" sei, schien sich auch bei diesen Gelegenheiten zu bestätigen.

Zu dieser Auffassung konnte man ebenfalls gelangen, als von einigen Parteien und einem nicht unbeträchtlichen Teil der "deutschen Presse" im November die erste Sitzung des sogenannten Völkerbundes als ein "epochemachendes Ereignis" gewürdigt wurde. Pseudo-Objektivität, Selbstverleugnung und Ignoranz waren im Deutschland der Nachkriegsjahre ebenso wohlfeil wie Parteigründungen; daher nahm man auch nur im bayerischen, lokalen Bereich zur Kenntnis, daß in München, aus der "Deutschen Arbeiterpartei" und dem Zusammenschluß einiger anderer, kleinerer Gruppen, eine neue Partei hervorging, deren Programm nationale und sozialistische Gedanken zusammenführte, und daher den Namen "Nationalsozialistische Deutsche Arbeiterpartei" erhielt. Sie sollte aufgrund dieser Kombination in der folgenden Zeit eine große Bedeutung erlangen.

Zum Zeitgeschehen
1921

Den Frösten der Monate Januar und Februar des Jahres 1921 entsprach auch die Diktatpolitik der Sieger, indem sie, während der Pariser Konferenz ihre an Deutschland gerichteten Tributforderungen auf 269 Milliarden Goldmark festsetzten. Diese riesige "Schuld-"Summe sollte in 42 Jahren gezahlt werden. Während dieser Zeit war sie hoch zu verzinsen und eine jährliche Exportabgabe von 12%, ungefähr 1,6 Milliarden Goldmark zu entrichten.

Die deutschen Gegenvorschläge, in denen dargelegt wurde, daß die alliierten Forderungen das Leistungsvermögen der deutschen Wirtschaft, - der wertvolle Rohstoff- und Industriegebiete, sowie Millionen qualifizierter Arbeitskräfte entrissen worden waren, weit überstiegen, wurden brüsk, und mit dem hämischen Hinweis auf die Deutschland zudiktierte Alleinkriegsschuld abgelehnt.

Da Frankreich den von ihm dominierten "Völkerbund" nicht als ausreichend einschätzte, die Niederhaltung Deutschlands auf Dauer zu gewährleisten, begann es zusätzlich mit einer neuen Einkreisungspolitik. Im März schloß es einen Bündnisvertrag mit Polen, dem wenig später Pakte mit der Tschecho-Slowakei, Jugoslawien und Rumänien folgten.

Am 20. März fand in Oberschlesien, eine Volksabstimmung statt, die von polnischem Terror, der Einschleusung polnischer "Abstimmungsberechtigter" und mancherlei Pressionen der alliierten Besatzungstruppen begleitet wurde. Zusätzlich zur unmittelbar wirksamen Beeinflussung und Einschüchterung, wurden auch hier die Abstimmungsbezirke so eingeteilt, daß Polen begünstigt und Deutschland benachteiligt werden mußte. Dennoch entschieden sich 62% der Bevölkerung für Deutschland. An der Abtrennung Ostoberschlesiens, mit seinen reichen Kohlevorräten und leistungsfähigen Produktionsstätten, änderte diese Willenskundgebung allerdings nichts!

Polnische "Insurgenten" unter dem Supernationalisten Korfanty, fielen auch nach der Abstimmung in das westliche Oberschlesien ein. Am 21. Mai, wurde ihnen am Annaberg von deutschen Selbstschutzverbänden, eine schwere Niederlage beigebracht. Die Reaktion der Alliierten bestand, bezeichnender Weise, nicht in einem Einschreiten gegen die polnischen Horden, sondern in der Auflösung der deutschen Selbstschutzformationen!

Die Vergewaltigungsvorgänge in Ost und West hinderten aber die deutschen Linksradikalen nicht, im Innern Deutschlands neue Wunden am Volkskörper aufzureißen. In bereits bekannter Kurzsichtigkeit versuchten sie der von außen verordneten Verarmung und Verelendung durch neuen Klassenkampf und weitere Aufstände zu begegnen.

Während im Westen die Truppen der Diktatmächte, als Sanktionen wegen geringfügigem Verzug bei der Abdeckung von - bestem Willen nicht schneller erfüllbarer - Tributforderungen, die Städte Duisburg, Ruhrort, Düsseldorf, Mühlheim und Oberhausen besetzten, löste Max Hoelz in Mitteldeutschland einen kommunistischen Aufstand aus, der auch sofort wieder von anderen radikalen Linkskräften, mit Streiks, Waffen und Mannschaften, unterstützt wurde. Nach dem für die gesamte Linke enttäuschenden Wahlergebnis des Vorjahres, schien ihr bewaffneter Klassenkampf wieder "notwendig" zu sein.

Reflexionen und Details

Als die Aufstandsvorbereitungen ruchbar wurden, verlegte die Reichsregierung vorbeugend starke Sicherheitskräfte - ausschließlich neu aufgestellte Polizeieinheiten - in das mitteldeutsche Kerngebiet um Halle, Merseburg und Eisleben. Systematisch wurden Razzien nach verborgenen Waffenlagern durchgeführt. Dabei wurde auch bei der Firma, die sich Rohproduktengroßverwertung nannte, und bei der Walter Seller in einem Arbeitsverhältnis stand, ein umfangreiches Waffenlager entdeckt. Es wurde offensichtlich, daß Firmenbezeichnung und Schrotthandel nur Tarnungszwecken gedient hatten. Walter konnte sich der drohenden Verhaftung durch Flucht in letzter Minute entziehen. Doch sein Name und seine Adresse führten die Polizei nach Saalfurth und zu Konsequenzen im Familienkreise.

Die Uhr in der Küche des kleinen Hauses in der Roßbergstraße hatte eben sieben Schläge getan, als Martha Seller ein hartes, ungestümes Pochen an der Haustür vernahm. Erstaunt hielt sie mit ihrer Arbeit inne. Noch während sie die Wohnstube durchquerte, um durch die der Straße zugewandten Fenster nach den Verursachern des Lärms zu sehen, ertönte das Klopfen erneut. Gleich darauf hörte sie eine scharfe Männerstimme: "Aufmachen! Sonst schlagen wir die Tür ein!"

Der Anblick von sechs schwer bewaffneten Polizisten, der sich ihr, gleich darauf, durch das Fenster bot, löste ein unangenehmes Gefühl aus. In der gleichen Sekunde empfand sie aber auch Erleichterung bei dem Gedanken, daß ihr Mann sich in den aufstandsschwangeren Tagen in Halle, in einer Klinik befand, wo die ihn ständig schmerzenden Granatsplitter aus dem Rücken entfernt worden waren.

Sie war zwar verwirrt, wurde sich aber zunehmend bewußt, daß weder für beklemmende Gefühle, noch für konkrete Besorgnisse ein Anlaß bestand; das Erscheinen der Polizisten konnte nur auf einen Irrtum zurückzuführen sein. Ein Versehen, das sich schnell aufklären lassen würde.

Noch während sie aus der Stube in den Flur trat, um die Haustüre zu öffnen, wurde das Schlagen an der Tür zum Wirbel.

"Ich komme ja schon", rief sie laut und beschwichtigend.

Kaum hatte sie den Schlüssel ins Schloß gesteckt und herumgedreht, als die Türe von außen mit großer Gewalt aufgestoßen wurde. Dabei erhielt sie einen schmerzhaften Schlag gegen die Schulter. Empört und entsetzt protestierte sie:

"Ich verbitte mir Ihr rüdes Eindringen! Wollen Sie mir gefälligst erklären, was Sie berechtigt ..."

"Halten Sie den Mund!", brüllte einer der Polizisten. "Zwei Mann zum Hinterausgang, zwei in die unteren Räume und zwei Mann nach oben!"

Als Martha sich den Eindringlingen in den Weg stellte, wurde sie brüsk zur Seite gestoßen. "Wenn Sie das noch einmal tun, haben Sie die Folgen zu tragen! Das ist Widerstand gegen die Staatsgewalt!", wurde sie angeschnauzt.

"Ein sehr demokratischer Staat, der unbescholtene Bürger so behandelt! Hier wütet Obrigkeit in Reinkultur", dachte Martha.

Der Polizist, der die Befehle erteilt hatte, hielt, wie Martha erst jetzt bemerkte, eine schußbereite Pistole in der Hand. Die Waffe feuerbereit haltend, betrat er jetzt, gefolgt von zwei anderen, die Stube. Martha schloß sich an.

Bisher war kein Wort der Erklärung gefallen; sie war fest entschlossen, jetzt Aufschluß zu fordern!

Georg war von dem Lärm aus dem Bett geschreckt worden. Im Nachthemd und barfuß stürzte er aus der Schlafkammer. Als er die Wohnstube durcheilte, wurde plötzlich deren zum Flur führende Tür geöffnet. Zwei Polizisten traten herein. Ihre Blicke überflogen die Stube und blieben auf ihm hängen. Er aber starrte auf die Mündung der auf ihn gerichteten Waffe; er spürte, wie sein Herz zu klopfen begann.

"Wo sind dein Vater und dein Onkel?", wurde er barsch angefahren. Der grobe Ton, die auf ihn zeigende Pistole und die Überraschung verschlugen ihm die Sprache.

"Mein Mann liegt in einer Klinik in Halle und mein Schwager befindet sich auf seiner Arbeitsstelle in Merseburg", antwortete statt seiner die Mutter, indem sie sich zwischen den Polizisten hindurchdrängte, und an die Seite des Jungen stellte.

"Seltsame Arbeitsstelle!", schnauzte der Polizist. "Dort ist er seit gestern nachmittag verschwunden. Da er in der Nacht weder bei seiner Frau noch bei seinen Eltern aufgestöbert werden konnte, besteht die Möglichkeit, daß er hier bei Ihnen untergeschlüpft ist. Wo führt diese Tür hin?" Mit seiner Pistole deutete er auf die Kammertür.

"Dort schlafen meine Kinder."

"Ist sonst noch jemand drin? Lügen Sie nicht!"

"Schauen Sie doch nach! Wenn Sie mir von vornherein Lügen unterstellen, erübrigt sich doch jede Antwort!"

"Werden Sie nicht frech! Ich möchte jetzt die Wahrheit über den Aufenthalt Ihres Mannes und Ihres Schwagers wissen!"

Auf die aggressive Redeweise des anderen reagierte sie mit den Worten:

"In dieser rüden Art mögen Sie reden mit wem Sie wollen, doch nicht mit mir! Und bevor Sie mir nicht erklärt haben, mit welchem Recht Sie hier gewaltsam eingedrungen sind und weshalb Sie nach meinem Mann und meinem Schwager fragen, erhalten Sie von mir keine Antwort mehr! Zeigen Sie mir überhaupt erst einmal die schriftliche Anweisung, die sie zu der Durchsuchung unseres Hauses berechtigt! Wenn Sie mir keinen Durchsuchungsbefehl vorlegen können, dann verlassen Sie dieses Haus sofort!"

Georg bewunderte seine Mutter, weil sie sich nicht im geringsten einschüchtern ließ; und auch der Kommandoführer war von der selbstsicheren Art der Frau beeindruckt. Da er zudem zu der Überzeugung gelangt war, mit einer Überrumpelungstaktik nichts erreichen zu können, fand er sich nun zu einer Erklärung bereit.

Er sagte daher, aber immer noch von oben herab: "Eines schriftlichen Durchsuchungsbefehles bedarf es nicht, für Mitteldeutschland gilt ein Ausnahmerecht! Ihr Mann und ihr Schwager sind an Aufstandsvorbereitungen beteiligt. Das dürfte Sie ja nicht überraschen, denn irgendwie müssen Sie wohl Kenntnis davon haben!"

Obwohl in den Worten des Kommandoführers wieder eine Unterstellung enthalten war, entschloß sie sich zu einer Erwiderung:

"Nach der Art der Anwendung des Ausnahmerechts zu schließen, erlaubt es Ihnen willkürlich vorzugehen, während es uns rechtlos macht. Mein Mann liegt seit Wochen bewegungsunfähig in einer Klinik! Eine einzige Rückfrage bei den hiesigen Behörden hätte ihren ganzen Aufwand überflüssig gemacht!"

Nun wurden Schränke und Schubladen durchwühlt, Kästchen und Kassetten geöffnet, Wände abgeklopft und das Unterste nach oben gekehrt.

Martha beobachtete das entstehende Durcheinander mit steigendem Unbehagen. "Wie schnell Ordnung, aus nichtigem Grunde, in ein Chaos verwandelt werden kann", dachte sie erbittert. "Und die Kinder müssen weiterhin mit leeren Mägen auf das Frühstück warten." Zu Georg sagte sie: "Geh in die Kammer und zieh' dich an. Hilf auch Gerda und Hans dabei."

Der Kommandoführer interessierte sich besonders für die Bücher, die in dem fast bis zur Stubendecke reichenden Regal standen. Zunächst galt sein Interesse jedoch nicht deren literarischem Inhalt, sondern ihrer Eignung als Verstecke. Er untersuchte daher vor allem die großvolumigen Bände.

In der Kammer waren die Kinder gerade mit dem Ankleiden fertig geworden, als die Polizisten den Schlafraum betraten. Da die beiden ihnen im Wege waren, herrschte einer sie an: "Schert euch raus! Sonst mache ich euch Beine!"

Der Kommandoführer stand immer noch vor dem Bücherregal. Doch jetzt interessierten ihn die Namen der Autoren auf den Rücken der Bücher. Neben Marx und Engels, las er Namen wie Hegel, Kant, Feuerbach, Spinoza, Darwin, Le Bon, Fichte, Pfleiderer und Rousseau. Sein von Vorurteilen und Klischeevorstellungen geprägtes Bild vom "ungebildeten Proletarier" erhielt dadurch Risse, und es wurde noch mehr erschüttert, als er einige dieser Bücher aufschlug und darin blätterte.

Die mit Bleistift eingetragenen Randnotizen und die teilweise unterstrichenen Sätze ließen nämlich klar erkennen, daß die Werke nicht nur gelesen worden waren, sondern, daß auch eine gedankliche Auseinandersetzung mit den darin niedergelegten Analysen, Hypothesen, Erkenntnissen und Schlußfolgerungen stattgefunden hatte.

Er sollte sich aber gleich darauf noch mehr wundern!

"Sehen Sie sich das einmal an, Herr Leutnant", sagte in diesem Augenblick der augenscheinlich ältere der Polizisten. Diese Worte lenkten auch Marthas Aufmerksamkeit, die gerade Gerda gegolten hatte, auf das, was sich zwischen dem Offizier und dem anderen abspielte. Sie sah, wie jener dem Leutnant, der war jetzt erstmals so angeredet worden, eine Anzahl von Dokumenten und Schriftstücken überreichte, die er einer mit einem Schnappverschluß versehenen Ledermappe entnommen hatte. Wie Martha wußte, befanden in dieser Mappe sich die Militärpapiere und Kriegsauszeichnungen ihres Mannes, einige Briefe, die er des Aufhebens wert befunden hatte und verschiedene Familiendokumente.

Der Kommandoführer brachte den ihm übergebenen Schriftstücken sichtliches Interesse entgegen. Während er sie durchsah, verweilte er bei einigen Schreiben und Urkunden etwas länger. Einen Brief legte er zunächst zur Seite.

Dann las er ihn nochmals sehr aufmerksam. Als er damit fertig war, sah er ein paar Augenblicke nachdenklich vor sich hin. Schließlich sagte er, in auffällig verbindlichem Ton: "Ich bitte um Ihr Verständnis, wir können uns die Aufträge, die wir zu erfüllen haben, nicht aussuchen."

"Gewiß nicht; doch die Art und Weise, wie Sie die erhaltenen Befehle ausführen, liegt zu einem wesentlichen Teil in Ihrem Ermessen! Es hätte Ihnen persönlich zur Ehre gereicht und dem Ruf der Institution, die Sie vertreten, hätte es bestimmt nicht geschadet, wenn Sie gegen das grobschlächtige Verhalten einiger Ihrer Beamten eingeschritten wären."

Der Offizier war sichtlich betroffen. Die peinliche Situation entspannte sich, als, wenige Augenblicke nachdem Martha geendet hatte, die Beamten von der Durchsuchung des Kellers und des Dachbodens zurückkamen. Sie meldeten ebenfalls ein negatives Ergebnis. Der rüde "Kammerjäger" holte seine gleichlautende Meldung nach.

Georg, der die Vorgänge in der Stube aufmerksam verfolgt hatte, war nicht entgangen, daß der eingetretene Stimmungsumschwung mit dem Brief zusammenhing, den der Offizier so aufmerksam gelesen hatte. Er nahm sich vor, seine Mutter nach deren Inhalt zu fragen, sobald die Polizisten das Haus verlassen haben würden. Darauf brauchte er nicht mehr lange zu warten; denn der Führer des Kommandos gab Befehl, die Aktion abzubrechen.

Zu Martha Seller sagte er:

"Wir haben nichts Verdächtiges feststellen können. Unsere Aufgabe ist damit beendet."

An der Flurtür machte er eine steife Verbeugung. Völlig unerwartet war der letzte Satz, mit dem er sich endgültig verabschiedete: "Ich wünsche Ihrem Mann völlige Wiederherstellung."

"Welch' ein Unterschied zwischen Kommen und Gehen", dachte Martha, "das haben allein ein an sich ganz normaler Brief und Herberts Kriegsauszeichnungen bewirkt!"

Nachdem die Haustür geschlossen worden war, sank Martha erschöpft auf den nächststehenden Stuhl. Doch statt sich länger entspannen zu können, mußte sie sich den Kindern widmen, die sie, nach mehr als einer Stunde verschüchterter Ruhe, nun mit einem Sturzbach von Fragen überschütteten.

"Bitte habt Geduld", wehrte sie ab, "ich werde euch später alles zu erklären versuchen. Doch erst muß ich meine Gedanken ordnen und auch noch einiges in Erfahrung bringen, damit ich mir zunächst selbst ein Bild machen kann. Das Wichtigste ist jetzt, daß ihr etwas zu essen bekommt."

Damit stand sie auf und ging in die Küche, um das Anrichten des Frühstücks fortzusetzen, bei dem sie vor fast zwei Stunden unterbrochen worden war. Aufräumen wollte sie später. Durch die nur angelehnte Küchentür rief sie den Jungs zu: "Bis ich fertig bin, könnt ihr die versäumte Morgenwäsche nachholen. Gerda mache ich nachher selbst fertig."

Nach dem Frühstück sagte Georg zu seiner Mutter: "Ich hätte schon längst in der Schule sein müssen. Schreibst du mir einen Entschuldigungszettel für den Lehrer?"

"Bleib' heute zu Hause; nach dem, was vorhin geschehen ist, wirst du deine Gedanken nicht auf den Unterrichtsstoff konzentrieren können. Mit deinem Lehrer werde ich selber reden."

"Da kommen Großvater und Tante Lore!", sagte Georg, nachdem er zufällig einen Blick durch die Fensterscheiben auf die Straße geworfen hatte.

Die beiden berichteten, wie erwartet, daß auch bei ihnen Hausdurchsuchungen vorgenommen worden waren. Lore hatte man mitgeteilt, weshalb dies geschah und so erfuhr nun auch Martha von dem Waffenlager, das in der Schrotthandlung gefunden worden war. Das erklärte natürlich die Aktionen der Polizei.

"Wenn ich nur wüßte, wo Walter sich aufhält", gab Lore ihrer Sorge Ausdruck. "Er hat nur wenig Geld bei sich und braucht auch andere Kleidung als die, in der er zur Arbeit gegangen ist."

"Ich nehme an, er wird sich mit jemand in Verbindung setzen, dem er vertraut und ihn bitten, uns eine Nachricht zu übermitteln, beziehungsweise ihm die benötigten Sachen zu holen."

"Ich bin fest davon überzeugt, daß Walter von dem Waffenlager nichts gewußt hat", versicherte Lore.

"Das ist durchaus möglich, doch weshalb ist er dann weggelaufen?"

"Deine Frage ist leicht zu beantworten, Martha", antwortete ihr Schwiegervater. "Vermutlich tat er dies, weil er annahm, daß man ihm auch tatsächliches Nichtwissen nicht glauben würde. Seine Teilnahme an den Spartakistenaufständen 1918/1919 und seine Mitgliedschaft bei der KPD sind der Polizei bekannt. Das macht ihn, in Zusammenhang mit den Waffenfunden, natürlich sehr verdächtig!"

Georg vermochte seine Neugier nicht mehr zurückzuhalten. Er fragte deshalb: "Was stand denn in dem Brief, den der Offizier gelesen hat?"

"Der Offizier einen Brief gelesen?" Lore war erstaunt.

"Ja, er ist ihnen in die Hände gefallen, als sie nach Schriftstücken suchten, die auf eine Mitwirkung Herberts bei den Aufstandsvorbereitungen schließen lassen könnten."

"So ein Blödsinn! Herbert und Aufstandsabenteuer! Doch was stand denn in dem Brief? Ist es indiskret danach zu fragen?"

"Nein, Lore, daran ist nichts indiskret. Der Brief, der den Polizeioffizier besonders interessierte und beeindruckte, stammt von Herberts früherem Kompanieführer." Sie wandte sich an ihren Schwiegervater: "Du kennst ja den Inhalt des Briefes und die Vorgänge, auf die Bezug genommen wird, bereits aus Herberts Schilderungen, Vater. Doch da Georg die Wirkung des Briefes auf den Polizeiführer beobachtete, und er, wie auch Lore, an deren Inhalt interessiert ist, will ich kurz einiges dazu sagen."

Noch während sie sprach, war sie aufgestanden, um die Briefmappe aus der Kommode zu holen. Zurückgekommen entfaltete sie den Brief: "Den hat sein Hauptmann 1916 geschrieben, als Herbert das erstemal im Lazarett lag. Die für den Polizisten interessanteste Stelle ist wohl diese gewesen ... Moment ..., hier ist sie: 'Besondere Anerkennung spreche ich Ihnen für die Selbstlosigkeit aus, die Sie nicht nur bei der Bergung des Gefreiten Kopper, sondern auch bei der des französischen Soldaten bewiesen haben. Damit haben Sie jene Ritterlichkeit gezeigt, die bester deutscher Soldatentradition entspricht.'"

"Wo hat Vater die beiden geborgen?"

"Vor Verdun; aus dem Niemandsland, zwischen den deutschen und französischen Schützengräben. Die Bergung des deutschen Gefreiten und des Franzosen erfolgte nach einem französischen Angriff und einem deutschen Gegenstoß. Dabei wurden beide verwundet und lagen danach im Trichterfeld. Während einer kurzen Feuerpause hörte man den Gefreiten rufen. Der gehörte zum Zug deines Vaters. Obwohl das Feuer wieder eingesetzt und dein Vater bereits beim Gegenstoß einen Streifschuß am Unterarm erhalten hatte, kroch er hinaus und brachte den Kameraden zurück.

Auf dem Rückweg, den Verwundeten von Granattrichter zu Granattrichter hinter sich herziehend, entdeckte er in einem der Trichter einen jungen Franzosen. Der streckte ihm zwei blutige Beinstümpfe entgegen und rief hilfeflehend 'Camerade! Camerade!' Die Franzosen benutzten dieses Wort nämlich auch. Nachdem dein Vater den Gefreiten im eigenen Graben in relative Sicherheit gebracht hatte, robbte er noch einmal hinaus und holte den Franzosen. Als er schon am Grabenrand angekommen war, wurde er aber selbst noch einmal und zwar durch mehrere Granatsplitter im Rücken schwer verletzt. Der Franzose aber war tot. Ihm hatten die Splitter der französischen Granate am Hals die Schlagader aufgerissen!"

Georg und auch Hans hatten fasziniert zugehört. Lore war ebenfalls beeindruckt. Nach einigem Nachdenken sagte Georg: "Das war tragisch. Da hat Vater sich wegen eines Feindes in Gefahr gebracht, zum Schluß hat alles nichts genützt - und wegen der Granatsplitter liegt er sogar jetzt wieder in der Klinik!"

"Dein Vater betrachtete den verwundeten Franzosen nicht mehr als Feind, mein Junge", sagte die Mutter, "er sah in ihm nur noch den hilfsbedürftigen Menschen."

"Na ja, das ist ja richtig", bemerkte Georg, "aber warum schießen sie dann erst vorher aufeinander und bringen sich in eine solche Lage?"

"Diese Frage ist sehr berechtigt, mein Junge. Doch um sie zu beantworten, müßte ich einen langen Vortrag halten, - und dazu haben wir jetzt keine Zeit!"

"Ich kann mir aber gut vorstellen, daß der Polizeiführer beeindruckt war, nachdem er den Brief gelesen hatte", meinte Lore.

"Jedenfalls war sein Benehmen danach wie ausgewechselt. Vielleicht ist bei ihm, der ja, seinem Alter nach, ebenfalls Soldat gewesen sein muß, ein Gefühl kameradschaftlicher Verbundenheit mit Herbert erwacht?"

"Das ist sogar sehr gut möglich", sagte der Großvater. "Im übrigen darf man auch nicht vergessen, daß gemeinsames Erleben von Not und Gefahr oder gemeinsamer, mit Opfern verbundener Einsatz für ein gemeinsames Ziel, bessere und haltbarere Bindemittel sind, als gemeinsam erlebte Freuden."

"Deshalb ist auch die Verbindung zwischen Herbert und Werfels so eng geblieben", bemerkte Martha dazu.

"Werfels, - wo ist er denn jetzt", wollte Lore wissen.

"Der kämpft schon seit Jahren in einer Grenzschutzeinheit in Oberschlesien gegen die polnischen Landräuber und Terrorbanden. Seinen letzten Brief habe ich Herbert in die Klinik gebracht, er gab ihn mir zu lesen; - in Schlesien ist die Bevölkerung voller Sorge und Schrecken."

"Wann gedenkst du denn Herbert von dem heute Vorgefallenen zu unterrichten?", fragte der Großvater.

"Ich möchte das so schnell wie möglich tun. Wenn ich unmittelbar nach dem Mittagessen losfahren könnte, würde ich gegen Abend zurück sein."

"Unterdessen werde ich mich um die Kinder kümmern", bot Lore an. "Wenn die Kinder mich beschäftigen, werde ich wenigstens etwas von den Sorgen abgelenkt, die ich mir um Walter mache. Ich komme um 11 Uhr".

"Vielen Dank, Lore! Bis dahin werde ich hier auch wieder Ordnung geschaffen haben.

"Walter könnte Kontakt mit Herbert in der Klinik aufgenommen haben. Vielleicht kannst du uns eine Nachricht von ihm mitbringen?", vermutete der Großvater.

"Das wäre mir eine große Erleichterung", betonte Lore.

"Aber jetzt sollten wir gehen, sonst denkt die Großmutter wohlmöglich hier sei etwas ganz Schlimmes passiert!"

*

Herbert Seller saß in dem Lehnsessel seines Krankenzimmers und wartete auf die Krankenschwester, die ihn um diese Zeit abholen sollte, um im Gymnastikraum Bewegungsübungen mit ihm durchzuführen.

In den Wochen seines Krankenhausaufenthaltes hatte er viel Zeit gehabt, über die politische Entwicklung und die Zukunft Deutschlands nachzudenken. Aus seinen Überlegungen Konsequenzen ziehend, hatte er, unter anderem, den Entschluß gefaßt, nun auch aus der SPD auszutreten. Vorgänge, die ihm erst im Laufe der Zeit bekannt geworden, beziehungsweise erst in letzter Zeit abgelaufen waren, machten ihm ein weiteres Verbleiben in dieser Partei unmöglich.

Zum Beispiel war ihm erst vor einiger Zeit zur Kenntnis gelangt, daß bereits am 28. Oktober 1918, in einigen führenden Publikationsorganen der SPD der Satz gestanden hatte: "Es ist unser heiliger Wille, daß wir die Kriegsflagge streichen, ohne sie siegreich heimzubringen!" Auch ein im "Vorwärts" erschienenes "Gedicht", in dem unter dem Titel "Wenn wir den Krieg gewonnen hätten", übelste Verleumdung des eigenen Volkes und Reiches betrieben worden war, und das mit dem Jubelschrei geendet hatte, "Gott sei Dank gewannen wir ihn nicht!"; war ihm erst kürzlich bekannt geworden. Mit solchen Ungeheuerlichkeiten mochte er nichts gemein haben.

Hinzu kam die schnöde Art und Weise, in der die Parteiführung so verdiente Männer wie Scheidemann und erst kürzlich, Noske, behandelt hatte. Der eine hatte sich gegen die Unterzeichnung des Diktats gewandt, der andere die gegen die Regierung gerichteten Aufstände niederschlagen lassen. Danach hatten sie beide die "Solidarität" der oberen Funktionsärsgenossen kennengelernt; wie "heiße Kartoffeln" hatten sie die beiden fallen lassen! In einer Partei, für die solche und ähnliche Verhaltensweisen symptomatisch waren, konnte er sich nicht mehr zu Hause fühlen! Er wollte nicht Komplize von Nestbeschmutzern, Polit-Exhibitionisten, Helfershelfern fremder Ausbeuter, Nationalmasochisten und gemeingefährlicher Traumtänzern sein - und deren Machenschaften mit seinem vom kargen Lohn abgeknapsten Parteibetrag auch noch mitfinanzieren.

Auch seine Unzufriedenheit mit dem Weimarer Mißgebilde war größer geworden. Wieder stand ein Aufstand vor der Tür. Die Kunde von vorbereitenden Maßnahmen der radikalen und Linken und den Gegenmaßnahmen der Regierung war bis in die Klinik gedrungen. Würde Walter sich auch diesesmal heraushalten? Herbert bedauerte, in diesen kritischen Tagen nicht in Saalfurth bei seiner Familie sein zu können. Es war ja nicht abzusehen, wie die Lage sich weiterentwickeln würde. Wieder einmal lastete die ganze Verantwortung auf Marthas Schultern!

Die Frau, der Herberts Gedanken jetzt galten, stieg im gleichen Augenblick die Treppe zum ersten Stock der Klinik empor. Oben angelangt, wandte sie sich nach rechts und strebte dem Zimmer zu, in dem ihr Mann untergebracht war.

"Guten Tag, Frau Seller! Heute habe ich eine gute Nachricht für Sie. Ihr Mann wird morgen in das Krankenhaus von Saalfurth verlegt!"

"Ach, guten Tag, Schwester Hildegard! Ich war ganz in Gedanken, deshalb habe ich Sie, zudem hinter der Tür stehend, nicht bemerkt", sagte Martha entschuldigend, um gleich darauf zu fragen:

“Ist denn die ordnungsgemäße Weiterbehandlung meines Mannes im Krankenhaus Saalfurth sichergestellt?”

“Aber gewiß doch. Der Doktor wird Ihnen nachher alles erklären. Ihr Mann durfte heute morgen schon ein paar Gehübungen auf dem Gang machen, - mit Unterstützung natürlich. Doch jetzt muß ich weiter, wir sehen uns nachher!”

“Einen Augenblick noch, bitte. Ich möchte mit meinem Mann gern ein paar Worte allein sprechen. Da Sie eben sagten, er sei schon fähig, ein wenig zu gehen, könnten Sie ermöglichen, daß wir für ein paar Minuten auf der Sitzgruppe am Ende des Flures Platz nehmen können?”

“Das läßt sich machen.”

“Vielen Dank, Schwester Hildegard! Bis später!”

Martha hatte ihren Mann kaum begrüßt und mit den drei im gleichen Zimmer liegenden Patienten ein paar höflich-unverbindliche Worte gewechselt, als der Artz eintrat. Nach ein paar konventionellen Sätzen kam er zur Sache:

“Wir sind angewiesen worden, soviel Betten wie möglich frei zu machen; vor allem in der Chirurgischen Abteilung. Im Raum Eisleben und Mansfeld haben bereits heftige Feuergefechte stattgefunden. Es wird angenommen, daß der Aufstand sich in das Gebiet Halle/Merseburg/Leuna ausdehnt, und es zu einem großen Anfall von Verwundeten kommt. Daher sind wir gezwungen, alle Patienten, bei denen eine ambulante Weiterbehandlung verantwortet werden kann, nach Hause zu schicken, und jene, die in anderen Krankenanstalten gleich gut versorgt werden können wie hier, in andere Häuser zu verlegen.”

Sich an Herbert wendend, sagte er: “Herr Seller, Sie bedürfen noch stationärer Behandlung. Wir sind jedoch der Meinung, daß diese im Krankenhaus Saalfuhrth in gleicher Qualität erfolgen kann. Sie werden daher morgen nach dort verlegt. Ihren Krankenpapieren wird ein Therapievorschlag beigegeben.”

Der Doktor beantwortete noch ein paar mit den bevorstehenden Maßnahmen in Verbindung stehende Fragen der drei anderen Patienten und verließ dann das Zimmer. Wenig später erschien Schwester Hildegard, um Herbert zu der Sitzecke im Flur zu geleiten.

Nachdem er mit Martha dort Platz genommen und die Schwester sich entfernt hatte, berichtete Martha über das Geschehen am Vormittag.

Als sie ihren Bericht beendet hatte, sagte Herbert:

“Du und die Kinder, - ihr habt euch großartig benommen!”

Martha überging das Lob. “Wenn wir nur wüßten, wo Walter sich aufhält!”

“Ich hoffe, er wird sich so verhalten, wie, deiner vorhin gegebenen Schilderung nach, mein Vater annimmt: Nämlich, daß er sich über einen Dritten mit euch in Verbindung setzt.”

"Walter hat jetzt keine Bleibe! Wie können wir verhindern, daß er sich in seiner Ratlosigkeit doch noch den Aufständischen anschließt?"

"Da wir nicht persönlich mit ihm reden können, sehe ich keine Möglichkeit."

"Vielleicht meldet er sich noch. Meinst du nicht, er sollte sich der Polizei stellen? Wenn er unschuldig ist, kann ihm doch nicht viel passieren."

"In Zeiten aufständischer Wirren wird nicht viel nach persönlicher Schuld und Unschuld gefragt. Da wird, wie in großen Revolutionen oder im Krieg, nach Gruppenzugehörigkeit be- und geurteilt; da ist man auch sehr schnell mit Radikallösungen bei der Hand. Deshalb halte ich es für richtig, wenn Walter sich zunächst absetzt und verborgen hält, bis die Wogen sich wieder geglättet haben!"

"Vielleicht kann er erst einmal bei meiner Schwester Anna in Essen unterschlüpfen?"

"Das wäre mit Risiken verbunden, denn das Ruhrgebiet ist noch voller Unruhe, - wenn dort auch im Augenblick kein Aufstand herrscht! Wahrscheinlich bleibt ihm aber keine andere Wahl!"

"Ich bin froh, daß wir dich ab morgen in unserer Nähe haben. Dann bist du wenigstens schnell erreichbar, wenn wir deinen Rat in einer Situation brauchen sollten, die keinen Verzug erlaubt!"

Im Flur erschienen nun immer häufiger Besucher. Es war kurz nach drei Uhr; für Martha ein Zeitpunkt, der zur Rückkehr nach Saalfurth mahnte. Mit dem Fahrrad würde sie eineinhalb Stunden für den Rückweg brauchen. Sie sagte deshalb: "Ich denke, wir haben das Wichtigste besprochen. Ich möchte jetzt nach Hause fahren. Wer weiß, ob dort nicht schon wieder etwas geschehen ist!"

"Ich glaube nicht, daß du dir dieserhalb Sorgen zu machen brauchst. Aber mir ist nicht wohl zu Mute, wenn ich dich, nachdem ich von den Ereignissen des Aufstandes gehört habe, auf der Landstraße weiß! Und nun hilf mir in mein Zimmer zurück. Ich möchte, daß du gleich losfährst!"

Am 2. April stand fest, daß der Mitteldeutsche Aufstand endgültig niedergeschlagen worden war. Max Hoelz hatte sich der Gefangennahme vorerst entziehen können; doch die Masse seiner Gefolgsleute wanderte unmittelbar darauf in die Zuchthäuser. Diesem Schicksal entgingen nur jene, die das sinkende Schiff rechtzeitig verlassen hatten. Sie befanden sich auf der Flucht und sahen einer Zeit des Gehetztwerdens entgegen. Zu ihnen gehörte auch Erich Meißner, der, mit seiner Familie, in Lores Nachbarschaft wohnte. Die beiden Familien waren miteinander befreundet; daher hatte Hilde Meißner ihrer Freundin Lore anvertraut, daß ihr Mann bereits in der Nacht vom 29. zum 30. März, unmittelbar nachdem das Leunawerk von Polizeitruppen erobert worden war, bei ihr erschienen sei. Das damit verbundene Risiko hatte er mißachtet, weil er, nur mit seiner auffälligen Berufskleidung angetan, er war Zimmermann, die Flucht nicht fortsetzen zu können glaubte. Nach einem Aufenthalt von zwei Stunden war Erich wieder verschwunden. Näheres hatte Hilde aber noch nicht erzählt, sie wollte das an einem der nächsten Abende nachholen.

Bei Lore hatte das Auftauchen Erichs und das weitere Ausbleiben Walters schlimmste Befürchtungen ausgelöst. Erich hatte von blutigen Verlusten auf beiden Seiten berichtet. Sollte Walter sich, wider alle Vernunft, doch den Aufständischen angeschlossen haben und sich unter den Opfern befinden? Der vorsorglich gepackte Fluchtkoffer stand noch immer für ihn bereit, und auch in anderer Beziehung war von der Familie Vorsorge getroffen worden, um, sollte er den Versuch einer Kontaktaufnahme machen, diesen auch zum Erfolg zu führen. Da nicht sicher war, an welche Familienangehörigen er sich wenden würde, das konnte von der örtlichen Situation abhängen, war in jeder der drei Wohnungen ständig jemand anwesend. Georg war dabei als vollwertig eingestuft worden.

Das war auch der Grund, weshalb am Abend des 2. April, als die Familie sich in Lores Wohnung traf, um zu beraten, auf welche Weise Walters Verbleib geklärt werden könnte, die Großmutter nicht zugegen war. Herbert, inzwischen aus dem Krankenhaus entlassen und nur noch in ambulanter Behandlung stehend, wollte bei der Familienberatung den Vorschlag machen, noch drei Tage zu warten, ehe eine Rückfrage bei Polizeibehörden zu erwägen sei. In dieser Zeit würde, falls Walter sich unter den Gefangenen oder Verwundeten befände - Schlimmeres wollte er nicht andeuten - wahrscheinlich eine Benachrichtigung erfolgen.

Man hatte sich kaum zusammengesetzt, als unerwartet, aber keineswegs unerwünscht, Hilde Meißner erschien. "Die Wiedergabe der Schilderungen ihres Mannes könnte Anhaltspunkte vermitteln, die Rückschlüsse auf den Verbleib Walters erlauben, - wenn auch nur solche mit einem geringen Wahrscheinlichkeitsgrad", ging es Herbert nach Hildes Hinzukommen durch den Kopf. Er schlug daher vor, zunächst ihren Bericht anzuhören.

Was Hilde zu berichten wußte, war allerdings nicht sehr aufschlußreich, in dem von Herbert erhofften Sinne. Einige Details waren jedoch nicht uninteressant, weil sie Verhaltensweisen offenbarten, die ihm bemerkenswert erschienen.

Erich Meißner hatte die Aufständischen bereits verlassen, nachdem er in Eisleben Zeuge von Plünderungen und der Mißhandlung gefangener und verwundeter Polizeibeamter geworden war. Er hatte, wie er Hilde gegenüber erklärte, zwar Verständnis dafür gezeigt, daß Banken zur Herausgabe hoher Geldbeträge gezwungen, Lastkraftwagen und Lebensmittel requiriert und Benzin beschlagnahmt worden waren, aber mit seiner Toleranz war es zu Ende gewesen, als er feststellen mußte, daß manche sich wie Marodeure benahmen. Mehrfach hatte er beobachtet, wie sogenannte Revolutionäre sich Uhren, Schmuck und gestohlenes Geld in die Taschen stopften, vollkommen unsinnige Zerstörungen anrichteten und hilflose Beamte mit Füßen traten. In Gröbers, in der Nähe von Halle, hatten sie sogar zwei schwerverwundete Polizeibeamte umgebracht.

"Gewiß", hatte er seiner Frau erklärt, "es gibt überall schwarze Schafe, aber entscheidend ist doch, ob man sie gewähren läßt oder gegen sie einschreitet!" Eine Bestrafung der Ausschreitungen war jedoch nicht erfolgt, obwohl er sie, weil der Sache, die er zu vertreten glaubte schädlich, dem Hundertschaftsführer gemeldet hatte. Eine handfeste Abreibung und sofortige Ausstoßung aus den Reihen der Roten Hundertschaften wäre das Mindeste gewesen, was seiner Meinung nach, hätte erfolgen müssen. Da nichts dergleichen geschah, hatte Erich und einige andere, die genau so dachten, wie er, ihrerseits die Konsequenzen gezogen. Die Tage zwischen dem 24. und 29. hatte er gebraucht, um sich ungesehen nach Saalfurth durchzuschlagen. Nun versuchte er, bei einem Kriegskameraden in Württemberg unterzuschlüpfen.

Bereits einen Tag zuvor war Walter in Freyburg, beim Passieren der dortigen Brücke über die Unstrut, verhaftet worden. Eine Woche später verurteilte ihn ein Sondergericht in Naumburg, in einem Schnellverfahren zu einem Jahr und sechs Monaten Zuchthaus. Lore, in letzter Minute vom Prozeßtermin verständigt, war, begleitet von Herbert, nach Naumburg gefahren, um an der Gerichtsverhandlung teilzunehmen.

Doch es wurde nicht verhandelt, sondern diktiert! Einzig belastende Indizien waren Walters Arbeitsverhältnis in der Schrottfirma und seine Flucht. Seine Unschuldsbeteuerungen und Erläuterungen zur Motivierung der Flucht, wurden als Schutzbehauptungen abgetan. Das gesamte Verfahren dauerte, einschließlich Feststellung der Personalien, Urteilsfindung und -verkündung ganze 25 Minuten! Fließbandarbeit!

Als der allem Anschein nach karrierebewußte Richter das Urteil verkündete, wirkte die einleitende Formel "Im Namen des Volkes" wie eine Verhöhnung. Herbert kam bei dieser Formulierung ein Satz in Erinnerung, der in der Präambel der Weimarer Verfassung stand. Dort hieß es: "Das Deutsche Volk, einig in seinen Stämmen und von dem Willen beseelt Recht und Gerechtigkeit walten zu lassen, hat sich diese Verfassung gegeben."

"Hier ist aus politischen Gründen, ein Schuldspruch gefällt worden!", ging es Herbert durch den Sinn. Und als der Richter abschließend die sofortige Überstellung des Verurteilten in das Zuchthaus Jauer in Schlesien verfügte, da dachte er an ein anderes Unrecht, das zur selben Zeit in Schlesien begangen wurde. "Will man das dort praktizierte 'Recht der Sieger' auch auf innerdeutscher Ebene praktizieren? Will auch der 'Weimarer Staat' Macht demonstrieren, wo allein die Beseitigung von Ursachen Gerechtigkeit herzustellen vermag?"

Lore hatte das Rechtspflege genannte Justiztheater mit kalkweißen, versteinertem Gesicht verfolgt; ihr Herz war voll Haß!

Da den beiden nicht gestattet wurde, den Verurteilten noch einmal zu sprechen, begaben sie sich zum Bahnhof. Herbert wollte die Anwesenheit in Naumburg nutzten, um ein Fahrrad abzuholen, das Walter sich von einem Freund in Bad Dürrenberg geliehen hatte und seit seiner Verhaftung bei der Polizeibehörde in Freyburg aufbewahrt wurde. Diese, nahe Naumburg gelegene Kleinstadt an der Unstrut hatte einst dem von Freiheitsidealen beseelten Turnvater Jahn als Verbannungsort dienen müssen. Ja, Freiheit, Recht und Gerechtigkeit hatten schon damals im Widerstreit gelegen!

Am Bahnhof angekommen, bot sich für Herbert zufällig schon nach wenigen Minuten eine Zugverbindung nach Freyburg. Lore mußte noch eine halbe Stunde warten, um Anschluß nach Saalfurth zu bekommen.

Allein, enttäuscht und voller Sorgen setzte sie sich auf eine der in der Wartehalle stehenden Bänke. Ihre Gedanken waren bei Walter.

"Das Urteil gereicht dem Staat zur Schande! Klassenjustiz, jetzt weiß ich, was dieser Begriff konkret bedeutet! Merkt man immer erst, wenn man selbst betroffen wird, welche furchtbaren Realitäten sich hinter gleißnerischen Begriffen und wohltönenden Phrasen verbergen können? 'Rechtsstaat', 'Demokratie', 'Im Namen des Volkes', - daß ich nicht lache! Maske! Täuschung! Manipulation! Die Masse des Volkes ahnt gar nicht, welche Schändlichkeiten unter Mißbrauch seines Namens begangen werden! Auch ich wurde bisher mit Begriffsakrobatik und Auslegungskünsten in die Irre geführt!

Jedenfalls bedeutet 'Rechtsprechung' Ungerechtigkeit, wenn sie Unschuldige und Dritte, Unbeteiligte trifft! Wer denkt denn daran, daß auch ich heute verurteilt wurde? Davon, daß ich mich jetzt wieder allein durchs Leben schlagen muß, daß auch ich aus der Ehegemeinschaft herausgerissen wurde, daß ich als Frau eines Zuchthäuslers ein abwertendes Stigma zu tragen habe, - davon, das heißt von der Familienhaftung, wurde in dem Schandurteil nichts erwähnt!"

Mit Lore ging an diesem Tag eine Wandlung vor. Der Weimarer Staat drängte eine bis dahin loyale Bürgerin in die Gegnerschaft. Mit seiner Rechtsprechung hatte er einem weiteren Saatkorn revolutionärer Potenz den Boden bereitet! Das tat er täglich in Tausenden von Fällen, aus mannigfachem Anlaß, auf verschiedenartige Weise und mit unterschiedlichen Konsequenzen.

Ein Teil der zu Opposition, und revolutionären Zielen führenden Gründe spiegelte sich in den Balkenüberschriften der Zeitungen, die in dem Kiosk auslagen, das sich unweit der Bank befand, auf der Lore der Ankunft ihres Zuges entgegenharrte. Sie lauteten: "Bleibt es bei 269 Milliarden Goldmark 'Reparationsschuld'?" "Inflation weiter beschleunigt!" "Siegermächte drohen mit erneuten Repressalien!" "Neue Regierungskrise in Sicht!" "Fußtritte als Dank für Freikorps!" "Korruption nimmt zu!"

Und die Konsequenzen, die aus der Regierungspolitik gezogen wurden, fanden in Schlagzeilen ihren Ausdruck, die zugleich die Stoßrichtungen der oppositionellen Kräfte zu erkennen gaben: "Erfüllungspolitik reizt weiteren Appetit der Sieger!" "Zinsbelastung verdoppelt Tributforderungen!" "Nieder mit der deutschen Selbstzerstörung!" "Gegen imperialistische Ausbeutung!" "Hinein in die Kommunistische Gewerkschaftsinternationale!" "Die Schuld der November-Verbrecher und ihrer Kumpane." "Wider den Parteienstreit!"

"Eines Tages wird unser Volk sich für eine Totallösung entscheiden müssen, die alle Detailprobleme einschließt, - das wird aber nur auf einer gänzlich neuen Grundlage und auf einer neuartigen Weise möglich sein. Darüber sind nicht nur Walter und Herbert sich einig", ging es Lore durch den Kopf, nachdem sie eine Weile über die Inhalte der Schlagzeilen nachgedacht hatte.

Lore sah nach der Uhr über dem Eingang der Wartehalle. Der Blick sagte ihr, daß ihr Zug in wenigen Minuten einlaufen würde. Sie erhob sich deshalb und ging hinaus auf den Bahnsteig. Als die Lokomotive, rußigen Rauch und Dampf ausstoßend, den Zug zur fahrplanmäßigen Zeit wieder in Bewegung setzte, war ihr zur Gewißheit geworden, daß sie in einen neuen Lebensabschnitt hineinfuhr, in dem für die sanfte, jeder Form von revolutionären Auflehnung und Aktion abholden Lore, kein Platz mehr sein würde.

Mit dem, im weiteren Verlauf des Jahres 1921 erfolgenden Ansteigen des Druckes der Diktatmächte auf das Deutsche Volk, wuchs in Deutschland, vor allem auf der rechten Seite des Parteienspektrums, auch der Wille zum Widerstand; verletztes Ehrgefühl, Freiheitswille und fortschreitende Verarmung suchten nach Ventilen und nach Ausbruchsmöglichkeiten aus der verordneten Sklaverei. Dabei wurden, nicht zuletzt, weil im Zustand der allgemeinen Entrechtung, Entmachtung und fremder Gängelung kaum andere Möglichkeiten verblieben, auch Wege beschritten und Methoden angewandt, die irrational, politisch unwirksam und in manch' anderer Beziehung bedenklich waren.

Eine solche, unsinnige Maßnahme war die Ermordung Mathias Erzbergers, im August jenes Jahres. Erzberger, der 1918 das Waffenstillstandspapier unterzeichnet hatte und 1919 mit seinem verhängnisvollen "Gutachten" die Mehrheit der Abgeordneten der Weimarer Nationalversammlung zur Annahme des Versailler Diktats veranlaßte, wurde als personifizierte Ursache der Ausplünderung, Entwürdigung und Erniedrigung des Deutschen Volkes betrachtet und deshalb zum Ziel eines "Strafaktes" ausersehen.

Diese Ausdrucksform des Widerstandes war ähnlich zweckuntauglich und verwerflich, wie die Streiks und Aufstände der vergangenen Jahre. Doch Verzweifelte neigen nicht selten zu irrationalem Verhalten; sie versuchen den Teufel mit Beelzebub auszutreiben oder machen, wie bei Erzberger, die ausführende Hand für ein Tun verantwortlich, das seinen Ursprung im Gehirn, in der Befehlszentrale des Staates hat; - sofern sie nicht in völliger Verkennung von Ursache und Wirkung, ähnlich einem geprügelten Hund sogar den Stock beißen, der von Kopf und Hand geführt wird. Politisch unkluges und schadenträchtiges Verhalten sollte aber auch eine Reihe von Maßnahmen in den folgenden Jahren kennzeichnen, - dies jedoch nicht nur in Deutschland!

Eine relative Ausnahme in der Kette von Fehlleistungen jener Zeit bildete der Separatfriedensvertrag, mit dem am 25. August und damit sehr spät, der Kriegszustand zwischen Deutschland und den USA beendet wurde. Darin verzichteten die Vereinigten Staaten auf eine erneute Fixierung der Deutschland diskriminierenden, sachlich unhaltbaren Kriegsschuldlüge und schlossen auch die Deutschland entwürdigende Satzung des sogenannten Völkerbundes aus dem Vertragswerk aus!

Obwohl damit, und nachdem die Vereinigten Staaten bereits im März die Ratifizierung des Versailler Vertrages abgelehnt hatten, ein weiterer Einbruch in die pseudo-rechtlichen und pseude-moralischen Grundlagen des Versailler Vergewaltigungsmachwerkes gelungen war, blieb dieser Erfolg ohne praktische Auswirkungen. Die Knebelung Deutschlands die die USA ermöglicht hatten, wurde fortgesetzt, und damit wuchsen auch die dadurch verursachten Probleme.

In deren Gefolge mußte im Oktober die seit Mai amtierende Regierung, unter dem Zentrumskanzler Joseph Wirth umgebildet werden. An der neuen Regierungskoalition beteiligten sich, nachdem sie seit 1918 erstmals wieder eine sechsmonatige Oppositionsrolle gespielt hatten, auch wieder die Sozialdemokraten. Wirth behielt das Kanzleramt auch in der neuen Regierung.

5. Kapitel
Vergewaltigung, Ausplünderung, Inflation
1922 bis 1924

Zum Zeitgeschehen 1922

Fortschreitende Inflation, neue, unerfüllbare Forderungen der Diktatmächte nach vermehrten Tributleistungen und der Beginn einer neuen Ostpolitik, kennzeichneten die politische Entwicklung des Jahres 1922. Nachdem es im April, während der sogenannten Reparationskonferenz von Genua, zu französisch-russichen Auseinandersetzungen wegen der Zahlung russischer Vorkriegsschulden gekommen war, ergab sich, in Ausnutzung dieser Spannungen, die Möglichkeit zu einem deutsch-russischen Interessenausgleich. Am 16. April wurde in Rapallo ein Vertrag unterzeichnet, in dem beide Länder auf Ansprüche aus der Vorkriegszeit und den Kriegsjahren verzichteten, sowie ihre diplomatischen und wirtschaftlichen Beziehungen neu regelten.

Im Juni wurde Außenminister Walter Rathenau, der mit dem Sowjetminister Tschitscherin den Rapallo-Vertrag abgeschlossen hatte, von politischen Attentätern erschossen.

Einen Monat später beschloß der Reichstag das "Republikschutzgesetz". Im gleichen Monat gestatteten die Alliierten den Einzug von Reichswehr-Bataillonen in den beim Reich verbliebenen Teil Oberschlesiens; zugleich lehnten sie aber einen deutschen Antrag um Stundung und Reduzierung ihrer Tributforderungen ab. Da auch sie wußten, daß, infolge der Inflation und der bisher stattgefundenen Ausplünderung der deutschen Wirtschaft, diese Forderungen nicht erfüllt werden konnten, schufen sie mit ihrer Ablehnung bewußt die Voraussetzung für die Anwendung militärischer "Repressalien", mit denen sie ihre Beutegier schneller befriedigen zu können glaubten.

Im Sommer dieses Jahres schlossen sich, nach der 1917 erfolgten Trennung, die Sozialdemokraten (SPD) wieder mit den radikalen Unabhängigen Sozialdemokraten (USPD) zusammen. In den folgenden Monaten machte auch die Nationalsozialistische Deutsche Arbeiter Partei durch Großkundgebungen in München und Coburg, sowie mit der Gründung einer ersten Ortsgruppe außerhalb Bayerns, in Zwickau, von sich reden. Da es in Coburg durch Störversuche von links, zu Krawallen gekommen war, wurde die NSDAP, im November, in Preußen, Sachsen, Hamburg, Thüringen, Baden, Hessen und Braunschweig verboten.

Ungeachtet der Unterdrückung Deutschlands von außen, sowie der Parteienkämpfe im Innern, hatte der Führer der deutsch-österreichischen Sozialdemokraten und frühere Staatskanzler Karl Renner namens seiner Partei und der Bevölkerung Deutsch-Österreichs, im Oktober abermals den Anschluß an das Deutsche Reich gefordert. Dem wurde jedoch erneut nicht stattgegeben. Vielmehr wurde mit den "Genfer Protokollen" die Bezeichnung "Deutsch-Österreich" nochmals verboten, das Land unter die Finanzkontrolle des Völkerbundes gestellt und ihm, zur Bemäntelung der erneuten Vergewaltigung, ein internationaler Kredit gewährt.

Gegen Ende des Jahres lehnte eine in London stattfindende Konferenz der Diktatmächte ein nochmaliges Gesuch Deutschlands um Gewährung eines erträglicheren Modus für die Tributzahlungen ab. Frankreich und Belgien bereiteten nun die bereits seit längerem in Aussicht genommene militärische Invasion im Ruhrgebiet mit konkreten Maßnahmen vor.

Der Regierungswechsel, der Ende November erfolgt war, hatte zu einer "bürgerlichen" Koalition (Zentrum, Deutsche Demokratische Partei, Deutsche Volkspartei), geführt. Mit dem bisherigen Generaldirektor der Hamburg-Amerika-Linie, Wilhelm Cuno, als Kanzler wurde die bisherige Politik fortgesetzt. Neue Mixturen politischer Ego-Gruppen vermochten die deutsche Misere ebensowenig entscheidend zu beeinflussen, wie alle bisherigen auf Vielparteienbasis erfolgten Regierungsneubildungen.

Reflexionen und Details

Lore Seller hatte nach der Verurteilung und Einkerkerung ihres Mannes, Schwierigkeiten bei der Suche nach einem Arbeitsplatz erwartet, doch in der Praxis war sie auf noch größere Hürden gestoßen als angenommen. In der ländlichen Kleinstadt Saalfurth waren Erwerbsmöglichkeiten schon immer sehr beschränkt gewesen. Hinzu kam, daß die aus Kriegsgefangenschaft heimgekehrten Männer ihre alten Arbeitsplätze, soweit sie noch vorhanden waren, wieder eingenommen hatten.

Lore hatte sich daher gezwungen gesehen, jede sich bietende Gelegenheit zu nützen. Die Tatsache, daß es meist unangenehme Verrichtungen waren, die man ihr übertrug, berührte sie wenig, obwohl sie dies sehr genau registrierte. Für sie war Arbeit jetzt ausschließlich ein Mittel, ihren Lebensunterhalt zu verdienen. Doch sie dachte über Wesen und Wert der Arbeit jetzt öfter und gründlicher nach als früher. Dabei kam sie zu der Überzeugung, daß manche als niedrig eingestufte und daher auch gering entlohnte Arbeit, sowohl für das Wohl einzelner Menschen als auch für das der Gesamtheit von weitaus größerer Bedeutung war, als viele andere ungleich besser bezahlte Tätigkeiten.

"Auf Kabarettisten, die zotige und mit sonstigen Anzüglichkeiten gespickte Texte vortragen, kann man ebenso verzichten wie auf krächzende Cafehaus-Sänger, die blödsinnige Schlager von sich geben; - nicht aber auf Müllarbeiter und Abortgrubenreiniger! Die Kloakenkultur der Nachkriegszeit tobt sich auf Bühnen, in Salons und auf sogenannten Kunstausstellungen aus! Dort werden 'des Kaisers neue Kleider' vorgeführt! Und die Masse bestaunt Nacktheit und Leere mit dem Kunstverstand blinder Hühner; - während betuchte 'Gebildete' mit Modernitätsfimmel für Pseudo-Kunstwerke Wucherpreise bezahlen!

Zum Ausgleich sparen sie am Lohn, den sie ihren Arbeitern und Angestellten zahlen. Rechtsanwalt Grünbaum hat ein modernes Ölgemälde gekauft, bei dem man nicht weiß, was es darstellen soll, das aber, nach Angaben seiner Frau sehr, sehr wertvoll ist. Sie hat es mir gezeigt, als ich gestern die beschmutzten Windeln ihres Babys zum Waschen abholte. An diesen Artikeln spart sie und die Drecksarbeit eines ganzen Tages bezahlt sie mit einem Bündel Inflationsgeld, das kaum den Wert von drei Eiern entspricht!

Wenn Walter das wüßte! Doch Not kennt kein Gebot. Das Gefühl für Selbstwert und Würde darf man sich durch Geschmacklosigkeiten anderer oder durch erzwungene Abhängigkeiten nicht schmälern lassen! Walter hat es auch in dieser Beziehung schwerer als ich. Isolation, Blechnapf und Koteimer in der Zelle, abstumpfendes Tütenkleben, Ausgeliefertsein an launische Bewacher und intrigierende Mithäftlinge, Verhaltensvorschriften, die den Menschen zum willenlosen Objekt degradieren; Walters Mentalität hat während des vergangenen Jahres fraglos zu einem Aggressionsstau geführt, der zu explosiver Entladung drängt. Hoffentlich behält er seine Selbstkontrolle, und unterläßt alles, was seine Situation verschlimmern könnte."

Lore hielt mit dem Bügeln der gesteiften Stehkragen inne. Das Plätteisen war nicht mehr heiß genug. Um den Ansprüchen des Apothekers, für den sie diese Arbeit verrichtete, zu genügen, mußte das Eisen erst wieder auf die nötigen Hitzegrade erwärmt werden. Sie ging deshalb in die Küche, um Holzkohle nachzufüllen. Als sie damit beschäftigt war, hörte sie, wie die Haustür geöffnet wurde. Zugleich ertönte der Ruf "Pooost!", mit dem der Briefträger, in ortsüblicher Weise, die Zustellung einer Sendung ankündigte. Gleich darauf wurde die Tür wieder geschlossen.

Lore stellte das Bügeleisen auf den dafür vorgesehenen Eisenrost und ging, um nachzusehen, was der Postzusteller gebracht hatte. Auf einer der untersten Stufen der zum Dachboden führenden Treppe lag ein Brief. Freude durchflutete sie, als sie Walters Handschrift erkannte. Über einen Monat hatte sie wieder vergeblich auf eine Nachricht von ihm gewartet. "Zuchthäusler" waren bezüglich Postempfang und Schreiberlaubnis, besonders einschränkenden Bestimmungen unterworfen.

Jetzt hatte das Objekt nachrevolutionärer Rechtspflege erneut einen Brief schreiben dürfen. Die junge Frau nahm sich nicht die Zeit in die Küche zurückzugehen, um den Brief dort zu lesen. An Ort und Stelle riß sie den Umschlag mit ungeduldigen Fingern auf, entfaltete den Briefbogen und verschlang die mit Bleistift geschriebenen Zeilen mit verlangenden Augen.

Wegen der im Zuchthaus geübten Briefzensur, gab Walter sich den Anschein eines einsichtigen Verurteilten. Aber in Wirklichkeit bedeuteten seine Formulierungen Kampfansagen, Ankündigungen, die auf eine Absicht zu aktiver Gegnerschaft zum Staat, zur Vergeltung mit gleicher Münze hindeuteten. Der Gedanke, sich nach seiner Entlassung Genugtuung zu verschaffen, war ihm ein Kompensationsmittel, das ihm Unrecht, Schmach und Demütigung zu ertragen half. Lore fand diese Reaktion zwar beängstigend, aber auch verständlich und natürlich. Jeder geistig und seelisch noch ungebrochene Mensch mußte in gleicher Situation so reagieren und - sie wußte selbst nicht woher ihr diese Gedankenverbindung plötzlich zuflog - auch jede ungerecht behandelte Klasse, sowie jedes noch gesund empfindende Volk! Das Urteil von Naumburg und das von Versailles, - es schien ihr, als gäbe es Parallelen.

Während Lore das Bügeleisen wieder aufnahm, wurde sie sich bewußt, wie sehr sie im letzten Jahr von Antigefühlen gegenüber Staat und Gesellschaft erfüllt worden war. Doch sie bekannte sich zu diesen Ressentiments, weil sie um deren Ursprünge wußte. Manchmal kam sie sich ebenfalls wie eine Gefangene vor; in einer Zelle sitzend, deren Mauern aus wirtschaftlichen Abhängigkeiten und deren Gitterstäbe aus lückenhaften Kenntnissen politischer Zusammenhänge und Einflußmöglichkeiten bestanden.

Sie empfand das in letzter Zeit so unerträglich wie nie zuvor. Je länger sie darüber nachdachte, umso klarer wurde ihr, daß, wollte sie aus diesen Abhängigkeitsverhältnissen ausbrechen, sie primär geistige Freiheit erlangen mußte. Auch ihre Gefühlswelt und deren Einfluß auf ihren Charakter versuchte sie zu analysieren.

"Gefühle sind Reflektionen auf dem Spiegel der Seele", überlegte sie. "Jeder gesunde Mensch, dessen Natürlichkeit noch ungebrochen ist, reagiert auf Einwirkungen, die von seiner Umgebung ausgehen mit Lust- oder Unlustgefühlen. In einem gewissen Sinne erfüllen solche Gefühle Aufgaben eines Qualitätsbarometers. Außerdem: Wie anders, als über Gemüt und Gefühle, können Gewissen und ethische Imperative wirksam werden?

Verstand und Gemüt sind gleichwertig und ergänzen sich. Führt nicht jeder verstandesmäßig aufgenommene Vorgang auch zu Gefühlsreflexionen und ist nicht jedes vernunftgesteuerte Tun auch von Gefühlskomponenten begleitet? Löst nicht umgekehrt, jede Gefühlsregung auch Denkprozesse aus? Bei mir ist es jedenfalls so!

Zudem gehören Gefühle doch wohl auch zu den großen Impulsquellen der Menschen. Was bewegt denn die Menschen, wenn sie nach Freiheit und Sicherheit streben, oder auch zu Opfergängen antreten? Etwa mathematisch-abstraktes Denken? Nein, es sind Sehnsüchte, menschliche Ur- und Elementarbedürfnisse und Wertvorstellungen, die aus Seelengründen aufsteigen. Die großen Entdecker, die Forscher, die Pioniere auf allen Gebieten, die Wagnis, Hingabe, Selbstlosigkeit und Opfersinn verlangen, sie wären wahrscheinlich hinter dem warmen Ofen sitzen geblieben, wenn Vernunft ihr alleiniger Ratgeber gewesen wäre!

Was erwarten die Menschen denn vom Fortschritt? Letztlich nichts anderes als Glücks- und Hochgefühle. Alles, was sie sonst noch wünschen, kann und soll nur Mittler zu diesem Ziel sein. Sind es schließlich nicht Behagen oder Ungehagen, also Gefühlsregungen, die das, was die hochgelobte Vernunft zustande gebracht hat, als 'gut' oder 'schlecht', 'richtig' oder 'falsch' kennzeichnen?

Woher kamen denn die Impulse, die die Kette der Streiks und Aufstände ausgelöst hatten? Neben Not, Hunger und Inflation waren es Demütigungen die immer neue Anläße zur Auflehnung gaben!

Es gab viele Menschen in Deutschland, die ähnliche Betrachtungen anstellten und deren Fazit mit dem Resultat der Überlegungen Lore's übereinstimmten, weil gleiche Erfahrungen und Lebensumstände in der Regel auch zu gleichen Schlußfolgerungen führen.

Zum Zeitgeschehen 1923 (1. Halbjahr)

Das Jahr 1923 begann mit zwei Akten militärischer Aggression gegenüber Deutschland. Von Frankreich inspiriert und unterstützt, marschierten litauische Truppen in das bis dahin von französischen Verbänden besetzte Memelland ein.

Am 11. Januar begann die Invasion französisch-belgischer Truppen im Ruhrgebiet. Offiziell wurde dieser erneute Vergewaltigungsakt als Repressalie, die wegen einer Verzögerung bei der Ablieferung von Telegraphenmasten bezeichnet. Als ein weiterer Grund wurde die angebliche Notwendigkeit vorgeschoben, eine Gruppe alliierter Ingenieure zu schützen, die Maschinen zu begutachten hatte, die, wie die Holzmasten, ebenfalls auf das zudiktierte "Schuld-Konto" geliefert werden sollten. Zu diesem Zweck wurden sechs kriegsstarke Divisionen aufgeboten!

In Wirklichkeit diente die Invasion dem Ziel, die Bodenschätze und Industrieanlagen des Ruhrgebietes völlig in französisch-belgische Verfügungsgewalt zu bringen und die Arbeitsleistung der Bevölkerung dieser Region unmittelbar auszubeuten. Die fadenscheinige, an den Haaren herbeigezogene Begründung der Okkupationsmächte wurde daher weder in Deutschland noch von deren eigenen Verbündeten ernst genommen. Im Gegenteil! Sogar der englische Vertreter in der Reparationskommission erklärte dazu: "Seit den Tagen des Trojanischen Pferdes ist Holz zu keinem schändlicheren Geschäft verwendet worden!"

Zwei Tage nach dem Eindringen der Okkupanten rief die Reichsregierung die Bevölkerung an der Ruhr zum passiven Widerstand "gegen die völkerrechtswidrige Gewaltpolitik" auf. Reichspräsident Ebert appellierte an das Deutsche Volk "gegen den Bruch des Vertrages (Diktat von Versailles) und den schweren Bruch des sittlichen Rechtes" zu protestieren.

Der französische Oberbefehlshaber der Invasionsarmee, General Degoutte, reagierte sofort mit einer Verschärfung des Druckes auf die deutsche Bevölkerung. Hatte er zunächst in einer ersten Proklamation verkündet: "Die Franzosen kommen als Träger des Rechts und als Freunde der arbeitenden Bevölkerung" - welcher Eroberer kommt nicht als angeblicher Freund und Befreier? - so wurde jetzt die Maske fallen gelassen. Degoutte proklamierte den Ausnahmezustand, setzte Militärgerichte ein und erließ Verbote und demütigende Bestimmungen. Unter anderem wurde Deutschen das Verlassen des Bürgersteiges befohlen, wenn ihnen ein Angehöriger der Okkupationstruppen begegnete. Erst nachdem ihm auf dieser Weise Respekt erwiesen worden und er vorübergegangen war, durften sie den Bürgersteig wieder benutzten. Örtliche Befehlshaber erwiesen sich im Ersinnen solcher und ähnlicher Schikanen sehr erfindungsreich.

Auch die Bevölkerung und die Wirtschaft im übrigen Reichsgebiet wurden schwer in Mitleidenschaft gezogen. Bedeuteten schon die im Versailler Diktat auferlegten Leistungen und Einschränkungen eine ungeheuere Belastung, so traf das von den Besatzungsbehörden verhängte Verbot, Kohle und Stahl aus dem Ruhrgebiet ins Reich "auszuführen" ganz Deutschland wie ein Keulenschlag. Die deutsche Bevölkerung und Wirtschaft in den nichtbesetzten Reichsteilen wurden von 88% ihrer Kohle,- 48% ihrer Stahl- und von 70% ihrer Eisenerzeugung abgeschnitten. Nach der bereits erfolgten Abtrennung des oberschlesischen Kohlereviers und der Besetzung des Saarlandes war die größtenteils auf Kohle basierende Energieversorgung Deutschlands weitestgehend lahmgelegt. Betriebsstillegungen und Arbeitslosenziffern stiegen rapid an, die Inflationsrate kletterte in astronomische Höhen.

Mit ihren Willkürakten hatten die Okkupationsmächte aber auch im deutschen Volk einen Solidarisierungseffekt ausgelöst, der von den Kommunisten bis zu den Rechtskonservativen reichte. Erstmals seit 1918 ging eine nationalgeprägte Protest- und Widerstandswelle durch Deutschland. Doch es fehlte nach wie vor eine Regierung, die willens war, die aus unterschiedlichen Quellen sprudelnden Kraftströme zu bündeln, ihnen eine gemeinsame Stoßrichtung zu verleihen und politisches Kapital daraus zu schlagen. Entschlossenheit, politisches Gespür, diplomatisches Geschick und gesamtdeutsches Verantwortungsbewußtsein waren in den deutschen von Parteifunktionären geleiteten Ministerien noch immer Mangelware. Der weitgehenden Geschlossenheit des Volkes stand eine halbherzige "Führung" gegenüber. Ihre Devise schien zu lauten: "Protest, - aber nicht zu laut!, Widerstand, - aber nicht zu effektiv!"

Es erwies sich daher auch bald, daß ein auf partielle Verweigerung von Arbeitsleistungen sich beschränkender passiver Widerstand eine stumpfe Waffe war, die auf längere Sicht dem deutschen Volk mehr schaden würde als den Okkupationsmächten. Das wurde spätestens offensichtlich, als die Besatzer aus ihren Ländern in großer Anzahl Ingenieure, Facharbeiter, Bahnpersonal und Verwaltungsfachleute ins Ruhrgebiet holten, die die von Arbeitsniederlegungen betroffenen Zechen, Fabriken und Verkehrsmittel wieder in Betrieb setzten, und die weitere Erzeugung, sowie den Abtransport der produzierten Güter in die Siegerstaaten sicherstellten.

Bei dieser Sachlage mußte der passive Widerstand entweder abgebrochen oder durch eine starke, konsequente Komponente aktiven Widerstandes ergänzt werden. Da die Reichsregierung sich weder für das eine, noch für das andere entschloß, ergriffen vor Ort patriotisch eingestellte, sich dem Volksganzen verpflichtet fühlende Männer die Initiative. Sie schlossen sich in Gruppen zusammen und begannen, unter persönlichen Opfern und Risiko, jenen aktiven Widerstand zu organisieren, ohne den ein Erfolg überhaupt nicht zu erwarten war. Erst wenn sichergestellt wurde, daß kein mit Raubgütern beladener Zug künftig die Rheinbrücken nach Westen passieren konnte, erst wenn die Ausplünderer zu der Einsicht gebracht wurden, daß die Besetzung des Ruhrgebietes den Strom der "Reparationsgüter" gänzlich versiegen ließ und damit zu ihrem Nachteil ausschlug, erst dann konnte der deutsche Widerstand sich Erfolgschancen ausrechnen.

So wurde die Lage jedenfalls von den Widerstandsgruppen eingeschätzt, die sich im Ruhrgebiet bildeten und die Sache des Reiches und Volkes zu der ihren machten.

Reflexionen und Details

Albert Germer hatte sich ebenfalls einer Gruppe angeschlossen, die aktiven Widerstand leistete. Sie hatte eben, an einem geheimen Ort, eine Einsatzbesprechung abgehalten. Von dort war er jetzt auf dem Wege nach Hause. Albert wohnte noch immer mit seiner Mutter zusammen, die er, da sein Vater am letzten Tag des Krieges in Frankreich gefallen war, in jeder Beziehung unterstützte.

Da ihr infolge eines Leidens, die Hände zitterten und deshalb das Schreiben Mühe machte, hatte er ihr versprochen, heute noch den bereits seit längerem fälligen Antwortbrief an die Verwandten in Saalfurth zu schreiben. Die machten sich Sorgen wegen der Willkürakte der Okkupanten, von denen auch in Mitteldeutschland in den Zeitungen berichtet wurde.

Das Blut der 13 toten und 30 verwundeten deutschen Arbeiter, die im Feuer französischer Besatzer auf dem Pflaster liegen blieben, als sie auf einem Fabrikhof der Kruppwerke, die Beschlagnahme der werkeigenen Lastkraftwagen verhindern wollten, hatte nicht nur das Blut der Bevölkerung des Ruhrgebietes, sondern auch vieler Deutscher in anderen Reichsteilen in Wallung gebracht.

Seither war die Anzahl der Erschossenen und Verwundeten ständig angestiegen, weil die Eindringlinge auf alles schossen, was einer Demonstration oder Widerstandsaktion ähnelte. Einmal hatten sie sogar in eine Warteschlange vor einem Lebensmittelgeschäft gefeuert. Über 100.000 Menschen waren wegen des Verdachtes gegen die Interessen der Besatzungsmächte zu arbeiten, aus dem Ruhrgebiet ausgewiesen worden. Die Zahl der Verhafteten ging in die Zehntausende. Militärgerichte verhängten wegen Nichtigkeiten Höchststrafen. Kein Wunder, daß dadurch neben Auflehnung auch zunehmend Wünsche nach Vergeltung produziert wurden!

Diese Eskalation war auch vorhin, während der Einsatzbesprechung, zum Ausdruck gekommen. Die Gruppe war zu der Erkenntnis gelangt, daß ihre bisherigen Widerstandsakte, die in der Zerstörung von Weichen und Signaleinrichtungen an Bahnanlagen, in der Unterbrechung von Telegraphenleitungen und ähnlichen Installationen bestanden hatte, keine nachhaltigen Wirkungen gezeigt hatten. Diese Zerstörungen waren zwar mit einfachen Mitteln, wie Vorschlaghämmern, Bolzenschneidern und so weiter zu erreichen, aber auch relativ schnell zu reparieren gewesen.

Länger wirksame Unterbrechungen der dem Abtransport von deutschem Volksgut dienenden Verkehrswege, konnten nur durch Sprengungen von Brücken, Tunnels und ganzen Stellwerken, durch Unbrauchbarmachung von Schleusen und Verladeanlagen, sowie durch Blockieren von Verkehrswegen, durch Absprengen großer Felsmassen an dafür von Natur aus besonders geeigneten Stellen, erreicht werden. Damit war auch das Mißverhältnis, das bisher zwischen Risiko und Erfolgsmöglichkeit bestanden hatte, zu einem beträchtlichen Teil zu beseitigen. Sprengstoffbeschaffung war daher zu einem dringlichen Problem erklärt worden.

Weitere, noch nicht befriedigend gelöste, Probleme betrafen die Gewährleistung verschwiegener ärztlicher Versorgung bei schweren Verletzungen der Widerstandskämpfer, die Vermehrung gesicherter Fluchtwege, die Verbesserung schneller Nachrichtenübermittlung und schließlich die Erschließung finanzieller Hilfsquellen. Da die Regierung den aktiven Widerstand weder in moralischer Beziehung, noch - was in diskreter Form möglich gewesen wäre - finanziell und materiell unterstützte, waren die Gruppen auf sehr beschränkte eigene Mittel und auf private Spenden angewiesen.

Albert hatte den Auftrag erhalten, konkrete Vorschläge zur Verbesserung des Nachrichtennetzes zu erarbeiten. Während er darüber nachsann, war er in der Nähe der mütterlichen Wohnung angelangt. Dort stand ihm ein kleines Zimmer zur Verfügung, wo er seine Angelegenheiten ungestört erledigen konnte.

In Gedanken versunken, bog er aus der Hauptstraße in die Seitenstraße ein. An der Hausecke, die ihm den Blick bis dahin verwehrt hatte, stieß er unversehens mit einem Offizier der französischen Interventionstruppen zusammen. Obwohl er sofort ein "Excusez-moi" hervorstieß, - es war einer der wenigen Ausdrücke die er kannte, und wie angeordnet, den Bürgersteig freigeben wollte, wurde der Franzose zornrot im Gesicht. Er hob die Reitpeitsche, die er, wie die meisten seiner Gattung, in der Hand trug und schlug Albert damit quer übers Gesicht. Dabei wurden auch seine Augen getroffen. Der dadurch verursachte stechende Schmerz bannte ihn an den Fleck. Er hatte den Eindruck, als sei sein linkes Auge zerstört worden. Instinktiv riß er seine Hände nach oben, um die Augen zu schützen. Das geschah keinen Sekundenbruchteil zu früh, denn der "Träger des Rechts und Freund der arbeitenden Bevölkerung des Ruhrgebietes", ließ die Peitsche noch mehrmals mit voller Wucht auf Alberts Kopf, Gesicht und Hände niedersausen.

Als die Schläge aufhörten, spürte Albert den Druck eines harten Gegenstandes im Rücken. Ihm wurde sofort bewußt, daß es sich dabei um den Lauf einer Pistole handelte. Vorsichtig nahm er die Hand von seinem rechten, weniger verletzten Auge. Auf der anderen Seite der Straße und in vorsichtigem Abstand auch diesseits, erblickte er Menschenansammlungen, die der Demonstration brutaler Siegerwillkür zusahen. Obwohl vermutlich die Wenigsten begriffen, daß sie hier Zeuge eines im Kleinformat demonstrierten Vorganges waren, der, bezogen auf den deutschen Volkskörper, seit Jahren in einem viel größeren Maßstab ablief, war der Menge verbissene Wut anzumerken. Das Bewußtsein eigener Ohnmacht hielt sie jedoch zurück.

Der Franzose dirigierte Albert nun die leicht geneigte Straße hinter. Nach etwa 200 Metern stießen sie auf eine der vielen Straßenstreifen, die Tag und Nacht unterwegs waren, um "Ruhe und Ordnung" zu gewährleisten. Der Offizier winkte sie heran und erteilte einen Befehl, den Albert nicht verstand. Dessen Sinn wurde ihm allerdings gleich darauf klar, als die vier Gewehrträger ihn in die Mitte nahmen und in Richtung auf ein Wachlokal abführten, das schon von weitem durch die vor dem Eingang aufgebaute Sandsackbarrikade und den dahinter befindlichen Maschinengewehrstand zu erkennen war. Solche Wachstationen waren überall dort eingerichtet worden, wo die

Sicherheits- und Kontrollbedürfnisse der Okkupanten es erforderlich erscheinen ließen.

Die Wachstation, in die Albert gebracht wurde, befand sich in einem zu dieser Verwendung beschlagnahmte Eckrestaurant. Dessen Räumlichkeiten waren Albert bekannt, weil die Gaststätte vor ihrer Zweckentfremdung dem Schachclub, dem er als Mitglied angehörte, als Vereinslokal gedient hatte. Nach einem kurzen Palaver, wurde er dem Führer der Wachsoldaten übergeben.

In einer Ecke des ehemaligen Schankraumes, mit dem Gesicht zur Wand gestellt, mußte er zunächst etwa eine halbe Stunde warten. Dann betrat ein Offizier den Raum, der von einer Zivilperson begleitet wurde.

Beide verschwanden in einem Nebenraum. Unterdessen schwoll Alberts linkes Auge völlig zu. Einige Zeit später wurde auch er in das Nebenzimmer geführt. Zwei Soldaten der Wachmannschaft begleiteten ihn. Den Umstand, daß sie ihre Gewehre mitnahmen, deutete er als eine Geste, die ihn einschüchtern sollte.

Drinnen angekommen, wurde er gezwungen, sich auf den Fußboden zu knieen. Das beabsichtigte Verhör sollte auch optisch von oben herab geführt und ihm die Rolle eines Unterworfenen von vornherein bewußt gemacht werden. Da der Offizier der deutschen Sprache nicht mächtig war, fungierte der Zivilist als Dolmetscher. Die für die Bewohner des "Ruhrpotts" bezeichnende Klangfarbe seiner Sprache wies ihn als deutschen Kollaborateur aus.

Als dieser ihn, im Auftrage des Offiziers, nach seinen Personalien fragte, gab Albert sie wahrheitsgemäß an, er war aber nicht in der Lage, seine Identität nachzuweisen. Da er von einer Zusammenkunft seiner Widerstandsgruppe gekommen war, hatte er keinerlei Ausweispapiere mitgeführt.

"Wir werden Ihre Angaben zur Person nachprüfen", übersetzte der Dolmetscher die diesen Fragenkomplex abschließenden Worte des Offiziers, "und machen Sie sich auf einiges gefaßt, falls Ihre Aussagen sich nicht als korrekt erweisen sollten!"

Nach dieser Drohung kam die Anklage: "Sie haben einem französischen Offizier den Respekt verweigert, ihn tätlich angegriffen und mit Schmähreden die französische Nation beleidigt!", übersetzte der Dolmetscher. Das war eine böse Unterstellung.

Albert schilderte daraufhin den Hergang, wie er sich in Wirklichkeit zugetragen hatte und wies darauf hin, daß es sicherlich keine große Mühe machen werde, eine große Anzahl Zeugen aufzutreiben, die die Wahrheit seiner Angaben bestätigen könnten.

"Ich stelle fest", sagte der Offizier, "daß Sie eben einen Vertreter der französischen Armee, der Lüge bezichtigt haben!" Auch diese bösartige, sinnverdrehende Deutung der Worte Alberts ließ Böses ahnen.

Sich der Absicht des Verhörenden bewußt werdend, nahm er sich nun vor, jede Antwort länger als gewöhnlich zu bedenken. Auf die Unterstellung eingehend, sagte er:

"Ich nehme an, Sie haben mich nicht richtig verstanden, weil möglicherweise bei der Übersetzung ein Irrtum unterlief. Denn ich habe von Wahrheit gesprochen und das Wort Lüge überhaupt nicht in den Mund genommen."

"Was Wahrheit ist, entscheide ich!", sagte der Offizier. Die Übersetzung dieses Satzes begleitete der Dolmetscher mit einem hämischen Grinsen. Beides veranlaßte Albert, seinen eben gefaßten Vorsatz mißachtend, zu sagen: "Eine solche Kompetenz hat Pilatus sich beim Verhör des Jesus von Nazareth nicht angemaßt!"

Daraufhin traf ihn plötzlich ein heftiger Kolbenstoß, den er wegen seines zugeschwollenen Auges nicht hatte kommen sehen, in die Seite. Diesem Stoß war es allerdings zuzuschreiben, daß der auf seinen Kopf gezielte Kolbenschlag des zweiten Soldaten daneben ging und nur seine Schulter traf. Mit gebrochenem Schlüsselbein fiel Albert nun endgültig zu Boden. Das letzte was er, bis auf weiteres, sah, war der derbe Schuh an einem mit Wickelgamaschen umwundenen Bein, bevor dieser seine Schläfe traf. Dann schwanden ihm die Sinne.

Als er wieder zu sich kam, lag er auf dem Fußboden eines anderen Raumes. Sein Kopf schmerzte, als wolle er zerspringen, in seiner Schulter schien ein Feuer zu brennen, sein linkes Auge wurde von nadelstichartigen Schmerzen traktiert und auch das rechte vermochte nur noch durch einen schmalen Schlitz zu sehen. Es dauerte einige Zeit, bis Albert sich an das Vorgefallene erinnerte und sich seiner Lage voll bewußt wurde.

Undeutlich hörte er Stimmen. Zugleich erkannte er, daß er in einem Nebenraum lag, in dem, wie er früher zufällig einmal gesehen hatte, Utensilien aufbewahrt worden waren, wie sie in jeder Gastwirtschaft zu gelegentlicher Benutzung zur Verfügung gehalten werden.

Dieser Raum war jetzt leer, - und in ihm hatte man Walter "abgelegt". Als er dies festgestellt hatte, drängten sich ihm sofort Fluchtgedanken auf. Er fragte sich, wie lange er schon bewußtlos gelegen habe und ob er von einem Posten bewacht werde, der den Raum nur für kurze Zeit verlassen habe, und bald wieder zurückkehren würde.

Dieser Gedanke löste panikartige Gefühle aus. Da er die Örtlichkeit von früher kannte, wollte er aufspringen und durch das ebenerdig gelegene, außer der Scheibe nur mit einem Fliegengitter gesicherte Fenster über den Hinterhof entfliehen.

Doch die jähe Bewegung löste eine Eruption von Schmerzen aus, die ihn auf den Boden zurückzwangen. Der Gedanke an Gefängnis und langjährige Verurteilung wirkte jedoch wie eine unbarmherzige Peitsche; sie trieb ihn schließlich hoch. Als er das Fenster erreicht hatte, stellte er fest, daß es nur mit einem Dreikantschlüssel zu öffnen war. Ohne lange zu überlegen, drückte er mit dem Ellenbogen die Scheibe und das Fliegengitter nach außen, zwängte sich mit zusammengebissenen Zähnen und unter Aufbietung aller Willenskraft, über die Schmerzschranke und durch den Fensterrahmen hinaus ins Freie.

Vor Schmerzen halb gelähmt, lehnte er sich für ein paar Sekunden gegen die Mauer. Dabei bemerkte er, daß er sich am Unterarm eine ziemlich große Schnittwunde zugezogen hatte, die heftig blutete. Fraglos hatte er einen noch im Fensterrahmen steckenden Glassplitter übersehen und sich daran verletzt. Der Gedanke, seine Flucht könne bemerkt werden trieb ihn weiter.

Im ersten Hinterhof war eine ärmlich gekleidete Frau beim Wäscheaufhängen. Der ihn entsetztanstarrenden Frau brauchte er nur ein Wort zu sagen: "Franzosen!" Alles andere sagten ihr seine Wunden. Die Frau wußte sofort, was zu tun war. Mit raschem Griff riß sie ein eben aufgehängtes Handtuch von der Leine und wickelte es um die blutende Armwunde. Als sie seinen gehetzten Blick bemerkte, mit dem er nach möglichen Verfolgern Ausschau hielt, sagte sie: "Folgen Sie mir! Dort durch den Kellergang!"

Sie führte ihn noch durch zwei weitere Höfe. Im letzten Häuserblock klopfte sie an die Tür einer kleinen Kellerwohnung. Als geöffnet wurde, stand eine junge Frau im Türrahmen; dahinter erschien der Kopf eines nur unwesentlich älteren Mannes. Wahrscheinlich unbewußt benutzte seine Helferin zur Erklärung das gleiche Wort, wie Albert vorhin: "Franzosen!" Darauf erfolgte die Aufforderung: "Schnell herein!"

Nachdem sie eingetreten waren, sagte die Ältere ebenso kurz und bündig: "Meine Schwiegertochter und mein Sohn!"

"Mein Gott, wie hat man Sie zugerichtet!", stieß die junge Frau erschreckt hervor. Dann bemühten sich alle drei in fürsorglicher Weise um den Verletzten. Am Abend, nachdem es dunkel geworden war, verhalfen sie ihm zur Flucht aus dem Ruhrgebiet, und benachrichtigten auch seine Mutter von dem Vorgefallenen, sowie von dem Ziel, das er zu erreichen suchte: Saalfurth.

Zwei Tage später saß Albert auf dem Sofa seiner Tante Martha, der Schwester seiner Mutter. Als die Frage der Schlafstatt erörtert wurde, zeigte sich, daß die Räumlichkeiten in ihrer Wohnung für eine längere Unterbringung nicht ausreichten. Eine Lösung des Problems ergab sich aus dem Angebot ihrer Schwiegereltern, Albert bei sich aufzunehmen. Sie stellten ihm die Kammer zur Verfügung, die früher Herbert und Walter als Schlafraum gedient hatte. Fortan, und bis auf weiteres, sollte Albert also bei den alten Sellers wohnen.

Das Problem der erforderlichen fachklinischen Behandlung war allerdings noch ungelöst.

Ein Arzt im Krankenhaus in Saalfurth hatte zwar die Armwunde neu verbunden und geprüft, ob der Zinkleimverband, mit dem der "Vertrauensarzt" in Essen die Schulterpartei um das Schlüsselbein ruhiggestellt hatte, noch ordnungsgemäß saß, doch die dringendst notwendige Behandlung des Auges konnte er nicht vornehmen.

Eine Chance schien sich allerdings abzuzeichnen. Von einem im Krankenhaus tätigen Arztkollegen beiläufig über Art und Ursache der Verletzung informiert, war gestern Abend, völlig überraschend, Doktor Falkenhorst, in der Wohnung der alten Sellers erschienen und hatte seine Hilfe angeboten.

Mit wenigen Worten hatte er erklärt, wie er von Alberts Hiersein, seinen Verletzungen und deren Zustandekommen, sowie seinen Schwierigkeiten bezüglich der Therapie erfahren habe. Da Hilfe dringend erforderlich sei, wolle er einen Vorschlag unterbreiten, der sie wahrscheinlich ermöglichen werde. Er habe, so hatte er weiter gesagt, in Halle einen Korpsbruder, der Augenarzt sei. Da dieser sich auf eine Professur vorbereitete, arbeite er eng mit der dortigen Universitätsaugenklinik zusammen; - und damit sei eine Möglichkeit gegeben, Albert "vor die richtige Schmiede zu bringen". Finanzielle Probleme werde es dabei nicht geben.

Albert war dankbar auf den Vorschlag eingegangen. Der Doktor hatte sich das Auge daraufhin näher angesehen, "damit ich meinen Korpsbruder besser ins Bild setzen kann", hatte er dazu bemerkt; dann hatte er eine Salbe aufgelegt, den Verband erneuert und war mit der Versicherung gegangen, er werde am nächsten Tag Bescheid sagen, was geschehen werde.

Nach dem Weggang des Arztes hatte Robert Seller Alberts Frage, weshalb der Doktor sich so um ihn bemühe, mit der Vermutung zu deuten versucht, daß dafür wahrscheinlich dessen politische Einstellung mit maßgeblich sei. Doktor Falkenhorst sei Vorsitzender der örtlichen Organisation der Deutschnationalen Volkspartei und Führer der Ortsgruppe des "Stahlhelm". Für ihn, vermutete Robert, sei ein verwundeter Widerstandskämpfer aus dem Ruhrgebiet, mit einem verwundeten Frontsoldaten gleichzusetzen, dem zu helfen er nicht nur aus ärztlichen Beweggründen, sondern auch aufgrund seiner soldatischen und nationalen Einstellung für seine Pflicht halte.

Diese Darstellung hatte Albert mit der Bemerkung quittiert, die Deutschnationalen hätten nur einen Fehler, nämlich, die meisten von ihnen seien zu konservativ, daher nicht in der Lage, den monarchistischen Zopf abzuschneiden und insgesamt nicht fähig, die sozialen Probleme der deutschen Nachkriegsgesellschaft richtig einzuschätzen. Albert Leo Schlageter, einer der führenden Männer des aktiven Widerstandes im Ruhrgebiet, habe diesbezüglich modernere Ansichten. Er sei Mitglied der Nationalsozialistischen Deutschen Arbeiterpartei, die einen national-orientierten Sozialismus und eine auf Realitäten gegründete Volksgemeinschaft anstrebe.

Ihm, Albert, habe das Programm der NSDAP ebenfalls sehr zugesagt, weshalb er sich dieser Bewegung angeschlossen habe.

Robert sagte dazu lediglich: "Parteien haben wir mehr als genug; was uns aber fehlt, sind Männer, die, statt zu reden, die Ärmel hochkrempeln und etwas tun!"

Es war bereits später Nachmittag, doch der Doktor war noch nicht erschienen. "Wahrscheinlich ist etwas dazwischen gekommen", meinte Berta Seller.

Sie hatte das kaum gesagt, als vor dem Haus das Geräusch des alten Daimler-Benz-Motors ertönte, mit dem das antiquiert anmutende, mehr einer Kutsche als einem Kraftfahrzeug ähnliche Gefährt des Doktors angetrieben wurde. Dieses frühe Vorkriegsmodell wurde von manchen Leuten als 'Die politische Visitenkarte Doktor Falkenhorsts' bezeichnet, weil auch damit seine konservative Einstellung zum Ausdruck komme.

Während der Arzt den Wagen verließ, ging Robert ihm bis zur Haustür entgegen.

"Legen Sie bitte ab", forderte Berta ihn auf, nachdem Doktor Falkenhorst die Stube betreten hatte und die Begrüßung vorüber war.

Als er sich seines Mantels entledigt hatte, sagte er entschuldigend: "Ich mußte die Reihenfolge der Patientenbesuche wegen eines Unfalls ändern. Deshalb habe ich mich verspätet."

"Bitte, setzen Sie sich", forderte Robert ihn auf, indem er auf einen der Stühle deutete, die am Tisch neben dem Sofa standen.

Der Doktor folgte der Aufforderung. Es bedurfte nicht erst des erwartungsvollen Schweigens der anderen, um ihn wissen zu lassen, wie sehr sie darauf warteten, vom Ergebnis seiner Bemühungen unterrichtet zu werden. Er löste die Spannung, indem er zu Albert gewandt sagte: "Ich bringe gute Nachricht. Morgen, nach Beendigung meiner Sprechstunde, werde ich mit Ihnen nach Halle fahren. Sie werden in der Privatklinik eines Korpsbruders untergebracht. Die wahrscheinlich erforderliche operative Behandlung wird aber in der Uni-Klinik durchgeführt.

Die Unterbringungsfrage war nicht einfach zu lösen. Aber wenn mehrere zusammenhelfen, lassen sich auch Probleme meistern, die etwas schwierig sind. Wenn keine Komplikationen eintreten, kann alles in einer Woche erledigt sein, - von abschließender, ambulanter Therapie, die von hier aus geschehen kann, abgesehen."

"Bei so viel Mühe und Aufwand kriege ich ein schlechtes Gewissen, Herr Doktor", sagte Albert, tatsächlich etwas befangen.

"Dazu besteht kein Anlaß", behauptete der Doktor. "Doch jetzt möchte ich mir ihre Verletzungen noch einmal ansehen."

Als das geschehen war, sagte er: "Schwellung und Entzündung am Auge sind weiter zurückgegangen, das ist gut für den Eingriff. Auch mit der Schnittwunde am Arm können wir zufrieden sein; und was das Schlüsselbein betrifft, da hilft nur Ruhe und Geduld. Wie fühlen Sie sich denn im allgemeinen?"

"Danke, ganz gut, Herr Doktor. Natürlich fühle ich mich körperlich behindert; doch meine Gedanken sind schon wieder im Ruhrgebiet!" Der Doktor machte eine beschwichtigende Geste. Dann fragte er: "Glauben Sie, es würde Sie zu sehr anstrengen, wenn Sie mir kurz etwas über den Vorgang berichten würden, der zu Ihren Verletzungen führte?"

"Ganz bestimmt nicht. Wenn es mich aber ermüden sollte, so werde ich es sagen."

"Darum bitte ich!" Zu Robert und Berta blickend, schloß er die Frage an: "Bereitet es Ihnen irgendwelche Ungelegenheiten, wenn ich noch etwas hierbleibe und mir die Geschichte anhöre?"

"Aber wie können Sie so etwas nur annehmen?", antwortete die alte Frau. "Sie mühen sich über alle Maßen und uns sollte Ihre Gegenwart Ungelegenheiten bereiten? Ich bitte Sie!"

Alberts Bericht beschränkte sich nicht auf die Darstellung der Vorgänge bei seiner Verhaftung und beim Verhör, sondern er schilderte auch die von Okkupation und Widerstand geprägte Situation im Ruhrgebiet, in die das Geschehen um seine Person eingebettet war. Abschließend sagte er: "Mein Fall ist nur einer von vielen, - solche und ähnliche Vorfälle gehören zu den Alltäglichkeiten an der Ruhr."

"Mir ist das Verhalten der französischen Besatzungstruppe absolut unverständlich", sagte der Doktor kopfschüttelnd. So wie die Franzosen es im Ruhrgebiet tun, haben wir uns in Frankreich nicht benommen! Das weiß ich aus eigener Erfahrung!"

"Ich kann das nur ausdrücklichst bestätigen!", versicherte Albert. "Gewiß, war auch die deutsche Besatzung während des Krieges kein Vergnügen für die Bevölkerung Nordwestfrankreichs, - welche fremde Besatzung kann das überhaupt sein? Aber zwischen unvermeidlichen Einschränkungen und Belastungen, die der Krieg mit sich bringt und solchen, die ohne kriegsbedingte Notwendigkeit, noch dazu in ausgesucht demütigender und verletzender Form, der Zivilbevölkerung eines anderen Landes im sogenannten Frieden auferlegt werden, besteht ein wesentlicher Unterschied!"

"Leider haben die Roten sich während der Aufstände der eigenen Bevölkerung und insbesondere den Ordnungstruppen gegenüber manchmal noch schlimmer verhalten, als Besatzer. Ich denke dabei an die wahrhaft bestialische Abschlachtung des im Kriege schwerverwundeten Freikorpsführers und Pour le Merite-Fliegers Berthold, samt 20 seiner Kameraden, in Harburg, wo die roten Mörder anschließend Geld, Uhren, Ringe und sonstige Wertsachen der zu Tode Geschundenen unter sich teilten!"

"Ähnlich war es aber auch bei der bestialischen Ermordung der Polizeibeamten am Wasserturm in Essen, am 17. März 1920!

Ich war, als Unbeteiligter, zufällig Zeuge dieses Massakers, weil ich, als die Schießerei begann, in ein Haus geflüchtet war, von wo aus ich die schrecklichen Vorgänge beobachten konnte. Es war grauenhaft!"

"Wir haben darüber nur wenig gehört", sagte Robert.

"Da ihre Verwandten fast nichts von dem Gemetzel am Wasserturm wissen, und ich an dem Bericht eines Augenzeugen interessiert bin, sind wir sicherlich alle drei neugierig auf das, was Sie darüber erzählen können; - vorausgesetzt, daß unser Gespräch Sie bisher nicht schon zu sehr angestrengt hat!"

"Wissen Sie, Herr Doktor, ich bin der Meinung, daß über das vergangene Geschehen im Ruhrgebiet Aufklärung ebenso wichtig ist, wie der gegenwärtige Widerstand an der Ruhr. Es hängt nämlich manches zusammen, was zunächst nicht miteinander in Verbindung zu stehen scheint. Falsche Geschichtsbilder sind schlimmer als zehn verlorene Schlachten; deshalb muß man, wo immer man dazu beitragen kann, verfälschte Tatsachen und irrige Meinungen zu berichtigen, dies auch tun. Jeder, der aufgrund besserer Kenntnisse dazu in der Lage ist, das aber aus Faul- oder Feigheit unterläßt, macht sich schuldig vor der Wahrheit!"

"Sie verfügen über erstaunliche Einsichten! Wie alt sind Sie denn?"

"Ich bin 25, Herr Doktor; aber ich meine, das hat weniger etwas mit Alter zu tun, als mit dem Willen aus Erfahrungen zu lernen, - aus eigenen, aber auch aus den Erfahrungen anderer. Wichtig ist dabei nur, daß man es dabei mit ehrlichen Wissensvermittlern zu tun hat, die aus eigener Quelle schöpfen und nicht Pseudo-Weisheiten und Halbwahrheiten an den Mann zu bringen suchen, die sie selbst nur vom Hörensagen kennen und womöglich auch noch zusätzlich manipuliert haben!"

"Das ist richtig, mein Junge", sagte Berta, "aber jetzt erzähle uns, was damals am Essener Wasserturm passiert ist."

"Viel möchte ich darüber nicht sagen, aber was ich zu berichten habe, wiegt schwerer als manche lange Geschichte. Also: Am Nachmittag jenen Tages hatte eine kleine Polizeitruppe sich unter dem Druck einer vielfachen roten Übermacht, in den Wasserturm zurückgezogen und dort schließlich zum Zeichen ihrer Kapitulationsbereitschaft, die weiße Flagge gehißt. Von einem Flurfenster des Hauses aus, in das ich mich in Sicherheit gebracht hatte, konnte ich diese Fahne sehen und auch die Umgebung des Turms überblicken.

Wie sich später herausstellte, wurde den etwa 40 Beamten Unversehrtheit und freier Abzug zugesichert; übrigens genau dieselbe hinterhältige Methode hatten die Roten bei der vorhin schon erwähnten Massakrierung des Fliegerhauptmanns Berthold und seiner Männer in Harburg angewandt!

Die Beamten haben sich dann, auf das gegebene Wort vertrauend, ergeben. Sie legten ihre Waffen ab und kamen mit erhobenen Händen heraus. Als das geschehen war, fiel die rote Meute über sie her. Bis auf den letzten Mann wurden sie niedergemacht! Erschossen, erschlagen, zu Tode getrampelt!

Voller Verachtung und hilfloser Wut schwor ich mir, das Gesehene niemals zu vergessen und mich stets an die angebliche Weltverbesserungsidee zu erinnern, die das zuwege brachte! Die Leichen lagen mit bis zur Unkenntlichkeit deformierten Gesichtern, mit gebrochenen und seltsam verrenkten Gliedern auf dem Pflaster. Das Gehirn eines jungen Beamten, der um sein Leben gebettelt hatte, lag neben dem zertrümmerten Kopf auf den Steinen, die Erschossenen schwammen in Blutlachen, an der Wand dahinter klebten Blut-, Fleisch- und Lungenfetzen, die die Geschosse, beim Durchschlagen der Körper, herausgerissen und gegen die Mauer geschleudert hatten. Bei einem ..."

"Hör auf! Hör auf", rief Berta voller Entsetzen und hielt sich dabei mit beiden Händen die Ohren zu. "Mir wird übel vom bloßen Zuhören!"

"Lassen Sie es genug sein", sagte der Doktor. "Doch wenn man bedenkt, daß so etwas im eigenen Volk passiert, dann scheut man sich beinahe, mit moralischer Entrüstung auf den brutalen Terror der Okkupanten hinzuweisen!"

"So etwas kommt in jedem Volk vor", sagte Robert. Das haben die Franzosen in der Bartholomäusnacht und in den Monaten danach ebenso bewiesen, wie in der sogenannten Großen Revolution; das hat sich im 30jährigen Krieg gezeigt, das ist offenbar geworden als die Yankees, im Sezessionskrieg, wie die Berserker in den Südstaaten wüteten und dafür liefern die Bolschewisten seit einigen Jahren ebenfalls Beweise. Ob im Namen Christi, im Namen Mohameds, im Namen marxistisch leninistischer Weltanschauung oder im Namen der Sklavenbefreiung, - weder das eine noch das andere Motiv hat Grausamkeiten und Blutströme verhindert, oder davor bewahrt, neue Sklavenhaltergesellschaften zu errichten!"

"Weshalb man sich in anderen Völkern gegenseitig umbringt, braucht uns erst in zweiter Linie zu interessieren, aber im eigenen Land und Volk sollten wir uns endlich darüber klar werden, daß es im Grunde volksfremde, von außen her, teilweise mit Gewalt aufgepfropfte, auf jeden Fall aber vom Ausland her stark beeinflußte Ideen waren und sind, derenthalben wir uns die Köpfe einschlagen. Sie haben unser Volk in Konfessionen und Klassen gespalten, sowie Partikularismus in verschiedenartigster Form hervorgerufen!"

"Ich kann Ihnen grundsätzlich zustimmen", sagte der Doktor. "Doch jetzt wird das Gespräch zu anstrengend für Sie - und außerdem muß ich mich noch um einige Patienten kümmern. Doch ehe ich aufbreche, möchte ich Ihnen allen für die sehr aufschlußreiche Unterhaltung danken."

Zu Robert, der ihn zur Haustür begleitete, sagte er beim Abschied: "Man nennt uns Deutsche das Volk der Dichter und Denker; - leider sind wir aber auch ein Volk, in dem idealistische Himmelsstürmerei und Kapitulationsbereitschaft gegenüber fremden Ideen und Ansprüchen, in reichem Maße zu finden sind. Etwas mehr Pragmatismus und mehr Beständigkeit bei der Wahrung der Voraussetzungen völkischer Selbstbehauptung, täte uns angesichts der uns auf geistigen und materiellen Ebenen umgebenden Aggressivität, nicht nur gut, sondern sie sind auch als Erfordernisse zur Gewährleistung unserer weiteren, völkischen Existenz anzusehen!"

*

Doktor Falkenhorst hatte für sich und Albert Fahrkarten für die 3. Klasse gelöst. Es war daher nicht schwer ein leeres Abteil zu finden. Eine ungestörte Unterhaltung über einige politische Themen lag nämlich in der Absicht des Doktors; deshalb steuerte er, nachdem er Platz genommen hatte, auch gleich auf sein Ziel los.

"Wenn es Ihnen recht ist, möchte ich gern ein paar Fragen an Sie richten, die sich für mich aus unserer gestrigen Unterhaltung ergeben haben", begann er ohne Umschweife.

"Selbstverständlich, Herr Doktor; ich hoffe nur, daß ich sie beantworten kann."

"Dessen bin ich sicher. Zunächst würde ich gern die Gründe erfahren, die Sie, wie ich einigen Ihrer gestrigen Bemerkungen entnehmen zu können glaube, zu einem Sympathisanten der Nationalsozialistischen Arbeiterpartei gemacht haben."

"Wahrscheinlich habe ich mich gestern nicht präzise genug ausgedrückt", antwortete Albert, "ich bin nämlich nicht nur Anhänger dieser Partei, sondern gehöre ihr als Mitglied an."

"Das schien mir aus Ihren gestrigen Worten nicht eindeutig hervor zu gehen", sagte der Doktor, ohne sich seine Enttäuschung anmerken zu lassen. Er hatte nämlich gehofft, Albert für den "Stahlhelm" und vielleicht auch für seine Deutschnationale Volkspartei gewinnen zu können.

"Neben der nationalen war es die soziale oder auch sozialistische Komponente, die mich zur NSDAP geführt hat", fuhr Albert fort. "Ich bin Deutscher und Arbeiter; demzufolge habe ich im völkischen und gesellschaftspolitischen Bereich Interessen, die allein von unserer Partei in logischer Kombination vertreten werden. Nationales Bewußtsein erfordert zugleich und untrennbar soziales Bewußtsein. Der Begriff 'Nation' wird zur leeren Worthülse, wenn er nicht von einer sozialen Wirklichkeit ausgefüllt wird, die die Lebens- und Schicksalsgemeinschaft der Nation für alle Glieder des Volkes im Tagtäglichen erleb- und greifbar macht."

"Da muß ich Ihnen uneingeschränkt zustimmen; doch habe ich große Zweifel, ob Ihre kleine Partei ihre Ziele jemals wird erreichen können."

"Darin zweifle ich nicht! Zudem stehe ich auf dem Standpunkt, daß es richtiger ist, im Rahmen einer noch kleinen, aber dynamischen Partei Zielen zuzustreben, die in Auswertung der Erfahrungen fixiert wurden, die Krieg, das Novemberverbrechen von 1918, sowie die ersten Nachkriegsjahre vermittelt haben - und die sämtlich in das Motto münden 'Gemeinnutz geht vor Eigennutz' -, als mich innerhalb einer größeren Partei, die sich entweder gänzlich oder primär Gruppeninteressen verpflichtet fühlt, für Ziele und Methoden einzusetzen, die der Errichtung einer Volksgemeinschaft nur im Wege stehen."

"Aus Ihnen spricht Idealismus und der Optimismus der Jugend. Ich wünsche Ihnen, daß Sie eines Tages nicht enttäuscht werden."

"Enttäuscht haben mich bisher nur die Linken und die bürgerlichen Parteien der Mitte. Das fing an, als im Herbst 1917, kurz nachdem ich zur Front gekommen war, Sozialdemokraten und Zentrum den Feindmächten signalisierten, daß sie nicht mehr für einen Sieg der deutschen Waffen einzutreten bereit waren. Wäre die Stofkraft unserer Armeen nicht auf so unverantwortliche Weise gelähmt worden, hätten wir auch noch ein Jahr später auf französischer Seite eine Verhandlungsbereitschaft erreichen können, die uns das Versailler Diktat erspart hätte. Denn im Frühsommer 1918 war der französische Widerstandswille wieder einmal, wie zu Beginn des Jahres 1917, als schließlich ganze Armeen meuterten, auf einem Tiefpunkt angelangt. Damals fielen uns Soldaten eigene Politiker, sowie das Habsburger Kaiserhaus mit Geheimverhandlungen in den Rücken, und 1918 taten dies die radikalen deutschen Linken."

"Wie wir heute wissen, erklärte Marschall Foch dem Ministerpräsidenten Clemenceau am 28. Mai 1918 in seinem Hauptquartier: 'Herr Präsident, hier ist die nackte Wahrheit; unsere Divisionen sind restlos zerschlagen und befinden sich auf dem Rückzug. Hinter uns steht nichts mehr, als die Besatzung von Paris!'"

"Und trotz dieser unbestreitbaren Tatsachen versuchen die Verbrecher von damals und die ihnen dienstbaren Geschichtsklitterer von heute ungeniert, den Dolchstoß in den Rücken der Front als eine Legende darzustellen!", entrüstete Albert sich.

"Gegen solche Versuche kann man einen Zeugen aus ihren eigenen Reihen anführen, der es ja besser als jeder andere wissen muß, weil er damals Vorsitzender der Sozialdemokratischen Partei war und seine Genossen in den Streikleitungen der Gewerkschaften sitzen hatte. Sie wissen sicherlich schon, wen ich meine - den jetzigen Reichspräsidenten Ebert. Er begrüßte die nach dem Novemberverbrechen von der Front zurückkehrenden Truppen bekanntlich mit einer Rede, die in der Feststellung gipfelte: 'Kein Feind hat euch überwunden'" Das wußte die Fronttruppe zwar schon vorher, aber hier wurde es einmal von kompetenter, politischer Seite eingestanden!"

"Stimmt", sagte Albert, "aber bei allem Respekt vor diesem Eingeständnis, bleibt doch festzustellen, daß Ebert damit nur der halben Wahrheit die Ehre gab.

Denn logischerweise müssen es ja dann andere gewesen sein, die die Niederlage herbeiführten! Aber jene beim Namen zu nennen, die als Angehörige oder geistige Ziehkinder seiner Partei die Niederlage verursachten, scheute er sich!"

"Das wäre zum damaligen Zeitpunkt von einem Mann in seiner Position auch ein bißchen viel verlangt gewesen. Ebert ist für mich zwar ein politischer Gegner; das hindert mich aber nicht, einzuräumen, daß er in einem Teil seines Herzens doch noch ein Gefühl für Wahrheit und für nationale Belange bewahrt hat."

"Gewiß, Herr Doktor. Nur resultiert aus der relativ ehrenwerten Rolle einzelner im Schaufenster stehender Politiker von Parteien, deren Gesamtkonzept abzulehnen ist, auch eine nicht unbeträchtliche Gefahr. Es gerät darüber nämlich leicht in Vergessenheit, was ihre Genossen zuvor angerichtet haben; und schließlich vermögen solche 'honorigen Feigenblätter' auch zu verdecken, welche Drahtzieher im Hintergrunde stehen und wohin diese Reise letztendlich gehen soll!"

"Wir sind etwas vom Thema abgekommen", stellte der Doktor fest. "Doch die eben besprochenen Vorgänge und Zusammenhänge waren wahrscheinlich mitentscheidende Faktoren bei der Wahl Ihres politischen Standortes."

"Ganz recht. Nicht zuletzt war es aber auch der grauenhafte Anschauungsunterricht, den die Rote Armee im Ruhrgebiet erteilte!"

Der Zug hielt in Schkopau. Als er nach einigen Minuten nicht weiterfuhr, fragte Albert: "Ist das hier ein Umsteigebahnhof, wo wir auf einen Anschlußzug warten müssen?"

"Nein, wer weiß, was für ein Grund Anlaß zu der Verzögerung gibt."

Gleich darauf ging der Fahrdienstleiter des Bahnhofs am Zug entlang und verkündete mit lauter Stimme, die Weiterfahrt werde erst in 10 Minuten erfolgen. Als der Beamte vom Ende des Zuges zurückkam, öffnete der Doktor das Fenster und fragte nach dem Grund des Aufenthaltes. "Wir erwarten einen französischen Militärtransport aus dem Memelgebiet; der hat Vorfahrt."

Der Doktor schloß das Fenster und fragte: "Haben Sie das gehört?"

"Ja, das übliche: Besatzer haben in Deutschland Vorfahrt."

"Im Zusammenhang mit Memel wird ebenfalls der Versuch gemacht, die Tatsachen zu verfälschen. Im Januar haben die Versailler Mächte tatenlos zugesehen, wie litauische Truppen, als Freischärler getarnt, das deutsche Memelland besetzten; jetzt, nachdem die litauische Gewaltherrschaft sich gefestigt hat, überlassen sie die vergewaltigten Memelländer ihrem Schicksal, und versuchen der Welt einzureden, sie hätten damit eine Friedenstat vollbracht!"

"Noch nicht einmal gegen Raubgelüste eines solchen Kleinstaates können wir uns wehren! Wer jetzt noch nicht einsieht, daß ein Volk nur soviel Recht besitzt, Recht wahren kann, wie es Macht hat, der ist mit Blindheit geschlagen! Sehen Sie, das ist auch ein Grund, weshalb ich mich der NSDAP angeschlossen habe. Sie allein fordert in ihrem Parteiprogramm den Zusammenschluß aller Deutschen aufgrund des Selbstbestimmungsrechts und die Bildung eines Volksheeres. Nebenbei bemerkt ist das eine alte sozialistische Forderung, die lediglich von den pazifistischen Wunschdenkern, die heute in der SPD den Ton angeben, verraten worden ist."

"Sie scheinen dem sozialitischen Teil des Programms Ihrer Partei eine recht große Bedeutung beizumessen."

"Das habe ich ja schon vorhin auszudrücken versucht, als ich sagte, ich sei Deutscher und Arbeiter mit nationalen und spezifischen sozialen Interessen. Die Gleichberechtigung, die wir nach außen fordern, müssen und wollen wir auch im Innern verwirklichen. Gleiche Rechte, Pflichten und Chancen, aber keine Gleichmacherei! Brechung der Zinsknechtschaft, Abschaffung der Möglichkeit, ohne Arbeitsleistung Wertabschöpfung zu betreiben, also Beseitigung des Parasitentums, Einziehung aller Kriegsgewinne, Verstaatlichung des Trusts, Gewinnbeteiligung der Arbeiter in den Betrieben, Förderung begabter Arbeiterkinder auf Staatskosten, das sind, unter anderem, Forderungen in unserem Programm, auf deren Verwirklichung die werteschaffenden deutschen Arbeiter und alle, die im Kriege den Kopf für Deutschland hinhielten, einen in jeder Beziehung begründeten Anspruch haben."

"Grundsätzlich stimme ich Ihnen zu; allerdings bezweifle ich, ob die Verstaatlichung der Großbetriebe, mit daraus folgender Bürokratisierung, unserer Volkswirtschaft gut bekommen würde."

"Warum denn nicht? Ob irgendwelche anonymen, womöglich im Ausland sitzenden Vertreter des internationalen Großkapitals die Aktien deutscher Firmen besitzen und deutsche Direktoren, Ingenieure und Arbeiter für deren Bankkonten schaffen, oder ob das Deutsche Reich als quasi-Aktienhalter auftritt, das macht doch, außer bei der Gewinnabschöpfung, die dann deutschen Geldbeuteln zugute kommen wird, keinen Unterschied! Bürokratisierung muß damit nicht verbunden sein! Wir wollen ja keine Planwirtschaft nach marxistischen Vorstellungen, sondern Initiativ- und Leistungswettbewerb zum Vorteil aller!"

Der Doktor schien trotz dieser Erklärung noch Zweifel zu haben, ließ es aber damit bewenden und schnitt ein anderes Thema an: "Gewisse Bedenken hege ich auch gegenüber dem Punkt des Programms, in dem ihre Partei sich gegen die 'Parlamentswirschaft' ausspricht. Das könnte bedeuten, daß sie das Parlament abschaffen will!"

"Die Form von 'Schwatzbude', die uns Weimar beschert hat, werden wir auf jeden Fall abschaffen. Wer will denn behaupten, daß der Vielparteienparlamentarismus die für alle Zeiten einzig mögliche Art und Weise wäre, den Volkswillen zum Ausdruck zu bringen? Darum geht es doch! Aber gerade dies macht der Funktionärsparlamentarismus unmöglich! Er ermöglicht vielmehr eine fast uneingeschränkte Manipulation des Volkswillens! Das Beispiel, das in Zusammenhang mit der Verlängerung der Amtszeit des Reichspräsidenten geboten wurde, zeigt doch, wie problemlos man in diesem System dem Volk einen Maulkorb umhängen kann.

Es sind wahrhaftig andere Formen denkbar, um den Volkswillen zur Wirkung zu bringen; und auf eine sauberere Art qualifizierte Regierungen zu bilden.

Statt Partei- und Gewerkschaftsbonzen, die heute Kultusminister, morgen Finanzminister und übermorgen, was weiß ich, was für einen Minister spielen, werden die Stände- und Berufskammern, die wir in unserem Programm fordern, ergänzt durch Institutionen anderer gesellschaftlich relevanter Organisationen, dafür sorgen, daß der Volkswille gepaart mit Sachverstand zum Tragen kommt!"

"Sie vertreten Ihre Meinung sehr überzeugt und, das muß ich zugestehen, auch recht überzeugend."

"Sie haben mich eingangs gefragt, welche Motive mich zum Nationalsozialisten gemacht haben. Ich bin dabei, Ihnen einige darzulegen und wenn ich es in engagierter Weise tue, so mögen Sie daraus entnehmen, daß sie ehrlicher Überzeugung entspringen."

"Das habe ich nicht eine Sekunde bezweifelt. Ihr Einsatz an der Ruhr zeugt davon!"

"Wissen Sie, Herr Doktor, dort wird einem, wie damals an der Front, wieder klar, daß es bei der Meisterung unseres Schicksals nicht um Parteien geht, sondern, daß wir aus dem Schlamassel nur mit vereinten Kräften wieder herauskommen können.

Die Arbeiter, die noch vor zwei Jahren, in der Roten Ruhrarmee, gegen eine ihnen eingeredete 'Gefahr von rechts' kämpften, die damals dem bösen Wort glaubten 'Der Feind steht im eigenen Land', sie haben jetzt wieder begriffen, wo der Feind steht und lassen sich, wie die Arbeiter bei Krupp, auf den Fabrikhöfen von Maschinengewehren der Okkupanten erschießen, weil sie den Raub von Lastwagen verhindern wollen, die ihren angeblichen 'Ausbeutern' gehören! Jetzt gilt es, von der Unternehmerseite her, mit gleicher Opferbereitschaft auf die Arbeiter zuzugehen, sie teilnehmen zu lassen an dem, was sie mit ihrem Leben verteidigen!

Praktizieren wir Volksgemeinschaft und nationalen Sozialismus, dann wird das international verbrämte Streben nach Klassendiktatur und Spaltung unseres Volkes in Unterdrücker und Unterdrückte von selbst ein Ende finden!"

"Ich bewundere zum wiederholten Male Ihren Optimismus und bin erstaunt über die Größe der Hoffnungen, die Sie auf Ihre Partei setzen!"

"Unsere Partei ist nicht in einem sterilen Raum oder in einer Retorte entstanden, sie ist aus den völkischen und sozialen Bedürfnissen der Zeit erwachsen. Diese Bedürfnisse werden sie nach oben tragen!"

"Ich möchte noch einmal auf das von Ihnen angesprochene, veränderte Verhalten der Arbeiterschaft an der Ruhr zurückkommen. Natürlich ist das erfreulich. Ich fürchte aber, sie wird, sobald der Druck der Okkupanten vorüber sein wird, wieder den Einflüsterungen ihrer falschen Propheten glauben. Das haben wir doch schon einmal 1918 erlebt! An der Front hielten alle zusammen, aber in Etappe und Heimat, wo das Aufeinanderangewiesensein und die Schicksalsgemeinschaft nicht mehr tagtäglich so eindringlich vor Augen geführt wurde, ging der Zusammenhang in die Brüche. Wir Deutschen vergessen zu schnell! Das ist einer unserer ganz großen Fehler!"

"Das gebe ich zu. Doch umso notwendiger scheint es mir, unserem Volk die Schicksalsgemeinschaft aller Deutschen ständig bewußt zu machen! Dies aber nicht nur mit Worten, sondern auch und vor allem mit Taten; ich habe das vorhin schon einmal zum Ausdruck gebracht!"

Auf dem Nebengleis passierte der angekündigte Transportzug den Bahnhof. Auch hier schob die Lokomotive, wie im Ruhrgebiet, einen offenen Güterwagen vor sich her, auf dem ein feuerbereites Maschinengewehr installiert war und eine Bedienungsmannschaft sich befand. Hinter der Lokomotive folgten drei 1. Klasse- sowie ein Speisewagen und dann sieben oder acht überdachte Güterwagen, deren halbgeöffnete Türen den Blick auf darin befindliche Soldaten und militärisches Gerät erlaubten. Den Schluß bildete wieder ein offener Güterwagen mit aufgebautem Maschinengewehr.

"Eine seltsame Zusammenstellung für einen militärischen Transportzug", kommentierte der Doktor.

"Wahrscheinlich befand sich vorn in den Luxuswagen eine alliierte Kommission, die im Memelland die Litauer beraten hat, wie man den Militärstiefel am wirkungsvollsten in den Nacken der deutschen Zivilbevölkerung setzt", sagte Albert mit bitterem Ton.

"Fertig machen und die Türen schließen! Der Zug fährt gleich ab!", rief der Fahrdienstleiter auf dem Bahnsteig.

Während der Zug die restlichen paar Kilometer nach Halle zurücklegte, hing jeder der beiden seinen Gedanken nach. Als sie an Stellwerken vorbei, und über rüttelnde Weichen hinweg, in den Hauptbahnhof einfuhren, stand der Doktor auf und nahm seine Aktentasche aus dem Gepäcknetz. "So", sagte er, "Endstation, wir sind am Ziel!"

Diese Bemerkung paßte zufällig zu den Gedanken, die Albert sich, während der schweigsam verlaufenden Reststrecke der Fahrt, gemacht hatte. Noch immer nachdenklich faßte er sie in dem Satz zusammen: "Ich möchte gern wissen, zu welcher Endstation der Zug rollen wird, der 1919 in Versailles abgefahren ist?"

Der Doktor schien ähnliche Gedanken gehabt zu haben, denn er antwortete ohne Zögern und nahtlos passend: "Keiner kennt sie, aber vielleicht werden alle, die in unterschiedlichen Wagenklassen darin fahren, sich dann fragen, ob die Endstation auch mit dem erhofften Ziel ihrer Reise identisch ist."

*

Die Schüsse des französischen Exekutionskommandos, unter denen der Widerstandskämpfer Albert Leo Schlageter, am 26. Mai 1923 in die Golzheimer Heide bei Düsseldorf, zusammenbrach, hallten durch ganz Deutschland. Sie fanden aber auch im Ausland, insbesondere in der Sowjetunion, ein Echo.

Karl Radek, der sich, wie bereits mehrfach in der Vergangenheit, wieder einmal im Auftrag Lenins zur Vorbereitung eines kommunistischen Aufstandes in Deutschland befand, erklärte nach der Hinrichtung Schlageters in einer vielbeachteten Rede: "Schlageter, der mutige Soldat der Konterrevolution, verdient es, von uns, den Soldaten der Revolution, aufrichtig verehrt zu werden!"

Im Ruhrgebiet kam es zu Aktionsgemeinschaften von Kommunisten und Rechten. Nationalgesinnte Redner sprachen auf kommunistischen Versammlungen, wobei sie allerdings das umgekehrte Ziel verfolgten und die Arbeiter, nicht ohne Erfolg, auf die rechte Seite zu ziehen versuchten.

Für Albert waren die Nachrichten aus dem Ruhrgebiet ein Alarmsignal. Und da, nach erfolgreicher Operation, auch die ambulante Behandlung fast abgeschlossen war, gab es für ihn kein Halten mehr. Seine Rückkehr nach Essen war für den übernächsten Tag vorgesehen. Es wurde daher beschlossen, am vorletzten Abend noch einmal, im Familienkreis, zu einer Abschiedsrunde zusammen zu kommen, und dazu Doktor Falkenhorst einzuladen.

Walter, der bereits seit längerem aus dem Zuchthaus entlassen worden war, hatte für mehrere Milliarden Mark ein Päckchen Ceylon-Tee erstanden.

Damit war Berta in die Lage versetzt worden, dem Doktor etwas Vernünftiges zum Trinken anzubieten. Dieser hatte jedoch, in Kenntnis der wirtschaftlichen Verhältnisse seiner Gastgeber, ebenfalls daran gedacht, einen Beitrag zu leisten. Das fiel ihm nicht schwer, weil ihm, am Vormittag, ein Bauer das Behandlungshonorar in Naturalien erstattet hatte. Das war im Zeichen der galoppierenden Inflation nicht unüblich.

Als der Doktor am Abend, aus der mitgebrachten Tragetasche zwei Flaschen Apfelwein, ein Stück Bauernbutter und zwei Blutwürste auspackte, sagte er: "Ich habe mir erlaubt, ein paar Kleinigkeiten mitzubringen. Eine Wurst ist als Marschverpflegung für unseren, wieder an die Abwehrfront im Ruhrgebiet zurückkehrenden jungen Freund gedacht. Die andere wollen wir uns gemeinsam zu Gemüte führen."

"Aber Herr Doktor, das ..."

"Das ist nur eine kleine Geste."

Die Unterhaltung drehte sich zunächst um allgemeine Themen, wandte sich aber, wie nicht anders zu erwarten, bald der Situation zu, die Albert im Ruhrgebiet erwartete. In diesem Zusammenhang sagte der Doktor, zu Albert gewandt: "Sie haben einmal erwähnt, daß Sie Schlageter kannten; was war er für ein Mensch?"

"Ich bin nur vier- oder fünfmal mit ihm zusammen gekommen. Kurz und bündig ist zu sagen: Er war eine Führerpersönlichkeit, ein Idealist und ein Mann der Tat."

"Glaubst du, er würde, falls er noch am Leben wäre, jetzt ebenfalls für eine Aktionsgemeinschaft mit uns Kommunisten eintreten?", fragte Walter.

"Das glaube ich nicht. Schlageter hat 1919, im Baltikum, gegen die Bolschewisten gekämpft. Er war zudem ein überzeugter Nationalsozialist. Zwar hat er immer wieder betont, auch die kommunistischen Arbeiter seien deutsche Volksgenossen, die es für die Idee des nationalen Widerstandes und des nationalen Sozialismus zu gewinnen gelte, aber eine Zusammenarbeit mit der Kommunistischen Partei hat er immer nachdrücklich abgelehnt."

"Ich möchte jetzt eine Frage stellen die das Zusammenspiel deutscher Kreise mit den Franzosen betrifft", sagte Martha. "Ich meine den sogenannten 'Separatismus'. Ist der denn im Rheinland wirklich so stark, daß man von einer Gefahr sprechen kann? Du müßtest doch aus Erfahrung etwas Näheres darüber wissen, Albert!"

"Gefährlich? Für unser geschwächtes Deutschland ist alles gefährlich, was zu weiteren Gebietsamputationen führen kann!

Die überwiegende Mehrheit der Bevölkerung lehnt den Separatismus ab. Aber es gibt natürlich einige Opportunisten und Volksverräter, die das Geschäft der Franzosen und Belgier mit großer Servilität betreiben. In Worms ist es ein gewisser Doktor Dorten, und im Raum Köln/Aachen scheinen sich die beiden Mächte noch nicht auf einen gemeinsamen Kanditaten geeinigt zu haben. Gerüchterweise wurde der Name des Bürgermeisters von Köln, Konrad Adenauer, genannt. Aber das ist natürlich kein endgültiger Beweis. Die Gefährlichkeit ..."

"Neulich hast du bei anderer Gelegenheit gesagt: 'Wo Rauch ist, da ist auch ein Feuer'", erinnerte Berta Seller.

"Na ja, beim Rauch stimmt das auch; da ist der Zusammenhang von Wirkung und Ursache durch nichts aufzuheben. Doch ich wollte zur Gefährlichkeit des Seperatismus etwas sagen. Er ist, meiner Meinung nach, eine ernste Gefahr, weil er von Frankreich massiv unterstützt wird. Eine Handvoll deutscher Alibi-Idioten könnten genügen, um Frankreich zu veranlassen, den angeblichen Volkswillen, um den es sich in Elsaß-Lothringen und anderswo einen Teufel schert, mit Gewalt durchzusetzen und das gesamte linke Rheinufer abzutrennen."

"Die Rheingrenze ist ein alter Traum der französischen Imperialisten", sagte Robert Seller, "und die Zerstückelung und Einkreisung des übrigen Deutschlands sind die Mittel, mit denen diese Grenze abgesichert werden soll."

"Die Franzosen streben ein Großfrankreich an - so wie eure Partei ein Großdeutschland!", stichelte Walter, obwohl er wußte, daß diesbezüglich keine Parallele gezogen werden konnte. Der Doktor widersprach auch sogleich: "Hier ist kein Vergleich möglich!"

"Sehr richtig, Herr Doktor!", stimmte Albert zu, "das Großdeutsche Reich, das wir anstreben, soll sich nur bis zu den Grenzen unseres Volkstums erstrecken. Wir wollen, daß die Menschen, die Deutsche sind und nichts anderes sein wollen, auch in einem deutschen Staat, der ihnen genehm ist, leben können. Die Hälfte der Staaten Europas würden sehr erheblich zusammenschrumpfen oder gänzlich von der Landkarte verschwinden, wenn die sogenannten Staatsvölker sich ebensolche Selbstbeschränkungen auferlegen würden wie wir, beziehungsweise wenn deren Staatsführungen dem Selbstbestimmungsrecht der Völker in ihrem Machtbereich Genüge tun würden!

Gegen ein volkstumsbezogenes Nationalbewußtsein und einen vom Heimatboden ausgehenden Patriotismus können nur solche Kräfte etwas einzuwenden haben, die in einem entwurzelten, seiner kulturellen Eigenständigkeiten beraubten und damit entnervten und manipulierbaren Bevölkerungsbrei eine Voraussetzung eigener Herrschaftsausübung erblicken, - also alle offen oder verdeckt unter internationalistischen Etikettierungen segelnden 'Befreier und Menschheitsbeglücker'!"

Der Doktor nickte zustimmend. Mit nachdenklicher Miene sagte er: "Mir graut es bei der bloßen Vorstellung, die völkisch-nationale Vielfalt könnte in einem weltumspannenden Superstaat der Zukunft untergehen. Die geistige Uniformierung, die wir dann zu erwarten hätten, die Unmöglichkeit dem von einer einzigen Zentralgewalt verordneten Schicksal zu entrinnen, das Leben in einer von Egalität und Norm geprägten riesigen Menschenherde, wäre schrecklicher als alles, was uns die Rivalität einer Vielzahl von Staaten, Völkern, Ideen an Schlimmen bescheren könnte. Jede Art von Imperialismus, gleichgültig, ob mit Waffengewalt, politischen oder religiösen Ideen, mit wirtschaftlichen Mitteln oder über Nachrichtenmonopole verfolgt, muß auf unseren Widerstand stoßen, wenn wir uns nicht entmündigen lassen und der Evolution durch gegenseitige Befruchtung, - die auch und gerade in Antworten auf Herausforderungen ihren Ausdruck findet -, den Weg offen halten wollen!"

In den letzten Worten des Doktors hatte sich das Geräusch gemischt, das von dem Öffnen und Schließen der Haustür verursacht worden war. Walter ging deshalb zur Stubentür und öffnete sie. Im Flur stand der Sohn des

Doktors. "Entschudigen Sie bitte", sagte der junge Mann. "Ich möchte meinen Vater sprechen, - er wird dringend zu einem schwerkranken Patienten gerufen."

"Kommen Sie bitte in die Stube", forderte Walter den Sohn des Arztes mit einer einladenden Handbewegung auf.

Da die Tür offen geblieben war, waren die Worte des jungen Mannes auch in der Stube verstanden worden. Als er auf die Türschwelle trat, hatte sein Vater sich bereits erhoben und sagte: "Es ist gut, Hermann; ich komme sofort!" Der Sohn machte daraufhin nur eine leichte Verbeugung in das Zimmer hinein, die Begrüßung und Verabschiedung zugleich sein sollte und verließ das Haus, ohne auf seinen Vater zu warten. Der sagte in der Stube: "Es tut mir leid, so abrupt aufbrechen zu müssen. Haben Sie vielen Dank für die netten und anregenden Stunden."

"Zu danken haben ausschließlich wir", sagte Berta und Robert wie aus einem Munde.

"Insbesondere ich bin Ihnen sehr zu Dank verpflichtet!", kam es von Albert. "Ohne Ihre Hilfe wäre mein Auge nicht gerettet worden. Ich weiß wirklich nicht, in welcher Weise ich meine Dankesschuld begleichen kann!"

"Ihr Einsatz für unser Deutschland erfordert Dank!", kehrte der Doktor die Situation um. "Im übrigen ist Hilfe unter Kameraden eine Selbstverständlichkeit, die keines Dankes bedarf!"

"Diese Worte habe ich schon gehört", erinnerte Martha sich. "Es ist auch Herberts Auffassung und wahrscheinlich die aller ehemaligen Frontsoldaten, die den Wert tätiger Kameradschaft noch nicht vergessen haben."

"Ich werde Ihnen ab und zu berichten, wie es an der Ruhr weitergeht, Herr Doktor", versicherte Albert.

"Ja, tun Sie das; das dortige Geschehen interessiert mich sehr!" Der Doktor verabschiedete sich von allen mit einem festen Händedruck. Als er gegangen war, sagte Robert: "Wer von uns hat noch vor wenigen Wochen in Doktor Falkenhorst so einen Menschen vermutet? Reaktionär, Ewiggestriger, Militarist, das waren und sind die Schlagworte, mit denen er von linksorientierten Kreisen wegen seiner führenden Rolle im 'Stahlhelm' bedacht wird. Das Klischee deckt den Menschen zu und vergewaltigt seine Persönlichkeit!"

Zum Zeitgeschehen (2. Halbjahr 1923)

Deutschland hatte am 13. August seine zehnte Nachkriegsregierung erhalten. Reichskanzler war nun Gustav Stresemann von der Deutschen Volkspartei. Er konnte sich auf eine große Koalition stützen, die aus DVP, SPD, Zentrum, DDP und BVP bestand. Gebeutelt von den Forderungen und

Maßnahmen der Diktatmächte und gelähmt von inneren Streitigkeiten erlitt Deutschland auch unter seiner Kanzlerschaft einen Ohnmachtsanfall nach dem anderen.

Im September war der passive Widerstand an der Ruhr eingestellt worden. Er war an seinen aus Halbheiten bestehenden Geburtsfehlern und an den wieder erwachten Gruppenegoismen gescheitert. Letztere waren insbesondere als Profitinteressen der Ruhrindustriellen - die lieber verdienen als Widerstand leisten wollten, - sowie als parteipolitische Interessen der Sozialdemokraten und ihrer Gewerkschaftsanhängsel - deklariert als "Arbeiter- und Lohninteressen" - in Erscheinung getreten.

Der neue Reichskanzler Stresemann versuchte die Einstellung des Ruhrkampfes für eine Verständigung mit Frankreich zu nutzen. Die Machthaber in Paris verstanden die Aufgabe des Widerstandes jedoch, wie 1918, anders als es deutschem Wunschdenken entsprach. Sie "verständigten" sich, statt mit der deutschen Regierung, mit ihren deutschen Kollaborateuren und veranlaßten ihre Marionetten nun ganz offiziell in Aachen eine "Selbständige Rheinische Republik" und in Speyer einen "Autonomen Pfalzstaat" auszurufen. Zum "Schutz" dieser Gebilde wurden bewaffnete Separatistenverbände aufgestellt, in denen sich der Bodensatz der nachrevolutionären Gesellschaft sammelte.

Wieder einmal war die Bevölkerung in den Okkupationsgebieten auf Selbsthilfe angewiesen. Sie bewaffnete sich mit Äxten, Sensen und Mistgabeln und beförderte die Hoch- und Landesverräter in langen Kämpfen, die bis Anfang des nächsten Jahres dauerten, auf den Misthaufen der Geschichte. Doch noch war der Tiefpunkt nicht erreicht. Um dem Chaos zu entgehen, wanderten über 120 000 Deutsche in andere Länder aus.

Im Volk herrschte Unzufriedenheit wie selten zuvor. Kein Wunder, daß Moskau die Parole ausgab: "Die deutsche Revolution steht vor der Tür!" Zur Unterstützung Radek-Sobelsohns schickte Lenin das Mitglied des bolschewistischen Politbüros Sinojew-Apfelbaum, Offiziere der Roten Armee - die Trotzki-Bronstein aufgebaut hatte - und Bürgerkriegspezialisten nach Deutschland. Sie sollten das Gelingen der Revolution und Moskaus Einfluß im erhofften deutschen Sowjetstaat sicherstellen. Die russische Bevölkerung wurde mit Plakataktionen aufgefordert, die deutsche Sprache zu erlernen!

Die Revolutionsvorbereitungen wurden energisch vorangetrieben. Ausgangspunkt sollte dieses Mal das Land Sachsen sein. Die größer werdende Gefahr, insbesondere die Bewaffnung Roter Hundertschaften durch den SPD-Ministerpräsidenten Zeigner, veranlaßten den Reichspräsidenten Ebert erneut, den Ausnahmezustand auszurufen und Freiwilligenverbände aufzustellen, die die regulären Sicherheitskräfte verstärken sollten.

In gewohnter Schizophrenie erklärten die Linksparteien, die in Sachsen selbst den Umsturz vorbereiteten, in einem primitiven Ablenkungsmanöver, diese Verbände als eine Gefahr für die Demokratie, verleumdeten sie als "Schwarze Reichswehr" und lieferten damit zugleich den Versailler Diktatmächten einen weiteren Vorwand zu neuen Sanktionen gegen das Reich. Da Zeigner bereits zuvor gedroht hatte, geheime, von der Reichsregierung gedeckte Maßnahmen der Reichswehr - es handelte sich im wesentlichen um Selbstschutzverbände in der von Polen bedrohten Grenzmark Westpreußen-Posen - von denen er als Ministerpräsident Kenntnis hatte, an das Ausland zu verraten, kam angesichts der scharfen Reaktion des Auslandes die Vermutung auf, daß er dies auch tatsächlich getan habe. Erklärlicherweise machte das Wort von dem "vaterlandslosen Gesellen" wieder die Runde.

Das Verhalten der Reichsregierung im Ruhrkampf und ihre zunächst zögernde Haltung gegenüber den roten Revolutionsvorbereitungen in Sachsen führten zu Protesten in nationalgesinnten Kreisen und zu Spannungen zwischen Bayern und der Reichsregierung. In Küstrin versuchte der, im Rahmen der Grenzschutzformationen tätige Major a.D. Buchrucker, die Reichswehrführung zu einer entschiedeneren Haltung zu veranlassen. Als er damit scheiterte, mobilisierte er, um Druck auszuüben, einen Teil der Selbstschutzeinheiten. Daraufhin wurde er am 1. Oktober verhaftet und zu 10 Jahren Festungshaft verurteilt.

Gleiche Konsequenz ließ die Reichsregierung jedoch in Sachsen und in anderen Reichsteilen, in denen Revolutionsvorbereitungen getroffen wurden, vermissen. Daher wurde es den roten Rädelsführern möglich, nach einer "Generalstabskonferenz" in Chemnitz, am 23. Oktober in Hamburg einen Aufstand auszulösen. Als die Reichsregierung sich am 29. Oktober endlich entschloß, auch in Sachsen durchzugreifen, verließen die SPD-Minister protestierend das Reichskabinett und führten damit den Sturz der Regierung Stresemann herbei.

Bereits am 6. Oktober hatte Stresemann sich gezwungen gesehen, eine Kabinettsumbildung vorzunehmen, damit war es ihm gelungen, nochmals für 24 Tage eine neue Regierung zu bilden. Danach mußte er endgültig als Kanzler abtreten.

Sein Nachfolger wurde der Zentrumspolitiker Wilhelm Marx. Im neuen Kabinett übernahm Stresemann das Amt des Außenministers. Gestützt wurde die Regierung von einer Koalition aus Zentrum, DDP und DVP.

Die Niederwerfung der zahlreichen Aufstände in den Jahren 1919 bis 1923 hatte jedesmal mit umfangreichen Entwaffnungsaktionen geendet. Dadurch waren auch die geheimen Waffenlager, die von den revolutionären Kräften während der Demobilisierung des deutschen Heeres in der unübersichtlichen Revolutionszeit von 1918 bis 1919 angelegt worden waren, geleert worden. Eine Bewaffnung größerer umstürzlerischer Gruppen war daher nur noch möglich, wenn ihnen, wie von der roten Regierung in Sachsen, Waffen aus Beständen der Polizei zur Verfügung gestellt wurden. In Hamburg hatten die Aufständischen sich bereits gezwungen gesehen, Polizeiwachen zu überfallen, um sich zu bewaffnen. Das war nur mangelhaft und unter Schwierigkeiten gelungen. Lenins Experten hatten die Pflichttreue deutscher Polizeibeamter und Reichswehrsoldaten wieder einmal falsch eingeschätzt.

Diese Fehleinschätzung hatte, wie sich später herausstellte, für Deutschland einen weiteren, positiven Effekt. Die sowjetischen Führer bewahrten das Deutsche Reich damals vor einer polnischen Invasion! Polen befaßte sich, in der Annahme Deutschland sei infolge der Ruhrbesetzung und der inneren Unruhen, nicht mehr in der Lage, einem polnischen Angriff entgegenzutreten, mit der Absicht, in weitere deutsche Ostgebiete einzumarschieren. Da ein solches Vorgehen geeignet gewesen wäre, die von Moskau erhoffte, kommunistische Revolution in Deutschland zu verhindern, drohte Lenin, als die polnischen Pläne ruchbar wurden, mit der Mobilisierung der Sowjetarmee gegen Polen. Diese Drohung veranlaßte Polen, von seinem Vorhaben Abstand zu nehmen, um, wie die Folgezeit erweisen sollte, einen günstiger erscheinenden Zeitpunkt für dessen Verwirklichung abzuwarten.

Unter dem Eindruck der Vorgänge in Sachsen-Thüringen und in Norddeutschland formierten sich nunmehr in Bayern Rechtskreise gegen den "Saustall in Berlin". Die Motive der Auflehnung hatten zwar auch, zu einem geringen Teil, föderalistische und separatische Wurzeln, größtenteils entsprangen sie aber einem Sendungsglauben, mit Erretterkomponenten und Säuberungsambitionen. Entsprechend waren die Ziele der Initiatoren gefächert. Die Breite des Spektrums führte schließlich auch zum Zerwürfnis zwischen den bayerischen Frondeuren Kahr, Lossow, Seisser einerseits und Ludendorff, Hitler andererseits. Der nach Hitler benannte Putsch begann am 8. November mit einer spektakulären Massenversammlung im Münchner "Bürgerbräukeller" und endete am nächsten Tag als Demonstrationszug an der Feldherrnhalle. Die Schüsse, mit denen die Polizei die untergehakt marschierenden Demonstranten am Betreten des Odeonsplatzes hinderte, hatten 16 Tote und ein Mehrfaches dieser Anzahl an Verwundeten zur Folge. Sie wurden später als die ersten "Blutzeugen der Bewegung" herausgestellt und erhielten in der Propaganda und Selbstdarstellung der Nationalsozialisten eine wesentliche Rolle zugewiesen. Die Führer des Putsches, Adolf Hitler an der Spitze, wurden zu Festungshaft verurteilt.

Märtyrerkult, der sich um die Namen Liebknecht, Luxemburg, Eisner rankte, wurde allerdings auch von den Linksparteien gepflegt und für propagandistische Zwecke genutzt. Denn der politische Kampf ging weiter, zumal die Ursachen, die zu den Aufständen geführt hatten, nicht nur bestehen blieben, sondern, da die meisten vom Versailler Diktat ausgingen, ihre Wirkungen weiterhin potenzierten!

Da die Pseudo-Revolution von 1918 keinen grundlegenden Wandel der gesellschaftspolitischen Verhältnisse in Deutschland gebracht hatte, und das aus ihr hervorgegangene Weimarer System die Ausplünderung Deutschlands durch fremde Mächte mit der Befolgung des Vergewaltigungsdiktats gewissermaßen legalisierte, stand eine Besserung der Lage in Deutschland noch aus.

Unter den äußeren Zwängen und verkrusteten Klassendenken gekennzeichnenten Zuständen in der Weimarer Republik, litt auch die deutsche Jugend. Vor allem bekamen die Kinder in den unteren sozialen Schichten die Fortdauer der allgemeinen Not, des Bildungsprivilegs, der ererbten Obrigkeitsstandpunkte und vielfachen Klassenschranken zu spüren.

Sobald angängig und wo immer möglich, mußten die Kinder der Arbeiterfamilien mitverdienen und einen Beitrag zum Lebensunterhalt leisten. Der Reallohn eines qualifizierten Arbeiters war im Durchschnitt geringer als vor dem Kriege! Die nachrevolutionäre "Neue Zeit", die versprochen worden war, hatte das Realeinkommen erheblich reduziert. Zudem war die Kaufkraft herabgesetzt worden, weil die Inflation auch eventuell vorhanden gewesene Ersparnisse restlos entwertet hatte. Die "Goldenen Zwanziger Jahre", die, Jahrzehnte später, eine geschichtsverfälschende Propaganda erfand, warfen dunkle Schatten voraus! Nutznießer dieser Jahre waren Schieber, Spekulanten und andere parasitäre Kreise.

Beim Lohnempfang wurden jetzt Billionenbeträge ausgehändigt; wer früher mit Pfennigen gerechnet und sich, nach schwerer Arbeit, ein paar hart ersparte Mark auf die "hohe Kante" gelegt hatte und stolz darauf gewesen war, der verschwendete jetzt noch nicht einmal einen einzigen Gedanken an einen Hundertmarkschein! Jetzt, wo man wußte, daß tausend Milliarden eine Billion ergaben, und diese Riesensumme noch nicht einmal einen halben Tageslohn ausmachte!

Der Wert der Papiermark zur Goldmark - in der die Tribute entrichtet werden mußten - stand in einem Verhältnis 1000.494.971.000 zu 1!!!

Das deutsche Volk, vom Kind bis zum Greis, arbeitete für Narrengeld!

Reflexionen und Details

Der Herbstmorgen war nass und kühl; vom Saaletal her zogen ständig neue Nebelschwaden über die Felder. Seit Beginn der Schulferien arbeiteten Georg Seller und sein jüngerer Bruder Hans, auf den Kartoffeläckern der Staatsdomäne.

Heute hatte der Gutsinspektor zwei zusätzliche Gespanne eingesetzt. Statt bisher sechs, umrundeten nun acht Rodemaschinen den jeweiligen Ernteabschnitt. Bei dessen gleich gebliebener Länge kamen die Gespanne jetzt in schnellerer Folge; dadurch wurde auch für das Auflesen der Kartoffeln die zur Verfügung stehende Zeit erheblich verkürzt. Da diese Zeit schon bei sechs Gespannen knapp bemessen gewesen war, verlangten die verkürzten Zeitintervalle eine Akkordleistung, die auch bei Aufbietung allen Arbeitswillens weder von den beiden Brüdern noch von den anderen Kindern, die die gleiche Arbeit verrichteten, über den ganzen Tag erbracht werden konnte.

Georg hatte bereits den durch den Einsatz weiterer Gespanne erhöhten Leistungsdruck als eine ausbeuterische Maßnahme erkannt und seine Empörung darüber nur mühsam unterdrückt. Doch vor die Wahl gestellt, entweder zu protestieren und den Arbeitsplatz zu verlieren, oder zu schweigen, um weiterhin einen Beitrag zum Lebensunterhalt der Familie leisten zu können, hatte er das Letztere gewählt.

Während Georg mit flinken Händen Kartoffeln in den Korb tat, arbeiteten auch seine Gedanken. Sie drehten sich jetzt um seine klammen Finger und um seine, in den Holzschuhen frierenden, nackten Füße. Vor einer halben Stunde war ein steifer Wind aufgekommen, der machte die feuchte Kälte noch spürbarer.

Georg hörte hinter sich das näherkommende Rattern der Rodemaschine des nächsten Gespannes. Ein schneller Blick sagte ihm, daß er die noch vor ihm liegenden Kartoffeln nur mit Glück werde bergen können, bevor das linksgehende Pferd darüber stampfen und die Hälfte zertreten würde.

Hastig raffte er die Knollen zusammen und warf sie in den fast gefüllten Weidenkorb. Als er im letzten Augenblick zur Seite sprang, trat der Vorderhuf des Pferdes nur eine Sekunde später in den Abdruck, den sein Fuß im weichen Erdreich hinterlassen hatte.

So schnell er das Gewicht des beinahe vollen Sammelkorbes erlaubte, hastete Georg zum anderen Ende seines Arbeitsabschnittes zurück, um von dort erneut zu beginnen. Unterwegs entleerte er den Inhalt des Korbes in einen der dafür vorgesehenen Jutesäcke. Dann rannte er weiter und stürzte sich wieder auf die frisch gerodeten Kartoffeln.

Er hatte gerade begonnen, den Korb erneut zu füllen, als er ein dünnes, pfeifendes Kreischen vernahm. Zur Seite blickend bemerkte er eine Feldmaus, die von der Rodemaschine erfaßt worden war. Die Gabeln hatten den Hinterkörper des Tierchens aufgerissen; aus seinem Leib hingen blasse Därmchen. Die Maus krümmte sich vor Schmerzen, ihre Vorderbeinchen zitterten und ihr zirpender Schrei drang Georg bis ins Mark.

In der Absicht, der Qual der schmerzgepeinigten Kreatur ein schnelles Ende zu bereiten unterbrach er seine Arbeit. Einige Meter entfernt lag ein etwa faustgroßer Stein. Als er darauf zugehen wollte, hielt ihn jedoch eine laute Stimme zurück.

"He, du, mit der blauen Jacke! Steh nicht so faul herum! Du glaubst wohl, wir bezahlen dich umsonst?!" Georg sah sich um und gewahrte den Inspektor, der, von ihm unbemerkt, vom anderen Ende des Feldes bis auf Rufweite herangeritten war. Der Inspektor war allen als rücksichtsloser Antreiber bekannt und wegen seiner Grobheit gefürchtet. Doch da die Maus immer noch ihren Schmerz gegen den Himmel schrie, schien dem Jungen nichts wichtiger, als die Qual des Tieres zu beenden. Mit schnellen Schritten ging er zu dem Stein und hob ihn auf.

Unterdessen erregte der Inspektor sich, weil Georg nicht sofort vor ihm kuschte. Er schrie: "Hörst du nicht, du Faulpelz! Ich werde dir gleich Beine machen!" Dabei hieb er seinem Pferd die Sporen in die Weichen und sprengte heran.

Währenddessen war der Junge bereits wieder zu dem todwunden Tierchen zurückgelaufen. Als er, den Stein bereits in der zum Wurf erhobenen Hand, über der sich krümmenden Maus stand, fühlte er plötzlich eine Hemmung, die ihn zögern ließ, dieses Leben endgültig auszulöschen. Doch gleich darauf überwand er sich und warf den Stein mit aller Kraft. Das klagende Pfeifen riß jäh ab. Am Rande des Steins rötete die Erde sich. Georg starrte darauf und fühle wie Unwohlsein und Traurigkeit in ihm aufstiegen. Diese Gefühle wurden allerdings, kaum daß er sich ihrer bewußt geworden war, von der barschen Stimme des inzwischen herangekommenen Inspektors weggewischt.

"Du Drückeberger! Was treibst du da für ein Spiel?!", schrie er vom Pferd herunter. Georg schickte sich an, sein Verhalten zu erklären.

"Die Rodemaschine hatte einer Maus den Leib aufgerissen; ich wollte sie von ihren Qualen befreien."

"Befreien? Dafür bezahlen wir dich nicht! Wie heißt du?!", herrschte der Inspektor ihn an. Georg nannte seinen Namen.

"Seller! Aha! Das hätte ich mir eigentlich denken können! Dann bist du sicherlich der Sohn des kommunistischen Umstürzlers! Das Befreienwollen scheint euch im Blut zu liegen! Der Alte versucht es mit Handgranaten und Maschinengewehren, und der Junge macht es vorläufig noch mit Steinen! Na ja, der Apfel fällt nicht weit vom Stamm!" Die Stimme, mit der der Inspektor seine unsachlichen und gehässigen Bemerkungen von sich gab, troff von Hohn.

Georg empfand die verletzenden Anwürfe schlimmer als eine körperliche Züchtigung. Die Tatsache, daß der Inspektor seinen Onkel Walter für seinen Vater hielt, spielte für ihn keine Rolle. Hier war die ganze Familie angegriffen und beleidigt worden, - das gedachte er nicht hinzunehmen.

Als der Inspektor ihn nun befahl: "Scher' dich an die Arbeit!", sagte Georg: "Ich werde keinen Finger rühren, bevor Sie die Beleidigungen nicht vor allen, die sie mit anhörten, zurückgenommen haben!"

"Du willst mir Bedingungen stellen?", röhrte der Wohlgenährte mit fettiger Resonanz. "Hört euch diesen Schnösel an! Er macht in Ehrgefühl!"

Die Lautstärke, mit der der Inspektor seine Beleidigungen hinausschrie, hatte mittlerweile alle auf dem Feld Arbeitenden auf die Auseinandersetzung aufmerksam gemacht. Die Folge davon war, daß der Fortgang der Arbeiten ins Stocken geriet. Er gedachte dem ein Ende zu machen, indem er den Jungen, mit abermals gesteigerter Lautstärke, einzuschüchtern und an seinen Arbeitsplatz zurückzuzwingen versuchte.

Seine Stimme nahm einen blökenden Ton an, als er schrie: "Ich habe überhaupt nichts zurückzunehmen, denn ich habe die Wahrheit gesagt! Sei froh, daß ich dich überhaupt hier arbeiten lasse und euch eine Chance gebe, eure nimmersatten Mägen vollzustopfen. Wenn du mich wegen deiner Unverschämtheiten um Verzeihung bittest, darfst du weiterarbeiten! Sonst jage ich dich davon! Also los, ich warte!"

Doch der Inspektor hatte die Grenze dessen, was Georg, als ein von Natur aus mit einem sensiblen Ehrgefühl ausgestatteter Junge, hinzunehmen bereit war, längst überschritten.

Ihm war zudem klar, daß der Inspektor jetzt eine Selbstdemütigung verlangte, die zugleich als ein Eingeständnis für die Berechtigung seiner verleumderischen Anwürfe gewertet werden konnte. Deshalb, nicht etwa um den charakterlich minderwertigen Inspektor zu überzeugen, sagte er:

"Sie haben mich vorhin nicht ausreden lassen. Wir arbeiten hier mit bestem Willen und so ordentlich wie möglich; wir sind keine Faulenzer. Und die Sache mit der Maus verhält sich so, wie ich es gesagt habe. Was aber meinen Vater und unsere Familie betrifft ..."

"Halt' deinen vorlauten Mund und versuch nicht lange Volksreden zu halten!", donnerte der Inspektor vom Pferd herab. "Das sieht euch ähnlich! Andere aufhetzen, - das könnt ihr! Aber nicht bei mir! Wir? Sprichst du von dir in der dritten Person? Oder sind noch mehrere von deiner erlauchten Familie hier auf dem Feld?"

"Wie gemein, bösartig und unsachlich er ist", dachte Georg, ehe er antwortete: "Mein Bruder ist ebenfalls hier." Mit einer Handbewegung deutete er in die Richtung, in der Hans stand und den Vorgang aufmerksam verfolgte.

Der Inspektor folgte mit dem Blick Georgs weisender Hand. Als er dessen Bruder stehen sah, rief er: "Der hält also auch Maulaffen feil und will dafür bezahlt werden! Das haltet ihr wohl für soziale Gerechtigkeit?!"

Inzwischen hatten aber nicht nur Hans und einige andere die Arbeit eingestellt, sondern sie war auf dem ganzen Feld zum Erliegen gekommen. Die Gespanne hatten angehalten werden müssen, weil die Kinder fasziniert auf das Geschehen blickten.

Der Stillstand versetzte den Inspektor noch mehr in Wut. Da er nicht alle auf dem Felde anwesenden Kinder, Geschirrführer und Aufseher angreifen konnte, nahm er nun auch den herangekommenen Oberaufseher aufs Korn. Ohne dessen, nach Georgs Geschmack, etwas zu devoten Gruß zu erwidern, fuhr er ihn an:

"Sehen Sie denn nicht, was hier passiert?! Weshalb tun Sie nichts, um die Arbeit wieder in Gang zu bringen?!"

Weit davon entfernt, sich selbst als Verursacher und Aufrechterhalter des Durcheinanders zu erkennen, brüllte er den Mann an:
"Schuld an dem ganzen Debakel sind die beiden Sellers! Diese widerspenstigen Faulpelze hätten Ihnen schon längst auffallen müssen! Aber hier scheint ja jeder zu glauben, er bekäme seinen Lohn für's Nichtstun!"
Dieser auf den Aufseher gezielte Seitenhieb veranlaßte diesen zu einer zaghaften Erwiderung: "Die beiden Jungs haben bisher nicht den geringsten Anlaß zur Klage gegeben, Herr Inspektor. Sie sind fleißig und ..."
"Fleißig?!", unterbrach der Dicke den Aufseher barsch. "Sie haben wohl keine Augen im Kopf, wie?! Die beiden stehen schon eine Viertelstunde herum, tun keinen Handschlag, sondern halten auch noch den ganzen übrigen Betrieb auf, - und Sie nennen das 'fleißig'!" Der Inspektor geriet immer mehr in Erregung; sein Kopf war hochrot.
Nach einem Rundblick über das Feld, verkündete er: "Damit alle ihren Fleiß beweisen können, wird der Arbeitsausfall, der jetzt durch das Maulaffenfeilhalten entstanden ist, in der Mittagspause wettgemacht! Die Pause wird um eine halbe Stunde gekürzt!" Nach diesen Worten umspielte ein hämisches Lächeln seinen feisten Mund.
"So ein Lump!", dachte Georg, und damit war er nicht allein.
Der Inspektor dachte nun daran, sich einen guten Abgang zu verschaffen. Das glaubte er am besten tun zu können, indem er Georg noch einmal ins Unrecht setzte, und ihn als Urheber der gesamten, verfahrenen Situation kennzeichnete. Dann würde auch die Verärgerung, die die für die Mittagspause auferlegte Arbeit bei den Kindern und Arbeitern, nach sich ziehen würde, sich nicht gegen ihn, sondern gegen den Jungen richten! Um die gewünschte Zielrichtung vorzugeben, erklärte er:
"Bedanken könnt ihr euch bei dem größeren Seller! Hätte er gearbeitet, wie es sich gehört und nicht stattdessen Mäuse gequält, so hätte ich nicht dagegen einschreiten müssen und alles wäre wie üblich weitergelaufen!"
Georg loderte vor Empörung! "Das ist nicht wahr! Sie sind ein ganz gemeiner Lügner, der die Tatsachen verdreht!", schrie er den Dicken an.
"Halt' deine ungewasch'ne Schnauze!", fiel der Inspektor noch mehr aus der Rolle.
Dann wies er den Oberaufseher an: "Heben Sie den Stein auf, der neben dem Kartoffelkorb liegt und überzeugen Sie sich, wie dieser Lümmel die arme Maus zugerichtet hat!"
Der Mann tat, was der Inspektor angeordnet hatte. Als er den zerquetschten Körper der Maus sah, blickte er Georg an und sagte vorwurfsvoll: "Pfui Deiwel! Schäme dich!"
Georg war zutiefst betroffen. Der Anschein sprach gegen ihn. Fieberhaft überlegte er, welche Möglichkeiten es gab, den wahren Sachverhalt klarzustellen und für alle erkennbar zu machen.

Tief verletzt und aufs äußerste empört rief er den anderen zu: "Die Rodemaschine hatte der Maus den Bauch aufgerissen! Ich habe sie mit dem Stein getötet, um ihr die Todesqual zu ersparen! Das ist die Wahrheit! Ihr müßt mir glauben!"

Der Inspektor schien eine teuflische Freude an den seiner Meinung nach vergeblichen Versuchen des Jungen zu empfinden, seine Unschuld glaubhaft zu machen. Deshalb gab er noch eines drauf:

"Ich habe deine Untat beobachtet! Jetzt, wo ich dich mit unbestreitbaren Tatsachen überführt habe, zappelst du wie ein Fisch an der Angel! Daß du trotzdem weiterlügst, beweist nur deine moralische Verworfenheit!"

Dieser Angriff war Georg endgültig zuviel. Sein Gerechtigkeitssinn bäumte sich auf, wie nie zuvor. In einem wahren Ausbruch von Empörung brannte die letzte Sicherung durch.

Voller Erregung schrie er den Inspektor an: "Sie sind ein gemeiner Lügner und Ehrabschneider! Sie lügen schon die ganze Zeit! Und Sie wissen, daß Sie lügen! Sie glauben, weil ich noch ein Schuljunge bin, könnten Sie mich in's Unrecht setzen! Aber da täuschen Sie sich! Sie waren noch gut hundert Meter entfernt, als das mit der Maus geschah! Sie können überhaupt nicht gesehen haben, was wirklich passierte! Wenn Sie nur einen Funken Wahrheitsliebe und Gerechtigkeitsgefühl in sich hätten, würden Sie vor Scham in den Erdboden versinken! Aber Sie haben einen grundschlechten Charakter, dem solche Gefühle fremd sind! Ich verachte Sie! Ja, ich verachte Sie!"

Auf dem Feld war es kirchenstill. Die Kinder standen mit vor Staunen offenen Mündern und die Aufseher und Geschirrführer machten mit Anstrengung Pokergesichter. Erstmals war erkennbar, daß der Inspektor betroffen war. Seine verletzte Eitelkeit meldete ihm die erlittene Niederlage und die Peinlichkeit der Situation.

In ähnlicher Weise, wenn auch mit anderen Vorzeichen beeindruckt, waren auch die Geschirrführer und Aufseher. Der Oberaufseher hätte seine gegen Georg gerichtete vorwurfsvolle und abwertende Bemerkung von vorhin jetzt gern zurückgenommen. Doch die Gegenwart des Inspektors, der zugleich Stellvertreter des Leiters der Domäne war, und das wirtschaftliche Abhängigkeitsverhältnis, in dem er sich befand, verboten ihm diese Geste. Es war eine Gepflogenheit des Dicken, jede Art von Illoyalität oder gar Unbotmäßigkeit mit sofortiger Entlassung aus dem Arbeitsverhältnis zu beantworten. Angesichts der allgemein herrschenden Notlage deutete der Verlust des Arbeitsplatzes für jeden eine Katastrophe, besonders aber für Familienernährer. Folglich schwieg der Oberaufseher und schwiegen auch die anderen!

Das Zuchtmittel der Entlassung gedachte der Inspektor jetzt auch gegenüber Georg und seinen Bruder anzuwenden. Zuvor wollte er aber noch einen

Versuch machen, sein Gesicht zu wahren. Er sagte deshalb: "Ich könnte deine Darstellung widerlegen; doch deine anmaßende, aufsässige Art verbietet es mir, auf dein Geschwafel zu antworten und mich mit dir Rotznase weiterhin zu unterhalten!

Allerdings habe ich dir noch eines zu sagen: Morgen will ich weder dich noch deinen Bruder hier sehen! Für euch gibt es hier keine Arbeit mehr! Den restlichen Lohn könnt ihr euch am Sonnabend abholen!"

Er wollte sein Pferd wenden und davonreiten.

Aber Georg ließ sich nicht auf diese Weise ausmanövrieren!

"Das könnte Ihnen so passen!", rief er. "Wenn Sie nicht zu feige sind, dann bleiben Sie jetzt hier!"

Vor die Wahl gestellt, entweder Feigheit einzugestehen oder auf der Stelle zu bleiben, hielt der Inspektor an. Ehe er den Mund auftun und die Richtung des weiteren Wortwechsels bestimmen konnte, sagte Georg:

"Wenn Sie meiner, der Wahrheit entsprechenden, Darstellung mit weiteren Verleumdungen widersprechen wollen, so tun Sie es jetzt, wenn ich darauf antworten kann. Das ist der eine Punkt. Der andere ist, daß Sie uns gekündigt haben. Sie sagten, für uns gäbe es hier keine Arbeit mehr. Gut, wir rühren ab sofort keine Kartoffel mehr an, sondern gehen nach Hause. Den Lohn für die drei Stunden Arbeit wollen wir von heute abend haben! Sonst wird er, bis zum Zahltag am Sonnabend, von der Inflation entwertet!

Und schließlich haben Sie mich Rotznase genannt. Was würden Sie sagen, wenn ich Sie hinterlistiger Dickwanst nennen würde?

So, das sollten Sie und auch die anderen noch hören. Und nun können Sie Ihre Kartoffeln auflesen lassen von wem Sie wollen! Mein Bruder und ich verlassen das Feld!"

Ohne den Inspekktor noch eines Blickes zu würdigen, trat er an den Korb heran und schüttete die darin befindlichen Kartoffeln auf die Erde. Hans tat dasselbe, - und noch einer folgte seinem Beispiel: Georgs Freund Edgar Faber!

Der Inspektor hatte bisher, zur Verwunderung aller, geschwiegen. Jetzt aber legte er los:

"Du giftige Kröte! Dir werde ich bei anderer Gelegenheit noch zeigen, was eine Harke ist! Eure ganze Bagage wird sich noch wundern! Ihr seid wohl alle verrückt geworden?! Na wartet nur! Noch ist nicht aller Tage Abend!"

Er wandte sich dem Oberaufseher zu. "Lenz! Verhandeln Sie mit diesem Pack! Ich habe erst für morgen gekündigt! Aber es ist unter meiner Würde mit diesem Gesindel auch nur noch ein einziges Wort zu sprechen!"

Brutal riß er sein Pferd an der Kandare herum und hieb ihm die Sporen in die Flanken, so daß es schmerzwiehernd davonstob.

"Schinder!", rief Hans hinterher. "Menschen- und Tierschinder!"

Nachdem der Inspektor verschwunden war, fand der Oberaufseher den Mut, sich bei Georg zu entschuldigen. "Es tut mir leid, wegen vorhin", sagte er, aber er dämpfte dabei seine Stimme, damit die anderen Aufseher seine Worte nicht hören und daher dem Inspektor auch nicht zutragen konnten.

Dann fragte er: "Was ist nun mit euch? Wollt ihr nicht doch bis zum Abend bleiben?"

"Nein", antwortete Georg. "Mein Bruder und ich gehen nach Hause."

"Und du?", wandte er sich an Edgar Faber. "Weshalb willst du denn aufhören? Du hast doch mit der ganzen Sache nichts zu tun!"

"Doch, Herr Lenz", widersprach Edgar, "ich gehöre nämlich auch zu dem Gesindel, von dem der Inspektor vorhin sprach!"

"Ihr bringt die ganze Kartoffelernte durcheinander, - zumindest für den heutigen Tag", sagte der Aufsher, ohne allerdings viel Nachdruck in seine Worte zu legen. Fast schien es, als sähe er das gar nicht so ungern und sei er durchaus damit einverstanden, wenn dem Inspektor einmal auf diese Weise eine Lehre erteilt werde.

Ähnliche Gedanken schien auch Edgar zu haben, denn er sagte, an seine vorhergehenden Worte anknüpfend: "Vielleicht merkt der Dicke heute abend, wenn ein paar Fuhren Kartoffeln weniger gerodet sind, daß das 'Gesindel' doch zu etwas nütze ist."

"Sie, Herr Lenz, haben uns aber immer anständig behandelt. Das haben wir dankbar empfunden, und das möchte ich Ihnen auch sagen, ehe wir gehen."

"Ich bin mit euch auch stets zufrieden gewesen. Und nun macht, daß ihr heim kommt!"

Während die drei dem Feldrain zustrebten, auf dem entlang gehend sie den Fuhrweg zu erreichen gedachten, sagte Hans: "Alle Kinder hätten die Arbeit einstellen sollen, dann wäre dem Dicken sofort klar geworden, daß er uns nicht wie Dreck behandeln kann."

"Vielleicht haben mehrere diese Gedanken gehabt", meinte Edgar. "Die meisten sind aber Kinder von Domänenarbeitern und die können nichts anderes tun als ihre Väter, die ja auch geschwiegen haben und, ohne einen Mucks von sich zu geben, jetzt weiterarbeiten."

"Unser Großvater hat neulich gesagt, 'Wem man den Brotkorb höherhängen oder wegnehmen kann, der muß immer klein beigeben'", gab Georg zu wissen.

Sie hatten den Feldrain erreicht und gingen auf dessen grasbewachsener Schulter in Richtung Fahrweg.

"Kinder aus Arbeiterfamilien haben es überall schwerer, als andere, sie werden auch schon in der Schule anders behandelt, als die von Leuten, die Geld haben", faßte Hans seine neunjährige Lebenserfahrung zusammen.

Edgar stimmte zu, indem er sagte: "Das ist wahr! Wer wird denn von den Lehrern mit dem Rohrstock geschlagen! Die Arbeiterkinder! An die der Reichen trauen sie sich nicht ran! Zu denen sagen sie sogar: 'Eine Empfehlung an deine Eltern' oder 'Ich hoffe, du hast dich während der Ferien gut erholt'.

Zu mir oder einem anderen Arbeiterkind hat das noch kein Lehrer gesagt! Na, und unsere Art der 'Ferienerholung' auf Kartoffel- oder Rübenäckern wird ja auch nicht der Erwähnung wert angesehen!"

Der Feldrain stieß jetzt an den Fuhrweg. Um auf den Weg zu gelangen, mußte allerdings ein mit Gras und Brennesseln überwachsener Graben überwunden werden. Georg sprang zuerst, dann folgte Edgar und zum Schluß kam Hans. Als der am jenseitigen Grabenrand aufsprang, entfuhr ihm ein Schmerzlaut.

Nach zwei humpelnden Schritten setzte er sich ins Gras und hielt sich die Knöchelpartie des rechten Beines.

"Was ist denn passiert?", fragte Georg besorgt.

"Ich habe mir den Knöchel verstaucht. Beim Aufsprung bin ich auf irgendetwas Unebenes getreten.

Georg sah an der im feuchten Gras markierten Aufsprungstelle nach und fand unter einem nun zertretenen Huflattichblatt einen schrägliegenden Stein.

"Ja, ein Stein war's." Er ging zu seinem Bruder zurück und forderte ihn auf: "Laß einmal sehen. Zieh' den Holzschuh aus."

Der Knöchel schwoll an; als Georg ihn vorsichtig betastete, sagte Hans: "Hör auf! Das tut verdammt weh!"

"Was machen wir jetzt? Ich meine, wie bringen wir Hans nun nach Hause? Es sind mindestens noch vier Kilometer bis nach Saalfurth!", sagte Edgar.

"Es wird mir nichts anderes übrig bleiben, als ihn auf den Rücken zu nehmen und nach Hause zu tragen", meinte Georg.

"Die ganze Strecke? Das schaffen wir nie!"

"Wenn wir alle hundert Meter eine Pause machen und du mich ab und zu beim Tragen ablöst, wird es vielleicht gehen."

Den Bruder wie einen Rucksack auf den Rücken tragend, marschierte Georg los. Edgar ging nebenher und hielt den einen Schuh in der Hand.

Georg hielt fast zweihundert Meter durch. Dann sagte er zu seinem Bruder: "Vorsichtig absteigen, ich muß eine Pause machen!"

"Schöne Bescherung!", meinte Edgar. "Aber Herumstehen hat auch keinen Zweck. Los, auf meinen Rücken", forderte er Hans auf, "die nächste Strecke trage ich."

"Moment mal!", hielt Georg die beiden zurück. "Ich glaube, da rattert ein Wagen." Jetzt hörten auch Edgar und Hans das Fahrgeräusch. Hinter der Bodenwelle, die sie, am Feldrain entlang, umgangen hatten, näherte sich ein Fuhrwerk. Es war einer jener mit breiten, eisenbereiften Rädern versehenen Ackerwagen der Domäne, mit denen die vollen Kartoffelsäcke von den Feldern zum Bahnhof gefahren wurden.

Als das Gespann heran war, hielt der Geschirrführer wider Erwarten an. Er besah sich die Szene und fragte: "Was ist denn passiert?"

Während Hans dem Mann seinen inzwischen dicker geschwollenen Knöchel entgegenhielt, antwortete Georg: "Mein Bruder hat sich den Knöchel verstaucht oder gebrochen. Er kann nicht mehr gehen!"

"Das glaube ich", sagte der Geschirrführer, "die Haut ist ja schon ganz straff und glänzt bläulich."

Dann kletterte er wortlos von der Sitzbank nach hinten auf die dort befindlichen Kartoffelsäcke. Einige schichtete er um, sodaß eine ansehnliche Kuhle entstand. Als er damit fertig war, stieg er auf den höchsten Sack der Ladung, drehte sich spähend um 360 Grad und sagte, nachdem er sich vergewissert hatte, daß sie niemand beobachtete: "Schnell, kommt rauf und rein in die Kuhle!"

Die Jungs ließen sich das nicht zweimal sagen. Die beiden Größeren trugen Hans die paar Schritte zum Wagen, wo der Gespannführer, sich herunterbeugend, ihn in Empfang nahm und nach oben zog. Katzengleich kletterten Edgar und Georg hinterher. "Danke!", sagte Georg, als er oben war.

"Schon gut! Legt euch nur flach und nehmt auf keinen Fall die Köpfe hoch, bevor wir am Vorwerk vorbei und auf der Landstraße angekommen sind!" Die Jungs versprachen das. Dann kletterte der Mann wieder auf die Sitzbank und fuhr los.

Georg legte sich auf den Rücken und blickte gegen den Himmel. Dort begann der Nebel sich zu lichten. Hinter den letzten Schleiern wurde die blasse Scheibe der Sonne sichtbar. Kurz darauf erschien erstes Blau. Als der Wagen auf das Kopfsteinpflaster der Landstraße ratterte und die über die Straße ragenden Äste der Chausseebäume über ihn hinwegglitten, ertönte die Stimme des Geschirrführers:

"He, großer Seller! Du kannst jetzt nach vorne kommen. Ich möchte mich mit dir ein bißchen über die Theatervorstellung auf dem Feld unterhalten!"

Als Georg neben dem Mann Platz genommen hatte, schlug der ihm freundschaftlich auf die Schulter und meinte:

"Das hast du vorhin gut gemacht, Junge! Dein Vater hätte seine Freude daran gehabt. Wenn du ihm die Geschichte heute Abend erzählst, dann wird er sagen, daß du dich richtig verhalten hast!"

"Mein Vater arbeitet in Bitterfeld, weil er hier keine Arbeit gefunden hat. Er kommt nur über's Wochenende nach Hause."

"Dann erzählst du die Geschichte eben deiner Mutter und deinem Onkel; der wird sich besonders freuen. Das weiß ich!"

"Kennen Sie meinen Onkel denn näher?"

"Klar, wir waren 1918/1919 in Berlin zusammen, beim Spartakus."

"Sind Sie jetzt noch Spartakist?"
"Nee, erstens gibt es den nicht mehr und zweitens ist die Politik ein einziges großes Schwindelgeschäft! Egal wer die macht! Ich bilde mir jetzt meine eigene Meinung und lasse sie mir nicht mehr von anderen machen, wie früher! Man muß selber denken!"
"Das sagen auch meine Eltern", sagte Georg.
Da der Geschirrführer über die Art seiner Meinungsbildung gesprochen hatte, interessierte den Jungen jetzt dessen Meinung über den Inspektor.
"Was halten Sie von dem Inspektor und von seiner Art Menschen zu behandeln?"
"Das habe ich vorhin schon indirekt angedeutet. Manchmal habe ich den Wunsch, ihm die Peitsche um die Ohren zu schlagen!"
Unwillkürlich suchten die Augen des Jungen nach der erwähnten Peitsche. Als er keine sah, sagte er: "Aber Sie haben ja gar keine Peitsche!"
"Nee, wozu auch? Ich schlage die Pferde nicht! Die tun auch ohne Peitsche ihr bestes! Meinst du, die Tiere bekämen mehr Kraft, wenn ich sie schlüge und ihnen Schmerzen zufügen würde?"
"Natürlich nicht!", antwortete Georg; dabei gestand er sich ein, daß der Gespannführer, der ihm schon wegen seiner Hilfsbereitschaft und seiner bisher geäußerten Ansichten sympathisch war, nun, da er Tierliebe zu erkennen gab, noch besser gefiel.
"Früher habe ich eine Peitsche gehabt", fuhr der Mann an seiner Seite fort, "aber schon damals habe ich sie nur zum Knallen benutzt. Aber jetzt knalle ich auch nicht mehr. Wer weiß denn, was dabei im Kopf eines Pferdes vorgeht? Mir würde es jedenfalls nicht gefallen, wenn ich, so oft es jemand für richtig hält, das Pfeifen und Knallen einer Peitschenschnur über meinem Kopf hören müßte; ich würde mich davon ständig bedroht fühlen. Das ist so etwas wie seelischer Terror, ist ein ständiges Einschüchtern und Angsterzeugen, verstehst du?"
"Ja, sehr gut sogar. Die ... wie soll ich es ausdrücken, ... die Lautsprache der Peitsche kann genauso verletzen und weh tun, wie Worte eines Menschen, - wie die des Inspektors zum Beispiel."
"Richtig. Seelischer Terror wird aber auch in der Politik ausgeübt, indem man die Menschen beispielsweise mit ständigen Anklagen überhäuft, sie für Vorgänge verantwortlich macht, auf die sie gar keinen Einfluß gehabt haben! Die Kriegsschuldlüge ist ein Paradestück dafür. Wenn ich im November 1918 gewußt hätte, was ich heute weiß, dann hätte ich bei der Revolution nicht mitgemacht! Aber damals war ich noch genauso dumm, wie die, die jetzt in Sachsen verrückt spielen! Die sind doch Hörige! Weißt du, Sklavenketten können aus vielerlei Material geschmiedet werden, auch aus bedrucktem Papier und sogar aus gesprochenen Worten! Das habe ich inzwischen gelernt! Die meisten, die sich jetzt wieder als Freigeister und Revolutionäre

vorkommen, und deshalb hinter Thälmann herlaufen, sind doch nichts anderes als politische Steinträger, die, ohne es zu wissen, an ihren eigenen Gefängnissen und Zwingburgen bauen!"

"Früher hat man Menschen vor Wagen und Pflüge gespannt und sie mit Peitschen angetrieben. Ich habe das neulich in einem Buch gelesen."

"Daran hat sich im Grunde auch heute noch nichts geändert. Nur haben die Wagen, die die modernen Sklaven ziehen, jetzt ebenso ein anderes Aussehen, wie die Ketten, von denen wir eben sprachen; - aber auch die Peitschen sind nicht mehr alle, auf den ersten Blick, als solche zu erkennen.

Die Sklaven vor den Karren des Altertums, die auf den Galeeren, die Wolgaschiffer auf den Treidelpfaden und auch die leibeigenen Bauern in Deutschland, die hatten noch einen unmittelbaren Bezug zur Sklavenarbeit, denen brauchte man nicht erst klarzumachen, daß sie Sklaven seien, das merkten sie von selbst und unmittelbar am eigenen Leibe.

Heute geschehen Versklavung und Sklavenarbeit in verdeckter Form. Die meisten merken gar nicht, daß sie Unfreie geworden sind und von wem sie täglich neu versklavt und ausgenutzt werden. So verhältnismäßig eindeutig, wie die Verhältnisse hier bei uns auf dem Domäne noch liegen, sind sie nicht mehr überall, und die immer moderner werdenden Produktionsverhältnisse und Beherrschungstechniken, werden die wahren Sachverhalte in Zukunft noch mehr verschleiern."

"Sie müßten sich einmal mit meinem Vater unterhalten; der hat sehr ähnliche Ansichten wie Sie."

"Aber den dritten Mann für eine Skatrunde ähnlich Denkender werden wir in den Arbeiterkreisen von Saalfurth und Umgebung wahrscheinlich erst nach langem Suchen finden. Die meisten verlassen sich auf ihre 'Führer' in den Parteien und Gewerkschaften. Naja, und da beißt die Katze sich wieder in den Schwanz; da sind wir wieder bei dem, was wir eben über neue Abhängigkeiten und so weiter gesagt haben."

Der Nebel hatte sich weiter auflöst, der Wind hatte sich abgeschwächt und die Herbstsonne schickte noch einmal wärmende Strahlen. Weiße Haufenwolken trieben in blaue Ziellosigkeit. Ab und zu schwebten Fäden des Altweibersommers vorüber. An den Rändern der Landstraße standen nun Apfelbäume, an denen rotbackige Äpfel hingen.

Georg zog die immer noch kalten Holzschuhe aus, um in der Sonne die Füße zu wärmen. Zur Anregung der Durchblutung rieb er sie mit den Händen.

Der Gespannführer warf einen kurzen Blick darauf und sagte: "Um diese Jahreszeit solltet ihr Strümpfe tragen, es ist jetzt schon zu kühl in Holzschuhen, besonders wenn das Holz sich voll Nässe gesaugt hat."

"Bei der hockenden und knieenden Sammelarbeit auf nassem Boden würden auch die Strümpfe feucht werden und außerdem bald vor Dreck starren", meinte Georg.

"Ich trage Strümpfe auch nur sonntags und manchmal im Winter. Die andere Zeit nehme ich Fußlappen, das bin ich noch vom Militär gewohnt."

Das Gefährt näherte sich einem Apfelbaum, der einen seiner Äste weit über die Fahrbahn streckte. Die daran hängenden Äpfel leuchteten gelb und hatten rote Streifen. Sie erblickend, richtete der Mann sich auf und rief nach hinten: "Paßt auf! Gleich kommt ein wirklicher Segen von oben!"

Als der Wagen unter dem Ast durchfuhr, griff er rasch danach und ruckte kräftig daran. Ein halbes Dutzend herrlicher "Gravensteiner" fiel hinten auf die Kartoffelsäcke.

"Die werden brüderlich geteilt", rief er, sich umdrehend. Gleich darauf nahm er drei Exemplare in Empfang, die Edgar nach vorn reichte.

"Jeder kriegt einen ganzen und einen halben", sagte er zu Georg; dabei zog er sein Messer aus der Tasche und teilte wie versprochen.

"Danke", sagte Georg und biß herzhaft in die aromatisch duftende Hälfte.

Der Geschirrführer verstaute erst seinen Priem in eine kleine Blechschachtel, spuckte einen braunen Strahl zur Seite und biß dann ebenfalls in seine Hälfte der Frucht. Mit vollem Mund, erklärte er: "Der Plantagenpächter wird dadurch nicht ärmer werden."

Georg war das gleichgültig, wahrscheinlich wußte der Pächter gar nicht, wie weh Hunger tun kann. Nach einer Weile sagte der Mann:

"Bäume, auf denen Lederschuhe wachsen, gibt es leider nicht, sonst würde ich für uns noch ein Paar Schuhe herunterschütteln."

Nach dieser scherzhaften Bemerkung wieder ernst werdend, fuhr er fort: "Aber kaufen kann man sie auch nicht, weil das Geld dazu nicht reicht, und wegen der Inflation niemand etwas verkauft, was von beständigem Wert ist. Die Bauern, Fabrikanten und Geschäftsleute horten die Waren und geben nur heraus, was nicht lagerfähig ist; aber auch das wird nicht dem regulären Markt zugeführt, sondern im schwarzen Tauschhandel verschoben! Wenn das Geld wieder stabil geworden sein wird, können wir die Milliardenscheine als Arschwische benutzen; während die Fabrikanten und so weiter mit den Sachwerten, die die Arbeiter für wertlose Papierfetzen erzeugt haben, das große Geschäft machen und Riesengewinne einstreichen! Erst Kriegsgewinne, dann Schiebergeschäft, danach Inflationsgewinn und schließlich Preise, die wir kaum werden bezahlen können. Die Geprellten sind auf jeden Fall die Arbeiter und kleinen Leute! Vor allem aber die Alten, denen die Inflation die Ersparnisse genommen hat und die jetzt, wegen ihres Alters, nicht mehr in der Lage sind, noch einmal von vorne anzufangen!"

Das Gespann hatte sich dem Ortseingang von Saalfurth und damit auch der Straßenabzweigung genähert, die zum Güterbahnhof führte. "Glaubst du, daß du es mit deinem Bruder von hier aus nach Hause schaffst?", fragte der Fuhrmann.

"Ganz bestimmt! Mein Freund wird mir dabei helfen. Es sind ja auch nur noch höchstens dreihundert Meter zu gehen."

Nachdem sie die Straßengabelung erreicht hatten, zog der Geschirrführer die Zügel der Pferde an und brachte den Wagen zum Stehen. Er half Hans beim Herunterklettern.

"Vielen Dank für ihre Hilfe", sagte Hans.

"Macht nicht so ein Gewese!", wehrte der Fuhrmann ab. "Bleibt wie ihr seid. Dann reichte er den Jungs seine schwere, von Arbeitsspuren gezeichnete Hand. Zu Edgar sagte er: "Es war anständig von dir, daß du zu deinem Freund gehalten und dich solidarisch benommen hast!" Danach schwang er sich wieder auf den Wagen. Vom Bock herunter rief er noch einmal: "Machts gut! Und haltet auch weiterhin eure Nacken steif!"

6. Kapitel
Pseudo-Erfolge, Rückbesinnung
1924 bis 1927

Zum Zeitgeschehen 1924

Nach den Jahren der Aufstände und Inflation folgte in Deutschland eine Periode, die sich mit dem Zustand eines Kranken vergleichen ließ, dessen Fieberkurve sich, nach Höchstwerten, um einige Grade gesenkt hat, der aber von einer Gesundung noch ebenso weit entfernt ist wie zuvor. Die dem Patienten von den Politikern des Aus- und Inlandes verordnete Medizin verhinderte jeden Ansatz zu einer wirklichen Genesung.

Zur Deckung der Rentenmark, die die Inflationswährung, mit einem Kursverhältnis von 1,2 Billionen zu 1, abgelöst hatte, waren der deutschen Wirtschaft Zwangshypotheken auferlegt worden. Im April bewirkte der, nach dem amerikanischen Bankier Dawes benannte, neue Zahlungsplan eine Umverteilung der Tributlasten. Gemäß diesem Plan wurde die deutsche Wirtschaft mit weiteren 5 Milliarden Goldmark Zwangshypotheken belastet; über Schuldverschreibungen von zusätzlichen 15 Milliarden Goldmark mußten die deutschen Eisenbahnen den Siegern verpfändet werden, zudem legten die Diktatmächte ihre Hände auf die Zoll- und Steuereinnahmen des Reiches, und schließlich wurde Deutschland zu einer Zahlung von durchschnittlich 2,25 Milliarden Goldmark pro Jahr verpflichtet. Sämtliche per Dikat auferlegten Schulden mußten mit 5 Prozent verzinst werden. Die endgültige Höhe und die Zeitdauer der Tributzahlungen wurden bezeichnenderweise offen gelassen. Der deutschen Melkkuh wurde vorenthalten, wie lange sie, bei magerster Kost, der völligen Auszehrung entgegengeführt werden sollte.

Nachdem, im Februar, die separatistischen Republiken im Rheinland, trotz Unterstützung durch die Besatzer, am Widerstand der Bevölkerung zusammengebrochen waren, bestätigte der von den Siegern gegängelte "Völkerbund" im Mai die Annektion des deutschen Memellandes durch Litauen als "rechtmäßig".

Im gleichen Monat fanden Reichstagswahlen statt. Die SPD verlor dabei mit 94 Sitzen fast die Hälfte ihrer Mandate. Gewinner der Wahl waren die Kommunisten, die, statt bisher 2 nun 62 Abgeordnete stellen konnten. Große Erfolge erzielten auch die Deutschnationalen, die die Anzahl ihrer Mandatsträger von 66 auf 106 zu erhöhen vermochten. Die "Völkischen" zogen mit 32 Abgeordneten in den Reichstag ein; davon waren 9 Nationalsozialisten, die sich nach dem Verbot der NSDAP, der NS-Freiheitspartei angeschlossen hatten. Die Gesamtanzahl der Reichstagsabgeordneten betrug 472.

Bei der im Dezember erneut notwendig gewordenen Reichstagswahl stieg die Anzahl der Abgeordneten auf 493. Dabei verschob die Wählergunst sich zum Vorteil der Parteien der Mitte sowie der gemäßigten Linken und Rechten. Die Kommunisten verloren 17, die SPD gewann 31 Mandate. Den "Völkischen" gingen, als Folge der Partei-, Rede- und Presseverbote 18 Sitze verloren; die Deutschnationalen konnten ein geringes Plus von 5 Mandaten verbuchen. Bei den Mittelparteien schwankte der Zugewinn zwischen 2 und 7 Sitzen.

Trotz der Stimmverluste der beiden Flügelparteien, KPD und NSDAP, wurden diese von den Inhabern politischer Macht und Pfründe, auch weiterhin als die potentesten politischen Kräfte, mit den klarsten Zielsetzungen für eine grundlegende und umfassende Umgestaltung der von der Volksmehrheit als höchst unbefriedigend empfundenen Verhältnisse in Deutschland eingeschätzt.

Die Partei-, Zeitungs- und Redeverbote, die in den nächsten Jahren verhängt wurden, um dem Volk diese Einsicht vorzuenthalten, betrafen daher auch fast ausschließlich diese beiden Parteien. Doch Erkenntnisse und Erfahrungen lassen sich auf Dauer weder durch Gewehre, noch durch Verbote verhindern, - und ebenso wenig die politischen Konsequenzen, die daraus gezogen werden. Gegen die Argumente der Daseinswirklichkeit, gegen lastende Unterdrückung, schmähliche Demütigung, verheerende Arbeitslosigkeit, Hunger und Zukunftsangst helfen auf Dauer keine Propagandathesen!

Zum Zeitgeschehen 1925

Das Jahr 1925 begann mit der 12. Regierungsumbildung in der kaum sechsjährigen Geschichte Nachkriegsdeutschlands. Reichskanzler wurde der Zentrumspolitiker Hans Luther; die Regierungskoalition wurde von der Zentrumspartei, der Deutschen Demokratischen Partei und der Deutschen Volkspartei gebildet. Außenminister blieb weiterhin Gustav Stresemann. Er wurde damit in die Lage versetzt, seine Politik der Annäherung an die Diktatmächte, die er durch Beschwichtigung und Respektierung ihrer gegen Deutschland gerichteten Hauptforderungen zu erreichen suchte, fortzusetzen.

Im Februar erfolgte in München die Neugründung der NSDAP. Hitler, durch Amnestiegesetz aus der Festungshaft entlassen, ergriff wieder die Initiative. Kurz danach wurde ihm in Bayern, Preußen, Sachsen und Baden, das heißt, für etwa vier Fünftel des Reichsgebietes, Redeverbot auferlegt.

Ein für die weitere politische Entwicklung in Deutschland unmittelbar bedeutungsvolles Ereignis, waren der am 28. Februar eingetretene Tod

Friedrich Eberts und die dadurch erforderlich gewordene Wahl eines neuen Reichspräsidenten. Um dieses Amt bewarben sich fünf Kandidaten: Braun (SPD), Jarres (DVP/DNVP), Marx (ZENTRUM), Thälmann (KPD) und Ludendorff ("VÖLKISCHE"/ NSDAP). Da keiner der Bewerber die erforderlichen Stimmenanzahl erhielt, wurde ein zweiter Wahlgang notwendig.

Für diesen Wahlgang einigten die Rechtsparteien sich auf einen neuen, gemeinsamen Kandidaten in der Person von Hindenburgs. Das Zentrum und die KPD behielten ihre Kanditaten aus dem ersten Wahlgang bei, während die SPD auf die Nominierung eines eigenen Bewerbers verzichtete.

Der Generalfeldmarschall erhielt 15.655 Millionen Stimmen, für Marx votierten 13.751 Millionen und für Thälmann stimmten 1.931 Millionen Wähler. Mit Hindenburg an der Spitze des Reiches, kam es zu einer größeren Toleranzbereitschaft der "bürgerlichen" Rechtsparteien gegenüber dem, von der Mehrheit des Volkes allerdings auch weiterhin ungeliebten Weimarer Staat. Eine konsequente Gegnerschaft behielten die Kommunisten und die Nationalsozialisten bei.

Im Juli und August wurden die seit Januar 1923 im Ruhrgebiet befindlichen französisch-belgischen Okkupationstruppen zurückgerufen. Zur gleichen Zeit besetzten polnische Truppen widerrechtlich die sogenannte "Westerplatte" im Gebiet der unter "Völkerbundsverwaltung" stehenden deutschen Stadt Danzig, von der aus der Danziger Hafen und die Weichselmündung unmittelbar unter Kontrolle gehalten werden konnten. Ein weitergehender Plan, der, wie 1923, die Annektion Ostpreußens und großer Gebiete entlang der gesamten deutsch-polnischen Zwangsgrenze vorsah, scheiterte diesesmal am Einspruch Frankreichs, weil Paris eine Beeinträchtigung der deutschen Zahlungsfähigkeit befürchtete; - ein Motiv, das auch bei der Räumung des Ruhrgebietes eine Rolle spielte.

Polnische Publikationsorgane hielten den Gedanken an eine großräumige Annektion deutscher Gebiete aber weiterhin wach. Am 9. Oktober 1925 schrieb die "Gazetta Gdanska": "Polen muß darauf bestehen, daß es ohne Königsberg, ohne ganz Ostpreußen nicht existieren kann, ... dann wird es keinen Korridor mehr geben. Sollte dies nicht auf friedlichem Wege geschehen, wird es wieder ein zweites Tannenberg geben!" In anderen Verlautbarungen wurde die Verlegung der "polnischen Westgrenze" bis zur Oder, in manchen sogar bis zur Elbe und darüber hinaus gefordert!

Da die Realisierung dieser imperialistischen Ziele zunächst nicht möglich war, versuchte Polen die Verhinderung seiner Annektionspläne mit einer großangelegten Enteignungs- und Vertreibungsaktion in den bereits abgetrennten deutschen Ostgebieten zu kompensieren. Hunderttausende Deutsche mußten ihren Grund und Boden und sonstigen Besitz verlassen. Deutsche Schulen und Kirchen wurden geschlossen, Zeitungen verboten, die deutsche

Sprache diskriminiert, kulturelle Betätigung erschwert, eingeschränkt und unmöglich gemacht!

Im Gegensatz zu dieser Realität wurde im Oktober während der Konferenz von Locarno, mit gleißnerischen aber hohlen Worten "europäischer Geist" gepriesen. Wie die Diktatmächte und ihre Anhängsel diesen Geist verstanden, erwies sich in den Ergebnissen dieser Konferenz. In einem Paktsystem, bestehend aus vier Einzelpakten, wurden die in Versailles zudiktierten Grenzen und deren militärische Offenhaltung auf deutscher Seite, festgeschrieben. Einige Klauseln dieser Pakte riefen ein begründetes Mißtrauen der Sowjetunion hervor, weil sie Deutschland als ein Auf- und Durchmarschgebiet für Truppen der Westmächte gegen Rußland erscheinen ließen, - und wahrscheinlich, im "Bedarfsfall", auch entsprechend interpretiert werden sollten.

Für Deutschland blieb also festzustellen, daß das Versailler Diktat eine erneute Bestätigung erhalten hatte, alle Einschränkungen der deutschen Souveränität bestehen blieben, von den Tributforderungen kein Jota abgegangen wurde und selbst die Kriegsschuldlüge von dem belgischen Vertreter, dem Sozialisten Vandervelde, im Verlauf der Konferenz wieder aufgewärmt worden war. Das war allerdings nicht anders zu erwarten gewesen, denn auf ihr basierte die gesamte Ausplünderung, Wehrlosigkeit und Diskriminierung des deutschen Volkes. Der bisherige Kurs der Entrechtung und Versklavung sollte, lediglich vor veränderter Kulisse, weiterverfolgt werden. Die folgenden Jahre erbrachten dafür konkrete Beweise und machten offenbar, daß der "Geist von Locarno" ein Ungeist war, der seine Ursprünge in der Unfriedenswerkstatt von Versailles hatte.

Im Zusammenhang mit der Unterzeichnung des Locarnopaktes traten die deutschnationalen Minister im Reichskabinett zurück. Die Folge war ein erneuter Regierungswechsel.

Reflexionen und Details

Nachdem Einzelheiten über die Ergebnisse der Konferenz von Locarno bekannt geworden waren, gehörte auch Lehrer Aumüller zu jenen Millionen Deutscher, die über die Resultate der mit großen Erwartungen des deutschen Außenministers Stresemann begleiteten Konferenz, tiefe Enttäuschung empfanden. Wie bei vielen anderen, paarte diese Enttäuschung sich auch bei dem Lehrer mit Entrüstung über den von offizieller Seite und von parteipolitischen Kreisen der Regierungskoalition unternommenen Versuche, die in Locarno erfolgte, erneute Knebelung Deutschlands, als einen Erfolg darzustellen.

Aumüller erblickte darin nur eine verantwortungslose Irreführung. Er wußte allerdings auch, daß, wenn man ein Volk zuvor besonders tief entwürdigt und in den Schmutz getreten hat, es verhältnismäßig leicht ist, bei einfachen Geistern den Anschein zu erwecken, bei der geringfügigsten Lockerung der Stiefel im Nacken handele es sich um ein Zeichen besonderen Entgegenkommens der Unterdrücker oder gar um einen epochemachenden Erfolg von Rehabilitationsbemühungen der eigenen Regierung.

Er war daher der Überzeugung, es sei eine Verpflichtung für jeden mit den historischen Tatsachen vertrauten Deutschen, insbesondere aller Jugenderzieher, jedweder Art von Geschichtsklittung, insbesondere aber der Kriegsschuldlüge mit Wahrheitsbeweisen entgegenzutreten. Sein Vorsatz, eine der nächsten Stunden des Gesichtsunterrichts zu benutzen, seine Schüler mit einer Anzahl geschichtlicher Fakten bekannt zu machen, die geeignet erschienen, die wahren Sachverhalte, die zum Kriege und seinen Folgen führten, noch mehr als bisher zu erhellen, war eine Konsequenz dieser Überzeugung.

Nach seiner Meinung wurde diesbezüglich, sowohl im schulischen Bereich als auch auf dem allgemeinen Informationssektor, zuwenig getan.

Der Inhalt der "genehmigten" Lehrbücher, nach denen er Geschichtsunterricht zu erteilen hatte, war seiner Ansicht nach zu steril und abstrakt. Gewiß, sie vermittelten ein Geschichtsbild, das in großen Zügen, vor allem was Daten und vordergründige Geschehensabläufe betraf, als korrekt bezeichnet werden konnte; diese Lehrbücher vernachlässigten jedoch die Hintergründe, ließen charakteristische Details unberücksichtigt, verzichteten auf Darstellung wesentlicher Zusammenhänge von Ursachen und Wirkungen und erläuterten das nach seiner Auffassung Wesentliche überhaupt nicht, nämlich die politischen Motive und Triebkräfte, die die Ereignisse vorgezeichnet und bestimmt hatten.

Die Vernachlässigung dieser Faktoren, mußte zu einem unvollständigen und folglich falschen Geschichtsbild führen. Er wollte daher versuchen, das von den Schulbehörden Versäumte im Rahmen seiner beschränkten Möglichkeiten nachzuholen und den Schülern verständlich machen, daß auch weit zurückliegendes Geschehen mit aktuellen Vorgängen in enger Verbindung stehen konnte; - wie in diesem Fall die Vorkriegsereignisse mit der Kriegsschuldlüge und diese mit dem Locarnovertrag. Da es sich bei seinen Schülern um Vierzehnjährige handelte, die im kommenden Frühjahr die Volksschule verlassen würden, hoffte er zumindest auf ein teilweises Gelingen seines Vorhabens.

Aumüller betrat das Klassenzimmer mit einigen Büchern unter dem Arm. Aus deren Seiten sah eine Anzahl Lesezeichen heraus. nachdem er die Bücher auf dem Pult abgelegt hatte, sagte er einleitend: "Die Gespräche, die gegenwärtig in der deutschen Öffentlichkeit über die Frage der Ratifizierung der Locarnoverträge und, in Verbindung damit, erneut über die Kriegsschuldlüge geführt werden, haben mich zu der Absicht geführt, von dem vorgeschriebenen Lehrplan abzuweichen und den Hintergrund des aktuellen Geschehens streiflichtartig auszuleuchten.

In Kenntnis dieser Tatsachen und Zusammenhänge wird euch noch deutlicher bewußt werden, daß die Behauptung von einer deutschen Alleinkriegsschuld mit den historischen Vorgängen in krassem Widerspruch steht. Es handelt sich dabei um eine Lüge mit politischer Zweckbestimmung und darüber hinaus um eine solche mit großer Sprengkraft. Die letztere Eigenschaft wird sich jedoch erst in Zukunft völlig offenbaren; um das vorauszusehen, braucht man kein Prophet sein. Als Quellen für meine folgenden Ausführungen dienen mir, neben meinem persönlichen Erleben und meiner eigenen Tatsachenkenntnis, einige Geschichtswerke, die teils im Ausland, teils im Inland erschienen sind." Dabei deutete er mit einer Handbewegung auf die auf dem Pult abgelegten Bücher. Dann fuhr er fort: "Aus Zeitgründen werde ich heute von der sonst üblichen Unterrichtsmethode, mit ausgedehntem Frage- und Antwortspiel abgehen und euch den Stoff nach Art einer Stegreif-Vorlesung vortragen, die ich nur ab und zu unterbrechen werde, um mich, mit ein paar Fragen, eures Verständnisses zu vergewissern.

Beginnen möchte ich mit dem Balkan. Dies aber nicht, weil dort der Thronfolgemord von Sarajewo geschah, - der war nur vordergründiger Anlaß zum Krieg -, sondern weil sich dort wichtige Interessenbereiche der europäischen Großmächte überschnitten. Österreich-Ungarn hatte 1908 Bosnien und die Herzegowina annektiert, die seit dem Berliner Konreß von 1878 seiner Verwaltung unterstanden. Damals hatte Rußland zugestimmt, weil Wien dem Zaren als Gegenleistung Unterstützung in der Dardanellenfrage zusicherte. In der Frage militärischer Sicherung der Durchfahrtsmöglichkeit durch diese Meerenge sah Rußland sich nämlich nicht nur türkischem, sondern auch britischem Widerstand gegenüber. England wollte dem Schwarzmeerausgang nicht den Russen überlassen, obwohl es mit ihm und Frankreich, ebenfalls seit 1908, in der sogenanntenTriple-Allianz verbündet war. Die Konstellation Rußland-England-Frankreich bezeichnet übrigens schon den Einkreisungsring, der lange vor 1914 um Deutschland gelegt wurde.

Die ab 1878 vor sich gehende Auflösung des alten osmanischen Reiches hatte in Rußland aber nicht nur den Wunsch geweckt, sich der Meerenge am Bosporus zu bemächtigen, sondern auch seine Begierde verstärkt, sich die slawischen, bis dahin unter türkischer Herrschaft stehenden, Balkanvölker einzuverleiben oder wenigstens in seine Abhängigkeit zu bringen.

Diesen Wunsch hatte allerdings auch Wien. Deutschland, das mit Österreich-Ungarn und mit Italien im Dreibund verbündet war, wünschte jedoch keine Interessenskollision mit Rußland. Es machte deshalb 1909 in Wien seinen Einfluß geltend und verhinderte die vorgesehenen Präventivmaßnahmen Österreich-Ungarns gegen Serbien. Im gleichen Jahr führte die deutsche Vermittlungspolitik auch zur Räumung des Sandschak-Nowipassar durch die K. und K.-Truppen.

Ich weise darauf besonders hin, weil dieses Bemühen deutlich macht, daß Deutschland, obwohl Kanzler von Bülow den Bismarckschen Rückversicherungsvertrag mit Rußland 1891 nicht erneuert hatte, stets um ein gutes Verhältnis mit dem Zarenreich bemüht war. Das deutsche Bemühen um Freundschaft mit Rußland kam auch später noch einmal sehr deutlich zum Ausdruck als Kaiser Wilhelm II. im Juli 1905, dem Zaren ein Bündnis vorschlug, in das auch Frankreich aufgenommen werden sollte. Einflußreiche Kreise in der russischen Regierung ließen diesen Plan allerdings scheitern.

Auch 1912, im ersten Balkankrieg zwischen den Türken, Bulgarien und Serbien, sowie 1913, im zweiten Balkankrieg, in den Griechenland, Serbien, Rumänien und die Türkei verwickelt waren, wirkte Deutschland mäßigend. Und zwar auch hier wieder vor allem auf Österreich-Ungarn, das zugunsten der Bulgaren und natürlich auch wegen eigener Ambitionen, eingreifen wollte. Dabei wurde Deutschland von Italien unterstützt, das einen Machtzuwachs Wiens zu verhindern trachtete und in Istrien, Albanien sowie im östlichen Mittelmeer eigene Interessen im Auge hatte.

Was man damals noch nicht wußte, war die Tatsache, daß Italien bereits, ungeachtet seiner Zugehörigkeit zum Dreibund, 1900, 1901 und 1909 Geheimverträge mit Rußland und Frankreich abgeschlossen hatte, die sich gegen seine Verbündeten im Dreibund, Österreich-Ungarn und Deutschland, richteten. So, das wollte ich zu der Interessenslage auf dem Balkan sagen. Kann mir nun einer von euch sagen, was daraus hervorgeht?", fragte der Lehrer. Bei den Schülern gingen mehrere Hände hoch.

"Nun, Fischer, was ist deine Meinung?"

"Deutschland hatte keine unmittelbaren Interessen auf dem Balkan. Außerdem war dort alles sehr verwickelt und vor allem war es heimtückisch von Italien, das es hinter dem Rücken seiner Verbündeten einen Geheimvertrag abschloß!"

"Gut, wenn auch recht einfach ausgedrückt", kommentierte Aumüller diese Antwort. "Deutschlands Balkanpolitik diente also der Friedenserhaltung in diesem Gebiet, und war, im besonderen, auf Vermeidung von Kontroversen mit Rußland, sowie auf Mäßigung Österreich-Ungarns abgestellt.

In Bezug auf Italien und seine Geheimverträge werden wir noch andere Überraschungen erleben. In der Politik scheint Moral ein Fremdwort zu sein. Doch es gab auch noch andere Interessen- und Vertragsdschungel; - das werden wir noch sehen und wollen uns deshalb jetzt Frankreich zuwenden.

Um das deutsch-französische Verhältnis darzustellen, müßte ich eigentlich weit zurückgehen. Es genügt aber festzustellen, daß im Jahre 1660 Burgund, Elsaß-Lothringen und Luxemburg noch zum Deutschen Reich gehörten

- früher lag die Reichsgrenze noch weiter westlich - und die Raubkriege französischer Könige diese Grenze immer weiter nach Osten verlagerten. Seit die Eroberungen des Kaisers Napoleon I. im Jahre 1815 wieder rückgängig gemacht worden waren, gab es allerdings deutscherseits keine schwerwiegenden Differenzen mehr mit Frankreich.

Erst die überspitzten Forderungen Frankreichs von 1870, die auch nach dem Verzicht des Hohenzollernprinzen Leopold auf den spanischen Thron beibehalten wurden, und nicht zuletzt die unverschämte Art, in der der französische Gesandte Benedetti den preußischen König auf der Kurpromenade in Bad Ems zur Rede stellte, führte zu neuen Spannungen - zunächst mit Preußen - und zu der Reaktion Bismarcks auf die 'Emser Depesche'. Dem verletzenden Benehmen des französischen Gesandten, sowie die übrigen, einen Kniefall verlangenden Ansinnen Frankreichs, ist die Reaktion Bismarcks auf die sogenannte Emser-Depesche, mit der die Brüskierung nach Berlin übermittelt wurde, zuzuschreiben. Diese Reaktion war zwar nur verbaler Art, doch nun spielte Frankreich den Gedemütigten! Es kehrte die wahre Situation um und erklärte Preußen den Krieg! Daraufhin ließ das österreichische Kaiserhaus Geheimverhandlungen mit Frankreich aufnehmen, mit der Absicht ein Bündnis gegen Preußen zustande zu bringen. Dieser hinterlistige Versuch der Habsburger schlug jedoch fehl.

Die anderen Mitgliedstaaten des deutschen Bundes blieben, in Würdigung der Situation, treu an der Seite Preußens. Frankreich hatte zu hoch gespielt! Selbst Deutschenhasser Clemenceau stellte später dazu fest: '1870 erklärte Napoleon III. in einem Augenblick des Wahnsinns den Krieg; jeder Franzose muß zugeben, daß das Unrecht auf unserer Seite war!'

Wir wissen, wie dieser Krieg ausging und daß Frankreich das alte deutsche Reichsland Elsaß-Lothringen, wo neben 1,7 Millionen Deutschen nur knapp hunderttausend Fremdsprachige lebten, wieder herausgeben mußte.

Seitdem wurde die französische Politik - unlogischerweise von demselben Herrn Clemenceau inspiriert, der das französische Unrecht zugegeben hatte - vom Rachegedanken bestimmt. Andere Kriegsmotive sind kaum zu erkennen; ausgenommen das bereits bekannte französische Vormachtstreben, das schon die französischen Könige über den Rhein und Napoleon I. nach Ägypten, Spanien, Italien, Österreich, Deutschland und Rußland geführt hatte.

Das 1871 gegründete Deutsche Reich hat jedenfalls alles getan, um Frankreich Demütigungen zu ersparen und mit ihm endgültig ins reine zu kommen. Bismark unterstützte zum Beispiel nachdrücklich den Ausbau des neueren, französischen Kolonialreiches. Nach Bismarcks Entlassung lehnte das Reich, um seinen Aussöhnungswillen zu bekunden, alle Bündnisse ab, die Frankreich als gegen sich gerichtet ansehen konnte. Deutschland ging sogar noch weiter! Ich erinnere nur an den vorhin erwähnten Bündnisvorschlag des Kaisers an den Zaren, der auch Frankreich einschloß.

Angesichts der deutschen Bemühungen mit Frankreich zu einem nachhaltigen Ausgleich zu gelangen, muß dessen gegen Deutschland gerichtete Politik als eine jener großen Fehlleistungen angesehen werden, an denen die Weltgeschichte leider nicht arm ist! Bereits 1875, also zu einer Zeit, da Bismarck Frankreich in dessen zweiter kolonialer Phase zu Erwerbungen in Afrika und anderen Teilen der Welt ermunterte, begann Paris mit einer massiven militärischen Aufrüstung gegen Deutschland, die zu der sogenannten 'Krieg-in-Sicht-Krise' führte. Doch erst als Frankreich auch noch begann, die sogenannten 'Farbigen Franzosen' in den Kolonien, für eine Kriegsführung in Europa auszubilden - das war ein absolutes Novum - schloß Deutschland 1879 ein Schutzbündnis mit Österreich-Ungarn und einen Neutralitätsvertrag mit Rußland. Da auch Italien sich von den französischen Rüstungen bedroht fühlte, schloß es sich 1882 dem deutsch-österreichischen Schutzbündnis an, das damit zu dem bereits erwähnten Dreibund wurde. Der Rückversicherungsvertrag mit Rußland rundete 1887 dieses Sicherheitssystem ab.

Wenn Frankreich seine Revanchepläne durchführen wollte, mußte es versuchen, dieses Schutzsystem aufzulösen. Die französische Kriegspartei begann folglich Deutschland zu isolieren und einzukreisen. Als Ansatzpunkte wählte Frankreich zunächst das imperialistische Streben Rußlands nach dem Balkan, dem Bosporus und den Ostseeausgängen, sowie die kolonialen Ziele Italiens in Tripolitanien und im Dodekanes, sowie dessen Drang zum Brenner. Deutschland hatte seine Verträge, abgesehen von Italien, das von sich aus hinzugekommen war, nur mit Nichtanrainern Frankreichs abgeschlossen. Die Franzosen taten das Gegenteil, es suchte offensiv eingestellte Verbündete im Rücken und an den Flanken Deutschlands. Mit Versprechungen und Geheimverträgen erreichten sie dieses Ziel."

Der Lehrer hielt es für angebracht, zur Auflockerung wieder eine Zwischenfrage zu stellen, obwohl er an den Gesichtern ablesen konnte, daß die Jungs aufmerksam zuhörten. "Wer möchte zu dem etwas sagen, was ich bisher vorgetragen habe? Du, Seller?"

Georg hatte sich zwar nicht gemeldet, er wurde aber aufgerufen, weil er bei den Gedanken, die die letzten Ausführungen des Lehrers ausgelöst hatten, unwillkürlich mit dem Kopf schüttelte. Was er gedacht hatte, gab er in wenigen Worten preis: "Es ist unverständlich, weshalb Frankreich in Deutschland seinen Erbfeind sah."

"Ja", bekräftigte der Lehrer, "diese Einstellung ist nicht zu verstehen, weil sie allen geschichtlichen Vorgängen im Verhältnis beider Völker widersprach. Dies wird noch deutlicher werden, wenn wir das weitere Geschehen betrachten. Also fahren wir fort!

Das Zusammenspiel von französischen Revanchisten und den russischen Imperialisten und Panslawisten führte auch in Rußland zu einer drastischen

Heraufsetzung der Heeresstärke. Die Hochrüstung der unmittelbar angrenzenden Nachbarn zwang nun auch Deutschland, die Friedensstärke seines Heeres zu erhöhen. Dies nicht zuletzt deshalb, weil eindeutige Drohgebärden der Einkreiser Deutschland verunsicherten. So führten zum Beispiel der demonstrative, französische Flottenbesuch in Kronstadt und die Reden, die bei dieser Gelegenheit gehalten wurden, zu der Befürchtung, eine Kooperation der Flotten beider Länder könne zu einer ernsthaften Bedrohung der deutschen Küsten und Häfen führen. Tatsächlich ist ja auch später, während des Krieges, eine gemeinsame Landeoperation an der deutschen Ostseeküste erwogen worden. Es ist verständlich, daß Deutschland der sich abzeichnenden Gefahr mit einer Verstärkung seines, damals noch in den Anfängen steckenden, Flottenbaus zu begegnen suchte.

Wie schon erwähnt, unterließ Kanzler von Bülow, unter dem Eindruck des russisch-französischen Zusammenrückens stehend, den Versuch, den im gleichen Jahr auslaufenden Rückversicherungsvertrag zu erneuern. Doch ist es eine andere Frage, ob Rußland angesichts des französischen Liebeswerbens und seiner eigenen Ambitionen überhaupt zu einer Verlängerung bereit gewesen wäre, - denn es hätte sich ja auch seinerseits nachhaltig um eine Verlängerung bemühen können, wenn ein ehrlicher Wunsch danach vorhanden gewesen wäre.

Angesichts der Vertragsbrüche, die wir später erleben mußten, und der Geheimverträge, von denen wir heute wissen, muß überdies bezweifelt werden, ob eine Vertragsverlängerung mit Rußland das Papier wert gewesen wäre, auf dem eine erneute Vereinbarung fixiert worden wäre.

Wie das Doppelspiel Italiens und des habsburgischen Kaiserhauses, der Verrat an den Grundlagen des Waffenstillstandsvertrages, und der Bruch des Versailler Diktates durch seine eigenen Urheber beweisen, kann die formelle Beibehaltung von Verträgen auch der bewußten Täuschung eines Vertragspartners dienen, beziehungsweise können Abkommen von vornherein mit Hintergedanken, die Auslegungstricks betreffen, konstruiert werden. Entscheidend ist also allein die tatsächlich verfolgte, praktische Politik und nicht ein Stück Papier, das sich gegen hinterhältige Absichten und dehnbare Vertragsklauseln, für die es mißbraucht wird, nicht wehren kann!

Im Jahre 1902 schloß Frankreich einen Geheimvertrag mit Italien. Darin sicherte es diesem freie Hand in Libyen zu, während Italien Frankreich in einem Krieg gegen Deutschland als Gegenleistung Neutralität versprach. Nach dem bereits bestehenden Geheimvertrag Italiens mit Rußland wurde die friedenssichernde Wirkung des Dreibundes durch diese heimliche Neutralitätszusage um ein weiteres Stück ausgehöhlt. Es ist in diesem Zusammenhang ferner interessant, daß der französisch-russische Militärpakt von 1892, als er 1899 unbefristet verlängert wurde, bereits eine Zusatzklausel erhielt, die diesen italienischen Verrat vorbereitete. In diesem Pakt, der ursprünglich gegen den Dreibund gerichtet war, war nämlich ein Passus aufgenommen worden, in dem es hieß, daß der Pakt weitergelten solle, wenn der Dreibund zu bestehen aufhöre. Gemeint war das Ausscheiden Italiens aus diesem Bund. Die gegen Deutschland und Österreich-Ungarn gerichtete Spitze der französisch-russischen Allianz war nun deutlich erkennbar und überdies mit dem Gift der Geheimdiplomatie und des Verrates versehen worden!

Nachdem Frankreich sich mit England über Marokko geeinigt hatte, schloß Paris 1904 ein Bündnis mit Großbritannien. Übrigens Marokko! Hier muß ich einen Vorgang einflechten, der Deutschland unter dem Stichwort 'Marokkokrise' zum Vorwurf gemacht wird. Was geschah damals? Der Kaiser besuchte 1905 die Stadt Tanger und erklärte bei dieser Gelegenheit, Marokko werde von einem souveränen Sultan regiert und Deutschland sollten in diesem Land die gleichen Rechte eingeräumt werden, wie anderen handelstreibenden Nationen.

Das war gewiß keine unbillige Forderung.

Die französische Kriegspartei nahm diese Äußerung aber zum Anlaß einer ungezügelten Deutschenhetze. Ein Jahr später wurde der deutsche Standpunkt zwar auf der Konferenz von Algeciras formell anerkannt, in der Sache wurde aber, sehr bezeichnenderweise mit der Stimme unseres 'Verbündeten' Italien, im Sinne der französischen Vorherrschaftsinteressen entschieden.

In der Folgezeit gingen die Ausweitung der antideutschen Koalition und die Aufrüstung weiter. Deutschland vermochte das dadurch entstehende Mißverhältnis der Kräfte nicht auszugleichen. Angesichts der Einkreisung und der sich steigernden Kriegsvorbereitungen der Gegner Deutschlands, waren selbst die deutschen Generalstabschefs verzweifelt. Einige ihrer Äußerungen möchte ich wörtlich zitieren; sie widerlegen die These von den angeblich kriegslüsternen deutschen Generalen eindeutig; lassen deren Sorge erkennen und kennzeichnen damit auch die damals herrschende Situation."

Während seiner letzten Worte hatte der Lehrer eines der mitgebrachten Bücher ergriffen und einer der mit Lesezeichen gekennzeichneten Seiten aufgeschlagen. Dann fuhr er fort: "Der alte Generalstabschef Moltke klagte: 'Es ist alles zwecklos, wir werden den kommenden Krieg verlieren. Viele Hunde sind des Hasen Tod! Ich bitte Gott, nicht erleben zu müssen, was ich kommen sehe!' Seine Nachfolger Waldersee und Schlieffen äußerten sich ähnlich. Der jüngere Moltke schrieb: 'Wie lange wird es noch dauern, bis die Säulen des Reiches stürzen?', und fragte schließlich: 'Wozu? Es ist doch alles vergebens!' Aus diesen Worten der deutschen Generalstabschefs kann jeder entnehmen, wer den Krieg fürchtete und wer ihn suchte!

Das machte auch die immer bösartiger werdende Deutschenhetze deutlich. Als das kleine deutsche Kanonenboot 'Panther' vor der marokkanischen Küste erschien, erhob man ein Protest- und Kriegsgeschrei, von dem die

Welt widerhallte, - die Präsenz der französischen und englischen Flotten im Mittelmeer und vor den Küsten Marokkos, wurde aber als selbstverständlich hingestellt; und die damals erfolgte drohdemonstrative Verlegung eines englischen Flottenverbandes in die deutsche Bucht wurde natürlich auch nur als eine reine Friedensgeste dargestellt. So wurde zweierlei Maß angelegt und schwarz aus weiß gemacht!

Frankreichs Kriegspartei betrieb nun, angeführt von Poincare und Clemenceau, offiziell eine Politik, die sie als 'Politik des Vorbereitetseins auf den Krieg' bezeichnete. Als deren Folge war bei Kriegsausbruch in Frankreich jeder 50., in Deutschland aber nur jeder 85. Mann ausgebildeter Soldat. Ähnlich war das Verhältnis zu den anderen Einkreisungsmächten. Daher konnten Deutschland und Österreich-Ungarn zusammen im August 1914 den 5,7 Millionen Soldaten der Feindmächte nur 3,8 Millionen eigene entgegenstellen. Die Zusammenarbeit der Armeen dieser Mächte war in Abstimmung der Generalstabsplanungen und durch wechselseitige Teilnahme hoher Militärs an den Manövern der Streitkräfte dieser Länder vorbereitet worden. Sehr bezeichnend für die Zielsetzung der Einkreisungsallianz war der Trinkspruch, den der Führer der russischen Manöverdelegation, Großfürst Nikolay Nikolajewitsch, 1912 bei der Abschlußfeier der französischen Manöver ausbrachte. Er lautete: 'Auf unsere künftigen Siege! Auf Wiedersehen in Berlin!'

Soweit zu Frankreich. Wir werden allerdings noch einigemal darauf zurückkommen müssen, weil es der Hauptakteur bei der Einkreisung Deutschlands war und in allen gegen uns gerichteten Bündnissen eine Hauptrolle spielte. Hat einer zur Politik Frankreichs noch eine Frage? Ah ja, Barthel; was möchtest du wissen?"

"Ich möchte gern wissen, warum Deutschland sich nicht ebenfalls weitere Verbündete gesucht hat?", fragte Barthel.

"Das möchten sicherlich noch mehrere wissen", vermutete der Lehrer. "Dazu ist folgendes zu sagen: So einfach, wie es scheinen mag, ist es nicht, zuverlässige Verbündete zu finden. Zuverlässig sind nur solche, die gleiche oder ähnliche Interessen haben. Diese Interessen werden aber, neben solchen, die sich aus veränderlichen, wirtschaftspolitischen Verhältnissen und militärischen Kräftekonstellationen ergeben, maßgeblich und dauerhaft von unveränderbaren, geographischen Gegebenheiten bestimmt. Sie sind es vor allem, die bestimmte Bedürfnisse, gewißermaßen aus natürlichen Gründen, nahelegen oder ausschließen.

Es würde jetzt zu weit führen, wenn ich näher darauf einginge; die Stichworte 'eisfreie Häfen, Meerengen, Bodenschätze, zentrale Lage und Durchgangsland, natürliche, beziehungsweise unnatürliche Grenzen', mögen genügen, um die daraus entstehenden Probleme anzudeuten. Als Beispiel möchte ich die geographische Lage Deutschlands anführen. In der Mitte

Europas gelegen, nur im Norden und Süden mit natürlichen Gebirgs- und Seegrenzen versehen, ist es im Osten und Westen offen. Seine Seewege können leicht blockiert werden. Hinzu kommt, daß wir mit 11 Ländern eine gemeinsame Landgrenze haben - vor dem Kriege waren es 9 - das gibt natürlich andere Probleme, auch hinsichtlich der Bündnispolitik, als sie etwa aus der Insellage Großbritanniens entstehen oder richtiger gesagt, von ihr ausgeschlossen werden.

Damit wären wir bei Großbritannien angelangt. Dessen Rolle im Rahmen der Einkreisungs- und Kriegsvorbereitungspolitik wurde von der Doktrin vorgezeichnet, alle Konkurrenten oder auch nur potentiellen Rivalen, ob auf See oder auf dem Festland, zu vernichten. Und zwar am besten dadurch, daß sie dazu gebracht wurden, sich gegenseitig zu zerfleischen.

Das hatten die Spanier, die Franzosen, die Dänen, die Russen und die Türken schon erfahren müssen. Deutschland war ein kommender Rivale auf dem Weltmarkt. Der Fall war also klar.

Deutschland hatte versucht, Interessenskonflikte mit England zu vermeiden, indem es, während der Berliner Konferenz von 1885, seine kolonialen Interessen mit denen Englands und der anderen Kolonialmächte abstimmte. Das Ergebnis war die sogenannte Kongoakte. Zudem hielt Deutschland seine Flotte klein, sie wurde als 'Blockadebrecherflotte' ausgelegt, mit der Zweckbestimmung, die Seewege zu den Kolonien offen zu halten. Eine nochmalige Interessensabgrenzung erfolgte 1889.

Hingegen unternahm England einen unfreundlichen Akt, indem es mit seinem Handelsmarkenschutzgesetz den freien Handel mit den Ländern des Empire einschränkte. Dessen Spitze war vor allem gegen die deutsche Konkurrenz gerichtet. Deutschland nahm dies jedoch nicht sonderlich übel, weil die nunmehr mit dem Vermerk 'Made in Germany' gekennzeichneten, qualitativ hochwertigen deutschen Waren sogar noch einen besseren Absatz als zuvor fanden.

Im Gegensatz zum deutschen Verhalten empörten sich kriegslüsterne Kreise in England wegen des Telegramms, das der Kaiser 1896 an den Präsidenten des von den Briten überfallenen Burenvolkes, Paul Krüger, schickte. Gewiß war das ein Lapsus des Kaisers; aber gemessen an der Absicht, die England mit dem Handelsmarkenschutzgesetz verfolgte, war das nur eine verbale Bagatelle. Leider wurde der Ausrutscher des Kaisers auch in Deutschland von der Opposition hochgespielt. Geschadet hat er Deutschland nicht, denn England erneuerte sein Bündnisangebot, das es bereits 1898 gemacht hatte, im Jahr 1901.

Nun werdet ihr wissen wollen, warum ein solches Bündnis zweimal nicht zustande kam. Um den Hauptgrund zu nehmen, sei festgestellt: Es geschah jedesmal aus deutscher Rücksichtnahme auf Frankreich!

1898 war es nämlich in Ägypten zu einer sehr scharfen englisch-französischen Auseinandersetzung gekommen, während der England mit Krieg drohte und Frankreich zwang, seine Flagge in Oberägypten einzuziehen. In die Geschichte eingegangen ist diese, am Rande eines großen Krieges sich bewegende Konfrontation, unter den Begriff 'Faschoda-Krise'. Nach dieser Auseinandersetzung hätte Frankreich ein deutsch-englisches Bündnis als gegen sich gerichtet empfinden müssen. Das wollte Deutschland jedoch vermeiden und darüber hinaus Frankreich zu verstehen geben, daß es von ihm, auch in Zeiten der Not, nichts zu befürchten habe. Zugleich sollte mit dem Verzicht auf ein deutsch-englisches Bündnis aber auch den anderen Nachbarn Deutschlands signalisiert werden, daß das Reich nicht gewillt sein werde, sich als Festlandsdegen Englands mißbrauchen zu lassen.

Zwei Jahre später, 1901, als die englisch-französische Krise überwunden war, war Deutschland grundsätzlich bereit, ein Bündnis mit England abzuschließen, jedoch nur unter Beachtung der eben erwähnten Gesichtspunkte. Daher schlug Deutschland seinen Verbündeten im Dreibund vor, ein Spiel mit offenen Karten zu betreiben und das neue Bündnis an diesen Bund anzulehnen. Frankreich sollte damit von weiteren Kriegsvorbereitungen abgehalten werden und darüber hinaus vor allem die Gewißheit erhalten, daß keine Geheimdiplomatie betrieben werde; es sollte wissen, daß das neue Bündnis berechenbar sei und infolge der Rücksichtnahme, die Deutschland dann auf einen weiteren Bündnispartner zu nehmen habe, auch mehr Sicherheit vor, zwar unbeabsichtigten, in Paris aber doch befürchteten, deutschen Alleingängen habe. Intrigen einflußreicher englischer Kreise, unter Führung des Premierministers Lord Salisbury, gegen den geplanten Vertrag, veranlaßten Deutschland außerdem zu dem Wunsch, den Vertragsabschluß von der Zustimmung des britischen Parlaments abhängig zu machen. Das war angesichts der Querelen Salisburys und seiner Clique ein verständliches Ersuchen.

Die Briten waren jedoch nicht geneigt, diese Gedanken nachzuvollziehen; sie paßten nicht zu ihrem Teile- und Herrsche-Prinzip. Daher lehnten sie den deutschen Vorschlag ab. Frankreich hat unsere in zwei entscheidenden Fällen geübte Rücksichtnahme auf sein Sicherheitsbedürfnis in Versailles gedankt.

England suchte nun einen anderen Weg, um Deutschland und Frankreich als stärkste Kontinentalmächte gemeinsam zur Ader zu lassen. Es schürte von nun an die französischen Revanchegelüste und schloß mit Frankreich die 'Entente cordiale'. Ohnehin bereits meerbeherrschend, startete es 1912 zusätzlich ein Flottenbauprogramm, das 41 Schlachtschiffe, 20 große Kreuzer, 40 kleine Kreuzer und andere Einheiten vorsah. Es kam aus diesem Anlaß zu deutsch-englischen Flottenverhandlungen. Die scheiterten jedoch, weil England es ablehnte, den vorgesehenen deutschen Verzicht auf einen mit den Interessen Englands kollidierenden Ausbau der deutschen Flotte, durch eine Erklärung zu honorieren, die Deutschland der englischen Neutralität in einem Konfliktfall versichern sollte. Damit gab Britannien überdeutlich zu erkennen, daß es in einem Krieg gegen Deutschland, nicht neutral bleiben werde.

Logischerweise begann nun auch Deutschland mit einer Verstärkung seiner Flotte. Sie blieb aber der britischen stets beträchtlich unterlegen. 1914 betrug die Gesamttonnage der deutschen Flotte 1 020 000 Tonnen, die der britischen 2 172 000 Tonnen. Zusammen mit den Flotten der Einkreisungsmächte Frankreich und Rußland, die über 2 500 000 Tonnen verfügten, standen der deutschen Flotte eine dreieinhalbfache Übermacht entgegen. Dieses Verhältnis berücksichtigt noch nicht die Kriegsflotten der USA, Japans und Italiens, die später in die antideutsche Koalition eintraten.

Es bleibt also festzustellen, daß die deutsche Flottenpolitik, die von interessierter Seite als der entscheidende Grund für Englands Gegnerschaft hingestellt wird, die Briten nie wirklich bedrohte. Vielmehr hat England die vielgerühmte 'Freiheit der Meere' immer nur als eine uneingeschränkte Freiheit für sich selbst verstanden. 'Britannia rules the waves', Britannien beherrscht die Meere, war für jeden Engländer ein geheiligtes Vorrecht, das keiner auch nur im entferntesten antasten durfte. Was sie bei anderen verdammten, erachteten sie für sich als selbstverständlich und legitim. Soviel zum deutsch-englischen Vorkriegsverhältnis. Wer hat dazu eine Frage?"

Edgar Faber, Georg Sellers Freund, meldete sich. Von seinem Rechts- und Gerechtigkeitsempfinden veranlaßt, fragte er: "Wer gibt England eigentlich das Recht, sich ständig in die Angelegenheiten anderer Völker einzumischen?"

Der Lehrer deutete zunächst ein amüsiertes Lächeln an; dann aber antwortete er ernst und sachlich: "Niemand gibt England dieses Recht! Es nimmt sich ganz einfach dieses Einmischungsrecht! 'Recht' ist überall nichts anderes als ein Willensausdruck der Mächtigen; und im sogenannten Völkerrecht - ich spreche vom effektiven Völkerrecht, nicht von dem Buchstabenrecht, um das sich letztlich sowieso kein mächtiger Staat kümmert - kommt das besonders deutlich zum Ausdruck. Macht setzt Recht! Das war schon immer so; das wurde uns in Versailles vor Augen geführt und das wird uns auch jetzt wieder, mit dem auf dem Versailler Diktat fußenden Locarno-Diktat klar gemacht!

Um ein Diktat handelt es sich nämlich auch bei dem Machwerk von Locarno! Das neue "Recht", das dieser sogenannte Vertrag schaffen soll, ruht auf den Spitzen alliierter Bajonette! Nur ein Ignorant kann zu der Auffassung gelangen, daß ein Land, das, wie Deutschland, restlos entmachtet worden und dessen Gebiet zu wesentlichen Teilen von fremden Armeen besetzt ist, gleichberechtigt verhandeln könne und freiwillig ein solches neues

Kneblungswerk ratifizieren würde! Hier handelt es sich um handfeste Erpressung! Darüber darf die Garnierung mit bedeutungslosen Versprechungen, wie etwa die in Aussicht gestellte Aufnahme in den Völkerbund, nicht hinwegtäuschen!

Aber jetzt müssen wir zu unserem eigentlichen Thema zurückkehren und uns der Rolle zuwenden, die unser 'Verbündeter' Italien während der Vorkriegsentwicklung spielte. Wir brauchen uns jedoch nicht lange damit aufhalten, denn seine Geheimpakte und Ziele habe ich schon erwähnt. Da diese streng geheim gehalten worden waren, war es für Deutschland damals zwar überraschend, rückblickend aber kein Wunder, daß der italienische Ministerpräsident Salandra beim Kriegsausbruch am 3. August 1914, im Namen des 'Sacro egoismo per Italia', des heiligen Egoismus für Italien, die Neutralität seines Landes verkündete. Übrigens werden wir nachher, wenn ich auf die Vereinigten Staaten eingehen werde, noch sehen, daß auch deren Kriegsziele einen Heiligenschein trugen und, wie die Englands und Italiens, mit dem Sanftmutsöl der Moral gesalbt waren. Der Judaslohn für den geplanten Verrat war Italien zu einem Teil bereits im April 1914 in London ausgezahlt worden, als man ihm das 'Recht' einräumte, Gebiete in Nordafrika und im östlichen Mittelmeerraum zu annektieren; den anderen Teil der Silberlinge für den Verrat überreichte man Italien in Versailles.

Denn Italien verfiel, wie ihr wißt, der 'Heiligkeit' seines Egoismus schließlich so sehr, daß es in den Krieg gegen seine früheren Dreibundfreunde eintrat."

Der Lehrer sah nach seiner Uhr. "Die Zeit läuft mir davon", sagte er. "Ich muß mich kürzer fassen. Da ich die USA eben erwähnt habe, will ich gleich dabei bleiben. Also: Amerika sah in einem großen Krieg vor allem die Gelegenheit zu einem großen Geschäft. Zunächst lieferte es Kriegsmaterial an die Gegner Deutschlands, soviel diese nur haben wollten. In der Erkenntnis, daß der Profit noch größer werden würde, wenn es auch selbst Kriegsmaterial verbrauchen und Deutschland später dafür zwangsweise zur Kasse bitten könnte, wartete Amerika nur auf Gelegenheiten, um seiner Bevölkerung eine 'Bedrohung durch Deutschland' einreden zu können und sie zur 'Rettung der Weltzivilisation'auf europäischen Schlachtfeldern bereit zu machen!

Wer Gelegenheiten sucht, der findet sie, insbesondere, wenn ihm Kumpane dabei helfen. Um die öffentliche Meinung zu beeinflussen, wurde zunächst der 'Lusitania-Zwischenfall' inszeniert. Dieser englische Luxusdampfer setzte seerechtswidrig und nach Piratenart die amerikanische Flagge. Seine Laderäume und unteren Decks wurden mit Munition und Kriegsgerät vollgestopft, in den oberen Decks Passagiere untergebracht, zu einem erheblichen Teil Amerikaner. Die brauchte man, um mit ihnen die 'beklagenswerten, unschuldigen, zivilen Opfer deutscher Barbarei' zur Verfügung zu haben, die die bekannte 'Volksseele' zum Kochen bringen sollten. Dann wurde die 'Lusitania' in das von Deutschland zur Gefahrenzone und zum Sperrgebiet erklärte Seegebiet um England geschickt, in dem deutsche U-Boote operierten.

Erster Lord der britischen Admiralität war damals ein gewisser Winston Churchill. Ihm wurden Kurs und jeweiliger Standort der 'Lusitania' laufend gemeldet. Er wußte auch von dem deutschen U-Boot, das an der Südküste Irlands eingesetzt war; - genau in dem Seegebiet, in das die 'Lusitania' einlaufen sollte. Offiziere des britischen Admiralstabes beschworen den Seelord, das Schiff über Funk zu warnen und es zu veranlassen, Irland im Norden zu umfahren. Churchill verbot dies jedoch und ließ die 'Lusitania' vor die Torpedorohre des U-Bootes laufen. Er wollte seinen Zwischenfall! Was er aber nicht wußte, war die Tatsache, daß das deutsche U-Boot nur noch einen Torpedo an Bord hatte und damit die vielen Löcher, die Taucher später im Wrack des Riesendampfers feststellten, garnicht hervorrufen konnte. Tatsächlich sank der Luxusdampfer auch nicht durch den Torpedotreffer, den er erhielt, sondern durch die damit ausgelöste Explosion der Munitionsmengen, die er rechtswidrig und ohne Kenntnis der Passagiere geladen hatte. Wegen dieses Wissens führte der Untergang der 'Lusitania' auch bei den offiziellen Stellen in Amerika nicht zu dem erhofften Erfolg. Noch nicht! Hunderte von Menschen waren umsonst geopfert worden!

Der erhoffte Erfolg stellte sich, vorbereitet von intensiver Propaganda, erst ein, als Deutschland, um die von England verhängte Hungerblockade zu durchbrechen, den U-Bootkrieg verschärfte. Da floß man in den USA über von heuchlerischer Entrüstung! Die Hunderttausende zivilen Hungertoten in Deutschland boten den Heuchlern, die wegen der 'Lusitania'-Toten Krokodilstränen vergossen hatten, keinen Anlaß zum Bedauern. Es handelte sich ja 'nur' um deutsche Opfer!

Na ja, die doppelte Moral haben die Amerikaner von den Engländern übernommen. Moralin und Profitdenken sind die Grundlagen der 'besonderen Beziehungen', die beide verbinden."

Wieder sah der Lehrer zur Uhr. Fast gleichzeitig läutete die Schulglocke zur Pause. Er sagte deshalb: "In der nächsten Stunde steht Geographie auf dem Lehrplan. Da der Krieg die Landkarte Europas wesentlich verändert hat, läßt es sich vertreten, das Thema Vorkriegsentwicklung und Kriegsschuld während der ersten Hälfte der Geographiestunde zu Ende zu führen. Ich bin mir übrigens bewußt, daß ich im letzten Teil meiner Stegreifausführungen dem Geschehensablauf etwas vorausgeeilt bin. Aber das ist ja kein Unglück. Nach der Pause werden wir uns mit Rußland und den Ereignissen unmittelbar vor Kriegsbeginn befassen. Jetzt seid ihr aber erst einmal für 15 Minuten entlassen."

Als die Pause vorüber war, begann der Lehrer: "Die wesentlichsten Kriegsgründe Rußlands haben wir bereits zu Anfang der vorigen Stunde, in Verbindung mit Panslawismus und Balkan, Meerengenfrage und imperialistischem Ausdehnungsdrang erwähnt. Ich meine, wir brauchen deshalb nicht weiter ins Einzelne zu gehen, sondern können uns gleich dem Geschehensablauf des Jahres 1914 zuwenden. Doch auch dabei sollten, beziehungsweise müssen wir mit Rußland beginnen.

Denn Rußland verlegte bereits im Februar 1914 die Masse seiner sibirischen Armeekorps nach Polen, das ja damals noch russische Provinz war, und verstärkte damit seine für den Angriff vorgesehenen Armeen an der deutschen und österreichisch-ungarischen Grenze. Zur weiteren Vergrößerung seines Heeres erhielt es eine französische Anleihe in Höhe von 2,5 Milliarden Mark. Aus einem Geheimprotokoll, das die Bolschewisten 1918 veröffentlichten, geht hervor, daß im gleichen Monat, also im Februar, bereits Details für die praktische Kriegsführung festgelegt wurden.

Aber auch auf dem Balkan verschärfte die Lage sich. Als am 28. Juni der österreichische Thronfolger in Sarajewo ermordet wurde, erklärte einen Monat später Österreich an Serbien den Krieg; - ohne jedoch, das war nicht ohne Bedeutung, eine Generalmobilmachung durchzuführen. Am nächsten Tag, am 29. Juni, bat Kaiser Wilhelm den Zaren telegraphisch, bei der Beseitigung der Kriegsgefahr behilflich zu sein. Außerdem wurde der deutsche Botschafter in Wien angewiesen, Österreich zur Aufnahme von Verhandlungen mit Rußland zu bewegen.

Im Gegensatz dazu sandte England - das bereits Anfang Juli seine Flotte 'probeweise' mobil gemacht und sie, nach weiteren Verstärkungen, im Kanal zusammengezogen hatte -, am 29.7. wieder ein starkes Kreuzergeschwader in die deutsche Bucht bei Helgoland.

Am 30. Juli beantwortete der Zar das Telegramm Kaiser Wilhelms vom 29.7. mit der Generalmobilmachung. Der Kaiser bat nun, die Mobilmachung rückgängig zu machen. Doch ohne Erfolg. Rußland wollte den Krieg. Desgleichen Frankreich und England. Deshalb beeilte Frankreich sich am gleichen Tag, Rußland nochmals Waffenhilfe zu versprechen. Englands Zusage einer Waffenhilfe an Frankreich erfolgte einen Tag darauf. Die Jagd auf Deutschland begann.

Am 31.7. forderte Deutschland nun ultimativ die Einstellung der Mobilmachung in Rußland und richtete an Frankreich die Anfrage, ob es in einer eventuellen Auseinandersetzung mit Rußland neutral bleiben werde. Frankreich beantwortete die deutsche Anfrage ebenfalls mit der Mobilmachung!

Daraufhin machte verständlicherweise auch Deutschland mobil. Unter dem Eindruck der russischen Angriffsvorbereitungen an der ostpreußischen Grenze erklärte die Reichsregierung den Kriegszustand. Trotz der Zusage Frankreichs, Rußland militärisch zu unterstützen und von der französischen

Generalmobilmachung unmittelbar bedroht, zögerte die deutsche Regierung zunächst gegenüber Frankreich mit Präventivmaßnahmen.

Die deutsche Kriegserklärung an Frankreich erfolgte am 3. August, also erst drei Tage nach der französischen Mobilmachung gegen Deutschland und seiner Zusage in Rußland!

Am gleichen Tag fragte Deutschland in Belgien an, ob es deutschen Truppen, bei voller Aufrechterhaltung seiner Souveränität, Durchmarschrecht gewähren würde. Belgien lehnte ab.

Am gleichen Tag erfolgte der Bündnisverrat Italiens. Deutschland war nun auch nicht mehr sicher, ob Belgien seine Neutralität unter allen Umständen gegenüber Frankreich bewahren werde. Denn immerhin hatten ja schon jahrelang belgisch-französische Generalstabsbesprechungen stattgefunden. Ein Durchmarsch war von beiden Seiten möglich. Auch der Schlieffenplan sah eine solche Möglichkeit vor.

Deutschland von allen Seiten eingekreist und von der britischen Flotte blockiert, konnte kein Risiko mehr eingehen. Zumal ein Vorstoß französischer Armeen durch Belgien das relativ grenznahe Ruhrgebiet, das Rückgrat der deutschen Rüstungswirschaft, äußerst gefährdet hätte. Deutschland entschloß sich folglich zum Durchmarsch, auch gegen den Willen der Belgier.

Darauf hatten die Briten nur gewartet. Der deutsche Durchmarsch lieferte England das Moralin, mit dem es seine Angriffspläne in den Augen der Welt verkleistern konnte. Es erklärte Deutschland den Krieg mit der Begründung, die Neutralität der kleinen Länder, insbesondere Belgiens, schützen zu wollen. Britische Schutzabsichten hatten ja auch zum Krieg geführt, in dem England das kleine Burenvolk überfiel und unterjochte, wobei es Zehntausende burischer Familien in 'Concentrationcamps' einsperren und umkommen ließ!

Überhaupt tat England so, als seien die Vertreter der vielen Völker, die im britischen Empire ausgebeutet wurden und noch werden, einst sämtlich voller Freude nach London geeilt und hätten dort um Vernichtung ihrer Eigenständigkeit, sowie um die Güte gebeten, von britischen Truppen besetzt zu werden und für die Bank von England arbeiten zu dürfen! Nun ja, so ist das eben, wenn man 'moralische' Kriege führt!

Abschließend möchte ich noch auf das Stichwort 'Blankoscheck' oder 'Generalvollmacht' eingehen, die in Verbindung mit der Stellungnahme des Reichskanzlers Bethmann-Hollwegs vom 23. Juli zum Mord von Sarajewo, von der antideutschen Propaganda in die Welt gesetzt wurden. Leider werden diese verfälschenden Schlagworte auch heute noch, sogar in Deutschland, gedankenlos nachgeplappert.

Doch was geschah wirklich? Damals verlangte Österreich-Ungarn lediglich an der Aufklärung des Thronfolgermordes und seiner Hintergründe beteiligt zu werden. Diese Forderung und nichts anderes, hat Deutschland gebilligt! Was das mit einer Blankovollmacht zu tun haben soll, bleibt das Geheimnis der propagandistischen Giftmischer.

Blankoschecks wurden in Wirklichkeit von ganz anderer Seite ausgestellt, nämlich von Rußland, indem es Serbien am 23. Juli versicherte, es werde Serbien auf jeden Fall unterstützen. Erst daraufhin lehnte dieses Land die gewiß nicht überpitzte österreichische Forderung ab, und erklärte Österreich-Ungarn reagierend, Serbien am 29. Juli den Krieg. Doch das war noch immer eine begrenzte österreichisch-serbische Angelegenheit, die nicht notwendigerweise zu einem Weltkrieg hätte führen müssen, wenn die Einkreisungsmächte ihn nicht gewollt hätten! Doch sie wollten ihn und deshalb stellten sie auch mit ihren gegenseitigen Zusagen militärischer Hilfe Blankoschecks aus!

Daß Deutschland unter diesen Umständen sich nicht bereit fand, den Bündnisvertrag mit Österreich-Ungarn zu brechen, kann man ihm nicht zum Vorwurf machen. Doch gesetzt den Fall, es hätte das getan, dann hätten, davon bin ich überzeugt, die gleichen Kreise, die Deutschland seither seine geübte Bündnistreue zum Vorwurf machen, behauptet, Deutschland habe mit Bündnisverrat den Krieg ausgelöst; weil es damit das Risiko für die Einkreiser, insbesondere für Rußland vermindert habe.

Genau besehen waren die französischen, beziehungsweise englischen Zusagen auf militärische Hilfe vom 30. und 31. Juli bereits mehr als Blankoschecks. Angesichts der, in der Zeit zwischen der Kanzlernote vom 23. Juli und dem 30.7. bzw. 31.7. stattgefundenen Zuspitzung der Lage waren diese Zusicherungen faktisch nichts anderes als Kriegserklärungen mit anderer Bezeichnung! Von ihren bereits durchgeführten Quasi-Kriegshandlungen, ihren Truppenaufmärschen und unmittelbaren Angriffsvorbereitungen, ganz abgesehen!

Wie ich bereits eingangs sagte, und die Tatsachen beweisen, wurde der Krieg gegen unser Volk und Vaterland von langer Hand vorbereitet. Bereits 1891 hatte der Sozialistenführer Friedrich Engels die Einkreisung Deutschlands mit Sorge verfolgt; er schrieb damals an den Arbeiterführer August Bebel: 'Wird Deutschland von Ost und West angegriffen, so ist jedes Mittel der Verteidigung gut! Es geht um die nationale Existenz und auch für uns um die Behauptung der Positionen und Zukunftschancen, die wir uns erkämpft haben! Ähnlicher Ansicht war aber auch Bebel selbst. Er verstarb 1913, sah jedoch die von Rußland heraufziehende Gefahr schon seit längerem am Horizont erscheinen und erklärte dazu 'Wenn es gegen den Russenzaren geht, dann nehme ich noch selbst, in meinen alten Jahren, die Flinte auf den Buckel!'

Ja, die Kriegsvorbereitungen der Feindmächte waren schon seit vielen Jahren eindeutig! Ungewiß war nur, wann sie den Zeitpunkt für ihren Angriff auf Deutschland für günstig halten würden.

Die Sorgen der deutschen Sozialistenführer, die in einem bemerkenswerten Einklang mit denen der deutschen Generalstabschefs standen, kamen nicht von ungefähr! Wegen des eindeutigen Sachverhalts haben die Sozialdemokraten ja 1914 im Reichstag für die Kriegskredite gestimmt!"

Während der Lehrer das Buch, aus dem er zitiert hatte, wieder auf das Pult zurücklegte, dachte er: "Leider haben die Nachfolger der Altsozialisten 1918 einen ähnlichen Klarblick vermissen lassen und leider sind sie heute auch nicht mehr bereit, die eindeutigen Tatsachen von damals anzuerkennen!" Vor der Klasse äußerte er diese Gedanken jedoch nicht. Sie hätten ihm als parteipolitische Einflußnahme ausgelegt werden können. Dies lag aber nicht in seiner Absicht. Er wollte den deutschen Standpunkt vertreten und die geschichtliche Wahrheit zur Geltung bringen.

Wieder seinen Schülern zugewandt, erklärte er: "Ich hoffe, Euch mit dieser improvisierten Zusammenfassung der damaligen Ereignisse noch einmal vor Augen geführt zu haben, daß französischer Chauvinismus und Revanchismus, russischer Imperialismus und Panslawismus, englische Teile- und Herrsche-Politik, Einkreisung und unkalkulierbare Geheimdiplomatie, nicht zuletzt aber auch verantwortungslose Hetzpropaganda zum Kriege geführt haben. Es wird euch dabei klar geworden sein, wie unsinnig die Lüge von der Kriegsschuld Deutschlands ist und welches Unrecht dem Versailler- und dem Locarno-Diktat innewohnt, denen diese Lüge zugrundegelegt wurde. Eure Väter haben an den Fronten gekämpft und zu Millionen ihr Leben hingegeben, um die in Versailles vorgenommene und jetzt fortgeschriebene, aber vor Kriegsbeginn bereits geplante Vergewaltigung, Amputation, Ausplünderung und Demütigung Deutschlands zu verhindern! Vergeßt das niemals und denkt auch an die Opfer, die eure Mütter brachten!

In Locarno hat man uns die Rehabilitierung verweigert und uns erneut Fesseln angelegt. Locarno brachte einen neuen Aufguß von Versailles! Kein Volk der Welt kann so etwas hinnehmen! Frankreich hat sich wegen der Wiederherausgabe des alten deutschen Reichslandes Elsaß-Lothringen völlig unberechtigt gedemütigt gefühlt. Es soll nicht glauben, Deutschland, dem man Gebiete von der fünffachen Größe Elsaß-Lothringens entrissen und 7 Millionen seiner Menschen in Fremdherrschaft entführt hat, habe weniger Ehrgefühl als Frankreich! Das wäre ein verhängnisvoller Irrtum!

Wir lassen uns nicht zum Pariavolk Europas machen! Wir werden das uns auferlegte Joch abschütteln, damit das Opfer unserer Gefallenen nicht umsonst gebracht wurde. Dabei wird uns, wenn unsere Zwingherren ihr Verhalten nicht ändern, eines Tages, wie Friedrich Engels schrieb, jedes Mittel recht sein müssen. Das sollten unsere Kerkermeister begreifen! Deshalb möchte ich nicht nur rückblickend auf 1914, sondern auch vorausschauend ein Wort des französischen Staatsphilosophen Montesquieu zitieren, es heißt: 'Schuldig ist nicht der, der einen Krieg (formal) beginnt, sondern jene, die ihn unvermeidlich machen!'

"Was Frankreich diesbezüglich von der Zukunft erwartet, das hat der französische Ministerpräsident Clemenceau nach dem Krieg in geradezu zynischer Offenheit, in einer Ansprache von Offiziersschülern ausgedrückt. Mit Bezug auf das Versailler Diktat sagte er: 'Seien Sie ohne Sorge für ihre militärische Zukunft! Der Friede, den wir soeben gemacht haben, sichert Ihnen zehn Jahre der Konflikte in Europa!' Und derselbe politische Bombenleger verabschiedete 1919 den späteren Präsidenten der USA, Hoover, mit den Worten: 'Es wird zu Ihren Lebzeiten einen zweiten Weltkrieg geben, dann wird man Sie wieder in Europa brauchen!' Nicht weniger unheilkündend hat der französische Historiker Bainville sich geäußert, als er sagte: 'In Versailles hat man den ewigen Krieg organisiert!'

Ich zitierte diese Aussprüche, weil sie den Unrechtsgehalt und die Gefährlichkeit des Versailler Diktats und seiner Folgediktate deutlich machen. Mögen die Politiker die Diktatmächte daraus Konsequenzen ziehen, damit nicht eintrifft, was sie den Völkern Europas an Unglück voraussagen! Einsicht in Unrecht und Gefährlichkeit der Diktate beweist auch die Feststellung des Leiters des Britischen Frontkämpferverbandes, Hutchinson, er stellte fest: 'Es ist ein Vertrag, gegründet auf Betrug und erzwungen durch Gewalt! Ein Stück monströser Gaunerei! Er hat Chaos über die ganze Welt ausgebreitet!'Hier haben wir das Bekenntnis eines britischen Soldaten, eines Frontkämpfers, der erkannt hat, daß er hintergangen und mißbraucht wurde, und den die Sorge um die Zukunft drückte.

Nebenbei bemerkt beschämt dieses mutige Bekenntnis all jene in Deutschland, die dieses Schandwerk als eine Folge deutschen Verhaltens hinstellen und die Erfüllungspolitik als eine Art von moralisch begründeter Wiedergutmachungsleistung interpretieren wollen. Die 'Ungerechtigkeiten und die Arroganz, die man in der Stunde des Triumphes übte, werden niemals vergessen und verziehen werden', meinte der britische Premierminister Lloyd George. Er dachte natürlich als Brite und nicht nach der Art jener Speichellecker in Deutschland, die sich den Siegern andienen wollen, indem sie das eigene Nest beschmutzten, und mit Erfüllungspolitik jenen zuarbeiteten, die 'den ewigen Krieg organisiert' und mit 'monströser Gaunerei' 'Chaos über die Welt' gebracht haben!"

Aumüller machte nach diesen Ausführungen wieder eine längere Pause, während der er seinen Blick über seine sehr beeindruckten Schüler gleiten ließ. Schließlich sagte er: "Sorgt Ihr dafür, daß die kommende Generation in Deutschland wieder erhobenen Hauptes gehen kann!"

Den Rest der Unterreichtsstunde nutzte der Lehrer, um wie angekündigt, die durch den Krieg und die Diktate bewirkten Veränderungen der Grenzen Europas, Vorderasiens und Afrikas, sowie in Teilen des pazifischen Raumes zu erläutern. Dabei wies er besonders auf die Unheilsfracht hin, die mit der Verschiebung militärstrategischer Grenzen, mit willkürlicher Abtrennung und Zerschneidung von Wirtschaftsräumen und Verkehrswegen, mit Vergewaltigung von Abermillionen Menschen in fremden Ländern und Retortenstaaten, mit Unterbindung kultureller Eigenständigkeit und, vor allem, mit der moralischen Abqualifizierung des deutschen Volkes verbunden waren.

"Politische Grenzen sind Grenzen von Machtbereichen",sagte er abschließend. "Ein Volk hat nur die Wahl, eigene Macht zur Geltung zu bringen oder fremde Macht zu erdulden. Die Konsequenzen, die sich daraus für unser Volk ergeben, liegen auf der Hand!"

Nachdem die Schüler den Klassenraum, zur nächsten Pause verlassen hatten, gab er sich Rechenschaft über den in den letzten beiden Stunden erteilten Unterricht. Aumüller war sich bewußt, daß er mit manchem, was er gesagt hatte, über das nach dem Lehrplan Zulässige hinausgegangen war. Doch die damit gezogenen Grenzen war ihm schon längst ein Dorn im Auge. Sie wirkten nach seiner Auffassung als Maulkorb für die Lehrerschaft und waren, für ihn, Ausdruck eines von oben verordneten Duckmäusertums. Ein Stück Erfüllungspolitik auch bei der Jugenderziehung!

Doch er war nicht bereit, sich der verordneten Sprachregelung bedingungslos zu unterwerfen und wider besseres Wissen und gegen die Lehren eigener Erfahrung, zu unterrichten. Er war kein Widerkäuer und auch kein im Treibhausklima theorieschwangerer Lehrerbildungsanstalten aufgezogener Wassertriebling. Er stand im Leben und unterrichtete für das Leben; so wie es war und nicht wie Phantasten es auszumalen beliebten oder Opportunisten in hohen Ämtern, dem sogenannten Zeitgeist entsprechend, Lebensgrundlagen, Lebensziele, Lebensinhalte darzustellen verordneten.

Er hatte das, was er den Jungs vorgetragen hatte, ja alles miterlebt! Und natürlich noch einiges mehr. Er entstammte einer kleinen Beamtenfamilie, in der Pflichterfüllung groß geschrieben worden und das Gehalt des Vaters klein gewesen war. Während seiner Kinderjahre hatte er gelernt, was Sparsamkeit und Einschränkung heißt! In seiner Studienzeit war der Hunger dazu gekommen. Als Junglehrer war er in den Krieg gezogen. Dort hatte er das Aufeinanderprallen staatlicher Interessensgegensätze in schärfster Form erlebt. Vor Verdun war ihm, 1916, durch eine Granate der Unterschenkel seines linken Beines weggerissen worden. Verwundet in Gefangenschaft geraten hatte er in den Lagern das Ausgeliefertsein an fremde Willkür kennengelernt. Und dann war die Rückkehr in eine Heimat erfolgt, in der von gewissen Kreisen alles geschmäht wurde, wofür er und mit ihm Millionen, an der Front, in Gefangenschaft und in der Heimat gelitten hatten!

"Was jetzt an Lehrern nachwächst, weiß aus eigenem Erleben immer weniger von dem, was wirklich geschah. Die Junglehrer reden klug. Sie wissen angeblich ganz genau, was falsch gemacht wurde und wie es hätte besser gemacht werden müssen. Die meisten und größten Fehler haben, ihrer Meinung nach, 'die Deutschen' gemacht. Typisch deutsch, diese Art von Nabelschau! Dieses Sich-außerhalb-stellen! Kein Franzose wird von 'den Franzosen' sprechen, kein Pole von 'den Polen'! Sie bekennen sich zu ihrem Volk, in das sie hineingeboren wurden! Die jungen 'Aufgeklärten' meinen das nicht nötig zu haben. Na, wir werden ja sehen, wie sie alles besser machen werden, wenn die düsteren Prophezeihungen Clemenceaus sich erfüllen sollten!"

Zum Zeitgeschehen 1926

Am 20. Januar nahm die neugebildete Reichsregierung ihre Arbeit auf. Kanzler blieb weiterhin Hans Luther (Zentrum), und auch Gustav Stresemann behielt sein Amt als Außenminister. Die Regierungskoalition wurde aus Zentrum, Bayerischer Volkspartei, Deutscher Demokratischer Partei und Deutscher Volkspartei gebildet.

Nachdem der Locarnovertrag unterschrieben worden war, wurde im März, die vorher in Aussicht gestellte Aufnahme Deutschlands in den Völkerbund verschoben. Als Trostpflaster wurde Stresemann, zusammen mit dem französischen Außenminister Briand, der Friedens-Nobelpreis verliehen.

Um das Mißtrauen, das mit dem Abschluß des Locarnopaktes in der Sowjetunion gegenüber Deutschland entstanden war, abzubauen, wurde im April, ein deutsch-sowjetischer Freundschaftsvertrag unterzeichnet.

Nach den Jahren nationaler Selbstentäußerung nahm in Teilen des deutschen Volkes das nationale Bewußtsein wieder zu. Als ein Symptom dieser Entwicklung war, neben anderen Erscheinungen, der sogenannte Flaggenstreit anzusehen. Er entzündete sich an einer Anordnung, dergemäß die deutschen Botschaften im Ausland neben den Reichsfarben Schwarz-Rot-Gold, auch die schwarz-weiß-rote Handelsflagge zeigen konnten.

Infolge dieses Streites kam es im Mai zum Rücktritt des Kanzlers Luther und zu einer weiteren Regierungsumbildung. Neuer Reichskanzler wurde wieder der Zentrumspolitiker Wilhelm Marx, der bereits 1925 dieses Amt begleitet hatte. Die Regierungskoalition blieb von diesem Kabinettwechsel unberührt.

Als ein weiteres Zeichen beginnenden Stimmungswandels im deutschen Volk konnte auch das Ergebnis des im Juni erfolgten Volksentscheids über die entschädigungslose Enteignung der 1918 gestürzten deutschen Fürstenhäuser angesehen werden. Diese Absicht erreichte nicht die erforderliche Zustimmung in der Bevölkerung. Die ehemaligen Fürsten wurden daher, nach Regelungen, die in den einzelnen Ländern des Reiches verschieden waren, mit Geldbeträgen abgefunden. Die Revolution von 1918 hatte damit ein spätes Nachhutgefecht verloren.

Vernehmlicher als bisher erscholl jetzt auch der Ruf nach Wiederherstellung der deutschen Reichsgrenzen. Diese Forderung wurde nicht nur von Parteien, sondern auch von Vertretern der deutschen Wirtschaft, insbesondere vom Reichsverband der deutschen Industrie, erhoben. Dem deutschen Wirtschaftsmechanismus fehlten die Rohstoffquellen und Fertigungsstätten in Oberschlesien, im Saargebiet und in Elsaß-Lothringen, aber auch die Agrargebiete im deutschen Osten. Was dort einst gehoben, erzeugt und gewachsen war, mußte jetzt gegen teure Devisen (die mit teuer zu verzinsenden Anleihen beschafft werden mußten) eingeführt werden.

In der aufkeimenden Erkenntnis, daß ständiger Druck und fortwährende Ausplünderung Empörung erzeugt, versuchten die Diktatmächte nun das deutsche Volk mit einem symbolischen Akt zu beschwichtigen, indem sie Deutschland den Eintritt in den Völkerbund "erlaubten". Nur wenigen ging dabei die Erkenntnis auf, daß die Regierung mit der Anerkennung der Völkerbundssatzung nochmals das Versailler Diktat anerkannte, das bereits bei dessen Gründung zu einem Bestandteil der Satzung gemacht worden war. Zugleich sollte mit der Aufnahme in den Bund auch einer möglichen weiteren Annäherung Deutschlands an die Sowjetunion ein Riegel vorgeschoben werden. Denn nun war Deutschland gemäß Völkerbundstatut verpflichtet, sich gegebenenfalls an Sanktionen gegen die Sowjetunion zu beteiligen, falls die Völkerbundmehrheit solche Maßnahmen gegen 'Rußland' - das nicht Mitglied des Bundes war - beschließen sollte.

Dennoch wurde der "Erfolg" gefeiert. Was jedoch an Realität dahinter stand, das machte Polen mit unveränderter Fortführung seiner antideutschen Enteignungs- und Unterdrückungsmaßnahmen in den geraubten deutschen Ostprovinzen deutlich; und das machte auch Litauen klar, als es im Dezember, im deutschen Memelland den Belagerungszustand verhängte und damit die deutsche Bevölkerung unter Druck setzte. Ungeachtet dieser Terrormaßnahmen seiner Mitglieder gegen Deutsche und trotz der Tatsache, daß die Hauptmächte des Völkerbundes selbst weiterhin Tribute aus dem deutschen Volk herauspreßten, verabschiedete der Völkerbund im gleichen Monat einen "frommen Beschluß", mit dem die Sklaverei geächtet wurde.

Bewußtseinsspaltung war aber auch in Deutschland festzustellen. Dieser Geisteszustand wurde unter anderem erkennbar, als der SPD-Abgeordnete Scheidemann am 16. Dezember, im Reichstag einen Wirbel wegen einer angeblich geheimen deutschen Wiederaufrüstung entfachte. Für ihn und seine Genossen war nicht die Hochrüstung der Nachbarn Deutschlands und waren auch nicht deren Willkürmaßnahmen eine Gefahr, sondern die Bemühungen der Reichswehr, die deutsche Wehrfähigkeit nicht noch mehr verkümmern zu lassen, als dies infolge der alliierten Diktate und deren Überwachung durch Kontrollkommissionen ohnehin schon geschehen war.

Im Verlauf der daran anschließenden Diskussionen wurde auch der Erfahrungsaustausch aufgedeckt, den die Reichswehr, seit der Unterzeichnung des Rapallovertrages, mit der Sowjetarmee unterhielt. Damit war es der Reichswehrführung ermöglicht worden, sich Informationen über den Entwicklungsfortschritt und die dadurch erweiterten Einsatzmöglichkeiten jener modernen Waffen, wie Panzer, Flugzeuge, schwerer Artillerie, zu verschaffen, die Deutschland nicht besitzen durfte.

Angesichts solchermaßen betriebener Selbstentblößung entfiel für die Diktatmächte der Grund, ihre Schnüffelkommissionen weiterhin in Deutschland zu belassen. Sie zogen sie daher, wenige Wochen später, zurück, in der Gewißheit, die Offenlegung der Bemühungen von Reichswehr und Reichsregierung, um Begrenzung der deutschen Schwäche, getrost den "deutschen" Linksparteien und der mit ihnen sympathisierenden Presse überlassen zu können.

7. Kapitel
Tributlasten, Wirtschaftskrise, Auflehnung
1927 bis 1930

Zum Zeitgeschehen 1927

Auch das Jahr 1927 stand im Zeichen der Auswirkungen von Versailles und Weimar. In Deutschland verschlissen die Regierungen sich in kurzen Zeitspannen. Die im Mai 1926 gebildete Regierung war bereits im Januar 1927 am Ende. Sie hatte damit die durchschnittliche Amtsdauer aller bisherigen Regierungen nur unwesentlich überschritten. Es folgte die 16. Nachkriegs-Regierung!

Kanzler wurde wieder Wilhelm Marx (Zentrum). Sein Kabinett stützte sich auf eine Koalition von Zentrum, Deutscher Volkspartei und Deutschnationaler Volkspartei. Im Reichstag befanden sie sich in der Minderheit. Eine eindeutige Konzentration der politischen Kräfte stand in Deutschland noch aus.

In den Parlamenten sehr schwach vertreten war immer noch die äußere Rechte. Bei den 1927 stattgefundenen Landtags- und Senatswahlen erhielten die Nationalsozialisten in Hamburg 1,5%, in Braunschweig 3,7% und in Thüringen 3,4% der Stimmen. Das seit 1925 über Hitler verhängte Redeverbot in den Ländern Bayern, Preußen, Sachsen und Baden, wurde nun, da die Nationalsozialisten keine ernsthafte Konkurrenz zu sein schienen, in Bayern und Sachsen aufgehoben. In den übrigen Ländern blieb es bestehen; in Berlin wurde die NSDAP gänzlich verboten.

Die deutsche Wirtschaft zeigte erste Symptome einer neuen Flaute. Tribute und Zinslasten der Hypotheken und Anleihen drückten als schwere Lasten, Arbeitslosigkeit und Konkurse nahmen wieder schneller zu. Aber auch jenseits der Versailler Willkürzgrenzen gab es wachsende Probleme und eindeutige Merkmale für jene Konfliktaufladung, die Clemenceau und andere Staatsmänner der Diktatmächte, als unausbleibliche Folgen von Versailles vorausgesagt hatten.

In Elsaß-Lothringen wurde ein "Elsaß-Lothringischer Heimatbund" gegründet, der die Selbstverwaltung des alten deutschen Reichslandes verlangte. Kontroversen zwischen England und der Sowjetunion führten zum Abbruch der diplomatischen Beziehungen. In Wien wurde als Folge sich verschärfender Spannungen zwischen Links und Rechts von Marxisten der Justizpalast angezündet. Deutschenhetze, sowie weitere Enteignung und Vertreibung von Deutschen sorgten im deutsch-polnischen Verhältnis für neuen Zündstoff. Und im Vielvölker-Zwangsstaat Tschecho-Slowakei spitzten die Volkstumsprobleme sich zu, die von sämtlichen unter tschechische Vormundschaft gepreßten Minderheiten ausgingen.

Zur Festigung und Komplettierung seines Einkreisungsringes schloß Frankreich im November mit Jugoslawien einen Bündnisvertrag.

Reflexionen und Details

Seit Albert Germer 1923, nach Ausheilung seiner Verletzungen, ins Ruhrgebiet zurückgekehrt war, waren vier Jahre vergangen. In den nächsten Jahren war er mehrmals zu kurzen Aufenthalten nach Saalfurth zurückgekehrt. Während dieser Aufenthalte war er auch täglich nach Halle gefahren. Zunächst hatte er diese Fahrten mit der Absicht begründet, sich bei denen bedanken zu wollen, die ihn während seines Klinikaufenthaltes so gut betreut hatten. Eines Tages hatte er allerdings den wahren Grund seiner Fahrten nach Halle eingestanden. Der eigentliche Anlaß dazu war seine Liebe zu einer jungen Krankenschwester!

Im Herbst 1925 hatten sie geheiratet. Albert war es gelungen, in seinem Beruf als Feinmechaniker für Meßwerkzeuge, in Halle Arbeit zu finden. Das junge Paar hatte sich dort eine kleine Wohnung eingerichtet.

Die Verbindung zu den Verwandten in Saalfurth war eng geblieben. Zu einem Teil war das darauf zurückzuführen, daß Georg, der seine Lehrzeit als Motorenschlosser in Halle absolvierte, häufig bei dem jungen Ehepaar zu Gast war, und seine Eltern dieses "Sich-um-Georg-kümmern" mit Gegeneinladungen beantworteten. Wesentlich hatte auch Alberts junge Frau Helga zur Aufrechterhaltung eines guten Verhältnisses beigetragen. Helga war von allen Verwandten sofort akzeptiert worden, nachdem sich erwiesen hatte, daß sie einen offenen Charakter besaß, adrett, freundlich und hilfsbereit war. Offensichtlich hatte sie ihren Schwesternberuf gewählt, weil er ihrem Wesen besonders entgegenkam.

Das junge Paar fügte sich also recht gut in den Kreis der Verwandtschaft ein, wenn es auch gelegentlich zu politischen Meinungsverschiedenheiten zwischen Walter und Albert kam. Da jedoch jeder der beiden dem anderen gute Absichten zugestand, und Walter selbst manche Kritik am Moskauer System für berechtigt hielt, uferten die Kontroversen niemals in Unsachlichkeiten oder persönliche Angriffe aus.

Am ersten Sonntag des Juni war das junge Paar mit seinen Fahrrädern zu den Verwandten nach Saalfurth gefahren. Nun saßen die beiden, im Kreis der Großfamilie, auf den Bänken der offenen Gartenlaube der alten Sellers. Das Gespräch drehte sich um das sonnige Wetter, um die neue Sorte der Frühkartoffeln, die Robert gepflanzt hatte und um die Möglichkeit weitgehender Selbstversorgung mit Gemüse, die durch eine abgestimmte Fruchtfolge erreicht werden könne. Diese Betrachtungen führten zur Erwähnung der allgemeinen deutschen Wirtschaftslage und damit auch zu der Feststellung, daß diese, nach wie vor, entscheidend vom Ausland bestimmt werde.

Dazu bemerkte Albert: "Eigentlich müßte die Tatsache, daß die Finanz- und Wirtschaftshoheit in Deutschland immer noch von den Diktatmächten ausgeübt und das ökonomische Geschehen im Reich, trotz des Eintritts in den 'Völkerbund', weiterhin nach den Bedürfnissen der alliierten Ausplünderungspolitik gelenkt wird, jedem Deutschem verständlich machen, daß Versailles nach wie vor die Ursache allen wirtschaftlichen Übels ist."

"Dieser Meinung kann wohl jeder zustimmen", meinte Robert Seller, "das Diktat überschattet aber auch alle anderen Bereiche unseres Lebens. Es nimmt eine Schlüsselposition ein. Wer politische Vorgänge in Deutschland verstehen und beeinflussen will, der muß Versailles als Ausgangsbasis nehmen und in den Auswirkungen des Diktats, den bewegenden Faktor des Geschehens erkennen."

"Dieser Meinung bin ich ebenfalls", ließ Herbert sich vernehmen. "Unsere auf Pump aufgebaute Wirtschaft wird unter Tributlasten und den Wucherzinsen, die wir für die Auslandskredite bezahlen müssen, früher oder später zusammenbrechen. Sobald die gegenwärtig relativ stabilisiert erscheinende Lage umkippt, wird, höchstwahrscheinlich, Alberts Partei eine bessere Ausgangsposition erhalten als alle anderen Parteien."

"Wie kommst du denn zu dieser Auffassung"?, fragte Walter.

"Ich sehe diese günstigere Position als eine logische Folge aus der Tatsache erwachsen, daß die NSDAP in Bezug auf die Revolution von 1918, sowie auf die Ratifizierung des Diktats und seiner Folgeverordnungen, allein eine absolut reine Weste hat.

Bei den Deutschnationalen verhält sich das zwar ähnlich, aber ihnen gegenüber haben die Nationalsozialisten auch einen Vorteil, weil sie, eindeutiger als jene, gegen den Eintritt in den Völkerbund auftraten und ihnen außerdem der Geruch reaktionären Junkertums, oder gar das Negativbild einer Partei, die von fremden Mächten finanziert wird, nicht anhaftet!"

"Na ja, aber wenn wir uns aus dem Bereich der Hypothesen wieder auf den Boden der Tatsachen begeben, dann kommt es mir vor, als könnten wir uns, bezogen auf die Möglichkeiten der Nationalsozialisten, vergleichsweise darüber unterhalten, ob ein Zwerg ein Zehnzentnergewicht zur Hochstrecke zu bringen vermag. Ihr lächerlicher Stimmanteil bei den bisherigen Wahlen, läßt auch künftig keinen großen Wählerzuwachs erwarten."

"Mit einer solchen Prophezeiung würde ich an deiner Stelle vorsichtig sein", nahm Albert wieder das Wort. "Eure Partei hat auch einmal klein angefangen. Der entscheidende Aufschwung für unsere Partei wird beginnen, sobald die schillernden Seifenblasen, die aus dem Völkerbundpalast in Genf kommen, geplatzt sind und das auf Schuldenmacherei aufgebaute 'Wunder der Goldenen Zwanziger Jahre'sich in blauen Dunst auflöst! Dann werden unserem Volk die Augen von selbst aufgehen. Unsere Aufgabe wird es dann nur noch sein, die Zusammenhänge restlos aufzuzeigen und unseren Volksgenossen bewußt zu machen, daß statt Erfüllungspolitik und Leisetreterei, Widerstand, Selbstbehauptungswillen und Ärmelhochkrempeln erforderlich sind!"

"Widerstand und Selbstbehauptung sind im Leben der Völker und Staaten nur mit Abdeckung der Politik durch militärische Stärke möglich", sagte Robert. "Eine militärische Wiedererstarkung Deutschlands würde aber sofort auf den Widerstand der Siegermächte stoßen!"

"Jede Befreiung aus Unterdrückung und Ausbeutung stößt auf den Widerstand der Zwingherren! Das darf kein Grund sein, das Befreiungsziel aus dem Auge zu verlieren und Befreiungsversuche zu unterlassen!", erklärte Walter. "Die Frage ist nur, ob Deutschland ohne Verbündete, um konkret zu sein, ohne Unterstützung oder zumindest Rückendeckung im Osten, sich gegen die kapitalistischen Ausbeuterstaaten im Westen erheben kann?"

"Walter will wieder auf eines seiner Lieblingsthemen, auf ein deutsch-russisches Bündnis zusteuern", vermutete Lore.

"Mit uns Nationalsozialisten wird es kein solches Bündnis geben; - es sei denn, die Diktatmächte setzen uns endgültig das Messer an den Hals!", erklärte Albert mit Nachdruck. "Ehe wir uns schlachten lassen, werden wir mit jedem, der dazu bereit ist, ein zeitweiliges Bündnis eingehen!"

"Bleibt auf dem Teppich!", sagte Berta. "Erst kürzlich hat man die Nationalsozialisten in Berlin verboten. Hitler darf in großen Teilen Deutschlands nicht reden und ihr sprecht über Möglichkeiten, die noch nicht einmal am fernsten Horizont zu ahnen sind!"

"Den letzten Satz der Mutter muß ich unterstreichen", erklärte Robert. "Außerdem möchte ich dem, was ich vorhin über militärische Wiedererstarkung sagte, noch etwas hinzusetzen. Ich bin nämlich der Meinung, daß jeder Versuch, eine militärische Absicherung deutscher Politik zu ermöglichen, bereits in den ersten Ansätzen mit einem Riesengeschrei über deutschen Militarismus beantwortet würde. Und zwar nicht nur im Ausland, sondern auch, wie Scheidemanns Wiederaufrüstungs-Cassandra im Reichstag vor einem halben Jahr bewiesen hat, auch im Inland!

"Dabei ist das Schlagwort vom 'Deutschen Militarismus" eine reine Erfindung der Feindpropaganda", ergänzte Herbert die Worte seines Vaters.

Die Tatsache, daß diese geschichtlich unhaltbaren Anwürfe von den Linksparteien aufgegriffen und beinahe genüßlich breitgewalzt werden, ist eines jener deutschen Phänomene, die man in anderen Ländern vergeblich sucht."

"Das ist, leider, vollkommen richtig", schaltete Albert sich wieder ein. "Ich habe neulich einen Bericht über eine, von dem amerikanischen Carnegie-Institut verfaßte Studie über die Häufigkeit von Kriegen gelesen; deren Ergebnisse sind absolut eindeutig und sprechen sehr zu unseren Gunsten! Dasselbe trifft auf eine zweite Untersuchung zu, die, ebenfalls in Amerika, von einem Professor Sorokin durchgeführt wurde. Ich habe mir die wichtigsten Ziffern aus der Broschüre herausgeschrieben und sie in mein politisches Merkbuch eingetragen. Falls sie euch interessieren, kann ich exakte Zahlen anführen."

"Aber selbstverständlich interessieren sie uns", prellte Georg vor. Sich dessen bewußt werdend, sagte er gleich darauf, von einem zum anderen blickend: "Ich glaube jedenfalls, daß solche Zahlen alle interessieren."

"Jedenfalls die meisten von uns. Also schieß' los", forderte Herbert Albert auf.

Der hatte sein Merkbuch inzwischen aus der Tasche gezogen und aufgeschlagen.

Dann erklärte er:

"Die Studien beziehen sich, was die Anzahl der Kriege betrifft auf den Zeitraum der letzten 400 Jahre und was die Kriegsjahre angeht, auf die Zeit seit dem 12. Jahrhundert. An den Kriegen, die in dieser Zeit geführt wurden, waren prozentual beteiligt:

England mit 28 Prozent und mit 56 Prozent der Kriegsjahre
Frankreich mit 26 Prozent und mit 50 Prozent der Kriegsjahre
Rußland mit 22 Prozent und mit 46 Prozent der Kriegsjahre
Polen mit 11 Prozent und mit 58 Prozent der Kriegsjahre
Italien mit 9 Prozent und mit 36 Prozent der Kriegsjahre
Holland mit 8 Prozent und mit 44 Prozent der Kriegsjahre
Deutschland einschließlich Preußen mit 8 Prozent und mit 28 Prozent der Kriegsjahre.

Soweit die Kriege Deutschlands und Preußens im Vergleich zu denen unserer wichtigsten Nachbarn. Nebenbei und der Vollständigkeit halber sei noch erwähnt, daß auch Österreich mit 19 Prozent, mehr als doppelt soviel Kriege führte, wie Deutschland und Preußen zusammen."

"Das ist wirklich interessant", sagte Martha. "Bei dieser Sachlage ist es eine Unverschämtheit, wenn uns ausgerechnet von den Staaten Militarismus angedichtet wird, in denen er tatsächlich zu Hause ist! Und unverständlich ist mir, wie deutsche Nestbeschmutzer, dieses Zerrbild nachzeichnen können!"

"Dieser Ansicht kann ich voll beipflichten", erklärte Albert. "Und weil dem so ist, deshalb werden wir den Geschichtsfälschern auch gehörig auf ihre Schmierfinger klopfen, sobald wir die Möglichkeit dazu erhalten haben!"

"Ich werde, so gut es geht, dabei mithelfen", versicherte Georg. "Das habe ich mir schon vorgenommen, als ich noch zur Schule ging und unser Lehrer Aumüller im Geschichtsunterricht die historischen Sachverhalte und Zusammenhänge uns nahe brachte!"

"Recht so, mein Junge", sagte sein Vater beifälllig, "und vergiß dabei nie, daß obwohl jede Medaille zwei Seiten hat, Wahrheit trotzdem unteilbar ist! Sie kann weder als Halbwahrheit, noch als Resultat eines Kompromisses existieren, - dann hört sie nämlich auf Wahrheit zu sein!"

Zum Zeitgeschehen 1928/29

Die politischen Ereignisse des Jahres 1928 wurden im ersten Halbjahr von der im Mai stattgefundenen Reichstagswahl, in der zweiten Jahreshälfte vom Abschluß des sogenannten Kelloggpaktes, sowie von Reichstagsdebatten und Propagandakampagnen gekennzeichnet, die sich um den Bau eines Panzerschiffes für die Reichsmarine drehten. Insgesamt stand das Jahr im Zeichen weiter erlahmender Wirtschaft und schneller zunehmender Arbeitslosigkeit.

Bei den Reichtstagswahlen war ein Rückgang der für die Rechtsparteien abgegebenen Stimmen zu verzeichnen. Die Toleranz, die diese Parteien, seit der Übernahme des Reichspräsidentenamtes durch Hindenburg, gegenüber dem Weimarer Staat geübt hatten, wirkte sich negativ aus. Die Unzufriedenheit suchte sich andere Kanäle. Dieser Umstand in Verbindung mit den Hoffnungen, die größere Bevölkerungsteile immer noch an Deutschlands Mitgliedschaft im Völkerbund knüpften, führte bei der Deutschnationalen Volkspartei zu einer Verminderung der Anzahl ihrer Abgeordneten von 111 auf 78, und bei den Nationalsozialisten von 14 auf 12.

Gewinner der Wahl waren die Sozialdemokraten, die statt bisher 100 nun 131 Vertreter in den Reichstag entsenden konnten, sowie die Kommunisten, deren Anzahl von 45 auf 54 Abgeordnete anstieg. Einen Stimmenzuwachs erzielten auch kleinere und Splitterparteien, deren Anteil sich insgesamt von bisher 29 auf 51 Sitze erhöhte. Die nach der Wahl gebildete Reigerung wurde von einem sozialdemokratischen Kanzler geführt. An der Spitze des Kabinetts stand wiederum Hermann Müller, der bereits 1920 für einige Monate Reichskanzler gewesen war. Getragen wurde die neue Regierung von einer großen Koalition.

Die mit dem Wahlergebnis und dem Regierungswechsel verbundenen Hoffnungen wurden jedoch sehr bald enttäuscht. Die Lösung der drückenden Probleme konnte nicht mit einer neuen Mischung von Vertretern jener

Parteien erreicht werden, die sich der harrenden Aufgaben bereits bisher nicht gewachsen gezeigt hatten und auch nicht gewillt waren, eine entscheidende Kurskorrektur vorzunehmen.

Dieser Einschätzung gemäß verfuhren auch die Siegerstaaten mit Deutschland. Sie behandelten es weiterhin in bisher geübter deklassierender Manier. Deutlich wurde dies unter anderem auch beim Abschluß des sogenannten Kelloggpaktes im September. Dieser nach dem amerikanischen Staatssekretär Kellogg genannte Pakt, sah die Regelung internationaler Streitfragen unter Verzicht auf militärische Gewaltanwendung vor. Da jedoch auch bei Abschluß dieses Paktes, die Frage der friedlichen Revision der in den Pariser Vorort-Diktaten (Versailles, St. Germain, Sèvres, Trianon) Deutschland und seinen ehemaligen Verbündeten aufgezwungenen Grenzen ebenso ausgeklammert wurde, wie das Selbstbestimmungsrecht der in fremde Staaten gepreßten Völker und Volksteile, offenbarte dieser Pakt sich ebenfalls als ein Fortsetzungswerk des Ungeistes, der bereits bei der Abfassung vorangegangener "Folgediktate" maßgeblich gewesen war.

Der gleiche Ungeist war auch mittelbarer Anlaß zum Bau eines deutschen Panzerschiffes und damit des Wirbels, der von der deutschen Linken dieserhalb entfacht wurde. Infolge der ständig geäußerten polnischen Aggressionsabsichten und der Bedrohung der Landverbindungswege nach Ostpreußen durch das nördliche Westpreußen - den sogenannten polnischen Korridor - sahen Reichswehrführer und Marineleitung es als unerläßlich an, zumindest die Seeverbindung zu der inselartig abgeschnittenen Provinz Ostpreußen sicherzustellen. Zu diesem Zweck sollte, im Rahmen der vom Versailler Diktat gezogenen Tonnage- und Bewaffnungsgrenzen, ein "Westentaschen-Panzerschiff" gebaut werden. Zugleich war dieses Schiff als Ersatz für eines der auszurangierenden, veralteten Linienschiffe vorgesehen, die, in geringer Anzahl, Deutschland belassen worden waren.

Für die damalige Einstellung der deutschen Linken war es bezeichnend, daß sie ihren Sturmlauf gegen die Sicherheit der deutschen Seewege erst einstellten, als im Dezember mit der Rücktrittsdrohung des Reichswehrministers Groener, eine Regierungskrise und damit ein möglicher Regierungswechsel und Machtverlust ihrer Parteien sich abzeichneten.

Zudem drängten andere Probleme sich der Regierung auf. Angesichts der immer mehr erlahmenden deutschen Wirtschaftskraft, begannen die USA ihre Deutschland gewährten Kredite zurückzuziehen. Die Folge war ein weiterer Anstieg der Arbeitslosigkeit. Am Ende des Jahres betrug deren Anzahl 2,38 Millionen. Hinzu kamen 1 Million Kurzarbeiter.

Das Jahr 1929 begann mit großen Bauernunruhen in Schleswig-Holstein. Die Verschuldung der Landwirtschaft nahm Riesenausmaße an. Auch der Parteienkampf verschärfte sich; insbesondere vertiefte sich die Feindschaft unter den Linksparteien. Einer der Anlässe hierfür war das brutale Vorgehen der Polizei gegen die Kommunisten bei der Feier zum ersten Mai in Berlin. Da die Polizei dem sozialdemokratischen Innenminister unterstand und auch die führenden Positionen der Berliner Polizeibehörden von Sozialdemokraten besetzt waren, wurden die zahlreichen Toten und Verletzten, die der Polizeieinsatz hinterlassen hatte, der SPD auf das Schuldkonto geschrieben.

Die Berliner Vorfälle und die Erinnerung an die Verantwortlichkeit sozialdemokratischer Politiker, insbesondere Noskes und Severings, bei der Niederschlagung der linksradikalen Aufstände zwischen 1918 und 1923, veranlaßten die Kommunisten, die Sozialdemokraten künftig als "Sozialfaschisten" zu bezeichnen.

In diesem Jahr begann Polen vor der Weichselmündung den Hafen von Gdingen großzügig auszubauen. Damit sollte Danzig als Hauptumschlageplatz ausgeschaltet und die ohnehin nur noch beschränkte Lebensfähigkeit dieser gewaltsam abgetrennten, unter Völkerbundsverwaltung stehenden, rein deutschen Stadt, weiter unterhöhlt werden.

In der Tschecho-Slowakei verschärften sich die Volkstumsgegensätze nicht nur zwischen Tschechen und Deutschen, sondern auch und vor allem zwischen Tschechen und Slowaken. Mehrere Slowakenführer wurden zu hohen, teilweise 15jährigen Zuchthausstrafen verurteilt. Volkstumsprobleme gab es auch in Jugoslawien.

In Deutschland war jedoch die Tributfrage wichtigstes Thema des Jahres. Die mit dem Young-Plan beabsichtigte, endgültige Regelung der Tributverpflichtungen erwies sich als ein Schlag gegen alle Erwartungen, die mit der Erfüllungspolitik, dem Völkerbundseintritt und dem servilen Wohlverhalten der bisherigen deutschen Regierungen gegenüber den Diktatmächten verbunden worden waren. Der Plan sah, bei hoher Zinsbelastung, Tributzahlungen bis in das Jahr 1988 vor! Als Köder für die Annahme wurde die teilweise Räumung des Rheinlandes durch alliierte Truppen benutzt.

Gegen die beabsichtigte Weiterversklavung richtete sich der Kampf der Rechtsparteien, insbesondere der Nationalsozialisten. Sie nahmen den Plan zum Anlaß einer großangeleten Offensive gegen weitere Tributleistungen. Die übrigen Parteien ließen es mit einigen verbalen Pflichtübungen gegen den Plan bewenden oder forderten ihre Wähler sogar auf, beim Volksentscheid für die Annahme der neuen Belastungen zu stimmen. Die Chance, in Geschlossenheit die deutschen Interessen zu wahren und 10 Jahre nach Kriegsende, durch Verweigerung der Anerkennung, die Weltöffentlichkeit auf die Ungeheuerlichkeit dieses weiteren Ausplünderungsvorhabens aufmerksam zu machen, wurde von der Mehrzahl der Parteien nicht genutzt. Die Konsequenzen dieses Verhaltens zeigten sich bei den nächsten Wahlen.

Im Herbst 1929 begann mit dem sogenannten "Schwarzen Freitag" an der New Yorker Börse, die Weltwirtschaftskrise. Fehlspekulationen, Schutzzölle, überzogene Kreditgeschäfte, Monopolpolitik, Schulden- und Zinswirrwarr führten zu einem Zusammenbruch ohnegleichen. In Panikstimmung wurden auch die restlichen Kredite gekündigt, die Deutschland in überreichem Maße auf dem Internationalen Markt aufgenommen hatte. Die mit Pumpgeschäften in Gang gehaltene und mit Tributverpflichtungen überbelastete deutsche Wirtschaft wurde daher auch schneller und umfassender in den Strudel des weltwirtschaftlichen Niedergangs gezogen, als die anderer Staaten. Dennoch wurde der Young-Plan am 22. Dezember, per Volksentscheid, akzeptiert. Die auf Angstmache vor einer Ablehnung abgestellte und mit schillernden Versprechungen für eine Annahme des Plans werbende Propagandamaschine der Erfüllungspolitiker hatte ihre Aufgabe erfüllt. Doch die Tatsachen blieben bestehen. Schon um die Jahreswende waren 3,22 Millionen Arbeitslose, 1,5 Millionen Kurzarbeiter und über 20 000 Konkurse zu verzeichnen. Deutschland ging schweren Zeiten entgegen.

Reflexionen und Details

Zwischen Albert und Georg hatte sich eine freundschaftliche Beziehung entwickelt. Außer der verwandtschaftlichen Bindung gab es auch in beruflicher Hinsicht Berührungspunkte, und darüber hinaus neigte Georg mit einer Anzahl seiner, parteipolitisch allerdings noch nicht profilierten, Grundauffassungen den Ansichten zu, die Albert als Nationalsozialist vertrat. Ihr gegenseitiges Verhältnis war also frei von jeder Spannung.

Im Sommer und Herbst des Jahres warfen die vorgesehenen Volksabstimmungen über Annahme oder Ablehnung des Young-Planes (Volksbegehren und Volksentscheid) ihre Schatten über das Land. Je näher die Abstimmungstermine rückten, umso mehr wurden die Schlagzeilen der Zeitungen von diesem Thema bestimmt, und umso heftiger ereiferten die Parteien sich für das Für oder Wider. Eines Tages im Oktober schlug Albert dem Jüngeren vor, mit ihm, am nächsten Wochenende, eine Versammlung der NSDAP zu besuchen, bei der ein Redner den Standpunkt seiner Partei zum Young-Plan darlegen werde.

Georg hatte sich grundsätzlich dazu bereit erklärt, seine endgültige Teilnahme an der Veranstaltung aber von dem Ausgang eines Gespräches abhängig gemacht, das er zuvor mit seinen Eltern zu führen gedachte. Diese hatten schließlich zugestimmt, ihm aber zugleich angeraten, auch Versammlungen anderer Parteien zu besuchen, die, im Gegensatz zu der NSDAP, den Plan befürworten. Danach könne er die Standpunkte vergleichen und sich selbst ein Urteil bilden.

Als der Sonnabend herangekommen war, betrat Georg an der Seite Alberts, etwa eine halbe Stunde vor Beginn der Veranstaltung, das Versammlungslokal.

Während er seinen Blick durch den Saal schweifen ließ, wurde seine Aufmerksamkeit von einem großen, roten Spruchband eingefangen, das an dessen Stirnseite angebracht war und von zwei langen Fahnen mit dem Hakenkreuz flankiert wurde. Das Band trug die Parole: "Deutschland erwache!" Andere Losungen waren nicht zu sehen. Seine Augen kehrten daher immer wieder zu dieser Mahnung zurück.

Nachdem Georg sich dieser, durch Verzicht auf jede andere Ablenkung erreichten, anziehenden Wirkung bewußt geworden war, stellte er fest, daß von dem in nur zwei Worten gefaßten Appell auch eine sehr gezielte, fast suggestive Wirkung ausging. "Deutschland erwache!" Ein Aufruf, der nichts schmähte und nichts versprach, - wie dies bei den Parolen der anderen Parteien meistens der Fall war - sondern lediglich zum Wachwerden und damit zum Gebrauch der gesunden Sinne, zur Wahrnehmung, Denkvorgängen und schlußfolgender Verstandesarbeit aufforderte. Er fand dies bemerkenswert.

"Laß' uns etwas weiter nach vorne gehen", regte Albert an, "in der Nähe des Rednerpultes sind noch Stühle frei."

Während sie nach vorne gingen, ließ Georg seine Augen noch einmal um den Saal wandern. Erst jetzt fielen ihm die vier Gruppen uniformierter SA-Männer auf, die an den vier Seiten des Versammlungsraumes standen. Jede der Gruppen zählte 10 Mann.

Sie standen in Linie ausgerichtet, mit dem Rücken zur Wand. Lediglich die an der Stirnseite waren, zu je 5, links und rechts vom Rednerpult postiert.

"Der Saalschutz", erklärte Albert, der Georg interessierte Blicke verfolgt hatte. "Er wird für Ruhe und Ordnung sorgen."

"Vierzig Mann, ein bißchen wenig", meinte Georg. In den Zeitungen hatte er Berichte über Saalschlachten gelesen, in denen Hunderte von Angehörigen des "Roten-Frontkämpferbundes", des "Reichsbanners", des "Stahlhelm" und der "Sturmabteilung" verwickelt gewesen waren. Was konnten vierzig Mann schon ausrichten, wenn eine doppelt oder dreifach größere Anzahl politischer Gegner anrücken würde, um die Versammlung zu sprengen?

"Wir haben noch ein paar Trupps in Reserve", antwortete Albert auf Georgs diesbezügliche Bemerkung. "Sie werden die Saaleingänge abriegeln und nötigenfalls den Saalschutz verstärken. Uniformierte der Linken werden gar nicht in den Saal gelassen; und für die anderen, die möglicherweise zu Störzwecken in Zivil kommen, wird es schwer sein, eine geschlossene Stoßkraft zu formieren.

Der Saal hatte sich inzwischen weiter gefüllt, es waren jetzt ungefähr dreiviertel der Stühle besetzt.

Durch eine Seitentür betrat eine 12 Mann starke, ebenfalls uniformierte, Blaskapelle den Saal. Sie nahm hinter dem Rednerpult Aufstellung und intonierte gleich darauf ein Marschlied. Rhythmik und Melodie klangen aufrüttelnd und vermittelten einen Eindruck von Vorwärtsdrang, Dynamik und Sieghaftigkeit. Im gleichen Augenblick, als Georg dies feststellte, dämpfte der Leiter der Kapelle den Instrumentalvortrag und gab, während die instrumentale Untermalung beibehalten wurde, den 10 rechts und links vom Rednerpult stehenden SA-Männern das Zeichen zum Gesangeinsatz. Georg hatte den Text des Liedes noch nie gehört. Dunkle Männerstimmen sangen:

"Wir sind das Heer vom Hakenkreuz / Pflanzt auf die roten Fahnen! / Der deutschen Arbeit wollen wir / Den Weg zur Freiheit bahnen!"

"Der Text des Liedes verkündet ein Programm", ging es Georg durch den Kopf. Weiter dachte er: "Alles ist gut vorbereitet, aufeinander abgestimmt und klappt wie am Schnürchen. Der Young-Plan, der die Früchte deutscher Arbeit kommender Jahrzehnte abschöpfen will und der Text des Liedes! Sogar hier ist die Sinnverbindung deutlich und findet nicht irgend eine beziehungslose Darbietung statt! Wenn die Art und Weise, in der die Nationalsozialisten ihre Ziele und sich selbst der Öffentlichkeit darstellen, Schlüsse auf die praktische Politik zuläßt, die sie später einmal, wenn zu Macht und Einfluß gelangt, betreiben wollen, dann kann man sich ihre Regieführung nur wünschen!"

Ungewollt wanderten seine Blicke wieder zu dem Spruchband. "Deutschland erwache!" Er war neugierig, was der Redner nachher sagen, mit welchen Argumenten er die Zuhörer aufzurütteln und von der Richtigkeit der Ziele seiner Partei zu überzeugen versuchen werde. Das Thema war zwar mit dem Stichwort "Young-Plan" vorgezeichnet, aber der Plan stand ja nicht beziehungslos im politischen Raum, sondern hatte eine Vorgeschichte und würde weitreichende Folgen haben. Dies würde den Redner sicherlich veranlassen, auch das politische Umfeld zu beleuchten.

Vom Saaleingang her drangen Geräusche, wie sie von der Ankunft größerer Menschengruppen verursacht werden. Albert und Georg drehten sich fast gleichzeitig um. Das erste was sie feststellten, war die Tatsache, daß der Saal sich schon zu vier Fünfteln gefüllt hatte; und nun drängten, kurz nacheinander, zwei Gruppen von je etwa 30 bis 50 Mann in den Raum. Aus Kleidung und Gesamteindruck schloß Georg, daß es sich um Arbeiter, beziehungsweise Arbeitslose, handelte. Sich wieder nach vorne wendend, wollte er gerade Albert diesen seinen Eindruck mitteilen, als der sagte:

"Da sind sie, die roten Schlägerkommandos! Sollte es nachher eine Keilerei geben, so verziehst du dich schnellmöglichst dort in die rechte Ecke des Saales, und wenn es sein muß, verdrückst du dich unter den dort stehenden Tisch. Ich habe deinen Eltern versprochen, dich unbeschadet wieder nach Hause zu bringen! Du bist hier unbeteiligter Zuhörer, sonst nichts!"

Als nochmals eine Gruppe von etwa 20 Mann der gleichen Kategorie am Saaleingang erschien und der Versammlungsraum damit bis auf wenige

Plätze gefüllt war, lösten sich 2 SA-Leute aus der Reihe derer, die am Pult postiert waren und verschwanden durch eine Seitentür.

2 Minuten später marschierten, im Gleichschritt und in Doppelreihe, ungefähr 50 SA-Männer in den Saal. In den Reihen der Störkommandos entstand ein Raunen. Sie hatten mit mehr Widerstand zu rechnen, als sie angenommen hatten. Einige ängstliche Besucher, die tätliche Auseinandersetzungen fürchteten, verließen eilig den Saal.

Der Minutenzeiger der Uhr an der Stirnwand zeigte eine Minute vor der vollen Stunde an. Bald würde der Redner erscheinen. Dessen Name war Georg unbekannt. Albert hatte ihm erzählt, er sei von Beruf Tierarzt und wohne seit zwei Jahren in Dessau, nachdem er, wie Hunderttausende anderer Deutscher, von den Polen aus seiner Heimat, im Bezirk Graudenz vertrieben wurde.

Als der Minutenzeiger auf die Zwölf sprang und der andere anzeigte, daß es 8 Uhr abends war, betrat der Redner, geleitet von drei Männern der örtlichen Parteiführung, den Saal. Pünktlichhkeit schien ebenfalls zu den Tugenden zu gehören, die hier gepflegt und demonstriert wurden. Georg schätzte den hochgewachsenen Mann auf etwa 45 Jahre. Er hatte ein schmales Gesicht, helle, lebhafte Augen und kurz geschnittenes, streng gescheiteltes Haar. Als die kleine Gruppe an der Stirnseite angelangt war, begab sich zunächst ein noch jüngerer Mann an das Rednerpult.

"Der hiesige Ortsgruppenleiter", erklärte Albert leise.

Dieser Mann begrüßte die Versammelten mit ein paar knappen Sätzen und dankte für ihr Kommen. Dann erklärte er: "Diese Veranstaltung dient dem ausschließlichen Zweck, die hier erschienenen Volksgenossinnen und Volksgenossen mit der Einstellung der Nationalsozialistischen Deutschen Arbeiterpartei zum Young-Plan und zu damit zusammenhängenden Problemen bekannt zu machen. Wir haben diesen Saal heute gemietet und üben daher auch die Hausherrenrechte aus. Keinesfalls werden wir dulden, daß diese Veranstaltung gestört, die Sicherheit der Zuhörer gefährdet und deren Recht auf Information eingeengt wird!

Uns ist berichtet worden, daß einige relativ starke Gruppen politischer Gegner gekommen sind, deren Auftrag es möglicherweise ist, unsere Versammlung zu stören. Das schließen wir aus sattsam bekannter Erfahrung. Diese Gruppen möchte ich darauf aufmerksam machen, daß wir Vorkehrungen getroffen haben, um die Ausführung solcher Vorhaben zu verhindern. Deshalb stellte ich alle, die in der Absicht gekommen sind zu randalieren, vor die Wahl, entweder ihr Vorhaben aufzugeben und uns zuzuhören, oder den Saal unverzüglich zu verlassen. Es würde uns jedoch freuen, wenn sie sich zu ersterem entschließen könnten, weil uns jeder deutsche Volksgenosse willkommen ist, der sich über unsere Ziele informieren und sich mit unseren Vorstellungen gedanklich auseinandersetzen will. Diese Art der Auseinandersetzung ist uns erwünscht. Jeder anderen werden wir in angemessener Weise zu begegnen wissen! Und nun treffen Sie, bitte, Ihre Entscheidung!"

Im hinteren Teil des Saales, wo die Störgruppen Platz genommen hatten, begann ein Stühlerücken. Angesichts des verstärkten Saalschutzes vermochten die Rollkommandos sich keine Chance mehr auszurechnen. Die Mehrzahl der Roten verließ den Saal, nur einige blieben zurück. Als die letzten der Abziehenden durch die Eingangstür verschwanden, drehte einer sich noch einmal um und rief mit lauter Stimme: "Schlagt die Faschisten, wo ihr sie trefft!"

Der Versammlungsleiter quittierte den Auszug mit den Worten: "Es ist höchst bedauerlich, daß in einer Angelegenheit, in der es um die Abwendung weiterer Ausbeutung unseres Volkes durch ausländische Mächte, durch das Internationale Großkapital und volksfremde Verschwörergruppen geht, keine Einigkeit in unserem Volk herrscht und ausgerechnet jene linken Parteien unsere gegen die Neuversklavung gerichtete Kundgebungen zu stören versuchen, die sonst so lauthals Antiausbeutungsmotive anführen, wenn es gilt, die deutsche Wirtschaft auch noch von innen her durch Streiks unter Druck zu setzen.

Doch nun hat das Wort unser Parteigenosse Elbinger!"

Während der Hauptredner des Abends zum Podium schritt, ertönte lebhafter Beifall.

Als der Beifall verebbt war, begann Elbinger zu sprechen: "Meine deutschen Volksgenossinnen und Volksgenossen! Arbeiter der Stirn und der Faust! Parteigenossen und Parteigenossinnen! Sie alle wissen bereits in großen Zügen, welche Bedeutung der unter Federführung des amerikanischen Industriellen Young ausgearbeitete, neue Tributplan für unser Volk haben wird. Es geht um die Weiterführung der Ausbeutungspolitik durch die Versailler Mächte und um die Anerkennung oder Ablehnung weiterer deutscher Erfüllungspolitik durch unser Volk! Drei weitere Generationen unseres Volkes sollen die Früchte ihrer Arbeit an ausländische Blutsauger abliefern! Und das, nachdem wir bereits seit zehn Jahren bis zum Weißbluten geschröpft worden sind, nachdem wir gezahlt und geliefert haben bis zur Selbstentäußerung, nachdem man uns wertvolles Land gestohlen hat, das an Fläche größer ist als Holland, Belgien und Luxemburg zusammen, und nachdem Millionen deutscher Volksangehörige als Arbeitssklaven in fremde Länder gezwungen worden sind!

Wir Nationalsozialisten lehnen den neuen Ausbeutungsplan, der uns, ungerechnet die Wucherzinsen, eine sogenannte endgültige Schuldenlast von 105 Milliarden Goldmark aufbürden will, strikt ab! Keine deutsche Regierung hat das Recht Zahlungsverpflichtungen einzugehen, die noch Kinder und Kindeskinder zu Tributleistungen zwingen! Kommende Generationen würden uns mit Recht verfluchen, wenn wir das täten!

Ich werde nachher noch auf die Kriegsschuldlüge eingehen, auf der das Versailler Diktat und damit auch der Young-Plan aufgebaut sind. Jetzt aber möchte ich auf einige Details zu sprechen kommen, die den ungeheuren Betrug und die Gaunerei deutlich machen, der mit der angeblich endgültigen Fixierung der sogenannten Gesamtschulden geplant ist.

Es werden weder der Wert des geraubten Reichsgebiete samt den Schätzen in und über der Erde in Anrechnung gebracht, noch der Wert der uns unter Vertragsbruch - Stichwort Berliner Konferenz und Kongoakte - geraubten Kolonien in Rechnung gestellt. Es werden weder verrechnet der Wert der entführten deutschen Handels- und Kriegsflotte, noch der der konfiszierten deutschen Hafenanlagen! Es werden weder die Schulden noch die Zinsen aufgerechnet, die die Versailler Mächte für vor dem Kriege in Deutschland aufgenommene Anleihen zu zahlen hätten. Es wird nicht die Arbeit von Millionen deutscher Kriegsgefangener, die noch lange Zeit nach dem Krieg Sklavenarbeit verrichten mußten, in Ansatz gebracht und auch nicht die Kosten, die wir für das Luxusleben alliierter Kommissionen und für Sonderwünsche bei der Demontage deutscher Rüstungs- und Spezialindustrien aufzubringen haben!

Ein besonderes Kapitel sind die willkürlich festgesetzten Umrechnungskurse. Das geraubte deutsche Privateigentum, einschließlich der Wertpapiere, wird nur in einem Verhältnis von 8 zu 1 angerechnet; beschlagnahmter und entführter deutscher Kunstbesitz im Verhältnis 7 zu 1; deutscher Besitz in China sogar nur mit einem Kurs von 40 zu 1, - bei der Verrechnung anderer Güter und Leistungen werden ähnliche Tricks angewandt. Zählt man die Wucherzinsen von 5 1/2 Prozent für rund 70 Jahre hinzu, dann wird jedem Menschen der die Grundrechnungsarten beherrscht klar, daß die im Young-Plan genannten 105 Milliarden ein Betrag sind, mit dem unser Volk über die wahre Höhe der Tributleistungen getäuscht werden soll!

Und diese Erzgaunerei gründet sich auf die Kriegsschuldlüge! Geschichtswissenschaftler und Politiker in der ganzen Welt haben mittlerweile festgestellt und verkündet, daß diese Lüge durch die historischen Tatsachen widerlegt ist! Und sie haben auch auf die Gefahren hingewiesen, die sich aus der Aufrechterhaltung des Versailler Lügen- und Diktatsystems für Europa ergeben können.

Ich will Ihnen ein paar Fakten und Zitate zur Kenntnis bringen, die aus einer Fülle anderer herausgegriffen sind und die Unhaltbarkeit dieser Lüge beweisen! Im französisch-russischen Bündnisvertrag von 1899 heißt es wörtlich: 'Mobilmachung bedeutet die Erklärung des Krieges. Die mobilisierten Streitkräfte müssen schleunigst zum entscheidenden Kampf eingesetzt werden!' Behalten Sie diese Formulierung, bitte, im Gedächtnis, meine Volksgenossinnen und Volksgenossen! Und nun erinnern sie sich bitte daran, daß die russische Mobilmachung schon am 28. Juli 1914 erfolgte! Erinnern

ie sich an die Telegramme, die Kanzler Bethmann-Hollweg und der Kaiser
och bis zum 1. August an den Zaren schickten, in denen sie ihn beschworen,
ie Mobilmachung rückgängig zu machen! Denken Sie auch daran, daß
rankreich zur gleichen Zeit Rußland seine uneingeschränkte, militärische
Iilfe versprach, während England dies zugleich gegenüber Frankreich tat.
Jnd nun beantworten Sie sich bitte die Frage, wieso angesichts dieser
atsachen und des Umstandes, daß Deutschland erst nach Ablehnung seiner
eschwörenden Bitten, am späten Nachmittag des 1. August, die Mobilma-
hung vollzog, wieso das von Feindarmeen umzingelte Deutschland am
Veltkrieg schuld sein soll! Und nachdem Sie sich diese Frage beantwortet
aben, fragen wir Nationalsozialisten Sie und alle Deutschen, weshalb unser
/olk die Kriegsschuldlüge praktisch noch einmal akzeptieren und gemäß
em Young-Plan für Lüge, Überfall und Vergewaltigung auch noch bis in
ie dritte Generation bezahlen soll?

Wir sollen aber auch noch für die Vertragsbrüche der Feindstaaten
ezahlen! Der Waffenstillstandsvertrag wurde von ihnen sofort und das
/ersailler Diktat danach mehrfach gebrochen! Ich werde das beweisen!

Noch am 8. November 1918 erklärte der Berater des Präsidenten Wilson,
er amerikanische Politiker Lansing: 'Die Alliierten erklären ihre Be-
eitwilligkeit, mit der Regierung Deutschlands aufgrund der Friedens-
edingungen, die in der Ansprache des Präsidenten vom Januar 1918 nieder-
elegt worden sind und der in den späteren Ansprachen aufgestellten Rechts-
rundsätze Frieden zu schließen'. Soweit das Zitat, dem ich erläuternd
nfügen möchte, daß die 'in den späteren Ansprachen aufgestellten Rechts-
rundsätze' sämtlich eine Bekräftigung der bekannten 14 Punkte Wilsons
nthielten.

Der britische Abgeordnete Hughes schrieb später: 'Die Deutschen unter-
eichneten den Waffenstillstandsvertrag am 11. November im Vertrauen
arauf, daß die 14 Punkte Wilsons eingehalten würden'.

Was dann wirklich in Versailles geschah, das wissen Sie, meine Zuhörer.
)er ehemalige britische Ministerpräsident Asquith sagte dazu, daß ein
/ertrag der 'die Rechtsgrundsätze unbeachtet läßt und den geschichtlichen
Jberlieferungen, Ansprüchen und Freiheiten der betreffenden Völker Hohn
pricht, sein Todesurteil in sich trägt und künftigen Kriegen einen fruchtbaren
Jährboden bereitet!'

Diese Erklärungen kennzeichnen die Tatsachen! Und nun will man die
nheilträchtige Fracht von Versailles mit dem Young-Plan den nächsten 6
ahrzehnten aufladen. Beutegier und Profitdenken dominieren über Men-
chen- und Völkerrecht! Um Beute und Profit hat man ja überhaupt den
Krieg gegen Deutschland geführt. Das hat der scheinheilige Präsident Wilson,
chon 1919, mit den Worten eingestanden: 'Gibt es jemanden, Mann oder
rau, ja, gibt es ein Kind, das nicht wüßte, daß der Keim des Krieges in

der modernen Welt industrielle und kommerzielle Rivalität ist? Dieser Krieg
war ein Industrie- und Handelskrieg!"

Sehen Sie, meine Volksgenossinnen und Volksgenossen, was von de
heuchlerischen Phrasen übrig geblieben ist, mit denen Amerika seine
Kriegseintritt begründete! Kein Wort mehr vom deutschen U-Bootkrieg
Keine Silbe mehr von Kreuzzugsgeschwafel! Hier wurde mit eiskalte
Unverfrorenheit die Maske fallen gelassen! Auch Amerika führte eine
Profitkrieg! Die amerikanischen Bankiers und Konzerne brauchten den Krieg

Am 5. März 1917 schickte der amerikanische Botschafter in London a
Wilson ein Telegramm, in dem es hieß: 'Wenn die Vereinigten Staaten de
Krieg gegen Deutschland erklären ... so können wir unseren Hande
aufrechterhalten und ihn ausweiten, bis der Krieg zu Ende ist. Und nach
dem Krieg würde Europa Nahrungsmittel und ungeheuere Mengen a
Material benötigen, um seine Friedensindustrien neu aufzubauen. Auf diese
Weise würden wir den Profit eines ununterbrochenen und wahrscheinlich
sich noch erweiternden Handels auf Jahre hinaus ernten'.

So, meine Volksgenossen, geschah es dann auch und soll es weitergehen
Etwas anders, aber ihn ähnlichem Sinne, äußerte sich der englische
Premierminiser Lloyd George, er erklärte: 'Das meiste, darauf wir aus waren
ist uns zugefallen. Die deutschen Kriegs- und Handelsschiffe sind abgeliefert
die deutschen Kolonien haben aufgehört zu sein, der einer unserer Haupt
bewerber im Handel ist zum Krüppel geschlagen!'

Damit dürften die Kriegsgründe und die Kriegstreiber hinreichend gekenn
zeichnet sein, meine Volksgenossinnen und Volksgenossen. Natürlich dar
auch Frankreich in der Reihe der Hauptinitiatoren und Hauptnutznießer diese
Krieges nicht vergessen werden. Es beansprucht und soll nach dem
sogenannten Spa-Schlüssel, nach dem die Beuteanteile verteilt werden, vo
den deutschen Tributzahlungen 54,4 Prozent erhalten, die Briten bekomme
23 Prozent und unser verräterischer 'Verbündeter' Italien 10 Prozent. De
Rest verteilt sich auf andere Kriegsgegner. Ich erwähne das, damit Si
wissen, für wen Sie, Ihre Kinder und Enkel zukünftig in der Hauptsache
zu arbeiten haben werden, falls der Young-Plan akzeptiert werden sollte

Dieser Plan muß abgelehnt werden, nicht nur weil auch er von de
Kriegsschuldlüge ausgeht, sondern auch, weil die Versailler Mächte ihre
Abrüstungsverpflichtungen nicht nachgekommen sind. Verträge, die gebro
chen worden sind, haben aufgehört zu existieren! Und zwar für beide Seiten
Doch die Sieger verfahren nach Gutdünken mit den sogenannten Verträge
und allein wir sollen uns an diese Betrugs- und Schandwerke halten! Fü
wie töricht und ehrlos halten diese Freibeuter uns eigentlich?

Wie die vergangenen Jahre gezeigt haben, ist weder die Erfüllungspoliti
honoriert worden, noch die sogenannte Vertragspolitik mit immer neue
Unterwerfungsverträgen, noch der Eintritt in den sogenannten Völkerbund

Die Teilräumung des Rheinlandes durch alliierte Truppen und die Aufhebung der bisher von den Diktatmächten ausgeübten Wirtschafts- und Finanzkontrolle, mit denen man uns den neuen Tributplan schmackhaft machen will, sind nichts anderes als Köder für eine primitive Bauernfängerei!

Wenn sie nämlich die jetzt "nur" noch geforderten 105 Goldmilliarden haben wollen, dann dürfen sie die deutsche Wirtschaft in den okkupierten deutschen Westprovinzen nicht weiterhin mit Besatzungsbelangen und Besatzungsverordnungen behindern! Das haben sie inzwischen eingesehen! Und wenn sie, nachdem sie die deutsche Wirtschaft ausgepreßt haben wie eine Zitrone, die Verantwortung für deren zu erwartenden Zusammenbruch abschieben wollen, dann gibt es keinen besseren Weg, als die Verantwortung, für die Konkursmasse der Besatzungs- und Tributpolitik, schleunigst dem Ausgeplünderten zuzuschieben, und ihm die Finanzhoheit über die vorher geleerten Kassen zurückzugeben!

Es sind also krasser Egoismus und Drückebergerei vor der Verantwortung, die die Versailler Mächte zu diesen Maßnahmen bewegten! Teilräumung des Rheinlandes und Rückgabe der Finanzhoheit sind keinesfalls Riesenerfolge, wie das einige der noch immer in erfüllungspolitischen Träumen befangenen Parteien hinzustellen versuchen! Noch dazu, wo die Pfänder, Reichsbahn, Zoll- und Steuereinnahmen und so weiter, weiterhin in alliierter Hand bleiben!

So sieht die bittere Realität hinter tönenden Phrasen aus! Aber nicht genug damit! Im gleichen Augenblick, wo man uns für die nächsten 60 Jahre mit Tributlasten belegt, verkündet Herr Briand in Paris einen neuen Köderplan! Er will die Vereinigten Staaten von Europa schaffen, - unter französischer Führung natürlich und mit uns Deutschen als Dukaten-Esel! In Wirklichkeit braucht Frankreich ein neues, harmloser erscheindes Etikett für seine Bündnissysteme, mit denen es, im Wissen um die Sprengkraft des Unrechtsgehaltes der Pariser Vorortdiktate und Folgediktate, bereits wieder eine Einkreisungspolitik betrieben hat und weiter betreibt! 'Pan-Europa', das würde besser klingen, als 'Große und kleine Entente'und doch den selben Zweck erfüllen!

Wir Nationalsozialisten sind nicht gewillt, dieses Betrugsspiel mitzumachen und unser Volk weiterhin als moralisches Pariavolk und als industrialisiertes Kolonialvolk einstufen zu lassen, das mit einem riesigen Lügenaufwand als die Ursache allen Übels in der Welt hingestellt wird, beziehungsweise dazu ausersehen ist, mit seinem Fleiß und seinem Schweiß anderen die Bankkonten zu füllen! Es muß endlich Schluß gemacht werden mit dem Buhlen um die Gunst derer, die uns mit Füßen treten! Wir dürfen uns nicht weiterhin zum Popanz der sogenannten Völkerfamilie machen lassen! Da sich logischerweise niemand bereit findet, unsere Interessen zu vertreten, müssen wir unser Schicksal wieder selber in die Hand nehmen!

Ein erster Schritt muß die Ablehnung des Young-Planes sein, und i Verbindung damit sollte unser Volk jenen Parteien das Vertrauen entziehen die 1918 den Zusammenbruch herbeigeführt, sowie die Diktate und Schand verträge unterzeichnet haben und jetzt, trotz allem was geschehen ist, de Erfüllungspolitik weiterhin das Wort reden! Mit unserem Volk wird es ers wieder aufwärts gehen, wenn es in Deutschland eine entschlossene Regierun unter nationalsozialistischer Führung gibt!

Ich will Ihnen die unauflöslichen Zusammenhänge zwischen Beseitigun der Diktate, der Tributlast und Wiederaufstieg an einigen Beispielen deut lich machen, indem ich einige Punkte unseres Programms dazu heranziehe Sie werden daraus ersehen können, daß die nationale Befreiung Voraus setzung für jeden ernsthaften Versuch zur Verwirklichung sozialer Ge rechtigkeit ist und Sie werden daraus entnehmen können, wie verlogen di Versprechungen jener Parteien sind, die unserem Volk vorgaukeln, si könnten dies ohne eine vorausgegangene nationale Befreiung tun! Wi machen keine leeren Versprechungen! Wir sagen Ihnen klipp und klar, wa wir von dem, was wir wollen, nur unter bestimmten Voraussetzunge realisieren können!

Beginnen wir mit der Brechung der Zinsknechtschaft! Wie könne wir sie brechen, wenn wir nicht zuvor die Zahlung der Tribute samt de uns zudiktierten Wucherzinsen verweigern? Wenn wir nicht zuvor dafü sorgen, daß wir für das uns zunächst abgepreßte und dann wieder geliehe ne Geld, nicht noch ein zweitesmal Zinsen zahlen müssen? Wenn wi diesen Teufelskreis von willkürlich auferlegter 'Schuld' und Zins, Anleih und Zins, Zins und Zinseszins nicht unterbrechen, gibt es keinen Wiederauf stieg!

Wie können wir die restlose Einziehung der Kriegsgewinne verwirklichen wenn die über Zwangshypotheken, Schuldverschreibungen und ähnlich Manipulationen an die Diktatmächte verpfändete deutsche Wirtschaft un Industrie nicht vorher wieder unter ausschließlich deutsche Verfügungsgewa gebracht wird?

Wie können wir die Verstaatlichung der Trust durchführen, solange si den Versailler Mächten als Pfand überlassen bleiben?

Wie soll es möglich sein, die Arbeiter am Gewinn zu beteiligen, solang es fremden Blutsaugern erlaubt ist, den Profit abzuschöpfen?

Wie sollen wir die Abschaffung der Bodenspekulation und des Bodenzinse realisieren, solange es ausländischen Bodenspekulationsgesellschaften gestat tet werden muß, deutschen Grund und Boden als Schacherobjekte z benutzen?

Wie können wir begabten Kindern ärmerer deutscher Eltern auf Staats kosten eine höhere Bildung vermitteln, solange die Staatskasse von de Diktatmächten geplündert wird?

Wie soll es möglich sein, die Volksgesundheit zu heben, Mutter und Kind zu fördern, wenn uns die dazu nötigen Mittel weiterhin vom Ausland gestohlen werden?

Sie sehen, meine Volksgenossen, daß wir das nicht können, solange wir nicht wieder Herr im eigenen Haus sind! Wer das Gegenteil behauptet, belügt unser Volk wissentlich! Und genau das tun die anderen politischen Parteien seit Jahren! Sie sind es auch, die, weil sie im Reichstag die Mehrheit haben, es uns unmöglich machen, unsere übrigen programmatischen Forderungen - insbesondere die nach härtester Bestrafung von Wucherern und Schiebern, nach gleichen Rechten und Pflichten für alle Staatsbürger, nach strenger Bestrafung bewußter politischer Lügen und so weiter - in Gesetzesform zu gießen!

Dazu brauchen wir kein Geld, wohl aber den festen Willen, Korruption, Volksbetrug und leistungsunabhängige Privilegien abzuschaffen! Dieser Wille ist nur bei uns Nationalsozialisten vorhanden! Hätten ihn auch die anderen, so könnte sie niemand hindern, solche Gesetze zu beschließen! Aber sie werden sehen, meine Zuhörer, daß dies auch weiterhin unterbleibt, bis wir eines hoffentlich nicht mehr fernen Tages, für Ordnung und Sauberkeit in Deutschland sorgen!

Jeder Tag, an dem weiterhin Tribute gezahlt werden und außen- wie innenpolitisch weitergewurstelt wird, führt unser Volk tiefer ins Chaos! 3 Millionen Arbeitslose haben wir bereits! Bald werden es doppelt so viel sein! Die Potemkinschen Dörfer, die in den letzten Jahren mit Pump und Blankoschecks errichtet worden sind, werden ihren Kulissencharakter zu erkennen geben, sobald der Wind etwas schärfer pfeift. Die Anzeichen eines kommenden Gewittersturms sind bereits am Horizont zu sehen!"

Der Redner machte eine kleine Pause, während der er aus dem Glas, das auf dem Pult stand, einen Schluck Wasser trank. Unterdessen konstatierte Georg: "Bis jetzt habe ich gegen das Gesagte nicht das Geringste einzuwenden. Im Gegenteil, es hat meine volle Zustimmung! Vieles ist mir völlig neu. Es ist doch gut, wenn man sich aus erster Quelle informiert."

Dann fuhr der Redner fort: "Abschließend zu dem Teilgebiet Finanz- und Sachleistungen möchte ich Ihnen noch einmal vor Augen führen, was bisher aus unserem Volk, das heißt auch partiell aus jedem von Ihnen, herausgepreßt worden ist. Die Zahlenangaben sind amtlichen Dokumenten entnommen." Er nahm eine Liste zur Hand, die er auf dem Pult bereit gelegt hatte und begann vorzulesen. Um das ungeheure Ausmaß dieser Leistungen seinen Zuhörern begreiflich zu machen, übertrug er die nackten Zahlen jeweils noch in eine andere Dimension. Beispielsweise führte er aus, wie viel Tausende von Güterzügen, zu je 50 Waggons, zum Transport bestimmter Tributlieferungen benötigt wurden; wieviel Zehntausende von Kilometern sich ergeben würden, wenn gewisse Erzeugnisse aneinander gereiht würden, zu welch alpinen Ausmaßen sich die gelieferten Bodenschätze türmen würden und so fort.

Als er diese Darstellungen beendet hatte, meinte Georg die Empörung der Zuhörer knistern zu hören. Für ihn ein Zeichen dafür, daß die meisten sich wohl noch nie Gedanken darüber gemacht hatten, was der deutschen Volkswirtschaft und dem deutschen Verbraucher entzogen worden war und welche Not, unter der gerade die breiten Volksschichten litten, hätten verhindert werden können, wenn die Erzeugnisse ihrer Arbeit ihnen selbst zugute gekommen wären!

"Solche Aderlässe", rief der Redner aus, "führen die beste Volkswirtschaft in den Ruin! Eine solche Ausraubung läßt das fleißigste Volk verarmen und auch das duldsamste wird ein in derartigem Ausmaß angetanes Unrecht nicht vergessen! Das alles wurde den Diktatmächten vor Augen gestellt! Schon lange bevor Stresemann dies tat, haben wir es in die Welt hinausgerufen! Doch es hat nichts genützt, der Young-Plan beweist es!

Im Innern hat man uns, wegen unseres kompromißlosen Kampfes gegen das Diktat und den Parteienklüngel, der heute die Annahme des neuen Schandplanes empfiehlt, als Faschisten beschimpft! Sie haben es ja eingangs selbst gehört, wie der irregeleitete Volksgenosse, dieses in Moskau ausgeheckte Etikett uns anzuhängen versuchte. Wir und Faschisten? Vom Faschismus trennt uns ebensoviel wie vom Bolschewismus! Das faschistische Italien plündert uns genau so aus, wie die anderen Diktatmächte! Es vergewaltigt die deutschen Südtiroler ebenso wie die Tschechen die Sudetendeutschen, die Franzosen die Elsaß-Lothringer oder die Polen die Deutschen in meiner ostdeutschen Heimat! Überall finden großangelegte Entdeutschungsaktionen statt! Nicht zuletzt mit den Goldmilliarden finanziert, die wir als Tribute entrichten!

Damit, meine Volksgenossinnen und Volksgenossen, bin ich bei einem Teilaspekt angelangt, der ebenfalls beim Thema Young-Plan behandelt werden muß, - den Aspekt der die vergewaltigten Deutschen in den uns geraubten Gebieten betrifft! Ich möchte mich dabei auf Ostdeutschland beschränken, weil ich dort die Verhältnisse aus eigener Erfahrung kenne. Zugleich möchte ich aber betonen, daß dies keine Vernachlässigung der Deutschen in den anderen, gewaltsam abgetrennten Gebieten bedeuten soll, wo die Verhältnisse ähnlich liegen.

Sie wissen, daß inzwischen hunderttausende Deutsche aus den Ostprovinzen vertrieben und enteignet worden sind. Aber was für Tragödien sich dort abspielen, das wissen nur die Wenigsten. Ich bin ein lebender Zeuge der dort noch immer stattfindenden Vergewaltigung! Was sich seit Jahren in den von Polen geraubten deutschen Gebieten abspielt, ist ein ungeheuerliches Verbrechen! Ein grandioses Verbrechen gegen die Menschlichkeit! Gleich nach der Okkupation unserer Ostgebiete durch die Polen wurde mit einem unvorstellbaren Terror gegen Deutsche vorgegangen, sie wurden mißhandelt, erschlagen und erschossen! Willkür und Grausamkeiten waren und sind noch an der Tagesordnung. Eine Deutschenhetze schlimmsten Ausmaßes durchzog das Land und wird seitdem immer wieder angeheizt!

Polen gehört zu den Ländern Europas, in dem mehr Analphabeten leben, als in manchen vernachlässigten Kolonien Asiens oder Afrikas! Doch das hinderte die Polen nicht, hunderte deutscher Schulen zu schließen! Hygiene und Sozialfürsorge sind in den meisten Teilen Polens noch Fremdwörter, - doch das hielt und auch hält sie auch heute nicht davon ab, deutsche Krankenhäuser, Waisenhäuser, Altersheime und Kindergärten zu schließen. Auch Kirchen wurden und werden geschlossen, und ihr Besitz entschädigungslos enteignet!

Deutsche Zeitungen unterliegen häufigen Verboten, Bibliotheken wurden geschlossen, der Unterricht der deutschen Sprache, sowie deren Gebrauch in der Öffentlichkeit unter Strafe gestellt! Drangsalierungen, Terror und Hetze nehmen kein Ende! Erlauben Sie mir, Ihnen ein paar Beispiele auch aus jüngster Zeit, vorzulesen. Sie werden daraus ersehen, in welchem Maße polnischer Größenwahn und Chauvinismus sich förmlich überschlagen und polnische Großmannssucht keine Grenzen mehr kennt!

1926, als die Wohnstätten unserer vertriebenen Deutschen mit Polen besiedelt wurden, schrieb am 13. 6. die 'Gazeta Gdanska': 'Der sicherste Panzer Pommerellens sind die Millionen polnischer Ansiedler. Alles Land, das noch in deutschem Besitz ist muß den deutschen Händen entrissen werden'!

Doch die polnischen Eroberungsgelüste reichen weiter! 1927 schrieb der polnische Generalstabsoffizier Baginski: 'Solange wird kein Frieden in Europa herrschen, bis nicht der Name Preußen, der ja der Name eines schon lange nicht mehr vorhandenen Volkes ist, von der Landkarte Europa getilgt sein wird, solange nicht die Deutschen ihre Hauptstadt Berlin weiter nach Westen verlegt haben'.

Steigerungen der imperialistischen Eroberungspläne Polens kann man von Jahr zu Jahr feststellen, ja, beinahe von Monat zu Monat! Im Mai dieses Jahres verlautbarte der 'Allpolnische Jugendverband': '1410 haben wir die Deutschen bei Tannenberg geschlagen. Jetzt werden wir sie bei Berlin zusammenhauen. Danzig, Ostpreußen, Schlesien sind Mindestforderungen. Durch diesen gewaltigen Sieg wird Polen ganz Europa beherrschen'!

Meine Volksgenossen, das sind keine vereinzelten Erscheinungen! Solche Verlautbarungen können Sie fast täglich in vielen polnischen Zeitungen lesen! Hier wird ganz systematisch Deutschen- und Kriegshetze betrieben! Es ist ja auch bekannt, daß der polnische Generalstab schon mehrfach versucht hat, diese Eroberungspläne zu realisieren.

Nur die Tatsache, daß die Polen von Franzosen und Engländern zurückgepfiffen wurden, weil diese ihre deutsche Milchkuh nicht abschlachten lassen wollten, hat einen polnischen Angriffskrieg auf Deutschland bisher verhindert! Daraus folgert aber auch, daß sobald diese beiden Mächte Polen freie Hand lassen, wir mit einer polnischen Aggression zu rechnen haben! Dieser Fall könnte eintreten, sobald für die Profithyänen in Paris und London, einmal nichts mehr zu holen sein wird, oder sie einem sich befreienden Deutschland Knüppel zwischen die Beine werfen wollen!

Die Wiederherstellung der Wehrfähigkeit Deutschlands muß daher eines der vordringlichen Ziele deutscher Politik sein. Denn Polen wird nicht davon ablassen, seine aggressiven Ziele zu verfolgen! Es hat die Tatsache, daß wir, im Verein mit Österreich, es waren, die 1916 den polnischen Staat wiederherstellten, und ein deutsches Militärmusikkorps es war, das aus diesem Anlaß die polnische Nationalhyme, nach mehr als 100 Jahren russischer Fremdherrschaft, erstmals wieder in der Öffentlichkeit spielte, längst aus einem Bewußtsein verdrängt! Polnische Dankbarkeit heißt Aggression und Brutalität gegen Deutsche!

Wir sehen also, es gibt noch mehrere gewichtige Gründe - alle aufzuzählen würde heute zu weit führen - das Versailler Diktat und die Fesselungsdekrete, die ihm folgten, zu zerreißen! Ein Aufschrei der Entrüstung müßte durch unser Volk gehen, angesichts der Zumutung, jetzt einen neuen, weit in die Zukunft reichenden Versklavungsplan zu unterschreiben! Doch weshalb geschieht das nicht? Weil unser Volk nicht umfassend und detailliert informiert wird! Weil man ihm wesentliche Tatsachen und Zusammenhänge vorenthält! Kurz gesagt, weil man es belügt! Und wer belügt es? Die Kollaborateure der Diktatmächte in Presse, Film, Radio und anderen Publikationsorganen! Die Politiker, die internationalen Verschwörergruppen verpflichtet sind und sich wie Marionetten mißbrauchen lassen! Das ist keine bloße Behauptung, sondern eine Tatsache und das Wissen um diese Tatsache ist auch kein Privileg von uns Nationalsozialisten! Auch hierzu möchte ich Ihnen einige Aussprüche von Männern zur Kenntnis bringen, die es wissen müssen!

Der englische Premierminister Disraeli schrieb bereits 1880: 'Die neuere Geschichte kann nur schreiben, wer in die Geheimnisse der Logen eingeweiht ist'. Ähnliches schrieb Thomas Mann 1918, er erklärte: 'Die Geschichtsforschung wird lehren,welche Rolle das internationale Illuminatentum, die Freimauererloge - unter Ausschluß der ahnungslosen Deutschen natürlich - bei der geistigen Vorbereitung und wirklichen Entfesselung des Weltkrieges gegen Deutschland gespielt hat'.

Und der amerikanische Präsident Theodore Roosevelt stellte, nachdem er aus dem Amt geschieden war, 1912 fest: 'Hinter der sichtbaren Regierung sitzt auf dem Throne die unsichtbare Regierung, die dem Volke keine Treue schuldet und keine Verantwortung anerkennt. Die unsichtbare Regierung zu vernichten, den gottlosen Bund zwischen korruptem Geschäft und korrupter Politik zu zerstören, ist die erste Aufgabe des Staatsmannes'.

Beim Regierungsantritt Kaiser Wilhelms II. schrieb die französische Freimauererzeitung: 'Wenn der Kaiser nicht Freimaurer werden will ... so werden diese in Deutschland eine Republik errichten'.

So geschah es dann auch, und der Abgeordnete Erzberger bestätigte 1920: 'Jede politische Umwälzung oder Umgestaltung innerhalb der letzten hundert Jahre war mehr oder weniger das Werk von Logen'.

Das hatte ja inzwischen der Kaiser in praxi erfahren, er gab daher, in Doorn, dem amerikanischen Historiker Harry Barnes zu wissen, daß 'die Schuldigen am Krieg von 1914 die internationalen Juden und Freimaurer sind, die sich die Zerstörung der Nationalstaaten zum Ziel gesetzt haben'.

Lassen wir es dahingestellt sein, ob auch die bolschewistischen Funktionärscliquen von Freimaurern durchsetzt sind oder ob sie selbst eine Loge neuer Prägung darstellen. Internationale, überstaatliche Mächte, ganz gleich, auf welcher Basis ihr Zusammenschluß erfolgt, egal, wie sie sich bezeichnen, und gleichgültig welche Losungen und Symbole sie benutzen, sind Logen oder diesen gleichzusetzen. Sie sind es, die die Völker manipulieren, wobei, neben anderen Mitteln und Methoden, die Propaganda stets eine mitmaßgebliche Rolle spielt.

Als ein typisches Beispiel solcher Manipulation möchte ich Ihnen eine Erklärung zur Kenntnis bringen, die ein führender Gesellschafter des amerikanischen Bankhauses Morgan - das auch den Rüstungskonzern United Staates Steel Corporation kontrolliert - 1915 gegenüber einem französischen Journalisten abgab. Robert Bacon sagte: 'In Amerika gibt es 50 000 Leute, denen die Notwendigkeit unseres sofortigen Kriegseintritts an eurer Seite klar ist. Aber es gibt 100 Millionen Amerikaner, die noch nicht einmal daran gedacht haben! Unsere Aufgabe ist es, dieses Zahlenverhältnis umzukehren und die 50 000 zu den 100 Millionen zu machen. Wir werden es fertig bringen'!

Zwei Jahre später hatten sie es fertig gebracht. Die Profitabschöpfung auf den von Blut dampfenden Schlachtfeldern Europas konnte beginnen!

Meine Volksgenossinnen und Volksgenossen, wir Nationalsozialisten wollen Ihnen keine aus der Luft gegriffenen Behauptungen vorsetzen, deshalb führe ich diese Zitate an. Wir vertreten auch keine aus abstrakten Phantasien zusammengestellte Ideologie, sondern wir treffen Feststellungen, registrieren Tatsachen und ziehen daraus Konsequenzen! Unser Programm ist das Resultat solchen Verfahrens! Ich habe eben von der Manipulation des Menschen durch internationale, überstaatliche Mächte gesprochen; und jetzt empfehle ich Ihnen, dessen eingedenk, eimal über den seltsamen Sachverhalt nachzudenken, weshalb die internationalistisch und marxistisch eingestellten Parteien und Gewerkschaften, - die doch in der Vergangenheit so schnell mit Aufständen und Generalstreiks bei der Hand waren -, in der gegenwärtigen, entscheidenden Phase nicht mit aller Entschiedenheit und mit allen Mitteln versuchen, den Young-Plan zu Fall zu bringen und die weitere Ausplünderung der deutschen Arbeiter durch die internationalen Verschwörercliquen zu verhindern.

Im empfehle Ihnen weiter, aus der Tatsache, daß die Internationale der Funktionäre angeblicher Arbeiterorganisationen, gegen die Internationale der Bankimperien, der Monopolgesellschaften und der Imperien der geistigen Gängelung nicht entschieden Front macht, bei der Volksabstimmung und bei späteren Wahlen die Konsequenzen zu ziehen!

Lassen Sie sich gesagt sein, dieses Stillhalten kommt nicht von ungefähr! Die Gründe hierfür würden für Sie, für unser Volk und für die Völker der Welt offenbar werden, wenn hinter den Namen der Bank- und Konzernherren, der Beherrscher der Presseimperien und der Leiter internationaler Organisationen sowie ihrer Filialen in nationalen Bereichen, Volks-, Rasse-, Religions- und Logenzugehörigkeit angegeben würden! Sie würden dann erkennen, wer ihr Schicksal bestimmt und wie eng die Verflechtung auch scheinbar rivalisierender Klüngel in Wirklichkeit ist!

Die Drahtzieher und Nutznießer sind überall und im wesentlichen die gleichen, - und die Ausgebeuteten und Mißbrauchten ebenfalls! Oder glauben Sie, die uns abgepreßten Goldmilliarden kämen den englischen Bergarbeitern in Wales, den französischen Fischern an der Atlantikküste oder den amerikanischen Arbeitern an den Fließbändern in Detroit zugute? Nein, daran mästen sich Leute wie die Rothschilds, Oppenheimers, Morgans und so weiter! Sie bestimmen, ob, wann und wo ein Krieg ausbricht, und sie lenken, über Börsenmanipulationen, die Entwicklung der Wirtschaft im Sinne ihrer Profitinteressen!

Doch weshalb dulden die arbeitenden Menschen in den Völkern diese Ausbeutung und diesen Mißbrauch ihrer selbst? Weil sie mit parallel laufenden Verdummungs- und geistigen Betrugsaktionen narkotisiert und handlungsunfähig gemacht werden! Weil ihr Wollen auf irrationale, unerreichbare Ziele gelenkt wird! Und weil ihre Dynamik und ihre Kräfte von bezahlten Meinungsmachern und Organisationen auf die Mühlen der nutznießenden Verschwörerkasten geleitet werden!

Das ist in einem besonderen Maße in Deutschland der Fall. Große Teile unseres Volkes sind mit raffinierten Mitteln und Methoden bereits geistig und seelisch versklavt und damit in die schlimmste, erniedrigendste Art der Knechtschaft geführt worden! Die Zerstörungen, die hinsichtlich des Selbstverständnisses und der Selbstachtung unseres Volkes angerichtet wurden, sind beinahe noch schwerwiegender und folgenschwerer, als die materiellen und allgemein politischen Schäden, die uns zugefügt wurden.

Wäre dem nicht so, dann würde unser Volk jene Verschwörer, Nutznießer, Fronvögte und Kollaborateure, die ihm jetzt den neu ausgeheckten Versklavungsplan aufhalsen wollen, von den Schalthebeln der staatlichen und gesellschaftlichen Macht jagen!

Wir Nationalsozialisten sind angetreten, um, zunächst einmal, unserem Volk den Glauben an sich selbst wiederzugeben, es zu seiner Identität zurückzuführen und die Quellen des fremden geistigen Giftes zu verstopfen, das unser Volk in eine Bereitschaft zur Selbstentäußerung getrieben hat! Unser Volk braucht keine geistige Bevormundung! Es kann selbst entscheiden, was ihm nützt, seine Kraft stärkt und kulturell seiner Art gemäß ist!

Unser Ruf 'Deutschland erwache' soll unser Volk aufrütteln, soll es zum Nachdenken anregen, damit es den Zweck der von internationalen Polypen gesteuerten geistig-seelischen Beeinflussung erkennt, nämlich: Je mehr Deutsche in ihre Fangarme geraten, je mehr falschen Propheten nachlaufen, je gründlicher das deutsche Volk an sich selbst zweifelt, je umfassender es den Glauben an die Gerechtigkeit seiner Sache verliert, je emsiger es sein Heil in aufgepfropften, utopischen Ideen sucht, je uneiniger es wird, je tiefer es resigniert, je weiter es sich von den geistigen, kulturellen, geschichtlichen und biologischen Quellen seiner Kraft und seiner Fähigkeiten entfernt, umso besser eignet es sich als Ausbeutungs- und Manipulationsobjekt!

Das werden wir unserem Volke bewußt machen! Wir Nationalsozialisten sind keine Phrasendrescher! Wir werden handeln! Wir werden unsere Ziele mit Zähigkeit, Konsequenz und mit Aufbietung all unserer Kraft verfolgen! Wir wollen den Frieden! Aber dieser Friedenswillen darf keinesfalls als eine Bereitschaft zum Erdulden von Ausplünderung, Diffamierung, Vergewaltigung, geistiger Kastration und aufgezwungener Zweitklassigkeit in einem Raum minderen Rechts verstanden werden. Eine solche Meinung wird sich als ein großer Irrtum erweisen! Das sollen die blutsaugerischen Minderheiten, die Deutschlands Versklavung betrieben haben und weiterbetreiben, sowie jene, die ihnen dabei Kopf und Hand geliehen haben, gebührend zur Kenntnis nehmen!

Die Zeit, in der das deutsche Volk die Rolle des Sündenbocks und des Prügelknaben zu spielen hat, die Zeit der Entmündigung und des Kuratels werden wir beenden!

Wir werden die Ketten brechen, das uns aufgezwungene Büßergewand zerreißen, die Geschichtslügen mit historischen Tatsachen zerschlagen und unser Volk zu Selbstbestimmung und Gleichberechtigung führen!

Wir wollen uns nicht in Angelegenheiten anderer Völker einmischen, aber wir werden auch keine Einmischung anderer in die unseren dulden! Der Nationalsozialismus ist seinem Wesen nach kein Exportartikel! Er ist auf

Volk und Nation beschränkt! Sollen die anderen die gleiche Mäßigung und Selbstbescheidung üben, dann werden wir glänzend miteinander auskommen!

Nicht auskommen wollen und werden wir aber mit denen, die in unserem Land die Geschäfte fremder Mächte besorgen, oder mit jenen, die ihre egoistischen Interessen über die unseres Volkes stellen. Wir werden die Form des Weimarer Parlamentarismus abschaffen, von dem selbst der verstorbene Stresemann am 26. Februar dieses Jahres sagte, er sei zu einem Zerrbild geworden und dabei 'die völlig falsche Einstellung des Parlaments in Bezug auf seine Verantwortlichkeit gegenüber der Nation' geißelte!

Was er damit angriff, das hat der SPD-Abgeordnete Breitscheid ausgedrückt, als er forderte, die SPD-Minister müßten ihrer Partei dienen. Wörtlich sagte der Parteibonze: 'Um ihrer selbst willen müssen sie sich in erster Linie als uns zugehörig fühlen und erst in zweiter Linie als Mitglieder des Kabinetts!' Den gleichen Parteiegoismus, der die Interessen von Volk und Staat denen der Partei und Gewerkschaft nachordnet, vertritt der Hauptschriftleiter des SPD-Blattes 'Vorwärts' Stampfer. Der stellte unverfroren fest: 'Partei und Regierung sind zwei, Partei und Gewerkschaften sind eins'. Das heißt Distanz zu Volk und Staat und Clinch unter Genossen!

Diese Partei stellt gegenwärtig im Reich wieder den Kanzler, sowie die wichtigsten Minister und führt in Preußen seit 1918 ununterbrochen das Zepter!

Wundert es Sie noch, meine Volksgenossinnen und Volksgenossen, wenn die Geschicke unseres Volkes auch maßgeblich im Sinne internationaler marxistischer Verflechtungen und parteiegoistischer Interessen gelenkt werden? Wundert es sie noch, daß die SPD-Führung in die Riesenkorruptionsskandale der zugewanderten Parasiten Barmat und Kutisker tief verwickelt waren? Wundert es Sie, daß sogar der ehemalige SPD-Reichskanzler Bauer und der SPD-Polizeipräsident von Berlin, Richter, in diesen von Parteifilz und Bestechungen gekennzeichneten Skandalen eine wesentliche Rolle spielten? Wundert es Sie, daß in diese Korruptionsaffären auch ein Vertreter des beliebtesten Koalitionspartners der SPD, der Reichspostminister Höfele vom Zentrum, verwickelt war? Der Koalitionskitt bestand offensichtlich in Bestechungssummen und im gegenseitigen Wissen um beiderseitige betrügerische Verflechtungen, mit denen unser Volk um Abermillionen betrogen wurde!

Auch an diesen Beispielen sieht man die Verzahnung der internationalistischen Kreise, des schwarzen, scheinchristlich orientierten und romgesteuerten Zentrums, der roten, marxistischen Polit-Mafia und der das Goldene Kalb umtanzenden Logen! Weitere Korruptionsmachenschaften rollen auch gegenwärtig hinter den Kulissen ab! Wir verfügen über stichhaltige Indizien, die schlüssig darauf hinweisen, daß dieselben Kreise, die in die Barmat-/Kutisker-Skandale verwickelt waren, neue Betrügereien in Riesenausmaßen begehen, bei denen es wieder um Millionen, um Bestechungen und Steuerhinterziehungen geht! Noch werden mit großem Aufwand Vertuschungsaktionen durchgeführt, - aber die Katze läßt das Mausen nicht, und deshalb wird auch diese Eiterbeule eines Tages aufplatzen, und als Infektionsherd die mauschelnden Betrüger Sklarek erkennbar machen!

Sie, meine Zuhörer, mögen die Stichhaltigkeit dessen, was ich eben sagte, vorerst daran messen können, daß gegen diese meine Ankündigungen keine Anzeige wegen falscher Beschuldigung erhoben werden wird. Denn eine dadurch ausgelöste, gerichtliche Untersuchung fürchten die Volksbetrüger in hohen Ämtern wie die Pest! Wären wir nicht noch eine kleine Partei, die jeden Groschen umdrehen muß, würden wir von uns aus eine Prozeßlawine in Gang bringen! Da es uns aber an Geld mangelt, können wir vorerst nur hoffen, daß ein mutiger, parteipolitisch unabhängiger Staatsanwalt die Angelegenheit bald einmal aufgreift!

Manchen unter Ihnen mag es scheinen, als gehörten diese Ausführungen nicht zum Thema Young-Plan. Doch sie gehören dazu, weil sie deutlich machen, in wessen Händen die Führung der deutschen Politik in einer entscheidenden Stunde unserer Geschichte liegt! Nehmen Sie deshalb am 29. Oktober Ihr Schicksal in die eigenen Hände und stimmen Sie für den Volksentscheid und gegen eine Neuversklavung! Denken Sie an Ihre Kinder! Niemand kann sich der Verantwortung entziehen, vor die er jetzt gestellt wird!

Meine Volksgenossinnen und Volksgenossen! Ich möchte meine Darlegungen nicht abschließen, ohne Sie zu bitten, über die Tatsachen und Zusammenhänge, die ich infolge ihrer Vielzahl und Verästelung heute leider nur zum Teil behandeln oder nur andeuten konnte, weiterhin nachzudenken und andere Volksgenossen zum Nachdenken und zu tätiger Konsequenz zu veranlassen. Helfen sie mit an der Befreiung unseres Volkes! Beenden Sie die Versklavung Ihrer selbst und Ihrer Kinder!

Es lebe unser Deutsches Volk! Deutschland erwache! Sieg Heil!"

Der Redner grüßte die Versammelten mit ausgestrecktem rechten Arm und verließ dann das Podium. Eine Woge des Beifalls begleitete ihn. Die Mehrzahl der Kundgebungsteilnehmer schien nicht gewillt, den Saal zu verlassen. Hier war ihnen ein Gemeinschaftserlebnis zuteil geworden, das sie emporhob, ihnen ein Gefühl der Zuversicht, des Selbstwertes und der Zusammengehörigkeit vermittelte. Der überwiegende Teil dessen, was der Redner ausgeführt hatte, war latent als Ahnung oder Hoffnung, als Teilwissen oder Erfahrungsresultat, bei vielen der Zuhörer bereits vorhanden gewesen.

Die Nationalsozialisten artikulierten also, im wesentlichen, bereits in weiten Kreisen der Bevölkerung existierende Gedanken und Gefühle, legten sie endgültig frei und gaben ihnen eine Stoßrichtung. Und was dem Bewußtsein mancher Bürger völlig neu war, das wurde akzeptiert, weil die

Richtigkeit der Argumente, Zusammenhänge und Kausalverkettungen, die sie ohne weiteres erkennen konnten, als Bürge für den Tatsachencharakter und den Wahrheitsgehalt auch der übrigen Darlegungen angesehen wurde.

Nur zögernd wandte die Menge sich den Ausgängen zu. Es war ein Gefühl der Gemeinsamkeit und Schicksalsverbundenheit entstanden, das sich gegen ein Auseinandergehen sträubte.

Als Georg und Albert unter den letzten der Hinausgehenden, die Straße betraten, wurden sie von Sprechchören empfangen. Auf der anderen Straßenseite hatten sich etwa 200 Kommunisten versammelt, die auf Spruchbändern und mit rhytmischen Stimmenaufwand Losungen verkündeten, die Georg erstaunten. Laut schallte es ihnen entgegen:

"Wer hat euch verraten? Sozialdemokraten! Wer macht euch frei? Die Kommunistische Partei!"

"Eine seltsame Frontstellung kommt hier zum Ausdruck", sagte Georg. "Ich habe eher erwartet, daß gegen eure Partei etwas unternommen wird."

"Das habe ich auch angenommen. Aber die Kommunisten sind in ihrer Taktik sehr beweglich und passen sich einer veränderten Situation schnell an", antwortete Albert. "Nachdem ihre Absicht, unsere Versammlung zu sprengen, sich als aussichtslos erwiesen hatte, weil sie auf eine unvermutete Stärke unseres Saalschutzes stießen, versuchen sie jetzt, uns und unsere Argumente zu unterlaufen."

"Glaubst du, das wird ihnen gelingen?"

"Nicht unbedingt mit der Methode, daß sie jetzt praktizieren. Damit können sie nur auf sich aufmerksam machen. Aber mit einer Anzahl anderer Propagandathesen werden sie, speziell bei enttäuschten Sozialdemokraten, Erfolg haben; denn bei denen treffen sie auf eine breite gemeinsame, marxistisch geprägte Ideengrundlage. Im wesentlichen können die Kommunisten nur Zulauf von den Sozialdemokraten erwarten. Die marxistische Sozialdemokratie ist die Vorstufe zum Kommunismus!"

Die beiden gingen eine zeitlang mit eigenen Gedanken beschäftigt nebeneinander her. Dann fragte Georg, der inzwischen noch einmal über den Verlauf der Versammlung nachgedacht hatte: "Sag' mal Albert, wie kommt es eigentlich, daß die SA in der Linkspresse als Schlägertruppe diffamiert wird? Heute hat sie doch eindeutig Schlägereien verhindert!"

Albert blieb einen Augenblick stehen, wandte sich Georg voll zu und fragte dagegen: "Wie kommt es eigentlich, daß trotz eindeutiger, historischer Tatsachen, Deutschland die Kriegsschuld zugeschoben wird? Man könnte noch viele solcher und ähnlicher Fragen stellen und die Antwort müßte in jedem Fall lauten: Weil es im In- und Ausland Kreise gibt, die sich von der Wirkung solcher lügnerischen Behauptungen Vorteile versprechen!" Dann wandte er sich wieder zum Gehen und fuhr fort:

"Gegen Verleumdungen ist niemand gefeit! Doch betrachten wir einmal die Tatsachen, wie sie sich in der Entwicklung unserer Partei und in den politischen Umweltverhältnissen in Deutschland darstellen. Als die Deutsche Arbeiterpartei, die Vorläuferin der NSDAP, 1919 gegründet wurde, hatte sie am Ende des Jahres 64 Mitglieder. Zur selben Zeit kämpften Spartakisten und andere rote Kräfte in Armeestärke und schwerbewaffnet gegen alles, was sich deutsch und national nannte. Was meinst du, wer damals wen terrorisierte, wer überhaupt dazu in der Lage war?

Als im August 1920 die Deutsche Arbeiterpartei sich in Nationalsozialistische Deutsche Arbeiterpartei umbenannte, verfügte sie im ganzen Reich über knapp 3000 Mitglieder. Die marxistischen Parteien und Gewerkschaften zählten damals Hunderttausende, wenn nicht Millionen. Was meinst du, wer zu jener Zeit wessen Versammlungen sprengte?

Im November 1921 wurde zur Abwehr der ständigen Gewalttätigkeiten gegen uns und die Besucher unserer Versammlungen, aus Sport- und Ordnergruppen, die SA gegründet. Am Ende jenes Jahres, als Hoelz mit seiner roten Armee Mitteldeutschland verheerte, wies unsere Partei 6000 Mitglieder auf. Die SA mag damals, im ganzen Reich, 1000 Mann gezählt haben. Bist du der Meinung, wir hätten mit dieser weit verstreuten Ordnungstruppe irgendeine Partei terrorisieren wollen oder können? Selbst wenn uns, wie dies bei den Roten der Fall war, der Gedanke gekommen wäre, die Versammlung einer anderen Partei zu sprengen, hätten wir das nicht vermocht. Nein, wir waren weder damals dazu gewillt und in der Lage, noch sind wir es heute! Wir beschränken uns auf den Schutz unserer Kundgebungen!

Allein aus diesem Grunde fanden alle bisherigen Zusammenstöße bei Kundgebungen und in Sälen statt, die wir gemietet hatten, beziehungsweise durchführten, und zu denen die Roten gekommen waren, um sie zu sprengen.

Wer seit Jahren wen mit Schlägertrupps überfällt, ist völlig eindeutig. Im März dieses Jahres wurden in Wöhrden zwei unserer Parteimitglieder von Kommunisten ermordet! Das wird so gut wie totgeschwiegen! Aber wenn wir uns energisch wehren, - Gott sei Dank sind wir nun in zunehmendem Maße dazu in der Lage -, dann erhebt die linksgedrallte Presse ein Geschrei, dann dreht sie die Tatsachen um und weist mit ihren Schmierfingern, in geheuchelter Entrüstung, auf uns!

Wir registrieren das natürlich sehr genau und werden eines Tages von diesen innerdeutschen Brunnenvergiftern Rechenschaft fordern!"

"Wie stark ist denn eure Partei gegenwärtig?", fragte Georg.

"Das kann ich nicht genau sagen. Ende letzten Jahres hatten wir 100 000 Mitglieder, jetzt mögen es 50 000 mehr sein."

"Die marxistischen Parteien zählen ihre Mitglieder nach Millionen!", bemerkte Georg dazu.

Alberts Kommentar zu dieser Feststellung war kurz und trocken. Er sagte nur: "Ja, leider!"

Wieder gingen sie eine Weile wortlos durch die nächtliche Straße. Eine späte Straßenbahn fuhr quietschend um die Ecke und hielt an der Haltestelle, die sich etwa 20 Meter vor den beiden befand.

Der Schaffner wartete mit dem Klingelzeichen zur Weiterfahrt, weil er glaubte, sie wollten einsteigen. Er beugte sich, auf dem hinteren Perron stehend, heraus und rief: "Beeilung!" Doch Albert winkte ab, und sagte zu Georg: "Zwanzig Pfennig für die Straßenbahn, - wer kann sich das leisten, wenn er täglich mit der Entlassung aus dem Arbeitsverhältnis rechnen muß? Über jedem von uns hängt ein Damoklesschwert!"

8. Kapitel
Konkurse, Notverordnungen, Arbeitslosigkeit
1930 bis 1932

Zum Zeitgeschehen 1930

Die Weltwirtschaftskrise, - und die Folgen, die sich nach der Annahme des Young-Planes aus der Fortzahlung der Tribute für Deutschland ergaben, hatten im März zum Sturz der von dem SPD-Kanzler Müller geleiteten Regierung geführt. Am sichtbarsten traten die Konsequenzen der Börsenmanipulation, sowie der Tribut- und Erfüllungspolitik auch jetzt wieder in Firmenzusammenbrüchen und im Ansteigen der Anzahl der Arbeitslosen in Erscheinung. Vordergründiger Anlaß zum Regierungsrücktritt waren daher auch Probleme, die mit der Verschlechterung der Beschäftigungslage und mit der Arbeitslosenversicherung zusammenhingen.

Der neue Zentrumskanzler Brüning wurde von den Parteien der Mitte gestützt und von den Sozialdemokraten toleriert. Bald nach seinem Regierungsantritt begann Brüning, auf der Grundlage des Artikels 48 der Reichsverfassung, den Reichstag in zunehmendem Maße auszuschalten und eine Notverordnungsdiktatur zu errichten. Die von ihm verfügte Devisenbewirtschaftung und die Sparmaßnahmen, wie Kürzung der Beamtengehälter, der Kriegsopferrenten, führten zu einer weiteren, hausgemachten Senkung der Investitionskraft der Wirtschaft und zu einer zusätzlichen Reduzierung der Kaufkraft der Bevölkerung. Dem Niedergang entsprechend wuchs die Unzufriedenheit im Volk.

Es war nur natürlich, daß die Bürger sich von den Parteien abwandten, die diese Politik stützten oder tolerierten. Ihre Sympathien wandten sich dem rechten und dem linken Flügel des Parteienspektrums zu. Bei den Wahlen in Sachsen, im Juni des Jahres erreichten die Nationalsozialisten bereits 14,4 Prozent der Stimmen, und als Brüning, kraft Notverordnung, den Reichstag nach Hause schickte und im September Neuwahlen ansetzte, votierten im Reich sogar 18,3 Prozent der Bürger für die NSDAP. Statt bisher mit 12 Abgeordneten, konnten sie nun mit 107 in den Reichstag einziehen. Sie wurde damit, nach der SPD, die 10 Mandate verlor und 143 Sitze erhielt, zur zweitstärksten Partei. Die Kommunisten vermochten, mit einem Plus von 13, jetzt 77 Abgeordnete, zu entsenden. Mit Ausnahme des Zentrums, sowie der kleinen Splitterparteien mußten alle anderen Parteien zum Teil recht erhebliche Einbußen hinnehmen.

Diese Entwicklung setzte sich bei den in diesem Jahr fälligen Landtagswahlen in Braunschweig und Bremen, sowie im abgetrennten Danzig fort. Dort erhielt die NSDAP 16,1 Prozent der Stimmen. In Bremen erreichten sie mit 25,6 Prozent ihr bisher bestes Resultat. In Thüringen und Braunschweig stellten sie, nach 22,2 Prozent, erstmals Minister.

Im Völkerbund wurde Briands Pan-Europa-Plan begraben. Großbritannien, das in einem möglichen Festlandsblock unter Frankreichs Hegemonie das Ende seiner am Teile- und Herrscheprinzip orientierten Kontinentalpolitik herankommen sah, brachte dieses Konzept zum Scheitern. Ein übriges taten der Wirtschaftsegoismus der einzelnen Staaten, der von Großmachträumen inspirierte polnische Chauvinismus und der Unterdrückungsnationalismus der Tschechen. Frankreich und seine Trabanten mußten die Absicherung ihrer Weltkriegsbeute also weiterhin auf die Bündnissysteme der sogenannten "Großen und Kleinen Entente" stützen.

Deren antideutscher Zweck wurde immer deutlicher herausgestellt. Die Ziele Polens, des Hauptverbündeten Frankreichs, in der "Großen Entente", gab in diesem Jahr die polnische 'Liga der Großmacht' wie folgt bekannt: "Der Kampf zwischen Polen und Deutschland ist unausbleiblich. Wir müssen uns darauf systematisch vorbereiten. Unser Ziel ist ein neues Grunewald. (Die Polen bezeichnen Tannenberg, wo 1410 die Schlacht gegen den Deutschen Ritterorden stattfand, als Grunewald.)

Aber diesmal ein Grunewald in den Vororten Berlins, das heißt, die Niederlage Deutschlands muß von polnischen Truppen in das Zentrum des Territoriums getragen werden, um Deutschland im Herzen zu treffen.

Unser Ideal ist ein Polen im Westen mit der Oder und Neiße als Grenze. Preußen muß für Polen zurückerobert werden und zwar das Preußen an der Spree! In einem Krieg mit Deutschland wird es keine Gefangenen geben und es wird weder für menschliche Gefühle noch kulturelle Gefühle Raum sein. Die Welt wird zittern vor dem polnisch-deutschen Krieg. In den Reihen unserer Soldaten müssen wir übermenschlichen Opfermut und den Geist unbarmherziger Rache und Grausamkeit tragen! Vom heutigen Tage an wird jede Nummer dieses Blattes dem kommenden Grunewald in Berlin gewidmet."

Die Befürchtungen, die solche und ähnliche, ständig wiederholte Tiraden in Deutschland, insbesondere in den deutschen Ostgebieten auslösten, brachte der ostpreußische Schriftsteller Hans Nitram in seinem Buch "Achtung Ostmarkenrundfunk!" zum Ausdruck.

Neben den Besorgnissen um die Sicherheit der Grenzen, standen in Deutschland Sorgen um die Entwicklung der wirtschaftlichen Lage an erster Stelle. Am Jahresende waren über 4,5 Millionen Arbeitslose, mehr als 2 Millionen Kurzarbeiter und fast 26 000 Konkurse zu zählen. Und die Talfahrt ging, in beschleunigtem Tempo, weiter.

In den letzten Tagen waren zwei Briefe angekommen; der erste trug den Jamen Fritz Werfels als Absender, den zweiten hatte Georg aus Berlin eschrieben, wo er in einem Motorenwerk tätig war.

Fritz Werfels hatte Herbert seine Sorgen um die weitere Entwicklung argelegt und ihm mitgeteilt, daß er, nach längeren Erwägungen, politische onsequenzen aus 'Korruption, Volksbetrug und Würdelosigkeit' gezogen abe. "Ich kann nicht mehr zusehen und nur mit verbal sich äußernder mpörung reagieren, bei dem Trauerspiel, daß die physische und psychische inrichtung unseres Volks zum Inhalt hat!", stand in dem Brief zu lesen. Wer nicht aktiv dagegen angeht, macht sich zum Helfershelfer der Henker! n den letzten zehn Jahren sind alle nur denkbaren politischen Konstellationen n Deutschland ausprobiert worden. Jetzt haben wir die achtzehnte Regierung! ber keine hat den Mut gehabt, die Übel bei der Wurzel zu fassen und ie mit Stumpf und Stiel auszurotten! Versailles und ideologische Giftmicherei verursachen die Krebsgeschwüre an unserem Volkskörper. Ursachen nd Symptome können nur mit operativen Schnitten entfernt werden. Das leiche gilt für die Fesseln, in die unsere Brüder in den geraubten Gebieten eschlagen worden sind!

Zu absoluter, konsequenter Gegnerschaft zu Versailles und zum morbiden Veimarer System bekennen nur die Nationalsozialisten und die Kommuisten sich. Sie allein verfügen auch über die Potenz Wandel zu schaffen. ber vor die Wahl gestellt: Sowjetstern oder Hakenkreuz, kann es nur eine ntscheidung geben! Was das Sowjetsystem aus Rußland gemacht hat, vissen wir. Es hat sich damit selbst als Alternativsystem ausgeschaltet! Was ie Nationalsozialisten wollen, ist ihrem Parteiprogramm und den Äußerunen ihrer Führer zu entnehmen.

Auch wenn man einigen ihrer Programmpunkten nur mit gewissen inschränkungen zustimmen will, so bleibt doch noch genug übrig, was orbehaltlos zu bejahen ist, weil es, in die Tat umgesetzt, unserem Volk vieder eine Zukunft gibt! Da es so, wie bisher, nicht weitergehen kann, ondern das Steuer bald herumgerissen werden muß, habe ich mich ntschieden, nun auch einen aktiven politischen Beitrag zu leisten und bin n die NSDAP eingetreten."

Gegen Schluß des Briefes hatte er geschrieben: "Ich hoffe, daß meine olitische Entscheidung unsere alte, bewährte Freundschaft nicht trüben wird. ch tue ja nichts anderes, als was wir im Krieg und in der ersten Zeit danach emeinsam getan haben und wofür ich später in den freiwilligen Selbstchutzverbänden gekämpft habe: Für die Freiheit unseres Volkes und unserer Ieimat einzutreten! Es hilft nur ein Vorwärts zu völlig neuen Ufern! Wagen wir den Schritt auf politisches Neuland, bevor unser Volk an äußerer und innerer Auszehrung zugrundegeht!"

Daran dachte Herbert, als Albert und Helga wieder einmal, mit ihren Fahrrädern, aus Halle gekommen waren. Als man in der Stube zusammensaß, berichteten sie, sie seien am Ortseingang von Saalfurth an einem Bauernhof vorbeigekommen, vor dessen Hoftor eine größere Menschenmenge, augenscheinlich aus Bauern bestehend, gestanden habe. Dem Vorbild ihrer Standesgenossen in Holstein folgend, hätten sie eine schwarze Sensenfahne in ihrer Mitte gehabt.

Martha erklärte ihnen daraufhin: "Der Hof des Bauern Hornung ist gestern zwangsversteigert worden. Wie es heißt, soll ihn ein Pelzjude aus Leipzig ersteigert haben. Zu einem Spottpreis! Wahrscheinlich war das heute eine nachträgliche Protestdemonstration. Vielen anderen Bauern steht ja das Wasser ebenfalls bis zum Halse!"

"Nicht nur den Bauern, auch den Arbeitern, den Gewerbetreibenden aller Sparten und auch vielen Großbetrieben! Aber das Erwachen beginnt! Das Wahlergebnis beweist es!", sagte Albert.

"Um gerecht zu sein, sollten wir aber feststellen, daß nicht der Käufer für das Unglück des Bauern verantwortlich gemacht werden kann", ließ Martha sich vernehmen. "Schuld an der ganzen Wirtschaftsmisere sind jene, die die Krise herbeigeführt haben, die dafür sorgen, daß in bestimmten Teilen der Welt eine Überproduktion stattfindet, die dann mit hohem Konstenaufwand vernichtet wird! In Brasilien werden riesige Mengen Kaffeebohnen ins Meer geschüttet, woanders werden Baumwolle und Weizen verbrannt - und bei uns hungern die Menschen!"

"Sicher tun sie das", stimmte Albert zu. "Doch du darfst nicht vergessen, daß die Krise nicht alle trifft! Im Gegenteil, es gibt Nutznießer. Deshalb werden die Börsenmanöver ja in Szene gesetzt! Unseren Bauern und mittelständischen Gewerbetreibenden geht es jetzt ähnlich wie es den russischen Kulaken ergangen ist, - nur die Methode der Enteignung ist eine andere."

"Eine schlimme Form der Enteignung Deutscher wird auch in Polen durchgeführt", meinte Martha. "Dort wird den Menschen neben dem Eigentum, auch noch die Heimat genommen. Eigenartig ist nur, daß der polnische Haß sich in ähnlicher Weise wie gegen Deutsche, auch gegen Juden richtet. Die strömen jetzt ja ebenfalls zu Zehntausenden nach Deutschland. Werfels hat uns das geschrieben, und es steht ja auch in den Zeitungen."

"Was sagst du denn zu dieser Tatsache?", wandte Herbert sich an Albert.

"Ich verfolge die Entdeutschungspolitik der Polen seit langem mit großer Aufmerksamkeit und bin dabei immer wieder zu der Feststellung gekommen, daß die Polen ein extrem nationalistisch eingestelltes Volk sind, dessen aggressiver Chauvinismus sich gegen alles richtet, was nicht polnisch ist beziehungsweise sich nicht polnisieren läßt!"

"Seit ihr Nationalsozialisten nicht ähnlich nationalistisch?", warf Martha ein.

"Nein, wir sind völkisch orientiert. Wir sehen im Volk eine Kultur- und Abstammungsgemeinschaft, der wir mit effektiver Solidargemeinschaft einen weiteren Inhalt geben wollen. Daher ist es auch nicht unsere Absicht zu germanisieren. Wir wollen uns keine fremden Kultur- und Abstammungsgemeinschaften einverleiben! Aber genau das wollen die Polen! Sie hetzen gegen jede völkische Minderheit; gegen Litauer, Letten, Russen, Slowaken, Tschechen, Rumänen, Juden und Deutsche, die sich nicht zu Polen machen lassen wollen. Dabei sind, mit Ausnahme der Juden, alle diese Minderheiten in den polnischen Staat gezwungen worden! Selbst nachdem bereits Hunderttausende Deutsche vertrieben worden sind, gehören noch immer 31 Prozent der Einwohner Zwangspolens fremden Völkern an! Sie alle sollen jetzt mit Gewalt 'polnisiert' werden. Egal, ob es sich um Slawen handelt oder nicht! Und wer das ablehnt, der wird vertrieben! Wohin das führen soll, kann man polnischen Verlautbarungen entnehmen.

Zwei solche Zielvorstellungen habe ich im Gedächtnis. Die eine ergibt sich aus dem Satz: 'Die nationalen Minderheiten sind für Polen Geschwüre am Körper' und der andere fordert: 'Polen muß rein werden, wie ein Glas Wasser!' Entnommen sind sie den Zeitungen 'Glos Pomorski' und 'Dziennik Poznanski'.

Du siehst also, Tante Martha, zwischen unseren kulturell orientierten, von Erkenntnissen der Genetik gestützten Volksvorstellungen und dem bösartigen, imperialistisch orientierten Nationalismus der Polen besteht ein sehr großer Unterschied!"

"Diesesmal hat Albert sogar zitiert, ohne sein 'berühmtes' Merkbuch zu Hilfe genommen zu haben", bemerkte Martha nun neckend und mit der Absicht auf ein anderes Thema überzuleiten.

Doch damit erreichte sie das Gegenteil. Albert sagte nämlich: "Ich habe kürzlich Auszüge aus meiner Zitatenkartei in ein noch kleineres Merkheftchen übertragen, das ich, für alle Fälle, immer bei mir trage."

"Falls du zu den eben behandelten Themen noch etwas aufgeschrieben hast und wenn es nicht zu lang ist, sondern nur ein paar Sätze sind, so lies sie vor!", ermunterte Herbert.

Albert zog daraufhin ein kleines, blaues Heft aus der Tasche, schlug es auf und sagte: 'Es sind ein paar Zeilen aus dem Buch von Hermann Rauschning, mit dem Titel 'Die Entdeutschung Westpreußens und Posens'."

Dann blätterte er in dem Heft, bis er die gesuchte Seite gefunden hatte, schließlich sagte er: "Auf Seite 53 lautet ein von dem Autor angeführtes Zitat 'Wenn ein Deutscher oder Jude es wagt, irgend etwas gegen den polnischen Staat zu sagen, so bindet ihn mit Stricken und schleift ihn durch die Straßen!" Und auf Seite 288 wird zitiert: 'Wer noch da ist von dem deutschen Gesindel, wird ohne Ausnahme niedergemacht, mit Petroleum Benzin oder Teer übergossen, angesteckt und verbrannt! Jetzt kommt ihr alle dran, Ärzte, Pastoren, Rechtsanwälte, Besitzer aller Art, wer Deutscher oder Jude ist!'

So, das wäre schon alles und besagt genug", erklärte Albert, indem er das Heft zuklappte und wieder in die Seitentasche seiner Jacke steckte.

"Wenn man so etwas hört oder liest, dann kriegt man eine Gänsehaut und fragt sich, ob die Polen von allen guten Geistern verlassen sind!"

"Nicht nur die Polen sind von allen guten Geistern verlassen, Tante Martha, auch ein Großteil der deutschen Politiker und Meinungsmacher, sowie des von ihnen hinters Licht geführten deutschen Volkes! Die Polen verschicken seit Jahren in vielfacher Millionenauflage eine Flugschrift, in der eine Landkarte dargestellt ist, die die angeblich historischen Grenzen Polens zeigt; im Westen läuft diese Phantasiegrenze mitten durch Deutschland!

In Frankreich, England und Amerika in Massenauflage verteilt, soll es die psychologische Grundlage für die spätere Anerkennung ihrer geplanten Eroberungen schaffen. Und unsere Politiker und sogenannten Staatsmänner schauen diesem Treiben zu, starten keine informative Gegenoffensive, sondern betreiben Erfüllungspolitik und verschweigen unserem Volk, was wirklich vorgeht und hier mit langfristiger Zielsetzung vorbereitet wird! Das Gegeneinander, der Parteienkampf im Innern, ist ihnen wichtiger als die Sicherung der Existenzgrundlage unseres Volkes nach außen!"

"Ich sehe mich nicht in der Lage, an Alberts Kritik etwas auszusetzen", sagte Martha zu Herbert gewandt. "Und angesichts dieser Tatsachen verstehe ich auch Fritz Werfels Sorgen und die Konsequenzen, die er mit seinem Eintritt in die NSDAP gezogen hat."

"Er ist nicht der einzige, den seine Unzufriedenheit und Befürchtungen zu solchen Schlußfolgerungen führen", bemerkte Albert. "Die Anzahl der Mitglieder unserer Partei hat sich im letzten Jahr fast verdoppelt. Sie beträgt jetzt rund 350 000 und steigt weiter! Auch du, Onkel Herbert, solltest dich unserer Partei anschließen! Du willst doch deinen Kriegskameraden Werfels die Kohlen nicht für dich aus dem Feuer holen lassen? Das liegt dir doch nicht! Das ist doch nicht mit deinem Charakter zu vereinbaren!"

"Du gebrauchst ähnliche Argumente, nur mit anderen Vorzeichen, mit denen Hans mich für einen 'konsequenten neomarxistischen Sozialismus' zu begeistern sucht!"

"Wieso Hans? Hat der sich denn schon parteipolitisch festgelegt?"

"Was heißt in einem Alter von 16 Jahren 'festgelegt'? Das kam ganz plötzlich. Er hat sich der Meinung angeschlossen, die in den Reihen seiner Mitlehrlinge und Freunde vertreten wird. Es ist ein politisch eingefärbtes Zusammengehörigkeitsgefühl von Gleichaltrigen, ein Mitdabeiseinwollen, ein Anerkanntwerdenwollen im Kreise der vermeintlich fortschrittlichen Jugend, wenn man so will, auch ein im Zuge beginnender Pubertät sich einstellender Versuch, sich freizuschwimmen und sich selbst zu bestätigen", sagte Martha.

"Wir haben das ja in mehr oder weniger ähnlicher Weise in unserer Jugend selbst erlebt. Nur glaubt er das nicht. Er meint, jetzt sei 'alles ganz anders', - so wie wir das auch gemeint haben, bis wir merkten, daß die Welt sich, auch in vordergründig veränderten Umweltverhältnissen, nach ewig gleichen Fundamentalgesetzten dreht!"

"Das wird Hans auch noch einsehen", sagte Herbert, "die Realitäten werden seine Träume beenden. Die Wirklichkeit mit der wir uns auseinander zu setzen haben, wird hauptsächlich von Kurzarbeit und drohender Arbeitslosigkeit bestimmt. Bei uns im Betrieb sieht es sehr schlecht aus, und auch Georg in Berlin rechnet mit der Möglichkeit einer Entlassung."

"Er hat übrigens seine Adresse gewechselt", sagte Martha zu den beiden, "nachdem auch bei ihm Kurzarbeit eingeführt wurde und größere Entlassungen bevorstehen, mußte er sich ein billigeres Zimmer suchen. Ihr könnt euch seine neue Anschrift nachher aufschreiben."

"Wenn er das gewußt hätte, dann hätte er nicht nach Berlin zu gehen brauchen."

"Damals schien seine Entscheidung richtig zu sein. Mit Entscheidungen im privaten Bereich, verhält es sich nämlich, im Prinzip, ebenso, wie mit Entscheidungen auf anderen Feldern. Man fällt sie aus der gerade gegebenen Situation heraus, nach der Lage der Dinge, wie man üblicherweise sagt. Die gegebene Lage und ihre voraussichtliche Weiterentwicklung bestimmen die Motive und Entschlüsse.

Georg und auch wir, waren damals überzeugt, das Richtige zu tun, - so, wie auch die Wähler bei der Reichstagswahl überzeugt waren, eine von ihrem Standpunkt aus richtige Stimmentscheidung zu treffen. Wenn sich später herausstellt, daß sie sich verkalkuliert haben, dann kann daraus ebenso wenig ein in jeder Beziehung vertretbarer Vorwurf konstruiert werden, wie bei Georgs Entscheidung."

"Das ist richtig", stimmte Helga zu, "zumal Angst vor notwendigen Entscheidungen, und daraus resultierende Unterlassungssünden, uns in die schlimme gegenwärtige Lage gebracht haben!"

"Jedenfalls dürfen wir die Hoffnung auf eine Besserung der Verhältnisse nicht aufgeben, sondern müssen uns bemühen, sie baldmöglichst herbeizuführen", sagte Albert. "Neulich habe ich ein kleines Büchlein gelesen, in dem sogenannte Wandsprüche und Gedichte zusammengestellt waren. Darin fand ich ein paar Verse des vor einigen Jahren verstorbenen Dichters Mathäi, die er dem Philosophen Fichte widmete. Ihr Text enthielt einen Aufruf zu Zuversicht und verantwortungsbewußtem Verhalten. Ich fand den Sinn dieser Verse so gut, daß ich ihn zum Leitmotiv meines politischen Tuns gewählt habe."

"Wahrscheinlich hast du die Verse ebenfalls in dein Merkbuch eingetragen?", fragte Martha in freundlich-anzüglicher Weise.

"Nein, das habe ich nicht getan. Stattdessen habe ich sie auswendig gelernt, damit ich mir ihren Sinn jederzeit wieder bewußt machen kann."

"Wenn du den für so wichtig hälst, dann würde ich ihn gern kennenlernen", meinte Martha, nun ernsthaft interessiert.

"Vielleicht macht Helga dich damit bekannt. Ihr erschienen die Verse nämlich ebenfalls des Einprägens wert."

Helga machte zunächst eine abwehrende Geste. Sie gab aber nach, als Herbert sagte: "Der Umstand, daß du das Gedicht auch gut befunden und dir deshalb eingeprägt hast, hat nun auch mich neugierig gemacht. Also, bitte, laß' hören."

"Das letztemal habe ich ein Gedicht vor zehn Jahren, bei der Schulentlassungsfeier, aufgesagt. Glaubt also nicht, ich sei eine Vortragskünstlerin", sagte sie vorbeugend. Aber dann rezitierte sie doch recht beeindruckend:

Du sollst an Deutschlands Zukunft glauben,
An deines Volkes Auferstehn.
Laß diesen Glauben dir nicht rauben,
Trotz allem, allem was geschehn.
Und handeln sollst du so, als hinge
Von dir und deinem Tun allein,
Das Schicksal ab der deutschen Dinge,
Und die Verantwortung wär dein."

Das Schweigen, das sich anschloß, deutete Helga zunächst als Zeichen für einen nicht gut gelungenen Vortrag. Doch gerade als sie sich deswegen entschuldigen wollte, wurde sie eines Besseren belehrt.

"Das hast du sehr gut gemacht", sagte Martha beifällig. "Und was den Sinn der Verse betrifft - um seinetwillen wäre ich dafür, sie allmorgendlich in sämtlichen Schulklassen aufsagen zu lassen."

*

Robert Seller war nach einem Steinwurf, der ihn am Kopf getroffen und zu einer Gehirnblutung geführt hatte, 10 Tage vor Weihnachten gestorben. Auf dem Rückweg von der Stadtapotheke, wo er Medikamente geholt hatte, war er in eine, unversehens in tätliche Auseinandersetzungen ausartende, Streiterei zwischen Kommunisten und 'Spaltern' geraten. So bezeichneten die Kommunisten die Anhänger jener marxistischen 'Reformgruppen', die sich schließlich in der SAP, der Sozialistischen Arbeiterpartei, zusammenfanden.

Wer den tödlichen Stein geworfen hatte, war bei der Vielzahl der Wurfgeschosse, die gewechselt worden waren, nicht mehr festzustellen. Natürlich distanzierten die örtlichen Führer dieser 'Avantgardisten des Fortschritts' sich nachträglich von dem 'bedauerlichen Zwischenfall'.

Georg, in Berlin, hatte den Eilbrief, in dem ihm der Tod seines Großvaters, sowie dessen Umstände mitgeteilt worden waren, aus unerklärlichen Gründen erst erhalten, als die Beerdigung bereits vorüber war. Aus diesem Grund entschloß er sich, nicht sofort nach Saalfurth zu fahren, sondern dies erst zu Weihnachten zu tun und jetzt an seine Angehörigen, und im besonderen an seine Großmutter, nur herzliche Kondolenzbriefe zu schreiben. In normalen Zeiten wäre er natürlich trotz der verspätet eingetroffenen Benachrichtigung gefahren, aber bei, infolge Kurzarbeit, reduziertem Lohn und angesichts der Tatsache, daß auch ein nur vorübergehendes Freimachen eines Arbeitsplatzes, dessen Verlust für immer bedeuten konnte, schienen ihm Kosten und Risiko zu groß, - zumal er ja zu spät kommen würde.

In Gedanken haderte er mit jenen, die glaubten, mit Straßenschlachten, Krakeelerei und Steinwürfen politische Probleme lösen zu können. Doch er zürnte auch jenen Politikern und Meinungsmachern, die statt zu informieren und sachlich aufzuklären, meinungspolitische Zerrspiegel verkauften, Hetze verbreiteten und damit die Voraussetzungen für solche blödsinnigen Ausschreitungen schufen. Die Forderung der Nationalsozialisten, bewußte politische Lügen zu bestrafen, schien ihm sehr berechtigt zu sein!

Über den Brief an seine Großmutter gebeugt, saß Georg an dem wackeligen Tisch in der kleinen Mansardenstube eines Hauses, das im dritten Hinterhof einer Häuserzeile der Kolberger Straße im Stadtteil Wedding stand. Es konnte als eines jener typischen 'Proletarier Silos' bezeichnet werden, an denen der 'Rote Wedding' reich war.

Georg überlegte, ob die Großmutter die Worte seiner letzten Sätze in seinem Sinne richtig deuten werde. Er hatte geschrieben: "Großvater wird solange weiterleben, wie wir seine Gedanken nachvollziehen und wir das, was er uns an menschlichen Qualitäten, an Ratschlägen und Einsichten mitgab auf den Lebensweg, auch weiterhin als Orientierungshilfe benützen!"

Der Faden seiner Gedanken wurde zerrissen durch ein Klopfen an der Tür. Auf sein "Herein" trat Gustav Radtke, der jüngste, aber im Vergleich zu ihm etwa 8 Jahre ältere, Sohn seiner Quartiersleute, in die Stube.

"N'Abend,Georg", grüßte er. "Ich hörte eben von meiner Mutter, daß dein Großvater gestern begraben wurde. Ich möchte dir meine Anteilnahme ausdrücken."

"Danke, Gustav", erwiderte Georg, indem er sich erhob und die ausgestreckte Hand des anderen ergriff. Dann rückte er den zweiten Stuhl zurecht und forderte seinen Gast auf, Platz zu nehmen. Gustav arbeitete im gleichen Betrieb wie er, bis vor wenigen Wochen hatten sie sogar in der gleichen Schicht und in der gleichen Montagegruppe gearbeitet. Er hatte Georg auch das kleine Mansardenzimmer bei seinen Eltern vermittelt.

"Mein Großvater wurde von linken Polit-Rowdies getötet - durch einen Steinwurf. Doch verantwortlich für seinen Tod und für den vieler anderer, die dem Straßenterror zum Opfer gefallen sind, müßten jene Politiker gemacht werden, die die Dinge treiben ließen! Es wird höchste Zeit, daß einer kommt, der mit diesen Zuständen Schluß macht und, wenn es sein muß mit eiserner Hand, Ordnung schafft!"

"Ich habe immer mehr den Eindruck, als seiest du vom Nazi-Bazillus befallen worden", meinte Gustav.

"Und ich sagte dir bereits mehrmals, daß es mir prinzipiell gleichgültig ist, wer eine mir richtig erscheinende Erkenntnis mit mir teilt oder ablehnt. Doch wenn ich nach reiflicher Überlegung und Tatsachenabwägung zu der Überzeugung gelangen sollte, daß gewisse Ideen des Nationalsozialismus sich als Antikörper, oder als Medizin gegen das von Internationalismen und Parteienseparatismus zerfressene Wir-Bewußtsein unseres Volkes erweisen könnten, dann werde ich sie unterstützen!"

"Goebbels würde sich freuen, wenn er dich so reden hörte!"

"Gustav, ich verstehe nicht, warum du eine Meinung immer an der wahrscheinlichen Reaktion anderer mißt. Meinungen anderer sind doch kein Merkmal, an dem man das Richtige oder Falsche einer Auffassung erkennen kann! Wir müssen den Mut haben, eigene Meinungen zu bilden und zu vertreten! Wir müssen selber denken, nicht andere für uns denken lassen!"

"Deine zumindest teilweise bereits vollzogene Hinwendung zu den Nazis entspringt also eigener Überzeugung?"

"Hinwendung ist nicht der richtige Ausdruck", entgegnete Georg. "Abwendung von der Hoffnung, die Vorstellung und Methoden der übrigen Parteien könnten zu einer Besserung unserer Lage führen, würde mein Verhalten besser kennzeichnen - und sicherlich auch das der fast 6,5 Millionen Wähler, die der NSDAP bei der Reichstagswahl ihre Stimme gaben."

"Naja, ganz falsch ist diese Deutung nicht. Denn anders kann die enorme Stimmenverschiebung, von der ja auch KPD profitierte, wohl nicht erklärt werden. Die Meinung, daß sich etwas ändern muß und zwar in Ziel und Methode Entscheidendes, gewinnt immer mehr an Boden, - sie wird ja grundsätzlich auch von mir geteilt", räumte Gustav ein.

"Vor allem müßten rigorose Maßnahmen gegen die politische Hetze getroffen werden. Sie ist die Ursache der Saal- und Straßenschlachten, der Messerstechereien und der Steinwürfe! Und auch der Hunderte von Toten, die als Folge zu verzeichnen sind! Vereinfacht ausgedrückt begann das Jahr mit dem politischen Mord an dem SA-Sturmführer Horst Wessel, und wurde, mit dem aus politischen Motiven verursachten, gewaltsamen Tod eines alten Arbeiters, meines Großvaters, abgeschlossen. Und in beiden Fällen waren Linke die Täter!"

"Ich finde, deine Formel ist sehr vereinfachend. Sie berücksichtigt nämlich nicht, daß die Nazis ihre politischen Auseinandersetzungen ebenfalls nicht mit Samthandschuhen austragen!"

"Letzteres trifft zu, aber ehrlicherweise mußt du auch zugeben, daß sie jahrelang hauptsächlich Zielobjekte und Opfer der Aggressivität von links gewesen sind, ehe sie zurückschlagen konnten. An dieser Tatsache läßt sich nichts deuteln, - ebensowenig wie an dem, ich möchte sagen, Naturgesetz, demzufolge immer der Starke dem Schwachen die Art der Auseinandersetzung vorschreibt. Und die Schwachen, die heute noch relativ Schwächeren, waren und sind die Nationalsozialisten. Und was das Vereinfachen mit Kurzformeln betrifft, dazu möchte ich feststellen, daß Verdichten und Zusammenfassen nicht notwendigerweise eine Qualitätsminderung bewirkt. Im Gegenteil, man kann damit Wesentliches herausstellen und begreiflicher machen, ohne dabei zu verfälschen!"

"Du bist recht geschickt im Argumentieren, das habe ich schon öfter gemerkt", sagte Gustav. "Wer hat dir das denn beigebracht?"

"Ich bin nicht der Meinung, daß ich darin besonders geschickt bin", wehrte Georg ab, "sollte dieser Eindruck aber entstanden sein, so liegt das vielleicht an der Güte der Argumente, - und möglicherweise auch an der Methode, mit der ich sie mir beschaffe, prüfe und auswähle. Diesbezüglich halte ich mich an einige goldene Regeln, die meine Eltern und auch mein Großvater mir beigebracht haben. Ich komme nämlich aus einer politisch sehr interessierten Familie. Bei uns gehörte das analysierende Gespräch über das politische Umweltgeschehen zum täglichen Brot."

"Dein Großvater, was war er für ein Mann und was hat er beruflich getan?"

"Er war mein Freund und, neben meinen Eltern, mein Vorbild. Er war ausgeglichen, vertrauenswürdig, gradlinig, einfühlsam, weltoffen und ein guter Deutscher. Wahrscheinlich hing das auch mit seinem Beruf und seinen Erfahrungen zusammen. Er war nämlich Steinmetz und hatte in seiner Jugend noch 'die Welt am Wanderstabe durchmessen'. Als Steinmetzgeselle hatte er in Frankreich, Italien und Ungarn gearbeitet.

Aber bei allem, was er an den Menschen und an den kulturellen Leistungen im Ausland schätzte, seine Heimat war Deutschland; - in jeder Beziehung! Er war in der deutschen Geschichte zu Hause, konnte aus beiden Teilen des 'Faust' zitieren und er schätzte den Philosophen Herder, weil der das Entwicklungsgesetz der Natur bereits in der anorganischen Materie verankert sah. Also auch im Stein, in seinem geliebten Werkstoff! Daß es ausgerechnet ein Stein war, der seinem Leben ein Ende setzte, kann man unter diesen Umständen nur als tragisch bezeichnen!"

Eine Weile hing jeder der beiden den Gedanken nach, die bei Gustav von dem Gehörten, bei Georg von den Erinnerungen ausgelöst worden waren. Dann sagte Gustav: "Ich weiß nicht, wen ich mehr beneiden soll, - dich, weil du aus so einer solchen Familie kommst und einen solchen Großvater hattest oder deinen Großvater, weil er einen Enkel hat, der, über das Grab hinaus, so anerkennend von ihm spricht."

Zum Zeitgeschehen 1931

Im Frühjahr versuchten Deutschland und Österreich erneut einem Teil ihrer wirtschaftlichen Schwierigkeiten durch Abschluß einer Zollunion zu begegnen. Frankreich und seine Verbündeten wandten sich jedoch abermals energisch gegen die Durchführung dieses Planes. Trotz fiktiver Gleichberechtigung im Völkerbund, wurden die Verlierer des Krieges weiteren Diktaten unterworfen.

In der Annahme, den Finanzmarkt steuern zu können, verfügte Reichskanzler Brüning im Sommer des Jahres, per Notverordnung die Schließung der Banken und Sparkassen. Diese Maßnahme und die damit verbundene Verschärfung der Devisenzwangswirtschaft führten jedoch zu einer Verschlechterung der außenwirtschaftlichen Beziehungen Deutschlands, sowie zur Abziehung weiterer Auslandskredite. Investitionen wurden kaum noch getätigt, die deutsche Industrieproduktion schrumpfte weiter. Diesem Niedergang gemäß stieg die Anzahl der Arbeitslosen.

Eine zusätzliche Lähmung der Binnen-Nachfrage bewirkte die von dem Reichspreiskommissar Goerdeler verfügte, erneute Kürzung der Löhne und Gehälter, die bereits mit der Notverordnung vom 1. 12. des Vorjahres reduziert worden waren. Für Millionen wurde damit der Brotkorb nochmals höher gehängt.

Die Quittung der Bevölkerung erhielten die Verantwortlichen bei den Wahlen des Jahres. In Oldenburg erhielten die Nationalsozialisten 37,2 Prozent der Stimmen, in Lippe und Hamburg konnten sie, mit 26,9 Prozent beziehungsweise 25,9 Prozent, die Anzahl ihrer Stimmen fast vervierfachen, und in Hessen vermochten sie 37,0 Prozent der Wähler für sich zu gewinnen. Mit diesen Ergebnissen waren sie in Hessen und Oldenburg zu stärksten Partei geworden.

Profitiert hatten auch die Kommunisten, doch war ihr Stimmenzuwachs geringer.

Die politischen Lager begannen sich im letzten Viertel des Jahres fester zusammenzuschließen. Im Oktober wurde in Bad Harzburg die sogenannte "Harzburger Front" gebildet, in der Nationalsozialisten, Deutschnationale und Stahlhelm ein nationales Aktionsprogramm zu verfolgen trachteten. Sozialdemokraten, linke Gewerkschaften, "Reichsbanner" und links eingestellte Sportverbände bildeten im Dezember eine sogenannte "Eiserne Front", die ihren politischen Vorstellungen Stoßkraft verleihen sollte.

Während die Harburger Front, ihren differenzierten Zielen gemäß, auf ein gemeinsames Symbol verzichtete, wählte die Eiserne Front als Zeichen drei Pfeile.

Die Kommunisten nahmen am Zusammenschluß der Linken nicht teil.

Nachdem Deutschlands Zahlungsfähigkeit bereits im Sommer zu einer Stundung seiner Tributzahlungen geführt und eine britische Expertenkommission den Finanzbankrott des Reiches bestätigt hatte, wurden auch Holland, Italien, die Tschecho-Slowakei und Polen von der Wirtschaftskrise erfaßt.

Polen wurde dadurch gehindert, seine noch immer aggressiven Pläne gegen Deutschland in die Tat umzusetzen. Doch noch im September drohte der polnische Außenminister Zaleski dem Danziger Senatspräsidenten, daß das Danziger Problem von einem polnischen Armeekorps bereinigt werde.

England und eine Reihe weiterer Staaten lösten ihre Währungen vom Goldstandard.

In Österreich unternahmen die katholisch-faschistischen Heimwehren, unter dem Fürsten Starhemberg einen Aufstandsversuch, mit dem Ziel einen faschistischen Staat mit konservativer Prägung zu errichten.

In der Sowjetunion begann der Wandel vom Agrar- zum Industriestaat. Die Industrialisierung im Sowjetimperium wurde, trotz völlig unzureichender landwirtschaftlicher Produktion und grassierender Hungersnot, durchgeführt. Die Konzentration der Kräfte auf den Ausbau der Schwer- und Rüstungsindustrie kündigte an, daß der militärische Kalkül in der Politik der Sowjetunion künftig einen größeren Stellenwert erhalten werde.

Gegen Jahresende war im deutschen Volk, dessen Lebensstandard sich der Grenze des Existenzminimums näherte, die Bereitschaft zu Radikalkuren in schnellem Wachstum begriffen. Die Anzahl der Arbeitslosen war auf 5,7 Milionen, die der im Verlauf des Jahres angefallenen Konkurse auf fast 28 000 angestiegen.

Die Zeit verlangte Grundsatzentscheidungen wirtschaftspolitischer, gesellschaftspolitischer und völkerrechtlicher Art. Die anstehenden Probleme hatten zwar in Deutschland ihre schärfste Ausprägung erfahren, doch darüber hinaus waren es Probleme Europas und der noch von ihm geprägten Welt. Deshalb standen alle europäischen Völker vor der Notwendigkeit, die Weichen für die Entwicklung der nächsten Jahrzehnte zu stellen. Dies konnte auf einvernehmliche Art und mit friedlicher Revision der bisherigen Methoden und Regelungen geschehen, oder durch deren Überwindung mit einseitigen Aktionen und revolutionären Durchbrüchen zu neuen Formen und Inhalten. Eine andere Wahl gab es nicht. Doch jene, die mit den Weichenstellungen von 1918/20 das Chaos eingeleitet hatten, verweigerten Reformen und Revisionen. Die Völker des Kontinents trieben deshalb politischen Strudeln entgegen.

Reflexionen und Details

Herbert Seller hatte in den tumultartigen Szenen und den hitzigen Diskussionen, die sich während der Versammlung der Betriebsbelegschaft abgespielt und nach deren Ende auf dem Fabrikhof fortgesetzt hatten, keinen Sinn erblicken können. Die Betriebsleitung hatte, gestützt auf nüchterne Zahlenangaben, überzeugend dargelegt, daß die Stillegung des Unternehmens unumgänglich war. Trotz der bereits im vorigen Jahr eingeführten Kurzarbeit und der seither allmählich mit Vermeidung grober Härten durchgeführten Reduzierung der Belegschaft, war der Betrieb nicht mehr zu halten. Daher mußte auch das letzte Stammpersonal entlassen werden. Die Auftragsbücher waren leer! Dagegen half kein Protest!

Einige Tage später stand Herbert an einem der Flurfenster des Arbeitsamtes. Die Stempelkarte, die ihm der "für seinen Buchstaben" zuständige Beamte eben ausgehändigt hatte, betrachtete er mit einem Gefühl, das dem eines Menschen ähneln mochte, dem sein Arzt eben schriftlich bestätigt hatte, daß er an einer Krankheit leidet, gegen die es noch kein Heilmittel gibt. Von nun an gehörte auch er zu dem Millionenheer der Erwerbslosen, dessen Angehörige nach einem politischen Wunderdoktor Ausschau hielten, - und von denen ein immer größer werdender Prozentsatz bereit war, jede Therapie zu akzeptieren, die wirtschaftliche Gesundung versprach.

Gedankenversunken wandte er sich dem Ausgang zu. Wenn die relativ kurze Zeitspanne, während der er mit karger Arbeitslosenunterstützung rechnen konnte, verstrichen sein würde, dann würde auch für ihn und seine Familie die Zeit der nackten Not beginnen.

In der Eingangshalle blieb er vor einer der Anschlagtafeln stehen, die dort an den Wänden befestigt waren. Vielleicht fand sich, wider alle Erwartung, doch ein Hinweis auf irgend eine Arbeitsmöglichkeit? Er war bereit, jede Gelegenheit zu nützen. Wie sich gleich darauf herausstellte, waren die auf dieser Tafel angehefteten Mitteilungen jedoch das Papier nicht wert, auf dem sie gedruckt waren. Ihre Texte wirkten wie eine Verhöhnung!

Aufrufe zur Sparsamkeit! Als ob die seit Jahren niedrigen Einkommensverhältnisse der Volksmehrheit überhaupt Ersparnisse ermöglicht hätten, - und die Erwerbslosen-Unterstützung nicht von vornherein Mangel diktierte! Vertrauen in die Maßnahmen der Regierung? Als ob nicht schon ein anderthalbes Dutzend Regierungen versagt und ihnen entgegengebrachtes Vertrauen mißbraucht hätten! Hoffnungen auf Bemühungen des Völkerbundes? Als ob der nicht erst kürzlich, bei dem erneuten Versuch eine deutsch-österreichische Zollunion herbeizuführen, eine schändliche Rolle gespielt und sich ein weiteresmal als ein Instrument der Versailler Diktatmächte erwiesen hätte!

Herbert ging zur nächsten Tafel, obwohl ihm mittlerweile so gut wie sicher schien, daß er dort kaum etwas anderes zu erwarten habe, als auf der ersten. Doch Menschen mit Untergangsängsten klammern sich auch an schwächste an sich unberechtigte Hoffnungen. Für einen Ertrinkenden ist der Griff nach dem Strohhalm kein sinnloser Akt! Allerdings war hier noch nicht einmal ein solcher Strohhalm zu sehen! Auch auf den anderen Tafeln fand er nur eine Anhäufung von Plattheiten, Fiktionen, Leerformeln und Vertröstungen. Augenwischerei, die Widerwillen erregte!

"Tag, Herbert!", sagte eine Stimme hinter ihm. "Haben die Aasgeier auch dich erwischt? Du machst ja ein Gesicht, als stündest du vor der Aufgabe, den Gordischen Knoten zu lösen und es fehle dir das Schwert, ihn zu durchschlagen!"

"Der Vergleich ist nicht schlecht", sagte Herbert, indem er sich umwandte. "Tag, Heinrich!", erwiderte er den Gruß.

Heinrich Neuhaus war ein ehemaliger Arbeitskollege. Ihn hatte das Schicksal der Arbeitslosigkeit schon einige Wochen früher ereilt. Am Anschlag seiner Jacke trug er neuerdings das Parteiabzeichen mit dem Hakenkreuz. Es gehörte einiger Mut dazu, damit auf dem Arbeitsamt, diesem Versammlungsort unzufriedener und daher reizbarer Erwerbsloser mit überwiegend marxistischen Grundüberzeugungen, zu erscheinen. Darauf von Herbert angesprochen, erwiderte Heinrich: "Es ist an der Zeit, sich zu dem offen zu bekennen, was man politisch für richtig hält. Wenn du eben meintest, es könnten sich einige durch unser Abzeichen provoziert fühlen, dann ist das ihre Angelegenheit. Ich empfinde ganz andere Dinge, als Abzeichen provozierend. Die Verlautbarungen zum Beispiel, die du eben gelesen hast. Sie sind eine Zumutung! Hier werden faule Fische als Delikatessen angepriesen!"

"Du wählst heute recht bildhafte Vergleiche", stellte Herbert fest. "Im übrigen brauchen wir nicht länger hier herumzustehen, sondern können uns auf den Heimweg machen. Wir haben ja ungefähr den gleichen Weg."

Heinrich stimmte zu, gemeinsam verließen sie das Gebäude.

Draußen knüpfte Heinrich an Herberts letzte Worte an. "Wir haben alle den gleichen Weg zu gehen, nicht nur hier und heute", sagte er. "Auch jene, die sich dessen noch nicht bewußt sind, werden das in Bälde merken. Der Weg ist uns vorgezeichnet durch die Umstände, mit denen wir uns auseinanderzusetzen haben. Sobald wir etwas versuchen, was geeignet sein könnte, die Misere zu verringern, fallen uns ausländische Mächte und internationale Verschwörer in den Arm. Egal, ob das die Zollunion mit Österreich betrifft, oder ob es sich um die Aufhebung der vielen Produktionsbeschränkungen handelt, die unserer Industrie in Versailles auferlegt worden sind. Mit Devisenzwangsbewirtschaftung allein ist den wirtschaftlichen Problemen nicht beizukommen."

"Ich las neulich, daß Bestrebungen im Gang sind, uns die Tributzahlungen für die Dauer eines Jahres zu erlassen."

"Na wenn schon, - das ist doch keine Lösung! Selbst wenn man sie uns ganz erlassen würde, blieben noch genug Ketten, um uns niederzuhalten! Das wäre doch keine entgegenkommende Leistung, auf die Milch einer

ausgemergelten Kuh zeitweise zu verzichten, deren Euter auch nicht eine
einzigen Tropfen mehr herzugeben vermag! Noch dazu ja schon in de
Vergangenheit jeder moralisch-rechtliche Anspruch auf die vampirhaft
Auszehrung unserer Volkswirtschaft gefehlt hat! Die Folgen bleiben, di
Diskriminierung bleibt, die Souveränitätseinschränkungen bleiben, di
Wunden an den Grenzen schmerzen weiter! Daher wird es weiter berga
gehen, bis wir die Fesseln sprengen, sie mit dem Schwert durchhauen, wi
einst Alexander den bereits vorhin erwähnten Knoten!"

"Du bist doch nicht der Meinung, die Probleme, vor denen wir stehe
ließen sich mit einem Schlag lösen?"

"Nein, natürlich nicht; ich bin doch kein Spinner! Aber ganz gewiß lasse
sie sich nicht mit den bisherigen Methoden lösen, die den Niedergan
herbeigeführt haben und täglich weiter verstärken!"

"Hat eure Partei denn ein praktikables Erfolgsrezept?"

"Wir haben den Willen, wir haben den Mut zur Konsequenz und w
wissen, daß ohne kalkuliertes Risiko kein Entkommen aus der Knechtscha
möglich ist. Jeder Sklave, der von bewaffneten Wärtern bewacht wird, wei
das und steht, wenn er die Freiheit erlangen will, vor dem gleichen Problen
Er kann das eine nicht ohne das andere haben"

"Doch er muß bestimmte Voraussetzungen vorfinden und den richtige
Zeitpunkt wählen."

"Voraussetzungen kann man teils selbst schaffen, teils werden sie vc
anderen herbeigeführt; der Zeitpunkt, an dem sie genutzt werden könne
hängt von deren Erfüllung ab. Wir können aber feststellen, daß seit Bestehe
unserer Partei, die politische und wirtschaftliche Entwicklung unseren Ziele
noch nie so zugearbeitet hat, wie jetzt!"

"Not als günstige Voraussetzung? Ich weiß nicht, ob sich auf solche
Fundamt etwas Wünschenswertes aufbauen läßt", gab Herbert zu bedenke

"Voraussetzungen haben mit Zielen und Endprodukten so viel und
wenig zu tun, wie ein Anfang mit dem Ende. Zudem meinte ich nicht d
gegenwärtig herrschende Wirtschaftsmisere allein, sondern auch d
Demontage, die die Gründerparteien des Weimarer Systems an ihrem eigen
Erzeugnis betreiben. Was ist denn noch übrig geblieben von dem Sieg d
Volkes, den Scheidemann am 9. November 1918 feststellen zu könne
glaubte? Statt des Heeres, dem man damals in den Rücken fiel, hat m
jetzt ein Arbeitslosenheer! Statt Freiheit, Knechtschaft und Ausbeutung

"Das läßt sich nicht leugnen."

"Du hast vorhin gemeint, wir würden die Not als eine günstige Vorau
setzung ansehen. Dem ist nicht so! Aber nachdem du darauf hingewies
hast, will ich auch einräumen, daß wir sie natürlich in unseren Kalk
einbeziehen. Wir wissen selbstverständlich auch, daß notgeborene Unzufri
denheit Massendynamik erzeugt und Menschen mit hungrigen Mägen leicht

uf Barrikaden steigen als Fettbäuche. Aber das aus Not hervorgehende evolutionäre Moment dürfte eher den Kommunisten als uns zugute kommen. enn sie spekulieren mit den Begleiterscheinungen der Not, insbesondere it Neid und Begehrlichkeit, die sie bewußt anheizen. Sie versprechen das irtschaftliche Paradies nach Wegnahme privaten Eigentums. Es ist überüssig zu sagen, daß die Arbeiter das gepriesene, kommunistische Schlaaffenland später als Fata Morgana durch die berühmte Röhre, in unerreicharer Ferne würden betrachten müssen. Wir hingegen wollen Privateigentum nd zwar auf möglichst breiter Basis. Aber damit läßt sich, wie du zugeben irst, in Zeiten, in denen ständig Eigentum verloren geht und neue igentumsbildung gänzlich unmöglich ist, kein spektakuläres, politisches eschäft machen."

"Wenn nicht die Not, was ist dann das Zugpferd, das eure Partei an die chaltstationen der staatlichen Macht ziehen soll? Die Demontage, die die nderen Parteien und Gruppen am Weimarer System betreiben, bewirkt ja, ie du selbst sagtest, nicht notwendigerweise eine Option für eure Partei."

"Es gibt kein Zugpferd, - es sei denn, man wolle unsere Forderungen ach Selbstverständlichkeiten als Zugpferde bezeichnen. Das ist ja das beraus Bezeichnende für die im November-Deutschland gegebene Situation: /as in anderen Völkern selbstverständlich ist, erscheint hier als Sensation der wird als extremistische Forderung angesehen und verteufelt. Was wollen ir denn? Wir wollen Herr im eigenen Haus sein. Wir fordern das Selbstestimmungsrecht und wollen nicht von anderen geschulmeistert und usgebeutet werden. Wir wollen Gleichberechtigung. Wir wollen eine esellschaftsform nach dem Motto 'Gemeinnutz geht vor Eigennutz'. Wir ollen eine Staatsform, die die zersetzenden oder eigensüchtigen Einflüsse ternationaler Cliquen ausschließt. Wir wollen leben, wie es uns paßt. Wir ollen Arbeit, leistungsgerechte Entlohnung und Brot für alle Deutschen. ind das denn überzogene Forderungen? Gewiß nicht! Aber eines ist gewiß: /er uns daran hindern will, diese Ziele zu erreichen, der macht sich zu nserem Gegner!"

"Vielleicht ergeben sich aus der gemeinsamen Arbeitlosigkeit auch emeinsame Ziele und gemeinsames Handeln. Da es in der Not nichts zu erteidigen gibt, schwinden auch Neid und Mißgunst und bieten sich wangsläufig gemeinsame Wege an."

"Das sagte ich doch schon vorhin! Unser Weg ist uns vorgeschrieben!"

*

Fritz Werfels hatte in seinem letzten Brief angekündigt, er werde an dem litte Oktober in Braunschweig stattfindenden, großen SA-Treffen teilnehen. Im Anschluß daran wolle er die Rückfahrt über Halle wählen. "Wenn Dir und Deiner Familie keine Ungelegenheiten bereitet, würde ich die elegenheit nutzen, um bei Euch, in Saalfurth, einen kurzen Besuch zu machen. Ein Wiedersehen mit Dir würde mich sehr freuen. Bitte gib mi möglichst umgehend Bescheid, ob Euch mein Besuch angenehm ist."

Diese letzten Zeilen des Briefes hatte Herbert mit den Worten kommen tiert: "Wie kann Fritz nur so eine Frage stellen? Natürlich ist er uns jederze willkommen!"

"Vielleicht rühren seine Zweifel von dem Wissen um die unterschiedliche politischen Auffassungen her, die, wie er unseren Briefen entnehmen konnte von Mitgliedern unserer Familie, im Gegensatz zu seinen vertreten werden" meinte Martha.

"Aber das ist doch kein Grund, die erste Gelegenheit zu einem Wieder sehen nach mehr als zehn Jahren ungenutzt verstreichen zu lassen! Ich werd ihm sofort schreiben, daß er unbedingt kommen soll!"

Nun war es soweit. Werfels hatte seine Ankunftszeit von Braunschwei aus nochmals telegrafisch mitgeteilt und Herbert damit in die Lage versetz seinen alten Freund und Kriegskameraden am Mittag vom Bahnhof abzu holen. Der Nachmittag war mit dem Austausch von Erinnerungen ausgefül gewesen.

Jetzt, nach dem Abendbrot, waren Herberts Mutter, sowie Lore und Walte herübergekommen, um sich Werfels Bericht vom SA-Aufmarsch in Braun schweig anzuhören, über den in der Presse, mit sehr unterschiedliche Tendenz, noch immer so viel Wirbel gemacht wurde.

Fritz berichtete sachlich und ohne Überschwang, obwohl das Erlebnis de Aufmarsches von mehr als 100 000 SA-Männern bei ihm einen merkbaren Zuversicht vermittelnden Eindruck hinterlassen hatte. Nein, zu Zwi schenfällen war es nicht gekommen. Wer hätte auch wagen können, di geballte Masse zu provozieren? Als er mit seinen Schilderungen zu End war und noch einige Detailfragen zu diesem Thema beantwortet hatte, sagt Walter: "Nach dem wenige Tage vor dem Aufmarsch erfolgten Zusam menschluß der Rechten Opposition zur sogenannten Harzburger Front, wir ja nun allen, die sich der Rechten zurechnen, der Kamm mächtig schwel len!"

"Wir Nationalsozialisten sehen in diesem Zweckbündnis keinen Anlaß zur Überschwang", widersprach Werfels. "Nach meinem Dafürhalten wird di Harzburger Front eine verhältnismäßig kurzlebige Angelegenheit sein. Wa uns mit den konservativen Deutschnationalen und damit auch mit der 'Stahlhelm' verbindet, das sind der nationale Interessensektor und di Gegnerschaft zum Marxismus. Auf fast allen anderen Gebieten gibt es meh Trennendes als Verbindendes. Wir Nationalsozialisten wollen nicht restau rieren, sondern alte Zöpfe abschneiden und Neues schaffen.

Ich sehe daher den Tag kommen, an dem die Konservativen un Ewiggestrigen uns hierbei in den Arm fallen, und wir sie ebenso zum Gegne haben werden, wie die internationalistischen, marxistischen Linken. Statt de

:aktionären Konservativen, statt der Großbürger und Spießer, erblicke ich
ı der deutschen Arbeiterschaft - die jetzt noch aus Gewohnheit und verführt
urch bewußte Falschinformation und Hetze, den Linksparteien nachläuft,
nsere potentiellen Verbündeten der Zukunft. Die deutschen Arbeiter werden
ines nicht fernen Tages alle an unserer Seite kämpfen, gegen den
ortschrittshemmenden Konservatismus von rechts wie von links!"
"Das ist aber eine überraschende Beurteilung von Gegenwartssituation und
ukunftstendenz!", stellte Walter fest.
"Diese Auffassung kann nur jemand überraschen, der unser revolutionäres
rogramm nicht ernst nimmt, sondern der ebenso vereinfachenden wie
erdrehenden uralten Propaganda der linksgedrallten Journaille und deren
unklen Hintermännern glaubt!"
"Gar so revolutionär, wie Sie zu meinen scheinen, kann die Führerschaft
ırer Partei aber nicht eingestellt sein", widersprach Walter. "Weshalb hat
[itler denn die wahrhaft revolutionären Flügelmänner Ihrer Partei, Otto
trasser und Stennes, ausgeschaltet? Weshalb hat er unter Eid versprochen,
ie Macht nur auf legale Weise anzustreben? Und weshalb bemüht er sich
:tzt, Ihrer Partei die Unterstützung des Großkapitals zu sichern? Das sind
och keine Maßnahmen, die auf revolutionäres Wollen hindeuten! Insbe-
ondere aber sind Thyssen, Kirdorf und Schröder keine Vertreter revolu-
onärer Ziele, sondern Paradepferde der kapitalistischen Herrenschicht!"
"Um Revolutionär zu sein, braucht man keinen Bürgerkrieg auszulösen,
er, unter Umständen, jahrelang ungeheure Blutopfer im eigenen Volk kostet!
Vas haben denn die sogenannten Revolutionskämpfe von 1918 und die Kette
er roten Aufstände in den ersten Nachkriegsjahren bewirkt? Nichts als
achteile! Und was hat Adolf Hitlers Marsch zur Feldherrenhalle einge-
racht? Ebenfalls nichts! Unser Parteiführer hat aus all dem gelernt und
: weiß vor allem, daß eine gewaltsame Revolution niemals die Billigung
indenburgs und der Reichswehr finden würde. Er beurteilt die Lage völlig
:alistisch!
Was aber die Gespräche unseres Führers mit Vertretern der deutschen
Virtschaft betrifft, so weiß jeder nüchtern denkende Mensch, daß eine Partei
hne finanzielle Mittel nur wenig erreichen kann. Wir sind nicht in einer
olchen Lage wie Ihre, die Kommunistische Partei, die riesige Summen aus
ußland erhält und darüber hinaus der offenen und geheimen Unterstützung
owjetischer Auslandsbehörden, insbesondere des sowjetischen Geheimdien-
es sicher sein kann. Wir erhalten auch keine Untersützung von Interna-
onalen Verschwörercliquen, - die wir übrigens auch gar nicht wünschen!
nd wir sind nicht in der Lage, wie die SPD, die in einer Vielzahl von
ohen Staatsämtern Schlüsselpositionen besetzt hält, behördliche Organe, und
ıit Auslegungstricks, gesetzliche Möglichkeiten für parteiliche Zwecke
utzen! Schließlich haben wir auch nicht, wie das Zentrum und Herr Brüning,

die Unterstützung Roms und der Kanzlerprediger in Zehntausenden vo
Kirchen in Deutschland!

Wir müssen daher anderweitig Unterstützung suchen. Vor die Wah
gestellt, entweder Gelder aus dem Ausland anzunehmen und uns dafür al
Gegenleistung für fremde Interessen einspannen zu lassen, oder, stattdessen
Finanzkreise im Inland, die ebenso wie wir an einer Wiederbelebung de
deutschen Wirtschaft und an einer Abwendung der bolschewistischen Gefah
interessiert sind, für eine Unterstützung unserer Politik zu gewinnen, - vo
diese Wahl gestellt, entscheiden wir uns für das Letztere! Überdies sin
die Interessen der deutschen Industrie- und Wirtschaftsführer, zumindest in
Grundprinzip mit denen der deutschen Arbeiterschaft, insbesondere der jetz
schon 5 Millionen Arbeitslosen, weitgehend identisch; nämlich in den
Verlangen nach Wiederankurbelung der Wirtschaft, das heißt, nach Beschaf
fung von Arbeitsplätzen. Wenn die deutschen Wirtschaftsführer, nachden
alle übrigen Parteien versagt haben, mit uns Nationalsozialisten und unsere
fast 7 Millionen Wählern der Meinung sind, daß die Politik unserer Part
zu diesen Zielen führen wird und uns deshalb unterstützen, so begründ
das kein Abhängigkeitsverhältnis und daher auch keine Verpflichtung fü
unsere Partei, eine dem Großkapital genehme Politik zu betreiben! Abe
stillstehende Räder in den Betrieben nützen niemandem! Aus dem Bemühe
sie, auch mit Unterstützung der Eigentümer, wieder in Gang zu setzen, wir
uns niemand, weder jetzt noch später, einen berechtigten Vorwurf mache
können."

"Der SA-Aufmarsch in Braunschweig wäre aber sicherlich ohne Unter
stützung des dortigen, nationalsozialistischen Ministers Klagges nich
möglich gewesen? Ich möchte diesen Einwurf nur der Vollständigkeit halbe
zum Punkt behördliche Unterstützung machen, den Sie vorhin in Zusam
menhang mit der SPD erwähnten", sagte Martha.

"Vielleicht wäre der Aufmarsch ohne Klagges Vermittlung nicht möglic
gewesen", räumte Werfels ein. "Falls dies aber zutreffen sollte, so würd
daraus nur hervorgehen, daß es erst eines nationalsozialistischen Ministe
bedarf, um einer Partei, die seit 1930 im Reichstag mit 18% der Wähle
stimmen, in einigen Landtagen inzwischen aber mit mehr als 20% vertrete
ist, das gleiche Recht zu sichern, das anderen Parteien und deren unifo
mierten Verbänden selbstverständlich und uneingeschränkt gewährt wird!

"Auf Wählerstimmen wird Ihre Partei, sollte sie einmal im Reich z
entscheidendem Einfluß gelangt sein, wahrscheinlich aber keine groß
Rücksicht mehr nehmen? Oder irre ich mich da?", frage Lore.

"Ja, da irren Sie sich. Denn keiner Partei, selbst wenn sie im Besitz de
Macht ist, kann es gleichgültig sein, was das Volk denkt und ob desse
Mehrheit mit ihrer Politik zufrieden ist. Bei der Lösung der Aufgaben, di
nach 12 Jahren verfehlter Politik und Mißwirtschaft unserer harren, werde

wir die uneingeschränkte Zustimmung und Mitarbeit unseres ganzen Volkes brauchen. Das heißt, um Ihre Frage zu beantworten, wir müssen uns sogar sehr nachdrücklich, mit Wort und Tat, um Einverständnis und verantwortungsbewußte Mitwirkung unseres Volkes bemühen. Allerdings werden wir unseren Volksgenossen zur Einflußnahme und zur tätigen Beitragsleistung auf das politische Geschehen andere, unmittelbar wirksame Mechanismen zur Verfügung stellen. Die den Erfordernissen unserer deutschen Lage offensichtlich nicht mehr entsprechenden Transmissionseinrichtungen des Weimarer Systems werden wir jedenfalls abschaffen."

"Ich möchte ein anderes Thema anschneiden", erklärte Walter, "und zwar möchte ich wissen, weshalb Ihre Partei ihre Versammlungen und Kundgebungen immer öfter in ausgesprochenen Arbeitervierteln der Großstädte abhält und damit die Arbeiterschaft bewußt provoziert? Es ist doch vorauszusehen, daß ein solches Vorgehen heftige Abwehrreaktionen hervorrufen muß!"

"In Ihren Worten kommt jene Sprachregelung zum Ausdruck, die von der gesamten linken Seite kolportiert wird. Wo steht denn geschrieben, daß die Arbeiterviertel als Reservate und Schutzgebiete für marxistische Parteien und Gewerkschaften zu gelten haben? Wieso soll es eine Provokation sein, wenn wir den deutschen Arbeitern unsere Meinungen und Ziele zur Begutachtung vortragen? Wir sind eine Arbeiterpartei, eine Volkspartei, die von einem Arbeiter geführt wird, - zum Unterschied zu den nicht wenigen, aus dem besitzstarken Großbürgertum und sogar ausgesprochen kapitalisitschen Kreisen kommenden pseudo-proletarischen "Führern" der marxistisch verführten deutschen Arbeiter!

Wir sehen alle, die Werte schaffen, als Arbeiter an. Den Bergmann, den Handwerksmeister, den konstruierenden Ingenieur, den Forscher, den Bauer, - der, nebenbei bemerkt, noch immer nur den 12- bis 14-Stundentag und die Siebentage-Arbeitswoche kennt -, den planenden und organisierenden Betriebsleiter und so weiter. Wie ich schon sagte: Wir kennen nur Arbeiter der Stirn und Faust, und wissen, daß nur die Zusammenarbeit aller auch allen Brot und Wohlstand bringen kann. Wer will denn behaupten, in einem Uhrwerk sei ein bestimmtes Zahnrad wichtiger als ein anderes?"

"Das kling alles ganz vernünftig, aber die Tatsache, daß es Klassenunterschiede gibt, sehr große sogar, ist doch offensichtlich!" Diese Feststellung Walters quittierte Werfels mit zustimmendem Kopfnicken.

"Niemand wird das bestreiten wollen, am allerwenigsten ich, der ich die Wirkungen der Klassengesellschaft, der die Weimarer Republik eine ganze besondere, neue, von Parteibüchern bestimmte Variante hinzufügte, am eigenen Leibe verspürt habe und noch verspüre. Mit einem SPD-Parteibuch und einem Gewerkschaftsausweis in der Tasche wäre ich nicht schon vor einem Jahr arbeitslos geworden. Da der Leiter des Reichsbahnausbesserungswerkes, indem ich arbeitete, jedoch ein roter Parteibuchbonze ist, gehörten alle die, wie ich, aus ihrer Rechtsorientierung keinen Hehl machten, zu den ersten, denen gekündigt wurde. Das war so eindeutig, daß sie damit bezeugte, zusätzliche Parteibuch-Klassifizierung, innerhalb der Arbeiterklasse, außer jeden Zweifel steht!"

Da keiner widersprach, fuhr Werfels fort: "Ich möchte noch einmal auf die vorhin gebrauchten Begriffe 'Provokation' und 'Abwehrreaktion' zurückkommen. In dem erwähnten Zusammenhang wurden sie in einer die Tatsachen verdrehenden Weise gebraucht. In Wirklichkeit wird in den Arbeitervierteln roter Terror ausgeübt; gegen uns und jene, die sich über die Ziele unserer Politik informieren wollen. Aber noch stärker gegen solche Arbeiter, die mit uns sympathisieren! Wenn wir uns dagegen zur Wehr setzen und zwar zunehmend mit Erfolg, während wir jahrelang dazu kaum in der Lage waren - dann ist das unser gutes Recht."

"Sie werden zugeben, daß die SA Ihrer Partei es auch nicht an aggressiven Akten fehlen läßt", sagte Walter, auf Werfels Darstellungen reagierend.

"Natürlich gebe ich das zu, ich bin doch kein simpler Schwarz-Weiß-Maler", antwortete Werfels freimütig. "Allerdings müßten wir uns erst einmal über den Sinn des Begriffs 'aggressiver Akt' einigen. Wenn zum Beispiel einer, der einen anderen schon mehrmals schlug, erneut den Knüppel erhebt und der andere, erstmals dazu fähig, reaktionsschnell dem geplanten Schlag zuvorkommt, - wer begeht dann den aggressiven Akt? Und wenn der Knüppelmann dabei den kürzeren zieht, - kann man ihn dann als bedauernswertes Opfer hinstellen?"

"Ich meine, es wäre dringend notwendig, daß alle Parteien die Methoden ihrer politischen Auseinandersetzung revidieren", sagte Martha. Ihre Schwiegermutter fügte hinzu: "Mein Mann könnte noch leben, wenn die parteipolitisch motivierte Gewalt rechtzeitig aus den Straßen verbannt worden wäre!"

"Wir Nationalsozialisten werden bestimmt nichts dagegen haben, wenn die physische Gewalt aus der politischen Auseinandersetzung verschwindet. Oder glauben Sie, es gefällt uns, wenn viele Volksgenossen nur deshalb unseren Veranstaltungen fernbleiben, weil sie fürchten müssen, in Schlägereien verwickelt zu werden? Und meinen sie, wir wüßten nicht um die vielen kleinen und großen Schikanen, denen alle, die Sympathie für unsere Bewegung erkennen lassen, bei jeder sich bietenden Gelegenheit unterworfen werden? Ich habe das doch selbst erlebt und erlebe es immer noch! Und Sie wissen ebenfalls, daß es sich so verhält!

Ziel und Zweck dieses Terrors sind doch klar, - man will abschrecken und potentielle Sympathisanten unserer Partei veranlassen weiterhin mit den linken Wölfen zu heulen!"

"Ich möchte zum Thema 'Aggression' ebenfalls etwas bemerken", sagte Herbert. "Jeder, der eine Idee verbreiten, einen Wandel herbeiführen will, kann nicht in Passivität verharren. Deshalb ist auch jeder, der Bestehendes verändern will, in einer gewissen Weise aggressiv; im Prinzip ist es dabei auch gleichgültig, ob er das Ziel seiner Aggression auf reformatorischem oder auf revolutionärem Wege zu erreichen sucht. Welchen Weg er schließlich wählt, das hängt von den gegebenen Umständen ab, die ihm entweder auf dem einen, oder auf dem anderen Wege Erfolgschancen einräumen."

"Das ist vollkommen richtig", stimmte Werfels zu, "und das ist auch der Grund, weshalb wir unseren Kampf um die Führungspositionen in Volk und Staat einerseits auf verfassungskonformem Weg führen, in der Auseinandersetzung mit unseren politischen Gegnern aber auch Methoden anwenden, die dem uns gegenüber ausgeübten Terror gemäß sind, das heißt, geeignet sind, ihn zu brechen.

Ich möchte aber darauf hinweisen, daß unser Parteiführer die Beteiligung von Nationalsozialisten an Straßenkämpfen, bereits am 20.2. dieses Jahres nachdrücklichst verboten hat und wir uns auch diszipliniert daran halten! Wo es dennoch zu tätlichen Auseinandersetzungen kommt, sind wir die Angegriffenen! In solchen Fällen lassen wir uns allerdings das Recht auf Ab- und Notwehr nicht nehmen! Niemand wird uns das ja wohl auch ernstlich absprechen wollen."

"Zu dem Stichwort "Führungspositionen" möchte ich noch eine Frage stellen", sagte Berta, "Nämlich: wie wird Ihre Partei sich bei der im nächsten Jahr fällig werdenden Reichspräsidentenwahl verhalten? Ich meine, wird sie Hindenburg stützen oder nicht?"

"Auf keinen Fall werden wir das tun! Bei aller Achtung, die wir Hindenburg als Person entgegenbringen, sind wir uns doch darüber im klaren, daß er ein Vertreter konservativer Auffassungen und unseren gesellschaftspolitischen Zielen schon von daher nicht wohlgesonnen ist. Wir werden Adolf Hitler als Präsidentschaftskanditaten aufstellen, das ist doch selbstverständlich und ergibt sich auch aus dem, was ich zu Beginn unseres Gesprächs zur Harzburger Front gesagt habe."

"Hitler ist Österreicher; er kann also nicht Präsident des Deuschen Reiches werden", bemerkte Walter. "Einbürgerung wurde ihm verweigert!"

"Als ehemaliger Gefreiter wäre er ja auch keine besonders geeignete Figur für die Spitze des Reiches", warf Hans, seine sozialistischen Gleichheitsideale vergessend, ein.

In Werfels Gesicht malten sich Unwillen und Unverständnis. Er zwang sich zur Ruhe, ehe er antwortete:

"Adolf Hitler hat, vier Jahre im Schützengraben, freiwillig sein Leben für Deutschland zum Markte getragen. Was das für jeden Soldaten bedeutete, vermögen Sie nicht zu ermessen, weil Ihnen dazu persönliche Erfahrung fehlt und nur diese in die Lage versetzt, sich ein zutreffendes Bild zu machen.

Adolf Hitler ist Deutscher, so wie Millionen andere, die im deutschen Volks- und Kulturgebiet des ehemaligen Habsburger Staates leben.

Das Siegerdiktat hat den von den Menschen Deutsch-Österreichs gewünschten Anschluß an das Deutsche Reich verboten. Wer Hitler angesichts dieser Tatsachen das Deutschsein abspricht, der macht sich zum Komplizen der Diktatmächte!

Und was die bisher gescheiterten Einbürgerungsversuche betrifft, so halte ich es für angebrachter, die bürokratischen Hürden und fragwürdigen Rechtsklauseln, die den Erfolg verhindern, zu attackieren. Sie vereiteln zwar, daß ein deutscher Frontsoldat die deutsche Staatsbürgerschaft erhält, ermöglichen aber zahlreichen fremdvölkischen Ost-West-Wanderern und Millionenbetrügern á la Sklarek, einen bequemen Einstieg in Deutschland und die Nutzung deutscher Gesetze zu skandalöser Bereicherung! Nehmen Sie diese Klauseln und obskuren Verfahren zur Zielscheibe spöttischer Bemerkungen, nicht aber das Bestreben eines Deutschen, auch formell als solcher gelten zu können!"

Hans spürte die in dieser Empfehlung enthaltene deutliche Zurechtweisung umso mehr, als er deren Berechtigung einsah. Das machte ihn verlegen.

Werfels bemerkte diese Verlegenheit und versuchte nun, nach erteilter Lektion, dem jungen Mann darüber hinwegzuhelfen. Er sagte deshalb: "Als ich so jung war wie Sie, war ich mit meinen Urteilen ebenfalls schnell bei der Hand, - bis ich eines Tages merkte, daß es oft gar nicht meine eigenen Urteile waren, die ich vorschnell abgab, sondern vorgefertigte, die andere, meist nach Schablonen, fabriziert hatten und die von mir guten Glaubens akzeptiert worden waren. Nachdem ich dies erkannt hatte, wurde ich bei meiner Urteilsbildung abwägender!"

"Wechseln wir das Thema", schlug Walter vor.

Doch noch während er dies sagte, erklärte die Großmutter: "Ich habe das Gespräch mit großem Interesse verfolgt und auch ein wenig meine unmaßgebliche Meinung beigesteuert. Aber es ist spät geworden und ich bin nicht mehr die Jüngste. Bevor ich müde werde, möchte ich mich verabschieden; - laßt euch aber dadurch nicht stören."

"Mutter hat recht, es ist spät geworden", pflichtete Lore bei. "Und wenn sie jetzt nach Hause gehen möchte, dann werde ich sie begleiten, obwohl der weitere Verlauf des Gespräches mich ebenfalls interessieren würde."

"Ich mache euch einen Vorschlag", sagte Herbert. "Wir brechen unsere Erörterungen für heute ab. Mein Freund Fritz hat am nachmittag meinen und Marthas Bitten nachgegeben und zugesagt, den morgigen Tag noch bei uns zu bleiben. Wir haben uns vorgenommen, morgen vormittag mit ihm nach Halle zu fahren und ihm die Sehenswürdigkeiten der Stadt zu zeigen. Da wir am späten Nachmittag zurück sein werden, können wir unser heute unterbrochenes Gespräch am Abend fortsetzen. Was meinst du dazu?", fragte er seinen Freund.

"Selbstverständlich, sehr gern."

"Und wie ist eure Meinung?", fragte er die anderen.

"Einverstanden", kam es zustimmend.

"Übrigens, wir könnten alle gemeinsam fahren", sagte Walter, "ich habe nämlich morgen bei der Bezirksleitung unserer Partei zu tun. Um 9 Uhr werde ich vorbeikommen, um euch abzuholen."

*

Am nächsten Tag saß Walter, im Gebäude der Bezirksleitung der KPD in Halle, seinem Genossen Gutjahr gegenüber. Den kannte er bereits aus der Zeit des Spartakusaufstandes und mit ihm hatte er auch in Jauer mehr als ein Jahr lang, die Zelle geteilt. Gutjahr war daher mit den, von der Parteilinie abweichenden, Ansichten Walters vertraut.

Das Gespräch hatte sich, während der ersten zehn Minuten, um Probleme gedreht, die mit der Gestaltung der in einfachem Vervielfältigungsverfahren in Saalfurth hergestellten, kommunistischen Ortszeitung "Rote Fackel" zusammenhingen, dann war es auf politische Anliegen eingeschwenkt, die von überörtlicher Bedeutung waren. Jetzt ging es um die Möglichkeiten einer Aktionsgemeinschaft mit "Sozialfaschisten", das heißt mit Sozialdemokraten und mit den ihnen verbundenen Gewerkschaften, sowie dem 'Reichsbanner'.

Gutjahr lag in dieser Frage genau auf der offiziellen Parteilinie, er lehnte eine Zusammenarbeit mit "diesen Arbeiterverrätern" nicht nur strikt ab, sondern war für Kampf gegen sie "bis aufs Messer". "Denn sie", so sagte er, "neutralisieren den Kampfeswillen der werktätigen Massen und der Erwerbslosen, indem sie Reform, statt revolutionäre Aktion fordern, obwohl sie doch wissen müssen, daß sie niemals die für grundlegende Gesetzesänderungen erforderliche Mehrheit im Reichstag erreichen werden! Sie lullen die Proletarier mit Hoffnungsnarkotika und Versprechungen ein, obwohl sie wissen, daß sie die Verhältnisse mit den bisher angewandten Methoden nicht ändern können! Und wer ihnen die Maske vom Gesicht reißt, den verfolgen sie mit Polizeiterror! Severing, Grzesinski, Zörgiebel, Weiß, das waren und sind die Knüppelschwinger, die als Innenminister, beziehungsweise Polizeipräsidenten im Dienste des korrupten Weimarer Systems jede erfolgversprechende revolutionäre Aktion verhindern! Sie verteidigen ihre Pfründe, wollen gar keine fundamentale Veränderung!"

"Eben das müssen wir den Massen vor Augen führen", meinte Walter, "wir müssen ihnen erkennbar machen, daß sie falschen Propheten nachlaufen, - aber wir dürfen die sozialdemokratisch eingestellten Arbeiter selbst nicht angreifen. Damit rufen wir Abwehr- und Trotzreaktionen hervor, und auf diese Weise werden wir folglich auch nicht verhindern, daß der geplante

Zusammenschluß der SPD und ihrer Vasallenverbände zur sogenannten 'Eisernen Front' zustandekommt und Zulauf erhält."

"Den Zusammenschluß können wir weder so noch so verhindern; aber wir haben die Möglichkeit, Zulauf zu unterbinden und sogar weitere sozialdemokratische Arbeiter und Sympathisanten zu uns herüberzuziehen. Letzteres wird möglich sein, sobald sich herausgestellt hat, daß die vorgesehene "Eiserne Front" nichts anderes als eine Attrappe aus Pappe sein wird", erklärte Gutjahr.

"Wir dürfen auch die "Sozialistische Arbeiterpartei" nicht unberücksichtigt lassen. Wenn wir abwarten, bis die sich als Auffangbecken unzufriedener Sozialdemokraten profiliert hat, können wir keinen größeren Zustrom mehr aus SPD-kreisen erwarten."

"Die SAP wird sich zu keiner ernsthaften Konkurrenz für uns auswachsen", meinte Gutjahr. "Guck' dir doch ihre Gründer, Rosenfeld, Seydewitz und Eckstein an, dann weißt du, was von dieser Partei zu halten ist. Sie soll diesen Gestalten eine Einkommensbasis sichern, mehr nicht."

"Trotzdem erblicke in dieser neuen sozialistischen Partei ein Symptom dafür, daß es zwischen SPD und KPD einen unabgedeckten, politischen Bereich gibt; wir sollten ihn ausfüllen, ehe andere dies tun. Aber kommen wir noch einmal zurück zur 'Eisernen Front', auch sie ist in meinen Augen ein Symptom für einen politisch unausgefüllten Raum auf der linken Seite.

Darüber hinaus sollten wir uns aber auch Gedanken darüber machen, wie wir eine Hinwendung weiterer Wählerschichten zur NSDAP verhindern können. Bei uns, in Saalfurth, ist eine nicht geringe Anzahl Arbeiter in diese Partei oder ihre SA eingetreten. Wenn man sie fragt, weshalb sie das getan haben, dann erhält man zur Antwort: 'Weil sich etwas ändern muß, weil uns das gegenseitige Aufeinanderschlagen nicht mehr gefällt, und weil wir eingesehen haben, daß Deutschland sich zuerst von der Bevormundung durch das Ausland befreien muß, ehe eine Besserung der inneren Verhältnisse zu erwarten steht.'

Ich meine, wir haben die nationalen Interessen unseres Volkes in all den vergangenen Jahren vernachlässigt und sollten aus den Folgen, die diese Vernachlässigung gezeitigt hat, ebenfalls eine Lehre und praktische Konsequenzen ziehen!"

In Gutjahrs Miene malten sich Erstaunen und Ablehnung. "Ich muß mich sehr über deine Ansichten wundern", sagte er schließlich. "Wir sind eine Klassenpartei, das heißt, auch eine Partei des Klassenkampfes und wir sind eine internationalistische Partei, die nationale Lebensformen überwinden will! Das soll auch so bleiben! Zudem sind wir Leninisten! Hat Lenin mit dem Sozialreformer Kerenski ein Bündnis geschlosssen? Nein! Er hat ihn gestürzt. Die bolschewistische Oktoberrevolution war eine Revolution gegen den Sozialdemokratismus! Das Zarenregime war ja schon vorher beseitigt worden.

Und die Nationalen, verkörpert durch die Weißen, hat Lenin ausgerottet! In jahrelangen Kämpfen! Auch wir werden unsere Partei in Deutschland nicht zur Herrschaft bringen können, wenn wir uns sozialdemokratischen oder nationalistischen Gedankengängen öffnen und entsprechende Konzessionen in der Praxis machen!"

"Die damals in Rußland gegebene Situation war eine andere, als die heute in Deutschland vorliegende", hielt Walter dagegen, "andere Lagen und Voraussetzungen verlangen andere Strategien und Taktiken!"

"Das bestreitet niemand. Aber du rüttelst an den Grundlagen des Marxismus-Leninismus", behauptete Gutjahr. "Deine Konzessionsbereitschaft gegenüber Sozialfaschisten und Nazis ist mit jenem verderblichen Abweichlertum zu vergleichen, gegen das Lenin mit aller Schärfe vorgegangen ist, das Genosse Stalin auch heute noch mit eiserner Konsequenz bekämpft, und dem auch Genosse Thälmann den Kampf angesagt hat!"

Walter glaubte nicht richtig gehört zu haben. "Was hat eine nüchterne Beurteilung der Lage, die Suche nach einem neuen Erfolgsrezept, denn mit Abweichlertum zu tun?", ging es ihm durch den Kopf. "Geht Thälmanns Moskauunterwürfigkeit, geht sein Nachbetertum, sein grobschlächtiger Einfluß auf die mittlere und untere Führungsebene der Partei so weit, daß man bereits als Ketzer gebrandmarkt wird, wenn man sich nicht sklavisch an den Moskauer Strickmusterbogen hält?

Diese kritiklose Übernahme bolschewistischer Denkschablonen und Sprachregelung hat, unter anderem, dazu geführt, daß die Kommunistische Partei in Deutschland die Bauernunruhen in Schleswig-Holstein und in anderen Reichsteilen nicht zu nutzen vermochte. Der russische Bauer war in der Regel Lehensmann eines Großgrundbesitzers, nichts wesentlich anderes,als ein lohnabhängiger Landarbeiter. Der deutsche Bauer aber sitzt auf eigener Scholle, ist eigener Unternehmer, wurzelt in bodenverbundener Geschlechtertradition. Ihn mit gleichen Parolen wie in Rußland, zu Aktionsgemeinschaften mit entwurzeltem Industrieproletariat veranlassen zu wollen, ist ein Unding! Die dort und hier vorliegenden Verhältnisse sind überhaupt nicht zu vergleichen! In Deutschland wird es niemals, wie im Rußland der Revolutionsjahre, Arbeiter- und Bauernarmeen geben! Falls aber doch, dann werden die Bauern auf der einen und die Industriearbeiter auf der anderen Seite der Barrikaden stehen!

Die verschuldeten und um nackte Existenz ringenden Bauern laufen in Scharen zur NSDAP! Keiner sucht sein Heil bei uns Kommunisten! Aber trotzdem: Was der Parteiklerus in Moskau für die russischen Verhältnisse verordnet, das wird hier bereitwilligst nachgebetet!"

Walter schwieg, und blickte nachdenklich auf ein an der Wand hängendes Bild, auf dem Thälmann mit erhobener Faust und in der Uniform des "Roten Frontkämpferbundes" dargestellt war. "Na, hast du, nachdem du nachgedacht hast, nun eingesehen, daß du auf dem falschen Wege bist?", fragte Gutjahr, als Walter ihm seinen Blick wieder zuwandte.

"Nein, dieser Meinung bin ich ganz und gar nicht! Aber ich habe mit Verwunderung feststellen müssen, daß du nicht mehr der alte Feuerkopf bist, der du einmal warst; außerdem bin ich zu der Überzeugung gelangt, daß es keinen Sinn hat, unser Gespräch heute weiterzuführen. Ich meine, wir sollten beide noch einmal gründlich über die angesprochenen Probleme nachdenken. Vielleicht komme ich in der nächsten Woche noch einmal herein. Aber mach' dich darauf gefaßt, daß ich dann schweres Geschütz auffahren werde!"

Da Walter sich bei seinen letzten Worten erhoben hatte, sagte Gutjahr. "Nimm wieder Platz, Walter. Ich brauche keine Zeit zum Nachdenken. Meine Einstellung zur gegenwärtigen Linie unserer Partei wird sich bis zur nächsten Woche nicht ändern."

"Falls, wie in der Vergangenheit schon öfters geschehen, die Linie der Partei sich bis dahin aber wieder geändert haben sollte, - wirst du deine heute geäußerte Meinung dann auch noch vertreten oder eine neue Anpassung vollziehen?"

Gutjahr fühlte die Spitze, die Walter in seine Worte gelegt hatte. Er versuchte deshalb seine Bereitschaft zur Linientreue zu begründen.

"Weißt Du, Walter, in der Schlacht, die unsere Partei täglich zu schlagen hat, muß die Parteiführung wendig sein und sich auf die Disiplin ihrer Mitglieder verlassen können. Das ist wie bei einer Armee. Da kann nicht jeder, der den Sinn eines Befehls nicht einsieht, sagen: Ich mache nicht mehr mit! Oder: Ich mache nur noch mit, wenn der Oberbefehlshaber seine Strategie und Taktik meinen Vorstellungen gemäß ändert!"

"Ein solcher Vergleich hinkt", sagte Walter. "Wir sind keine Armee, sondern eine Partei; eine Partei, die davon profitieren sollte, daß ihre Mitglieder auch auf der unteren Ebene mitdenken. Wenn die Willensbildung nicht von der Basis her erfolgt, nicht mehr von dorther erfolgen kann, dann frage ich mich, woher die Herrschaft der Arbeiterklasse sich denn aufbauen soll? Und wenn der Basis die Auffassung der Funktionärsspitze als 'Willen der Arbeiterklasse' aufgezwungen wird, wenn jeder, der unten anders denkt als Abweichler charakterisiert oder gar, wie in der Sowjetunion verfolgt wird, dann frage ich mich zudem, ob ich noch in der richtigen Partei bin!

Siehst du, darüber muß ich, zum Unterschied zu dir, nachdenken. Und deshalb möchte ich jetzt gehen. Wir sehen uns in der nächsten Woche."

Gutjahr hatte sich nun ebenfalls erhoben. Er streckte Walter die Hand entgegen und sagte: "Wir haben schon manche hitzige Debatte geführt, ich hoffe, wir werden auch dieses Mal wieder zueinander finden; so, wie das in der Vergangenheit immer der Fall gewesen ist!"

Nachdem Walter das Gebäude der Bezirksleitung verlassen hatte, entschied er sich, den Weg zum Hauptbahnhof wieder durch eine Grünanlage zu wählen, die er, bei seinen Besuchen in Halle, schon häufiger durchquert hatte. Obwohl der Oktober sich bereits seinem Ende zuneigte, gaukelte die Sonne noch einmal einen schönen Herbsttag vor.

Daher war die Grünanlage auch ziemlich belebt, meist von Arbeitslosen. Sie saßen kartenspieltend auf den Bänken oder vertrieben sich die Zeit mit Gesprächen. An der Straßenseite der Anlage kam er an einer Gruppe vorbei, die in eine politische Diskussion verstrickt war. Da er, im Begriff vorbeizugehen, die Worte ... "sozialfaschistische Polizeibüttel ..." auffing und diese ihn an einen Teilaspekt seines mit Gutjahr geführten Gespräches erinnerten, blieb er stehen, um zuzuhören.

Die diskutierende Gruppe nahm keine sonderliche Notiz von ihm. Solche Gruppen bildeten sich zufällig, jeder kam und ging, oder wechselte die Gruppe nach Gutdünken und Interessenlage.

"Das ist doch typisch für die SPD", sagte ein noch recht junger Mann mit blauer Schirmmütze. "Erst nachdem die Rechte sich mit der 'Harzburger Front' einen Vorsprung verschafft hat, will sie nun mit einer ähnlichen Front nachziehen, - aber natürlich nicht, ohne gleichzeitig auf uns Kommunisten einzuschlagen. Severings Maßnahmen gegen den "Roten Frontkämpferbund" haben nur den Rechten, sowie seinen 'Reichsbananen' genutzt! Wenn er und seine sozialfaschistischen Komplizen jetzt eine Front gegen die aufbauen wollen, die er vorher indirekt gefördert hat, dann ist das auch wieder typisch!"

"Sehr geschickt argumentierst du nicht", kommentierte Walter die Worte seines Junggenossen in Gedanken.

Ein älterer, hagerer Mann mit grauem Haar, sagte zurechtweisend: "Die Lautstärke, mit der du deine Ansicht zum besten gibst, steht im umgekehrten Verhältnis zur Güte deiner Argumente. Geschwächt worden ist dieser Staat und gefördert worden ist die Rechte vor allem durch eure Radikalität! Fest steht doch, daß ihr Kommunisten viel häufiger und auch viel andauernder geputscht habt, als sämtliche Rechtsgruppen zusammengenommen! Damit habt ihr nicht nur den Staat verunsichert und durcheinander gebracht, sondern auch die Bürger auf die rechte Seite getrieben."

"Das ist doch Quatsch!", schaltete ein anderer sich ein, "zu jener Zeit war von einer potenten Rechten kaum etwas zu bemerken! Erst seit zwei Jahren ist sie zu einem beachtlichen Faktor geworden! Also seit der Zeit, als unter dem SPD-Kanzler Müller der Anstieg der Arbeitslosigkeit begann! Und die Rechte wird immer stärker, seit die SPD die Notverordnungsdiktatur Brünings stützt, seit sie seine Lohn- und Rentenkürzungen mitträgt!"

"Genau so ist es", ließ der Jüngere sich wieder vernehmen. "Aber von den SPD-Bonzen war ja auch nichts anderes zu erwarten! Laut Marx ist der Mensch ein Produkt seiner Verhältnisse!", deklamierte er weiter. "Und wer, wie die SPD-Größen, mit Stehkragen, Frack und Zylinder in gepolsterten Ministersesseln sitzt, der ist eben kein Proletarier mehr und kann auch keine proletarischen Belange mehr vertreten! Laut Marx!"

"Mit Schlagworten und unverstandenen Marx-Zitaten lassen Arbeiterinteressen sich aber noch weniger vertreten", entgegnete der grauhaarige Hagere. Er war zumindest ein Sympathisant der SPD, denn er setzte hinzu: "Alles was bisher für die Arbeiterschaft erreicht worden ist, das ist der SPD zu verdanken!"

"Aber auch ein Hauptteil von dem, was die Arbeiterschaft und darüber hinaus unser ganzes Volk bedrückt!", warf einer vom Rand der Gruppe her ein.

"Glaubt ihr, mit Behauptungen und Gegenbehauptungen kämet ihr ein Stück weiter?", fragte ein Mann mit Brille.

"Manche scheinen sogar auf noch fragwürdigere Methoden zu vertrauen. Sie halten die Fäuste für die schlagkräftigsten Argumente. Seht einmal dorthin", sagte der Grauhaarige, "dort wird ein solches Beispiel vorgeführt."

Die übrigen, mit ihnen auch Walter, folgten köpfewendend dessen deutender Armbewegung und sahen, daß es ein Stück weiter, an einer Ecke, an der die Grünanlage von einer Seitenstraße begrenzt wurde, zu einer Schlägerei gekommen war. Vermutlich hatte sie in der Seitenstraße begonnen; von dort stießen nämlich weitere Streithähne hinzu. Augenscheinlich dauerte die Auseinandersetzung schon eine ganze Weile, denn es waren etwa 30 bis 40 Mann darin verwickelt.

"Ist das nicht ein Wahnsinn?", fragte der Brillenträger, "statt ihr Recht auf Arbeit gemeinsam zu vertreten, gehen die Arbeitslosen mit Fäusten aufeinander los!"

"Das ist kein größerer Wahnsinn, als er in Versuchen zum Ausdruck kommt, die Situation in Deutschland mit Stimmzetteln, Demonstrationen und Sprechchören zu beseitigen. Die eine Methode ist so untauglich wie die andere!"

"Und welche soll die Richtige sein?"

"Wir müssen Barrikaden bauen, die herrschende Klasse davonjagen und die Diktatur des Proletariats errichten!", empfahl der Jungkommunist. "Hier hilft nur bewaffnete Gewalt!"

"Die ist schon im Anmarsch!", sagte einer, der bereits die beiden Mannschafts-Transportwagen der Polizei bemerkt hatte, die sich mit hoher Geschwindikeit näherten. Wahrscheinlich war die Polizei, von jemand telefonisch alarmiert worden, der den Beginn der Schlägerei schon in der Seitenstraße beobachtet hatte.

Die Wagen waren schnell heran. Bereits ehe sie mit quietschenden
remsen hielten, schrie jemand: "Gummi! Gummi!" Dieser Warnruf war
llgemein bekannt. Da Gummiknüppelattacken der Polizei häufig vorkamen
nd dabei ohne jede Warnung rücksichts- und unterschiedslos auf Beteiligte
nd Unbeteiligte eingeschlagen wurde, begann auch sofort ein allgemeines
lüchten.

Einer der Wagen hielt unmittelbar an der Stelle, an der die Gruppe
estanden hatte, der Walter sich als Zuhörer beigesellt hatte. Da die gut
ainierten Polizisten jedoch schon von den Fahrzeugen sprangen, bevor diese
um Stillstand kamen, war der Vorsprung der Flüchtenden nur gering. Mit
ummiknüppeln in den Händen stürmten die Beamten hinter ihnen her.
eben Walter lief leichtfüßig der Jungkommunist.

"Nach rechts in die Büsche!", rief er Walter zu. Nachdem sie dort
ntergetaucht waren, sahen sie sich, für einen kurzen Augenblick, um. Eine
rößere Anzahl der Fliehenden war eingeholt worden und wurde nun,
ilweise von mehreren Polizisten zugleich, geschlagen. Unter ihnen befand
ich auch der ältere, grauhaarige Mann, der vorhin für die SPD Partei
rgriffen hatte. Er sank gerade unter den Knüppelschlägen auf den grasigen
oden der Anlage.

"Severing läßt grüßen!", rief der Jungkommunist. Aber es war kein Hohn,
ndern nur gallige Erbitterung in seiner Stimme.

"Weiter, weiter!", sagte er dann hastig zu Walter. "Ich habe die Blauen
it meinem Ruf auf uns aufmerksam gemacht!"

Als sie, weiterhastend, durch die Büsche hindurch waren, tauchten hinter
nen auch schon die ersten Polizisten auf. Daraufhin begann auch ein Mann
ı rennen, der augenscheinlich völlig unbeteiligt gewesen war, denn er trug
nen Einkaufsbeutel und einen Blumenstrauß in den Händen. Doch er war
hlecht zu Fuß und wurde daher, nachdem Walter und der Jüngere ihn
berholt hatten, das nächste Opfer der Polizisten. Walter hörte, wie der Mann
nter dem Knüppelhagel beteuerte, daß er unschuldig sei. Walter sah keine
löglichkeit, ihm in irgendeiner Weise zu helfen. Hier war jeder sich selbst
r Nächste.

Auf der anderen Seite der Anlage, die sie inzwischen erreicht hatten, führte
ne Straße nach rechts. Da hinein rannte eine Anzahl Flüchtender. "Ihnen
ach!", japste der Junge. Er war offenbar mit den Örtlichkeiten sehr vertraut,
nn er setzte hinzu: "Hundert Meter weiter links ist eine Opiumhöhle! Da
hlüpfen wir rein!"

Als sie in die Straße einbogen, kamen ihnen jedoch jene wieder entgegen,
e vor ihnen hineingerannt waren. Sie flüchteten vor einer berittenen Streife,
e ihnen entgegengaloppierte. Die vier Berittenen schwangen Heda-Gerten
den Händen. Diese Gerten waren etwa einen Meter lang, und mit einer
derumwickelten Stahleinlage versehen. Sie gehörten zur Ausrüstung der

berittenen Polizei, weil die kürzeren Gummiknüppel nicht sonderlic
geeignet waren, vom hohen Pferd herab auf Demonstranten einzuschlagen
Da offensichtlich war, daß sie die Kirche - der Jungkommunist hatte sie
in Anlehnung an eine Marx zugeschriebene Formulierung, derzufolg
Religion Opium für das Volk sei, als Opiumhöhle bezeichnet - vor de
Reitern nicht mehr erreichen würde, rief der Junge: "Zurück in die Anlage!"

Walter befürchtete, dort erneut Polizisten in die Hände zu laufen; er sa
eine größere Chance in dem Versuch, einen fünfzig Meter weiter sichtbare
Hinterhofeingang zu erreichen. Doch er hatte sich verschätzt. Wenige Mete
vor der rettenden Lücke waren die Berittenen heran. Während drei geradeau
weitergaloppierten, lenkte der vierte sein Pferd auf den Bürgersteig und hie
Walter, im Vorbeireiten, die Stahlgerte über den Kopf. Der Schlag hinterließ
kurz vor dem Haaransatz an der Stirn, eine Platzwunde.

"Severing läßt grüßen!", ging ihm der Ausruf seines Junggenossen vo
vorhin durch den Sinn, als er sich im Durchgang, das austretende Blut mi
dem Taschentuch abtupfte.

Nach einer Weile setzte er seinen Weg zum Bahnhof fort. Unterwegs lie
er sich, in einer Apotheke, die Wunde säubern und mit einem Pflaste
verkleben. Der Apotheker gab ihm, nachdem er, auf seine Frage hin, di
Ursache der Verletzung erfahren hatte, noch ein paar Schmerztabletten
Kostenlos! Als Walter, nachdem er sich bedankt hatte, die Apotheke verließ
sagte der Mann: "Deutschlands innere und äußere Wunden sind nicht mi
Pflastern abzudecken, daher schwären sie auch weiter!"

Am Abend hatte Walter sich trotz seiner Kopfverletzung, wie verabredet
in der Wohnung seines Bruders eingefunden. Lore hatte ihm zwar geraten
sich zu schonen, aber er hatte darauf bestanden, an der Fortführung de
gestern unterbrochenen Gespräches teilzunehmen.

Der Kreis war der gleiche, wie am Abend zuvor. Doch die gestern vo
Herbert ins Auge gefaßten Themen wurden von dem Interesse verdräng
das Walters Erlebnissen mit der Polizei in Halle entgegengebracht wurd
Dessen Schilderung, sowie darauf bezogene Fragen und Antworten füllte
den Abend aus. Abgeschlossen wurde dieser Themenkreis mit der Festste
lung, daß ein derartiges Vorgehen der Polizei keine Seltenheit sei, sonder
ähnliche Szenen sich, vor allem in den Großstädten, fast täglich abspielte

9. Kapitel
Zuspitzungen/Endzeit
1932

Zum Zeitgeschehen bis Ende Oktober

Zwei Wahlgänge bei der Neuwahl des Reichspräsidenten, zwei Reichstagswahlen, zwei Regierungswechsel, zehn Landtags-, beziehungsweise Senatswahlen, weiteres Ansteigen der Arbeitslosigkeit und zunehmende Radikallisierung kennzeichneten die innenpolitischen Vorgänge der ersten drei Quartale des Jahres 1932.

Außenpolitisch erlitt Deutschland bereits im Februar eine erneute Niederlage, als während der in Genf stattfindenden Abrüstungskonferenz des Völkerbundes sein Antrag, der die Alliierten zur Einhaltung ihrer mehrfach eingegangenen Abrüstungsverpflichtungen veranlassen sollte, abermals abgelehnt wurde.

Am 10. April wurde Generalfeldmarschall von Hindenburg, im zweiten Wahlgang, mit 19,3 Millionen Stimmen, für eine zweite Amtsperiode zum Reichspräsidenten gewählt. Sein schärftster Gegenkandidat, Adolf Hitler, der im Februar die deutsche Staatsbürgerschaft erhalten hatte, konnte 13,4 Millionen Stimmen auf sich vereinigen. Den Bewerber der Kommunisten, Ernst Thälmann, wählten 3,7 Millionen.

Nachdem feststand, daß Hitler sein Ziel verfehlt hatte, wurden die SA, SS und die Jugendorganisation der NSDAP wieder einmal verboten. Die Kampforganisationen der Linken blieben von Verboten verschont, obwohl gerade ihnen, wie sich bald herausstellen sollte, nicht grundlos, Putschpläne zugeschrieben wurden.

Am 31. Mai trat Reichskanzler Brüning, mit seiner Politik gescheitert und in Intrigen verstrickt, zurück.

14 Monate war er im Amt gewesen. In dieser Zeit hatte sein autoritärer, von den Parteien der Mitte und der SPD gestützter Regierungsstil zur sogenannten Notverordnungsdiktatur und damit zu weitgehender Ausschaltung des Reichstages sowie der Länderparlamente geführt.

Auf den von Brüning und seinen Helfern gelegten Fundamenten errichtete der Nachfolger im Amt, der aus dem Zentrum hervorgegangene Franz von Papen, ein Präsidialkabinett, das, bis auf zwei Ausnahmen, aus Angehörigen des Adels bestand. Mit diesem “Kabinett der Barone” baute er den autoritären Regierungsstil weiter aus. Der Reichstag erhielt nur noch Alibifunktionen zugewiesen, das Ende des Parlamentarismus in Deutschland zeichnete sich ab.

Die Aushöhlung der Parlamentskompetenz und damit auch die Mißachtung
des Wählerwilllens, wurde allerdings auch von sozialdemokratischen Län-
derregierungen unmittelbar praktiziert. Ein Musterbeispiel dafür bot die SPD-
Regierung in Preußen. Dieses weitaus größte und von rund zwei Dritteln
der Gesamtbevölkerung des Reiches bewohnte Land war seit 1918 ausschließlich von sozialdemokratisch dominierten Regierungen geführt worden.
Bei den am 24. April stattgefundenen Landtagswahlen hatte die, in Korrup-
tionsskandale, undurchsichtige politische Machenschaften verwickelte und
mit dem Makel "sozialfaschistischer" Terrormethoden behaftete, SPD jedoch
eine empfindliche Niederlage hinnehmen müssen. In Preußen vermochte sie
von insgesamt 419 Landtagsabgeordneten, nur noch 93 zu stellen. Stärkste
Partei, mit 162 Mandaten, war die NSDAP geworden; sie stellte auch den
Landtagspräsidenten. Auch in Württemberg, Anhalt und Hamburg war die
NSDAP zur stärksten Partei aufgestiegen, in Bayern erhielt sie 33,5 Prozent
der Stimmen. SPD-Ministerpräsident Braun, unterstützt von Innenminister
Severing und der Landtagsfraktion seiner Partei, versuchte jedoch trotz der
Wahlniederlage die Regierungsposition der Sozialdemokraten in Preußen zu
verteidigen, und den Wählerwillen mit waghalsigen Manipulationen der
Geschäftsordnung des Landtages zu neutralisieren. Sie gingen sogar noch
weiter; am 12. Mai verhafteten preußische Polizeibeamte nationalsozialistische Abgeordnete, trotz ihres Immunitätsschutzes, aus dem Reichstag heraus.

Damit aber nicht genug. Ein Staatssekretär der Regierung Braun, namens
Abbegg, nahm Verhandlungen mit Vertretern der KPD auf, mit dem Ziel
gemeinsamer Aktionen gegen die Reichsregierung. Als handfeste Indizien
den Verdacht nahe legten, daß auch die sehr starke, kasernierte und
schwerbewaffnete, preußische Polizei zu einem Werkzeug gegen die Reichsregierung gemacht werden sollte, sah der Reichspräsident sich gezwungen,
über Berlin und die Mark Brandenburg den militärischen Ausnahmezustand
zu verhängen. Hinweise, denen zufolge auch die Sozialdemokratische
Kampforganisation Reichsbanner bewaffnet werden sollte, sowie Erinnerungen an den sozialdemokratischen Ministerpräsidenten Zeigner, der 1923 in
Sachsen "Rote Hundertschaften" aus Polizeibeständen gegen die Reichse-
xekutive mit Waffen ausgestattet hatte, verliehen diesem Schritt eine
zusätzliche Berechtigung.

In weiterer Konsequenz wurde Reichskanzler von Papen zum Reichskommissar für Preußen ernannt. In dieser Eigenschaft forderte Papen die Minister
Braun und Severing auf, ihre Ämter niederzulegen. Zugleich verlangte er
den Rücktritt einiger höherer, sozialdemokratischer Polizeiführer, darunter
den des Berliner Polizeipräsidenten, dessen Stellvertreters und des Komman-
deurs der Schutzpolizei, da auch sie von den hochverräterischen Verhandlungen zumindest Kenntnis, beziehungsweise ihre Hände unmittelbar im
Spiel gehabt hatten.

Als Minister und Polizeiführer sich weigerten, ihre Ämter zur Verfügung zu stellen, wurden sie am 20. Juli dazu gezwungen. Der Staatsgerichtshof erklärte später, am 25. Oktober, das Vorgehen von Papens gegen Braun und Genossen, für rechtens.

Das Weiterbestehen der linken Kampfverbände und die, bereits nach der Aprilwahl sich abzeichnenden Machenschaften in Preußen, hatten Papen am 30. Mai veranlaßt, das Verbot der nationalsozialistischen Kampforganisationen aufzuheben. Die Wiederherstellung gleichen Rechts, mit der er die Aufhebung des Verbots begründete, dürfte dabei zunächst nur eine beitragende Rolle gespielt haben. Im Hinblick auf die im Sommer fälligen Reichstagswahlen, erhielt das Argument der Chancengleichheit allerdings Gewicht.

Neben innenpolitischen Spannungen gab es auch Belastungen der deutschen Beziehungen nach außen. Sie wurden unter anderem durch Polen verursacht, das im Juni das Kriegsschiff "Wicher" in den Danziger Hafen schickte, um dort Truppen auszuladen, sowie ein Munitionsdepot anzulegen. Die propagandistische Begleitmusik in Polen, schlug dazu schrille antideutsche Töne an. Der Völkerbund als angeblicher "Treuhänder" dieser tausendjährigen deutschen Stadt, unternahm gegen diese provokative Rechtsverletzung wieder einmal nichts Wirksames.

Angesichts der deutschen Zahlungsunfähigkeit, des weiteren Zusammenbruchs der deutschen Wirtschaft und der immer noch ansteigenden Arbeitslosigkeit fanden die Siegermächte sich auf einer Konferenz in Lausanne bereit, nach Entrichtung einer abschließenden Tributzahlung von drei Milliarden Goldmark, auf eine weitere Zahlungsforderung zu verzichten. Eine Aufhebung der übrigen, die potentielle deutsche Wirtschaftskraft fesselnden Bestimmungen wurden jedoch abgelehnt. Um eine Erholung Deutschlands zu verhindern, wurde zudem der Anschluß Deutsch-Österreich noch einmal blockiert und der Wiener Regierung mit einer Anleihe von 300 Millionen Schilling ein bis 1952 befristeter Verzicht auf politische und wirtschaftliche Vereinigung mit dem Deutschen Reich abgekauft.

Der Juli stand im Zeichen der für den 31. des Monats festgesetzten Reichstagswahlen. Der Wahlkampf wurde von allen Parteien mit großer Härte geführt. Saal- und Straßenschlachten waren an der Tagesordnung. Allein in Preußen wurden zwischen dem 1. Juni und 20. Juli bei 322 politischen Auseinandersetzungen 72 Menschen getötet; die Anzahl der Verwundeten betrug 497. Gemäß der amtlichen Statistik waren in 203 Fällen Kommunisten die Angreifer gewesen; in 72 Fällen wurden Nationalsozialisten als Urheber bezeichnet und bei 21 Terrorakten wurden Angehörige des Reichsbanners, beziehungsweise der Eisernen Front als Angreifer festgestellt. 26 Fälle blieben ungeklärt. Zur Verhinderung weiterer Ausschreitungen wurde am 18.7. ein allgemeines Demonstrationsverbot erlassen.

Wo die Sympathien und Hoffnungen der Bevölkerung lagen, erwies sich am Wahltag. Die Anzahl der Abgeordneten der NSDAP erhöhte sich von 107 auf 230. Während die SPD 10 Sitze verlor und auf 133 zurücksank, gewannen die Kommunisten 12 hinzu und konnten 89 Abgeordnete entsenden. Außer dem Zentrum und der Bayerischen Volkspartei, die geringfügig zunahmen, verloren sämtliche Parteien der Mitte zugunsten der äußeren Rechten und Linken.

Ähnliche Verschiebungen erbrachten die in den Monaten Mai bis Juli erfolgten Landtagswahlen. Spitzenergebnisse erreichten die Nationalsozialisten in Anhalt mit 41,6 Prozent der Stimmen; in Mecklenburg-Schwerin mit 48,9 Prozent; in Hessen mit 43,9 Prozent; in Oldenburg mit 48,5 Prozent; und in Thüringen mit 42,5 Prozent.

Wahlen hatten jedoch nur noch Skalenfunktionen zu erfüllen, die der politischen Stimmungswandel in der Bevölkerung anzeigten. Desgleichen wurden die Parlamente immer mehr zu Bühnen der Selbstdarstellung de Parteien auf Kosten der Steuerzahler degradiert. Mit wesentlichen politische Entscheidungen hatten sie, im Zeichen der von der Weimarer Verfassung ermöglichten Kabinettsdiktatur, kaum noch etwas zu tun.

Das erwies sich besonders augenfällig im September, als im Reichstag ei Mißtrauensantrag gegen Kanzler Papen eingebracht wurde. Obwohl das Vo tum der Abgeordneten, mit einem Verhältnis von 412 zu 42 Stimmen, Pape eine eindeutige Niederlage brachte, verweigerte Papen den Rücktritt und löst den Reichstag einfach auf. Den Neuwahlen, die für den November angesetz wurden, sahen daher viele Stimmbürger mit Unentschlossenheit entgegen

Die Frage, ob mit Stimmzetteln überhaupt noch etwas zu erreichen sei stellte sich insbesondere die Anhängerschaft der Nationalsozialisten. D Hitlers Legalitätseid eine Regierungsübernahme der NSDAP ohne sein Beauftragung mit dem Kanzleramt ausschloß, ergab sich für viele die Frage ob eine solche Amtsübernahme überhaupt noch zu erwarten sei; - nachden sie ihm trotz des überwältigenden Wahlsieges der NSDAP vom Juli, entgege bisheriger demokratischer Gepflogenheiten, verweigert worden war, schie vielen Wählern eine Stimmabgabe zugunsten seiner Partei fragwürdig.

Die Ergebnisse der Reichstagswahl im November sollten diese Einschä zung spiegeln.

Reflexionen und Details

Heinrich Neuhaus war vor dem Arbeitsamt in eine Schlägerei verwickel worden. Zu der Auseinandersetzung war es gekommen, nachdem ihm zwe Reichsbannerleute sein Parteizeichen mit dem Hakenkreuz vom Aufschla seiner Jacke gerissen, auf das Pflaster geworfen und zertreten hatten.

Neuhaus hatte zunächst einen Augenblick wie erstarrt gestanden. Dann aber hatte er sich auf den gestürzt, der ihm das Abzeichen abgerissen und mit dem Schuhabsatz traktiert hatte.

Es war reiner Zufall, daß in diesem Augenblick einer der Ortspolizisten in Begleitung eines Landjägerei-Wachtmeisters hinzugekommen war. Deren Dazwischentreten beendete die Rauferei; ehe sie sich zu einer Massenschlägerei entwickeln konnte.

Herbert Seller hatte das Zustandekommen der Auseinandersetzung aus einer Entfernung von etwa dreißig Metern beobachtet. Doch dann hatte sich sehr schnell ein Kreis um die Streitenden gebildet, so daß er das weitere Geschehen, insbesondere nach Hinzukommen der beiden Polizeibeamten, nur vom Rande der Ansammlung her verfolgen konnte. In dem Wirrwarr der Kommentare, die von allen Seiten dazu gegeben wurden, vermochte er nur Wortfetzen aufzuschnappen. Das Durcheinander wurde schließlich auch den Beamten zuviel. Sie forderten die Streithähne auf, ihnen zwecks Aufnahme eines Protokolls zur Polizeiwache zu folgen.

Auffallend war, daß drei der im Innern des Kreises Stehenden, sich als Zeugen förmlich aufdrängten. Sie waren es daher auch, die zur Abgabe von Zeugenberichten aufgefordert wurden und sich ebenfalls zur Polizeistation begaben. Herbert fand diesen Eifer, den die drei an den Tag legten, verdächtig.

Denn normalerweise ging man allen, was mit Polizei und möglicherweise mit Gerichten zu tun hatte, aus dem Wege.

Als er seiner Verwunderung über die Bereitschaft der drei zur Zeugenaussage einen neben ihm Stehenden gegenüber Ausdruck gab, antwortete der: "Da gibt es doch nichts zu wundern! Die werden dem Nazi jetzt eine salzige Suppe einrühren! Aber das geschieht dem Faschistenschwein ganz recht! Denen muß man eins überbraten, wo sich Gelegenheit bietet!"

In der Kleinstadt, mit ihren rund fünftausend Einwohnern, kannte jeder jeden. Daher war Herbert auch bekannt, daß nicht nur die zwei Reichsbannermänner, sondern auch die als Zeugen auftretenden drei anderen, Mitglieder der Eisernen Front waren. Dieser Umstand, in Verbindung mit den Äußerungen seines Nebenmannes, weckte den Verdacht, der Zwischenfall sei geplant gewesen, und das abgekarterte Spiel sei lediglich von dem unerwarteten Erscheinen der Polizeibeamten durchkreuzt worden.

Doch wie dem auch sein mochte, jetzt würde der Angegriffene auf der Polizeiwache ins Unrecht gesetzt und ihm vielleicht eine Anzeige wegen Körperverletzung, Beleidigung oder Anstiftung zu politischer Gewalttätigkeit angehängt werden. Herberts Gerechtigkeitsgefühl rebellierte gegen diese Vorstellung. Gleichgültig, gegen wen aus welchem politischen Lager solche Machenschaften sich richten mochten, - derartige Komplotte durften nicht geduldet werden!

Herbert entschloß sich, in der Komplottangelegenheit zu intervenieren. D
es sich um ein politisches Anliegen handelte, wollte er jedoch die Behörde
aus dem Spiel lassen. Ein Gespräch mit dem Leiter der örtlichen Organisatio
der Eisernen Front, schien ihm eine geeignete Maßnahme zu sein. Vielleich
würde der seine Genossen allgemein zur Mäßigung und im vorliegenden
konkreten Fall zur Rücknahme der, wahrscheinlich erfolgten, Anzeig
bewegen können.

Eine halbe Stunde später saß er dem Ortsgruppenleiter der Eisernen Fron
Werner Steiner, gegenüber. Nachdem er seinem ehemaligen Genossen de
Hergang des Zwischenfalles geschildert und seinen Vorschlag unterbreite
hatte, sagte Steiner: "Ich habe nicht den geringsten Zweifel, daß dein
Darstellung dem wahren Sachverhalt entspricht, dafür bürgt deine Korrekt
heit, die mir noch aus der Zeit in Erinnerung ist, als du Mitglied unsere
Partei warst. Aber soll ich mich, nachdem der Vorgang sich in de
Öffentlichkeit abgespielt hat, gegen meine Genossen stellen, - nur dami
einem Nazi kein Haar gekrümmt wird?"

"Darum geht es erst in zweiter Linie, Werner. Zuerst und in der Hauptsach
geht es um ein Prinzip! Wenn du zuläßt, daß aus Schwarz Weiß gemach
und in diesem Fall ein politisch Andersdenkender, mit falscher Anschul
digung und Zeugenaussage, ins Unrecht gesetzt wird, dann wird das kein
Empfehlung für eure Eiserne Front sein! Denn den wahren Sachverhalt hab
nicht nur ich, sondern den haben auch andere beobachtet. Die werden sic
einen Vers aus eurem Verhalten machen!"

"Im Grunde muß ich dir zustimmen", sagte Steiner, "doch es ist in letzte
Zeit soviel Negatives über die Eiserne Front und unsere Partei berichte
worden, daß ich mich nicht in der Lage sehe, durch ein An-den-Pranger
stellen meiner Genossen, im örtlichen Bereich einen Beitrag zur Vervoll
ständigung dieses Negativbildes zu leisten.

Ich billige diese Machenschaften in keiner Weise! Aber Kohler un
Seifert, die Neuhaus das Abzeichen abrissen, sind nicht nur Reichsbanner
leute, sondern auch SPD-Mitglieder. Und die drei, die sich als Zeuge
zur Verfügung stellten, Fleming, Bastian und Schmidt, gehören der Eiser
nen Front als Mitglieder der Gewerkschaft, beziehungsweise des Ar
beiter Turn- und Sportbundes an. Die kann ich aus politischen Gründe
nicht hängen lassen, das würde mir von der Mitgliederschaft in de
ren Verbänden übel genommen werden. Das mußt du einsehen, Her
bert!"

"Nein, das sehe ich nicht ein. Vielmehr bin ich überzeugt, daß es deine
Partei und den in der Eisernen Front zusammengeschlossenen Verbände
gut anstehen würde, wenn sie gegen schwarze Schafe in den eigenen Reihe
vorgehen würden. Von der Bevölkerung würde das bestimmt honorier
werden!"

"Dieser Meinung kann ich mich im Augenblick nicht anschließen. Aber h werde darüber nachdenken und dann sehen, ob ich etwas tun kann. Nur ines will ich dir jetzt schon sagen: Nach außen werde ich Solidarität ahren!"

Herbert schüttelte mißbilligend den Kopf. "Was du Solidarität nennst, önnten nicht wohlmeinende Kritiker auch als Kumpanei bezeichnen! Gerade ieser Art angeblicher Solidarität, die Vertuschungsversuche bei Skandal-illen und ähnliches Verhalten haben ja der SPD den Korruptionsbeige-chmack eingebracht!"

"Einige solcher Fälle kann man sicherlich nicht ableugnen, aber sie sind ber Gebühr aufgebauscht worden! Ebenso auch die Sache mit dem ngeblichen Putschversuch der Regierung Braun-Severing! Diese Windma-herei kommt aus der Ecke des scheinheiligen Herrn von Papen und des aktionären Pressekönigs Hugenberg!"

"Das trifft nur zu einem Teil zu, Werner! Nach dem, was bisher auch us anderen Quellen bekannt geworden ist, wurde ein Putsch, im Stil einer alastrevolution, bis in Einzelheiten erwogen. Gewiß, zwischen Planung und at ist oft noch ein sehr weiter Weg; - manchmal aber auch nur ein sehr urzer! Allein die bloße Möglichkeit eines Staatsstreiches muß angesichts er Folgen, die bei und nach der Realisierung eines solchen Abenteuers zu rwarten stünden, höchste Alarmstufe und vorbeugende Maßnahmen auslö-en!"

"Zugegeben", sagte Steiner, "aber ein Putsch braucht eine längere orbereitung auf allen Ebenen, das wissen wir aus den Erfahrungen der Jahre 918 bis 1923. Von Vorbereitungen solcher Art haben wir dieses Mal jedoch icht das Geringste bemerkt! Es kann also auch gar keine Gefahr im Verzuge ewesen sein! Allein eine solche, unmittelbare Gefahr hätte den verhängten usnahmezustand und die Absetzung der Regierung Braun-Severing recht-rtigen können! Da sie nicht bestand, waren die gegen sie ergriffenen laßnahmen Ausdruck reiner Willkür!"

"Vorbereitungen wie damals benötigt man heute nicht mehr, weil gut rganisierte, uniformierte Parteiarmeen bereits bestehen. Sie brauchen nur och bewaffnet zu werden. Und Vorbereitungen auf breiterer Basis braucht an erst recht nicht, wenn ein handstreichartiger Umsturz, gestützt und urchgeführt von bestens ausgerüsteten, kasernierten Truppenpolizisten urchgeführt werden soll!

Den Ergebnissen der bisherigen Untersuchungen zufolge sollte die Reichs-egierung samt dem Reichspräsidenten verhaftet werden. Danach war die tablierung einer sogenannten 'Volksfront'-Regierung vorgesehen, die nur on e i n e r bereits im Parlament vertretenen Partei, der SPD und von wei außenparlamentarischen Verbänden, nämlich den Gewerkschaften und em 'Reichsbanner' gestützt werden sollte."

"Falls solche Pläne existiert haben sollten, - sie können nichts andere gewesen sein, als Produkte von Spielereien! Oder es hat sich um Unterlage einer Planübung für einen denkbaren, in der Zukunft liegenden Ernstfal gehandelt!"

"Mit Feuer in hochexplosiver Umgebung spielt man nicht! Da brauch nur ein Funke falsch zu fliegen und schon ist das Unglück geschehen! Un was du als möglichen Ernstfall in Zukunft bezeichnest, - das kann sich j wohl nur auf eine eventuelle Regierungsübernahme durch die Nationalso zialisten beziehen. Wenn die aber auf verfassungsgemäße Weise erfolge würde, dann wäre ein Putsch gegen eine von ihnen geleitete Regierun ebenfalls hochverräterischer Verfassungsbruch!"

"Ich weiß nicht, ob man das auch dann noch so sehen dürfte", sagt Steiner.

"Aber sicher! Verfassungsbruch bleibt Verfassungsbruch! Sollte das i eurer Partei anders gesehen werden, dann würde das nur ein weiteres Zeiche für deren gestörtes Verhältnis zum Recht sein, wie es bereits in de Korruptionsfällen zum Ausdruck gekommen ist. Außerdem wäre eine solch Auffassung, nach meinem Dafürhalten, auch ein Indiz, daß an den Staats streichplänen doch mehr dran war, als zugegeben wird. Ich kann ein solche Vorhaben nur als verbrecherisch bezeichnen. Denn sicher ist, daß mit de Verwirklichung eines solchen Coups ein Bürgerkrieg ausgelöst worde wäre."

"Aber die Anschuldigungen sind ja noch gar nicht endgültig bewiesen!" verteidigte Steiner seine Genossen.

"Meinst du, der Reichspräsident hätte grundlos den Ausnahmezustan verhängt und wider besseres Wissens zugesehen, wie Braun und Severin abgesetzt und hohe sozialdemokratische Kommandeure der preußische Polizeitruppen verhaftet wurden? Glaubst du, der Staatsgerichtshof würd sich jetzt mit der Angelegenheit befassen, wenn nichts daran wäre?", stie Herbert nach.

"Hindenburg könnte getäuscht worden sein; außerdem steht das Urteil de Staatsgerichtshofes noch aus! Und der Nachdruck, mit dem unsere Parte die angeblichen Putschpläne nach wie vor in Abrede stellt, ist zumindes für mich etwas, das auch dafür spricht, daß die Vorwürfe unberechtigt sind!"

"Geleugnet und in Abrede gestellt hat die SPD auch beim Sklarek Skandal", hielt Herbert entgegen. "Bis dann in diesem Frühjahr, trot jahrelanger Verschleppungs- und Vertuschungsversuche, beim abschließen den Prozeß doch einwandfrei erwiesen wurde, daß hohe SPD-Bonzen vo den drei Sklareks bestochen worden waren. Für hohe Summen und Geschenk wurden diesen hergelaufenen Mauschlern Millionenkredite zu Bedingunge eingeräumt, von denen ein deutscher Kreditnehmer noch nicht einma träumen kann! Daß diese verliehenen Millionen dann auch noch gänzlic veruntreut wurden, gehörte ja, wie wir von den Fällen Barmat und Kutisker, sowie von anderen Korruptionsskandalen her wissen, gewißermaßen zur Routine!

Bis es wirklich nicht mehr ging, wurde auch geleugnet, daß den Sklareks Monopole für die Belieferung der Berliner Krankenhäuser und für die Ausrüstung des 'Reichsbanners' eingeräumt worden waren. Wahrscheinlich sollte die Tatsache, daß die Reichsbannerleute in Uniform solcher Gauner und Volksbetrüger marschieren, unserem Volke vorenthalten werden, weil es darin und in Kenntnis mancher anderen Verbindung zu solchen Kreisen, die auch das übrige Judentum in Verruf bringen, ein sehr beredetes, symbolisches Faktum erblicken könnte!

Meinst du nicht, daß es angesichts solcher Tatsachen und der darauf bezogenen Ableugnungsversuche etwas zu viel verlangt ist, jetzt den Unschuldsbeteuerungen in der Putschangelegenheit Glauben zu schenken?"

"Ich verstehe deine Skepsis", sagte Steiner, "aber du solltest diese Vorkommnisse nicht als typisch für die Partei ansehen, der du ja auch einmal angehört hast!"

"Aus der ich aber ausschied, als eine Geisteshaltung und Methoden erkennbar wurden, die früher nicht vorhanden waren und die ich deshalb auch nicht mehr mitvertreten konnte. Aber ich bin nicht zu dir gekommen, um über Wandlungen in der SPD und über Fehler ihrer Spitzenpolitiker zu reden. Mir ging und geht es um den Fall Neuhaus; - die Tatsache, daß seine Erörterung uns zu Parallelfällen mit größeren Dimensionen geführt hat, ist auf die moralischen Zustände in der SPD und ihren Gliederungen zurückzuführen. In meiner Absicht lag das nicht!"

Herbert erhob sich von seinem Stuhl. "Ich glaube, es hat keinen Zweck, wenn wir uns über diesen Fragenkomplex weiter unterhalten. Ich sehe ein, daß du dich in einer Zwangslage befindest. Allerdings habe ich nur ein sehr begrenztes Verständnis dafür, daß du dich ihr beugen willst. Denn diese falsche Solidarität, dieses Nachgeben ...", Herbert unterbrach sich, um festzustellen, "doch ich will mich nicht wiederholen. Abschließend möchte ich dir aber sagen, daß ich dich bedauere, weil du entgegen deiner eigenen Überzeugung etwas tolerierst, das auch anderen in eurer Partei gegen den Strich geht.

Vielleicht denkst du einmal darüber nach, wo das schließlich hinführen muß!"

Als Herbert nach Hause kam, fand er Erich und Hilde Meißner in angeregter Unterhaltung mit Martha vor. Das Gespräch hatte ein Thema zum Inhalt, das in dem Buch behandelt wurde, das sie sich vor einiger Zeit geliehen und nun zurückgebracht hatten. Es handelte sich um Bismarcks 'Gedanken und Erinnerungen'; und die Themen, denen ihr besonderes Interesse galt, betrafen den sogenannten Kulturkampf, - in dem, zwischen

1872 bis in die Mitte der achtziger Jahre, die Rechte der Katholischen Kirche eingeschränkt worden waren, - sowie die Motive und Ziele der Rußlandpolitik Bismarcks.

Beide Meißners hatten 1921, aus Enttäuschung über die Rolle, die die Kommunistische Partei beim Mitteldeutschen Aufstand gespielt hatte, die KPD verlassen; doch galten ihre Sympathien immer noch einigen der marxistisch-leninistischen Grundideen.

Ihr Interesse an der Einstellung Bismarcks zu Fragen der Kirchen- und Rußlandpolitik wurde jedoch nicht nur von der marxistisch-leninistischen Komponente ihres Denkens bestimmt; und sie waren auch nicht die einzigen, die diesen Fragenkomplex neuerdings ein verstärktes Interesse entgegenbrachten. Angesichts des Einflusses, den die rom-orientierte Zentrumspartei seit 1918, und verstärkt seit der Kanzlerschaft Brünings, sowie jetzt unter der Regierung Papens, auf die deutsche Politik nahm, fragten viele Deutsche sich nach den hintergründigen Zielen der von den Exponenten des Zentrums und der römischen Kirche verfolgten Politik.

Verstärkt wurde dieses Interesse durch die deutlich erkennbare Rolle, die die Katholische Kirche Polens in der antideutschen Front spielte. Im Zusammenhang mit der feindseligen polnischen Haltung gegenüber Deutschland, ergab sich naturgemäß auch die Frage nach dem Verhältnis beider Staaten zur Sowjetunion. Die Stimmengewinne, die die moskauhörigen Kommunisten bei der letzten Wahl erzielt hatten, gaben dieser Frage zusätzlich einen aktuellen Charakter.

Nachdem die beiden Meißners nun Bismarcks Ansichten dazu kannten, hofften sie, mit Herbert und Martha einen Gedankenaustausch über dessen Motive und Ziele, sowie deren eventuelle Bedeutung für Gegenwart und Zukunft führen zu können.

Doch zunächst stand Herberts Bericht über den beim Arbeitsamt erfolgten Zwischenfall, sowie über seine Unterredung mit Steiner im Mittelpunkt des Interesses. Als er zu Ende war, sagte Erich Meißner:

"Die Reichsbananen fühlen sich nur stark, wenn kein Risiko mit ihren Aktionen verbunden ist. Sie sind keine Kämpfer, die ihr Leben in die Schanze schlagen! Sie spannen lieber staatliche Institutionen vor ihren Karren, dort haben sie ihre Genossen als Beamte sitzen, die in ihrem Sinne tätig werden! Das wird sich auch im Fall Neuhaus erweisen. Die geballte Faust, die sie jetzt ebenfalls, nach Art des Roten Frontkämpferbundes hochrecken, ist ein leeres Drohsymbol.

"Mir ist auch lieber, wenn sie die Faust nicht gebrauchen, denn dort, wo die 'Rote Faust' bisher niedergesaust ist, hat es meistens Tote oder zumindest Verletzte gegeben! Das beweist die letzte, veröffentlichte Statistik über blutige politische Ausschreitungen überdeutlich!", sagte Martha.

“Aus der Statistik geht aber auch hervor, daß die Nazis sich ebenfalls ufs Nieder- und Totschlagen verstehen”, hielt Hilde Meißner dagegen.

“Diese Statistik weist als häufigste Verursacher von schweren politischen wischenfällen die Kommunisten aus. Ihnen folgen die Nationalsozialisten n einem Verhältnis von 3 zu 1!”, stellte Herbert fest.

“Statistiken kann man manipulieren”, sagte Erich Meißner.

“Diese Statistik wurde von SPD-Beamten im preußischen Innen-inisterium erstellt. Es steht für mich außer Frage, daß sie dabei ihren ogenannten Ermessensspielraum bis zur äußersten Grenze ausgeschöpft aben. Ohne Zweifel haben sie alles, was angängig war, ihrem Hätschelkind on den Schultern genommen und anderen in die Schuhe geschoben, oder, vo das beim besten Willen nicht ging, in der Spalte ‘Ungeklärte Fälle’ egistriert!”

“Nach dem, was wir in der Vergangenheit mit SPD-seitiger Vertuschungs-raxis erlebt haben, halte ich deinen Verdacht für begründet!”, ging Herbert uf Meißners Meinung ein. Zusätzlich gab er zu bedenken. “Wenn wir davon usgehen, daß manipuliert worden ist, dann dürfen wir aber auch davon usgehen, daß dies in erster Linie zu Lasten der Nationalsozialisten eschehen ist. Denn SPD und KPD sind zwar entzweite Brüder, sie sind ich aber einig, die Nationalsozialisten als gemeinsame Feinde zu behandeln!

Jedenfalls spricht die Anzahl der Opfer dafür, daß die Nationalsozialisten neistens die Ziele der Angriffe gewesen sind. Von den zirka 40 Toten, die llein in der Zeit zwischen dem 10. und 17. Juli verzeichnet werden mußten, varen 37 Nationalsozialisten. Diese und noch andere Ziffern hat uns vor in paar Tagen unser Neffe Albert mit Quellenangaben zweifelsfrei nach-ewiesen! Der führt nämlich über besonders hervorstechende, politische ereignisse eine Art Tagebuch und hat dazu auch eine Kartei mit Daten und itaten angelegt”, setzte er erklärend hinzu.

“In dieser Anzahl sind die 19 Toten vom 17. Juli in Altona enthalten!”, ing Meißner auf Herberts Äußerungen ein. “Diese Toten haben die Nazis ich selber zuzuschreiben! Ihr Propagandaaufmarsch in Altona war eine rovokation!”

“Du meinst also, die Ermordeten, nicht die Mörder seien schuld?”, fragte Martha erstaunt. “Und du meinst ferner, ein Propagandaaufmarsch sei eine rovokation? Willst du mir dann bitte erklären, wie man die Massenauf-närsche der Eisernen Front, der Roten Frontkämpfer, der kommunistischen ntifa und anderer Linksverbände bezeichnen soll? Was würdest du denn agen, wenn die Nationalsozialisten bei Demonstrationen der Linken ebenso eagieren würden, wie die Kommunisten in Altona, und ebenfalls aus ellerlöchern und von Dachfenstern aus Gewehrfeuer auf rote Marschko-onnen eröffnen würden? Würdest du dann immer noch der Meinung sein, in solcher Feuerüberfall sei vertretbar, denn er sei ja provoziert worden?”

"Keine Partei kann das Recht auf öffentliche Kundgebungen für sich allein in Anspruch nehmen und keine hat das Mandat, einer anderen vorzuschrei ben, was sie zu tun oder zu lassen hat! Schranken können hier nur Gesetze ziehen. Wo kämen wir denn sonst hin?", unterstützte Herbert Marthas Meinung. Mit Nachdruck fuhr er fort: "Aber wir müssen den blutigen Terro beenden! Jedes Opfer, gleichgültig von welcher Partei, klagt an! Besonder aber tun das die jugendlichen Opfer! Allein seit vorigem Jahr wurden 2 Angehörige der Hitlerjugend ermordet! Die meisten waren im Alter zwischen 14 und 16 Jahren. Das ist schlimm genug! Wenn ich aber daran denke auf welche brutale Art, zu Beginn dieses Jahres, der zwölfjährige Hitlerjunge Norkus zu Tode gehetzt und im wahrsten Sinne des Wortes abgeschlachtet wurde, dann fehlt mir dafür jegliches Verständnis!"

"Das sind die Früchte jener blödsinnigen Parole, die seit 1918 die Position der gesamten Linken kennzeichnet! 'Der Feind steht rechts!', erschallt e heute fast noch lauter als damals. Aber der Feind steht weder rechts, noch steht er links! Der größte Feind unseres Volkes ist seine Zwietracht!"

"Du wirst aber sicherlich zugeben, daß manche den Feind links sehen?" fragte Hilde Meißner.

"Selbstverständlich gebe ich das zu! Der spektakulärste Fall, der zum Tode eines kommunistischen Parteimitgliedes in Potempa führte, hat ja ers vorgestern noch einmal hohe Wellen geschlagen, als deshalb fünf Natio nalsozialisten, aufgrund eines eben erst erlassenen Sondergesetzes zum Tod verurteilt wurden."

"Und Hitler hat sich nicht gescheut, den fünf in einem Telegramm z versichern, er werde sich für ihre Begnadigung einsetzen!", sagte Hilde enttäuscht.

"In Anbetracht der recht trüben Rolle, die das Opfer in diesem Fall auch selbst gespielt hat, und bei Berücksichtigung der Tatsache, daß die Urteil in unverhältnismäßiger Weise, sowie aufgrund eines erst wenige Stunden alten Sondergesetzes gefällt wurden, halte ich diese Zusage nicht fü ehrenrührig. Außerdem: Was würdet ihr denn von Thälmann erwarten, wen gegen seine Gefolgsleute und eure Gesinnungsgenossen, unter ähnliche Umständen und in gleich rigoros einseitiger Weise vorgegangen würde?

"Überdies darf dieser Fall den Blick für die Regel in der Wirklichkei nicht verstellen", meinte Martha. "Tatsache ist doch, daß die Nationalso zialisten im allgemeinen recht diszipliniert auftreten! Das muß doch jede feststellen, der Augen im Kopf hat!"

"Was meint ihr denn, weshalb so viele Wähler der NSDAP zugeströn sind?", fragte Herbert, wieder das Wort nehmend. "Etwa weil sie festgestell haben, daß die Nationalsozialisten Schläger und Radaubrüder sind, oder we sie täglich mit eigenen Augen sehen, daß bei denen Disziplin und Ordnun herrschen? Neben der Hoffnung, daß die Nationalsozialisten es fertig bringe werden, unserem Volk wieder Brot und Arbeit zu verschaffen, ist es der Wunsch nach Ordnung und Sicherheit, der so viele veranlaßt hat, diese Partei zu wählen!"

"Richtig", stimmte Martha zu. "Fast 14 Millionen Wähler haben festgestellt, wo die wahren Krawallmacher sitzen."

"Na, warten wir einmal ab, was weiterhin geschieht", sagte Erich Meißner, "vorläufig ist ja Papen noch am Ruder und versucht im Einverständnis mit Hindenburg alles, um Hitler vom Steuer des Staates fernzuhalten!"

"Jetzt einmal abgesehen von Hitler, - ein solches Vorgehen ist so undemokratisch, wie kaum etwas anderes!", sagte Herbert. "Da hat man nun Reichstagswahlen abgehalten und schert sich danach um den Wählerwillen nicht das Geringste. Da schließt man den Führer einer Partei von der Kanzlerschaft aus, die stärker ist, als die beiden folgenden zusammen, die zudem in manchen Landtagen sogar die eindeutige Mehrheit besitzt, und wundert sich dann vielleicht auch noch, wenn immer mehr Menschen in unserem Land die bei uns praktizierte Demokratie für ein Spiel mit gezinkten Karten halten."

"Diese Ansicht ist ja auch begründet", stimmte Hilde der Meinung Herberts zu. "Für uns war es übrigens überraschend, daß wir diese Erkenntnis, wenn auch in modifizierter Form, als eine der Einsichten Bismarcks in seinem Buch fanden."

"Bismarck hat eine ganze Menge sehr treffender Gedanken und Erkenntnisse gehabt", meinte Herbert. "Wie hat euch denn das Buch insgesamt gefallen?"

"Es war außerordentlich aufschlußreich, vieles haben wir überhaupt nicht gewußt. Wir haben jetzt ein ganz anderes Bild von Bismarck als vorher, obwohl wir doch schon eine ganze Menge über ihn gelesen hatten."

"Darin liegt eben der entscheidende Unterschied!", sagte Herbert. "Leider ist es im allgemeinen so, daß viel mehr über jemand, sei der Dichter, Politiker oder Philosoph, gelesen wird, als er selbst, das heißt seine Bücher. Daher kommen die oft sehr falschen Bilder, die man sich über sie, ihre Ansichten und ihr Wollen macht! Die Über-jemand-Schreiber wollen meist ihre eigene Meinung an den Mann bringen, nicht aber die unverfälschte dessen, den sie sich zum Gegenstand ihrer Deutungen ausgewählt haben!"

"Das können wir, nachdem wir Bismarck selbst gelesen haben, nur bestätigen", stimmte Erich Meißner zu. "Seine Ausführungen in den uns besonders interessierenen Kapiteln, Kulturkampf und Rußlandpolitik, lassen viele seiner Befürchtungen und seiner Maßnahmen nicht nur für die damalige Zeit begründet und richtig erscheinen. Manche seiner Vorstellungen könnten sogar als Vorlage für einen Leitfaden künftiger Politik dienen, - sofern sie der sowohl in Deutschland als auch in Rußland veränderten Lage angepaßt würden."

"Grundeinsichten in Gesetzmäßigkeiten politischer Kausalketten haben einen ähnlichen Dauerwert, wie solche in naturwissenschaftliche oder mathematische Zusammenhänge", meinte Herbert.

"Das kann man wohl sagen", pflichtete Erich Meißner bei. "Bismarck hatte zum Beispiel, wie Marx, ganz klar erkannt, daß Kirchen in erster Linie politische Institutionen sind, deren Streben nach sogenannter weltlicher Macht, dem Führungsanspruch, den sie auf geistigem Gebiet erheben, notwendigerweise folgen mußte. Er spricht in seinem Buch von einem ewigen Kampf zwischen Priesterschaft und Königsthronen, und wenn wir uns heute den Zangenangriff, der von den Kanzeln und vom Parteiarm der Kurie, dem Zentrum, gegen die freien Geister in Deutschland vorgetragen wird, ansehen, dann kann man nur sagen: Recht hat Bismarck gehabt und es wird höchste Zeit, daß wieder etwas gegen den scheinheiligen Geistesmief und die patriachalisch aufgezäumte Kirchen- und Kabinettsdiktatur unternommen wird!"

"Und richtig erkannt hat er auch die eindeutig antideutsche Rolle der Katholischen Kirche in Polen. Schon damals hat er festgestellt, daß die Katholisierungsbemühungen der Kirche in den deutschen Ostprovinzen zugleich Polonisierungsbestrebungen sind! Auch diesbezüglich kann man seinen Scharfblick nur bewundern. Die Richtigkeit seiner Einschätzung wird uns bis zum heutigen Tage eindringlich vor Augen geführt! Kaum in einem anderen Land, noch nicht einmal in Italien, liegen nationale und klerikale Interessen so dicht beieinander, sind sie so eng ineinander verwoben wie in Polen! Dort ist katholisch gleich polnisch und protestantisch gleich deutsch. Die antideutsche Frontstellung wird dadurch vereinfacht und erleichtert!"

"Von diesen Zusammenhängen hat uns auch Fritz Werfels, ein Kriegskamerad Herberts, berichtet. Der fährt gelegentlich in die abgetrennten Gebiete Oberschlesiens, um die Gräber seiner Eltern und auch Bekannte zu besuchen, seine Berichte bestätigen das eben Festgestellte mit Punkt und Komma! Werfels ist übrigens der Meinung, daß es in Anbetracht der Grundhaltung des Vatikans und der Einstellung der Polen, für unser Volk kaum etwas Schlimmers geben könne, als wenn eines Tages ein polnischer Kardinal Papst in Rom werden würde. Der würde, so meint er, dann den weltlichen Einfluß der Katholischen Kirche in einer propolnischen, das hieße aber gleichzeitig in einer, wahrscheinlich geschickt verhüllten, antideutschen Weise nutzbar machen."

"Davon darf man überzeugt sein!", unterstützte Herbert die von Martha wiedergegebene Meinung Werfels. "Denn das Treiben des Papsttums gegen das protestantische Deutschland ist schon seit dem Dreißigjährigen Krieg ein allseitiges, also ein Kesseltreiben! Das geht, unter anderem auch aus einigen Zitaten hervor, die ich erst vor wenigen Tagen aus einem Buch

:ntnommen habe. Die sammele ich für unseren Neffen Albert. Der erfaßt, vie ich schon erwähnte, solche Aussprüche karteimäßig. Da er mich gebeten
hat, ihm dabei behilflich zu sein, habe ich sie abgeschrieben. Wenn sie euch nteressieren, lese ich euch zwei oder drei vor!"

"Uns interessiert alles, was damit im Zusammenhang steht", sagte Hilde, 'man kann nie genug Authentisches erfahren!"

Daraufhin holte Herbert ein paar Notizblätter aus der "Zettelschachtel", lie zur vorläufigen Aufbewahrung der gesammtelten Zitate diente. Damit :urückgekommen, sagte er: "Hier ist ein Zitat aus dem 'Observatore Romano', wonach Papst Benedikt am 7.April 1919 versicherte, er sei von Herzen französisch gesinnt, er beglückwünsche die französische Nation zu hrem Sieg über Deutschland und wünsche ihr weitere Vermehrung ihres Ruhmes. Klar, weshalb er das tat, Frankreich ist katholisch, Deutschland iberwiegend protestantisch, - seine Parteinahme damit vorgezeichnet.

Noch deutlicher war das offizielle Blatt des Vatikans 'Civilta Cattolica' ;chon am 4. April 1919 geworden, darin hieß es wörtlich "daß die sachlichen Anliegen des Katholizismus den Papst keineswegs einen Sieg Deutschlands vünschen ließen und daß er nicht ohne Schrecken an endgültige Siege Deutschlands denken könne'. Mit 'endgültige Siege' meint er mögliche Siege Deutschlands in der Zukunft, - wir wissen also, was wir vom Vatikan zu :rwarten hätten, sollte Deutschland jemals wieder in einen Krieg verwickelt verden!

Aber die deutschen Sendboten Roms sind nicht besser. Als Wilhelm der Zweite gestürzt worden war, erklärte der Franziskanerpater Schwanitz in :iner Predigt in Bingen: 'Der Papst jener Preußenreligion (gemeint waren Luther und Wilhelms Evangelismus) ist weggefegt! Gott hat alles wohlgemacht!'

So, das wärs, ich habe hier zwar noch einige Zitate dieser Art, aber lassen wir es mit diesen dreien genug sein. Die Tendenz ist überall gleich und eindeutig. Was mir in diesem Zusammenhang unverständlich bleibt, ist nur die Tatsache, daß deutsche Katholiken, die gegen ihr eigenes Volk gerichtete Praktiken auch noch mit riesigen Geld- und Sachspenden unterstützen!"

Während Herbert die Zettel wieder in die Schachtel tat, sagte Erich Meißner:

"Uns ist die Rolle der Kirchen, aller Kirchen, im Prinzip schon lange klar gewesen. Außer Bismarck haben ja auch Marx und Lenin deutliches dazu gesagt."

"Sicher wäre es interessant, wenn wir uns auch mit den Einsichten und Perspektiven dieser beiden Revolutionäre befassen könnten", sagte Herbert. 'Leider muß ich euch aber sagen, daß wir heute darauf verzichten müssen, weil wir, in zwanzig Minuten bei meinem Bruder verabredet sind. Ich hoffe,

ihr habt Verständnis dafür. Wir können das Thema ja gelegentlich einma
ventilieren?"

"Aber sicher haben wir dafür Verständnis", sagte Hilde, "wir sin
unangemeldet bei euch hereingeschneit, - da war die Möglichkeit, mit einem
eurer Anliegen zu kollidieren, von vornherein gegeben!"

"Womit ihr euch den in Deutschland allgemein gesteuerten Kollissionskur
angepaßt habt!", sagte Herbert scherzend, doch den politischen Hintergrund
durchaus treffend kennzeichnend.

Zum Zeitgeschehen (November/Dezember 1932)

Am 6. November war der Reichstag neu gewählt worden. Die vo
Reichskanzler Papen erhoffte, entscheidende Schwächung der NSDAP
verbunden mit einer Verschiebung der Mehrheitsverhältnisse zu seine
Gunsten, war jedoch ausgeblieben. Bei etwas geringerer Wahlbeteiligung al
im Juli verloren die Nationalsozialisten zwar 34 Mandate, sie blieben abe
mit 196 Abgeordneten noch immer die mit großem Abstand stärkste Partei
Zudem waren die ihr verloren gegangenen Stimmen größtenteils den übrige
Rechtsparteien zugeflossen. Die Deutschnationale Volkspartei konnte ei
Plus von 15 Sitzen verbuchen, die Deutsche Volkspartei ein Mehr von 4
Sie vermochten nun 52, beziehungsweise 11, Abgeordnete zu entsenden

Stimmen gewonnen hatten auch die Kommunisten. Mit einer Zunahm
von 11 Mandaten umfaßte ihre Reichstagsfraktion nun 100 Abgeordnete. Di
Zunahme der KPD entsprach, wie bei der vorausgegangenen Reichstagswah
fast genau den Verlusten der SPD. Deren Rückgang betrug 12 Sitze, ihr
Fraktionsstärke 121 Abgeordnete. Verloren hatten auch alle übrigen größere
Parteien, davon am relativ meisten das Zentrum, das nach Verlust von
Sitzen, nur noch mit 70 Abgeordneten in den Reichstag einzog.

Da von Papen nicht in der Lage war, die Regierung, wie von Hindenbur
gewünscht, wieder auf eine Parlamentsmehrheit zu stützen, sah der Reichs
präsident sich nun veranlaßt, dem Führer der stärksten Partei die Kanzler
schaft anzutragen. Allerdings war er nicht gewillt, Hitler die gleiche
Vollmachten einzuräumen, die er seinen Vorgängern, insbesondere Pape
zugestanden hatte. Hitler war sich jedoch bewußt, daß er die verfahrene
Verhältnisse in Deutschland ohne besondere Vollmachten nicht werd
bereinigen können. Er sah daher in den mit dem Angebot verbundene
Einschränkungen der Amtsbefugnisse den Versuch, seine Partei zu verschlei
ßen. Da dies in der Tat eine der Hintergedanken des Angebotes war, lehnt
er ab.

Papen sah nun keine andere Möglichkeit, als, wenn auch in verklausulierte
Form, Hindenburg ein Verbot aller Parteien, Gewerkschaften und sonstig

Wirtschaftsverbände, sowie eine Militär- und Polizeidiktatur vorzuschlagen. Da dies ein offener Bruch der Verfassung gewesen wäre, lehnte der Reichspräsident dieses Ansinnen nach einiger Bedenkzeit ab. Zudem war dem Generalfeldmarschall der Gedanke einer Einbeziehung der Reichswehr in das innenpolitische Ränkespiel äußerst zuwider. Auch die Generalität lehnte dies ab. Politisierende Generale wie Schleicher, den Papen zum Reichswehrminister berufen hatte, waren im höheren Offizierkorps noch Ausnahmen. Seine Angehörigen sahen die Aufgabe der Reichswehr in der Landesverteidigung. Trotz mancher Vorbehalte gegenüber dem Weimarer System, war die Reichswehr aber auch bereit, gemäß ihrem Eid, die Staatsverfassung im Inneren gegen Angriffe von links wie von rechts, zu verteidigen. Dies machte der Chef der Heeresleitung, General von Hammerstein, deutlich, indem er dem Führer der NSDAP erklärte: "Herr Hitler, wenn Sie legal zur Macht kommen, soll mir das recht sein. Im anderen Falle werde ich schießen lassen!"

Ende November war Papens Situation unhaltbar geworden. Am 3. Dezember sah er sich gezwungen, sein Amt zur Verfügung zu stellen. Sein Nachfolger wurde General von Schleicher, der Papen, mit der Verweigerung der Abdeckung seiner Politik durch die Reichswehr, den letzten Boden entzogen hatte.

Schleicher bemühte sich nun, einen Plan zu verwirklichen, den er schon vorher gehegt hatte. Dieser sah vor, die NSDAP zu spalten und mit deren, von dem Reichsorganisationsleiter der Partei, Gregor Strasser, geführten linken Flügel "um eine Gewerkschaftsachse herum", eine Regierung neuen Stils zu bilden. Dieser Plan scheiterte jedoch sowohl an der blitzschnellen Reaktion Hitlers, der Strasser zwang, seine Parteiämter niederzulegen, als auch an der Weigerung der SPD und der Gewerkschaften, Schleichers Plan zu unterstützen.

Unterdessen verschlechterte die Lage der Bevölkerung sich weiter. Zum Hunger kam die Kälte des Winters in ungeheizten Wohnungen. Am Ende des Jahres gab es 6,2 Millionen Arbeitslose. Hinzu kamen Massen von Kurzarbeitern. Das Volkseinkommen erreichte den tiefsten Stand seit 1913.

Reflexionen und Details

Georg hatte den etwa 10 Jahre älteren Paul Schröder kennengelernt, als beide in einem Lokal der Aschinger-Restaurant-Kette am gleichen Tisch sitzend, eine Erbsensuppe verspeisten.

Dies hatte zunächst zu einer witzigen Bemerkung Schröders und in der Folge zu einem belanglosen Gespräch geführt. Schließlich war jedoch das Thema Arbeitslosigkeit zur Sprache gekommen. Sie, als Betroffene, hatten dabei eine weitgehende Übereinstimmung ihrer Ansichten über Ursachen un Auswirkungen der Massenarbeitslosigkeit festgestellt. Da beide, erzwunge nermaßen, über viel Zeit verfügten, hatten sie sich zu einem erneute Zusammentreffen verabredet. Dem waren weitere gefolgt und schließlic hatte sich daraus eine lockere Freundschaft entwickelt.

Georg erinnerte sich noch daran, daß Paul, als sie beim letztenm auseinandergingen, gesagt hatte: "Es gibt nur zwei Möglichkeiten; entwede Kommunismus oder Nationalsozialismus!"

Jetzt, nach der zweiten Reichstagswahl in diesem Jahr, wurden die Verlust der NSDAP und die Zunahme der Kommunisten von nicht wenigen a Beginn einer Tendenzwende zugunsten der Radikalen Linken gedeutet. Pau interpretierte das Wahlergebnis genau umgekehrt. Das Scheitern Papens un die Ernennung des Generals Schleicher zum Reichskanzler sah er als zw Faktoren an, die die weitere Entwicklung zugunsten der Nationalsozialiste beschleunigen würden.

"Weißt du", sagte er zu Georg, während er durch das Fenster seine Kellerwohnung eine Gruppe Arbeitsloser betrachtete, die auf der andere Straßenseite vor einem Schaukasten stand, in dem gerade die neuest Nummer der 'Roten Fahne'ausgehängt worden war, "weißt du, ich halte e für sehr wahrscheinlich, daß die Wähler, die sich, nachdem der erste Anlau Hitlers zur Kanzlerschaft scheiterte, von seiner Partei abwandten, bald wiede zu ihr zurückkehren werden, weil auch Schleicher keine Alternative zu biete hat. Das ist schon offenbar geworden, als seine Pläne mit Strasser, der SP und den Gewerkschaften sich zerschlugen. Außerdem hat ihn diese Bündnisversuch mit den Versagern von gestern, im bürgerlichen Lager Kred gekostet.

Hitler bleibt daher, nach Schleicher, der chancenreichste Anwärter auf de Kanzlersessel. Dies nicht zuletzt auch deshalb, weil die Linke sich gegen seitig matt setzt", behauptete Paul weiter. "Erst vor wenigen Tagen las ic drüben in der `Roten Fahne'", er deutete bei diesen Worten zum Fenste und auf den Schaukausten auf der anderen Seite, "daß der Kommunisten führer Thälmann bereits vor längerer Zeit gesagt hat, der Hauptstoß müss gegen die SPD geführt werden, weil sie sich als eine Filiale der Bourgoisi und ein nicht nur passiver, sondern sogar aktiver Faktor der Faschisierun erwiesen habe."

"Mit dieser Ansicht hat Thälmann ja auch nicht gänzlich unrecht! Ist da denn etwas sehr viel anderes als Faschisierung, was in Deutschland se Jahren mit Unterstützung oder Duldung der SPD in immer stärkerem Ma abläuft?"

"Ich bin der Meinung, daß die Sozialdemokraten, nachdem sich heraus gestellt hat, wohin ihr Paktieren mit falschen Partnern sowie ihre ideolo gische Verbohrtheit geführt haben, jetzt an einem Alibi basteln. An einen

Alibi, das der SPD erlaubt, sich in den Augen unkritischer Wähler und Gefolgsleute von der für Denkende unschwer voraussehbaren Weiterentwicklung zu distanzieren. Den Begriff 'Faschismus' halte ich aber in Verbindung mit der SPD für genauso falsch, wie im Zusammenhang mit der NSDAP."

"Und weshalb hältst du den in diesen Fällen für unzutreffend?", fragte Georg.

"Ich meine, hier benutzen die Kommunisten ganz bewußt eine falsche Münze, um die Verwandtschaft des Bolschewismus mit dem italienischen Faschismus zu verdecken. Außerdem brauchen sie ein Knüppelwort, eine Wortkeule, mit der die Argumente der politischen Gegner, vor allem auf der Rechten, erschlagen werden sollen, ohne gezwungen zu sein, sich in differenzierender Sachlichkeit mit ihnen auseinanderzusetzen."

"Mir scheint am Nationalsozialismus wesentlich, daß er statt einer neuen Variante alter, abgenutzter Ideen, eine echte Alternative aufzeigt, aus der man etwas machen kann."

"Aus der man vielleicht etwas machen kann, - und aus der auch erst noch etwas gemacht werden muß, wenn sie sich nachhaltig prägend erweisen soll", setzte Paul hinzu.

"Ohne einen Anfang wird es keine spätere Perfektion geben, - ich sehe jedenfalls etwas Neues kommen!", verteidigte Georg seine Meinung.

"Und ich sehe etwas kommen, das keineswegs neu, sondern in letzter Zeit leider zu einer alltäglichen Erscheinung geworden ist. Dreh' dich mal um und schau zum Fenster hinaus."

Georg tat, wozu ihn Paul, der mit Blick zum Fenster saß, mit seinen Worten veranlaßte. Das Bild, das sich ihm bot, ließ nichts Gutes ahnen.

Nur wenige Meter vom Fenster entfernt, standen drei jüngere Männer. Sie waren offensichtlich eben erst in Pauls Blickfeld erschienen, zögerten aber plötzlich ihren Weg fortzusetzen.

Die braune Farbe einiger ihrer Bekleidungsstücke hatte der Gruppe, die auf der anderen Straßenseite, vor dem Schaukasten der 'Roten Fahne' stand, signalisiert, daß es sich bei den drei Angekommenen wahrscheinlich um Nationalsozialisten handele. Wie Georg feststellte, hatte die Zusammensetzung der Gruppe auf der anderen Seite sich in der Zeit, in der er mit Paul Probleme gewälzt hatte, verändert und war auf acht Mann angewachsen. Zwei der Hinzugekommenen trugen die komplette, schwarze Uniform der kommunistischen 'Antifa'.

Angeführt von diesen zwei uniformierten 'Jungproleten' setzte die Gruppe sich jetzt in Bewegung und steuerte, die Straße überquerend, auf die drei 'Nazis' zu. Diese hatten die Gruppe vor dem Schaukasten wahrscheinlich zu spät bemerkt. Jetzt schienen die drei zu überlegen, ob sie umkehren sollten. Doch dazu war es wohl zu spät, weil die Gruppe der Roten auf sie zukommend, die Straßenmitte bereits überschritten hatte.

Daher versuchten die 'Nazis' ihren Weg weiterzugehen. Das wurde ihne
jedoch nach einigen Schritten unmöglich gemacht, weil die Roten de
Bürgersteig erreicht hatten und, sich gegenseitig unterhakend, ein Passiere
verhinderten.

"Jetzt bin ich aber neugierig, was geschieht", sagte Georg. Dann trat e
ans Fenster und öffnete es einen Spalt, damit sie hören konnten, was drauße
gesprochen wurde.

"Rot Front!", grüßte einer der Schwarzuniformierten die erneut Verhar
renden in provokatorischer Weise.

Von denen kam jedoch keine Antwort. Deshalb sagte einer seiner Ge
nossen noch einmal: "Rot Front! Wir erwarten, daß ihr unseren Gru
erwidert!"

"Laßt uns in Ruhe!", forderte einer, der eine Kletterweste trug, "wir habe
euch nicht provoziert und wollen unseres Weges gehen."

"Wir werden uns überlegen, ob ihr weitergehen könnt, nachdem ihr unsere
Gruß erwidert habt", sagte der erste Antifa-Mann.

Als die drei weiter schwiegen, sagte ein anderer: "Ihr haltet uns uff, mi
euren Zöjern; det laßn wir uns nich' länger jefalln!"

"Nee, det walte Jott un der Eiserne Justav!", bekräftigte ein anderer. Darau
holte der Angesprochene tief Luft und sagte, seine Wut unterdrückend
"Guten Tag!"

"Wat denn, wat denn!? Det heeßt 'Rot Front', - det wißt ihr doch ode
etwa nich'? Denn bring'n wir's euch bei!"

"Klar!", sagte der zweite Schwarzuniformierte und trat näher. "Und de
wolln wir von jeden von euch hörn! Laut und mit erhomner Faust!"

"Na, wenn Ihr das unbedingt wollt, so soll es an uns nicht liegen, - un
auch nicht an der Faust", sagte der Gestiefelte.

Noch während er die letzten Worte sprach, ballte er seine Hand, hob di
Faust und knallte sie dem anderen mit Wucht auf die Lippen.

Georg konnte gerade noch sehen, wie der Getroffene Blut spukte und ei
paar Zähne auf das Pflaster spie. Dann war draußen nur noch ein Knäue
schlagender, tretender und fluchender Männer.

"Was tun wir jetzt?!, fragte Georg, "wir können doch nicht tatenlo
zusehen, wie die sich da draußen krankenhausreif schlagen!"

"Weshalb denn nicht? Es bleibt uns doch gar nichts anderes übrig!"

"Wir müssen zumindest die Polizei verständigen, damit sie die Schlägere
beendet!"

"Versuch doch eine Telefonzelle zu erreichen. Sobald du den Kopf au
der Haustür steckst, wirst du auch eins auf die Rübe bekommen."

Draußen brüllte plötzlich einer: "Haut ab! Haut ab! Ick jlobe, der een
Nazi verreckt!"

"Ja, der eene macht alle!", rief ein anderer.

Daraufhin ergriff die Gruppe, sich in verschiedene Richtungen zerstreuend, ie Flucht. Zurück blieb, am Boden liegend, der junge Mann mit der letterweste. Die beiden anderen standen keuchend daneben. Der auf dem flaster rührte sich nicht. Sein Gesicht war blutverschmiert und sein Mund eit geöffnet.

"Ob der tatsächlich stirbt?", fragte Georg, von dem Anblick seltsam ngerührt. "Jetzt müssen wir auf jeden Fall etwas unternehmen!"

"Jetzt ebenso wenig wie vorher!", widersprach Paul mit Nachruck. "Was neinst du denn, was mir passiert, wenn die Roten herauskriegen, daß ich inem vermutlichen Nazi geholfen habe? Dann bin, bei nächster Gelegenheit, ch derjenige, der zusammengeschlagen wird! Hier in diesem Teil des roten Vedding gelten eigene Gesetze!"

"Das sind ja Zustände wie in Sizilien, wo die Angst vor der Mafia dazu eführt hat, daß die Leute Augen und Ohren verschließen!", sagte Georg ntrüstet. "Jedenfalls ist es ein verdammt schlechtes Zeichen, wenn der 'error keinen Raum mehr für Menschlichkeit läßt! Da haben wir neulich ber politische Kultur geredet, - und draußen tobt die Unkultur!"

"Da draußen zeigt die morbide abendländische Kultur eines ihrer Gesicher!", meinte Paul. "Man kann politische Erscheinungsformen nicht vom Gesamtbild einer Kultur trennen! Sie sind ein Teil von ihr!

Diese angeblich auf Nächstenliebe und Friedensliebe gegründete christlichbendländische Kultur, war von Anbeginn der Gewalt vermählt! Ihre Ausdehnung über die Hälfte der Welt erfolgte mit Feuer und Schwert! Und ie weist auch heute noch der Gewalt in höchster Form, als Krieg, die Schiedsrichterrolle in Lebensfragen der Völker zu. Daher paßte es durchaus ns Bild, daß Pfaffen, wie 1914 geschehen, auf beiden Seiten die Kanonen nit Weihwasser besprengten. Mit dieser Kultur war auch die Hungerblockade, die Alte, Kranke und Kinder am härtesten traf, zu vereinbaren, und unter ihrem Zepter wurde auch das größte Volk Mitteleuropas versklavt, materiell ausgeplündert, seelisch entleert, entwürdigt und um fundamentale Menschenrechte betrogen!

Zum Wesen dieser Kultur gehört auch die Toleranz der Gewinnsucht kleiner Minderheiten, die die Weltwirtschaft manipulieren und Abermillionen Menschen zum Nichtstun und Elend verurteilen! Also, im Zusammenhang mit dem, was auch noch in den letzten Jahrzehnten in Europa und der Welt geschehen ist, kann ich das Wort Kultur beinahe nicht mehr hören!"

Draußen fuhr auf der anderen Straßenseite ein Polizeiwagen vor, dem ein Sanitätsfahrzeug folgte. Das veranlaßte Georg zu der Bemerkung: "Wir ollten uns als Zeugen melden, und klarstellen, wer mit der Auseinanderetzung begonnen hat! Wir haben doch die Pflicht, zur Wahrheitsfindung beizutragen!"

"Wir haben die Pflicht, uns herauszuhalten", behauptete Paul zum wiederholten Male. "Ich will nicht vor Gericht als Zeuge aussagen müssen und nachher die Rache der Polit-Mafia zu spüren bekommen! Der Staat ha von Anfang an versäumt, den politischen Terror gegen Andersdenkende z unterbinden; er ist ja selbst aus dem Terror des November 1918 hervor gegangen,- ist dessen ureigendstes Erzeugnis!"

"Jedenfalls müssen die Gewaltprediger, die Hetzer und Giftmischer, isolier werden und jeder muß dazu einen Beitrag leisten! Es wäre ja unverantwort lich, wenn weiter geduldet würde, wie sie die Volksschichten aufeinander hetzen und Brunnenvergiftung betreiben!"

Ohne sich dessen bewußt gewesen zu sein, hatte Georg seine Worte mi nachdruckverleihenden Gesten unterstrichen. Diese Zeichen seiner erregte Entrüstung quittierte Paul mit dem Satz: 'Die Brunnenvergifter werden eine Tages selber von dem vergifteten Wasser trinken müssen!"

Eine halbe Stunde später stand Georg unschlüssig am Nettelbeckplatz un überlegte, ober auf dem kürzesten Weg nach Hause gehen oder noch eine Umweg machen solle. Der Gedanke an seine ungeheizte Mansardenstub hatte nichts Verlockendes an sich. Da ihm Geld für den Kauf vo Heizmaterial fehlte, war der kleine eiserne "Kanonenofen", der in der Stub stand, bisher nur zweimal angeheizt worden. Zweiundzwanzig Briketts un ein wenig Holz zum Anschüren, standen ihm noch zur Verfügung. Di mußten, nach seinem Finanzplan, bis zum 3. Januar reichen; also noch dre Wochen. Bis dahin konnten bitterkalte Tage kommen; er hielt es deshal für richtig, die Kohlen für eine solche, wahrscheinliche Kälteperiod aufzuheben.

Um die restlichen Stunden des Tages nicht in der kalten Stube verbringe zu müssen, entschloß er sich, zum Stettiner Bahnhof zu gehen und sich dor noch ein paar Stunden im Wartesaal 3. Klasse aufzuhalten. Dort würde e wärmer sein. Während er die Chausseestraße entlangging, wurden di Straßenlaternen angezündet. Mit der hereinbrechenden Dämmerung begann es leicht zu schneien.

In den erleuchteten Schaufenstern der Geschäfte glitzerte weihnachtlich Dekoration. "Sie soll zum Kauf anreizen", dachte Georg, "als ob es noch eines Anreizes bedürfe, um Kaufwünsche zu wecken. Nachdem die scho seit Jahren andauernde Wirtschaftsmisere die Bedarfsdeckung selbst bein Lebensnotwendigsten eingeschränkt oder gar unmöglich gemacht hat, sin Bedarf und Kaufbegehren im Übermaß vorhanden, - aber die Kaufkraft fehlt Jedenfalls bei der Mehrheit der Bevölkerung!"

Diese Gedanken führten noch einmal zu dem Gespräch zurück, das e mit Paul gehabt hatte. Eine weitere Verbindung zu dessen Inhalt stellte ein Beobachtung her, die er machte, als sein Blick auf ein paar Droschken fiel die ihm entgegenkamen. Die letzte wurde von einem stark lahmenden Pfer gezogen, das von dem Kutscher ständig mit Peitschenschlägen angetrieben wurde. Das arme Tier hatte, wie Georg beim Näherkommen feststellen konnte, dickgeschwollene Fesseln. Vermutlich hatte jahrelanges Traben auf dem Asphalt und Kopfsteinpflaster seine Gelenke verschlissen; jeder Schritt verursachte ihm Qual! Das war offensichtlich! Nur der Kutscher schien kein Auge dafür zu haben! Ebensowenig wie die Polit-Kutscher die die 'Staatskarossen' lenken, für die Leiden ihrer und anderer Völker! Georg empfand Mitleid und Empörung.

Er hatte die Invalidenstraße erreicht und bog nun in diese nach links ein. Bis zum Stettiner Bahnhof waren es nur noch etwa dreihundert Meter. Auf diesem Teil seines Weges fragte er sich, ob Paul mit seiner vorhin geübten Kritik zu weit gegangen sei. Er suchte nach Argumenten, die zugunsten der Kritisierten sprachen, aber er fand nur schwache, die, wenn er sie den Tatsachen gegenüberstellte, jegliche Überzeugungskraft einbüßten. Noch ehe er mit seinen Überlegungen zu Ende gekommen war, hatte er den Bahnhof erreicht. Dort ließ er die Gedanken, die ihn bisher beschäftigt hatten, hinter sich und betrat die Eingangshalle.

Vor der Tür des Wartesaales, auf den er zugesteuert war, stand eine Gruppe von acht oder zehn Personen mit auffallend viel Reisegepäck. Dem Augenschein nach waren es zwei Elternpaare mit Kindern. Durch das Kommen und Gehen an der Tür etwas behindert, konnte er die Gruppe nur langsam passieren. Dabei schlug ein seltsam akzentuiertes Deutsch an sein Ohr. Das kam von den Kindern. Die Eltern sprachen allerdings einwandfrei, wenn auch mit einer ostpreußischen Mundart ähnlichen Klangfärbung.

Als sein Blick zufällig auf einen der Aufkleber fiel, die an den Koffern und Reisekörben angebracht war, las er dort in Großbuchstaben das Wort "Grudziadz". Aus beiden Feststellungen machte er seinen Vers.

"Bei den beiden Familien handelt es sich um Deutsche, die ihre im nördlichen Westpreußen gelegene Heimatstadt Graudenz auf polnischen Druck hin verlassen haben. Der Ausdrucksweise der Kinder ist anzumerken, daß sie in der Schule Polnisch lernen mußten. Die deutsche Sprache ist ihnen vermutlich zu Hause und heimlich beigebracht worden. Nun sind sie in der Hauptstadt ihres Vaterslandes, in dem es über 6 Millionen Arbeitslose gibt. Und in einem Deutschen Reich, das die deutsche Bevölkerung in den ihm entrissenen Gebieten nicht zu schützen vermag", dachte Georg, als er an ihnen vorüberging und die Tür des Wartesaales öffnete.

Der Saal war voller Menschen. Da viele der Anwesenden keinerlei Reisegepäck bei sich hatten und auch ihre Kleidung nicht auf eine Reiseabsicht schließen ließ, nahm Georg an, daß es sich bei diesen um Schicksalsgenossen handelte, die aus dem gleichen Grunde hier waren, wie er selbst.

An einem Tisch, unmittelbar neben ihm, wurde ein Stuhl frei.

Darauf ließ er sich nieder, und beobachtete die Menschen an den Nebentischen. Die vierte Klasse war abgeschafft worden - bei der Bahn! Wartesaal dritter Klasse! Entsprechend war das Publikum. Arbeiter, Arbeitslose, frühere Angestellte in abgetragenen, vormals eleganten Anzügen, Kleinbauern aus Mecklenburg oder Pommern, Rentner, Hausfrauen, Dienstmädchen, kleine Handwerksmeister, denen es "dreckig" ging, vielleicht auch einige Beamte der unteren Kategorie. Ein fast repräsentativer Querschnitt der breiten deutschen Bevölkerungsschicht.

Nach einer Weile kamen die beiden Familien herein, die vor der Tür gestanden hatten. Sie gingen ein Stück weiter, verschafften sich, zwischen zwei an der Wand stehenden Tischen, etwas Platz und ließen sich auf ihren Gepäckstücken nieder.

"Auf wen oder was mögen sie warten?", fragte Georg sich. "Auf was oder wen warten die anderen und worauf warte auch ich?"

Er fand keine Antwort. Natürlich nicht! Denn das ganze Deutsche Volk saß in einem riesigen Wartesaal, - dem Wartesaal der politischen und geschichtlichen Weiterentwicklung, von der niemand wußte, wohin sie führen werde.

10. Kapitel
Der 21. Regierungswechsel
Januar 1933

Zum Zeitgeschehen

Reichskanzler von Schleicher bemühte sich in der ersten Hälfte des Januar weiterhin seinen Plan, unterschiedlichste, politische Elemente in einer niemals zuvor erprobten Synthese zusammenzuführen, zu verwirklichen. In völlig falscher Einschätzung der politischen Kräfteverhältnisse beging er einen Fehler nach dem anderen. So bot er das Amt des Vizekanzlers nicht einem Politiker des gemäßigten marxistischen Flügels, um dessen Unterstützung er sich bemühte, an, sondern Gregor Strasser, - obwohl dieser, nach Verlust seiner Parteiämter, politisch bereits isoliert worden war und seine organisierte Massenbasis verloren hatte.

Auch Schleichers Verhandlungen mit Politikern der Mitte und der konservativen Rechten zeugten von Fehleinschätzungen, insbesondere von einer Verkennung der Entwicklungstendenz. Diese wurde am 15. Januar bei der Landtagswahl in Lippe-Detmold, für jedermann sichtbar, der gewillt war sie zur Kenntnis zu nehmen. Bei dieser Wahl erhielten die Nationalsozialisten nicht nur den Stimmenanteil zurück, den sie bei der Reichstagswahl im November verloren hatten, sondern sie nahmen den anderen Parteien, insbesondere denen der Mitte und der übrigen Rechten, noch zusätzliche Wähler ab.

Nach diesem erneuten Wahlsieg der NSDAP war vorauszusehen, daß es ohne Beteiligung dieser Partei an der Regierung, das hieß zugleich ohne ihren Führer als Kanzler, auch künftig keine regierungsstützende Parlamentsmehrheit geben würde. Schleicher entschloß sich nun zum Verfassungsbruch. Am 23. Januar verlangte er vom Reichspräsidenten Vollmachten, die ihn zur Errichtung eines offenen Diktaturregimes ermächtigen sollten. Wie bereits unter der Kanzlerschaft Papens, lehnte Hindenburg dieses Ansinnen ab.

Nun begann Schleicher, unterstützt von den Generalen von Hammerstein und von Bredow, gegen den Reichspräsidenten zu intrigieren. Es wurde sogar erwogen, Hindenburg unter Vorspiegelung falscher Tatsachen, mit Einsatz militärischer Mittel "kaltzustellen". Papen, der von diesen Machenschaften Kenntnis hatte, berichtete dem Reichspräsidenten und stellte ihm den Ernst der Lage vor Augen.

Unter stärker werdenden Zugzwang stehend, verfiel Schleicher auf immer abwegigere Ideen. In den letzten Tagen des Januar wechselte er mehrmals die Fronten; sogar eine Wiedereinführung der Monarchie zog er in Erwägung, wobei er sich im Einverständnis mit Papen, sowie mit der konservativen Rechten und Teilen der Reichswehrführung wußte.

Am 28. Januar sah er sich, in Intrigen verstrickt, gezwungen, das Kanzleramt zur Verfügung zu stellen. In Konsequenz seines intriganten Verhaltens wurde er am 30. Januar auch als Reichswehrminister abgelöst. Dieses Amt wurde General von Blomberg übertragen.

Die Lösung der drängenden Probleme war jedoch nicht vom Austausch einiger Personen und auch nicht mehr von sogenannten Präsidialkabinetten zu erwarten, denen der Rückhalt im Volk fehlte. Solche Kabinette wurden jetzt von allen Kreisen der Bevölkerung abgelehnt. "Das Volk" verlangte eine Beendigung des Gerangels kleiner Klüngel um Machtpositionen, Ministersessel und einträgliche Pfründe; es forderte durchgreifende Maßnahmen gegen die Arbeitslosigkeit und die damit verbundene weitere Verelendung, gegen die Gewalt auf den Straßen, gegen Korruption und fruchtlose "Schwatzbuden-Debatten" im Reichstag.

Der Reichspräsident sah sich daher am gleichen Tag, an dem er Schleicher seines letzten Amtes enthob, gezwungen, den Führer der stärksten deutschen Partei mit der Kanzlerschaft zu betrauen, - und damit dem 21. Nachkriegskabinett jene Parlamentsmehrheit zur Verfügung zu stellen, die seit Brüning verloren gegangen war. Die Kabinettsliste war vorher zwischen Vertretern der NSDAP und Politikern anderer Parteien der Rechten und der Mitte unterstützt von Ratgebern aus der Umgebung des Präsidenten, darunter auch dessen Sohn Oskar und Exkanzler von Papen, ausgehandelt worden.

Neben Hitler erhielten nur zwei Nationalsozialisten Kabinettsposten. Alle übrigen Minister gehörten anderen politischen Gruppierungen an; unter ihnen auch solchen, die erhebliche Vorbehalte gegen den Nationalsozialismus beziehungsweise gegen die Person des neuen Kanzlers hegten.

Das Kabinett Hitler wurde in voller Übereinstimmung mit der Weimarer Verfassung gebildet. Daher fand am 30. Januar 1933 auch keine "Machtergreifung" statt. Adolf Hitler wurde, wie anderen Kanzlern von ihm, ein Regierungsauftrag erteilt, und zwar unter Zeitumständen und mit einer Regierungsmannschaft, die die Erfüllung dieses Auftrages mit wesentlich größeren Risiken belasteten, als dies bei seinen Vorgängern der Fall gewesen war.

Reflexionen und Details

Herbert Seller war in den letzten Tagen des Januar nach Berlin gefahren um seinen erkrankten Sohn zu besuchen. Georg hatte in seinem letzten Brief geschrieben, daß er seit längerem an einer fiebrigen Erkältung leide. D n seiner Stube meistens Minusgrade herrschten und die Eisblumen am 'enster schon seit Weihnachten nicht mehr völlig abgetaut seien, zeige sich uch keine Besserungstendenz.

Die Nachricht von Georgs Erkrankung hatte seine Eltern zu dem Entschluß eführt, selbst einmal nach dem Rechten zu sehen.

Im Hintergrund stand dabei der Gedanke, ihn heimzuholen, zumindest für inige Zeit von Berlin fernzuhalten. Dort schien die politische Spannung or einer Entladung zu stehen, von der niemand wußte, mit welchen, ıöglicherweise gefährlichen, Begleiterscheinungen sie verbunden sein /erde. Mit Rücksicht auf die finanzielle Situation der Familie, waren beide ltern übereingekommen, daß Herbert allein nach Berlin fahren solle.

So war es dann auch geschehen. Sofort nach seiner Ankunft hatte er, noch om Anhalter Bahnhof aus, Oswald Cohnen angerufen, um sich bei ihm, em gut informierten Abgeordneten, über die politische Lage in Berlin zu rkundigen. Von der erhaltenen Antwort wollte er die Entscheidung über en Zeitpunkt der Rückreise abhängig machen, - soweit Georgs Gesund-eitszustand eine Wahlmöglichkeit zulassen würde.

Cohnen hatte Herbert jedoch gebeten, zunächst einmal in seine Wohnung u kommen, wo er in der nächsten Stunde noch anzutreffen sei. Nachdem ferbert dort angekommen war, hatte Cohnen ihm sofort angeboten, für die)auer seines Aufenthaltes bei ihm zu wohnen. Herbert hatte das jedoch mit em Hinweis abgelehnt, daß der Zweck seines Besuches in Berlin die 'etreuung seines Sohnes sei und er sich nur in der wahrscheinlich rforderlichen intensiven Weise um ihn kümmern könne, wenn er sich tändig in seiner Nähe aufhalte.

Als in diesem Zusammenhang auch die ungeheizte Stube Georgs zur prache kam, bot Cohnen spontan seinen kleinen Elektro-Ofen an. Er brauche ın nur gelegentlich, in der Übergangszeit im Frühjahr und im Herbst; chließlich bestand er darauf, daß Herbert ihn mitnahm.

Bezüglich der politischen Lage erwartete Cohnen zwar einschneidende 'eränderungen, aber keine dramatischen Entwicklungen. "Du kannst dir also ir die Betreuung Georgs Zeit nehmen", hatte er gesagt. "Sobald sein ustand es erlaubt, bitte ich dich, mich noch einmal anzurufen. Wir werden ann ein Zusammensein vereinbaren, bei dem wir die Situation in Ruhe rörtern können."

Ein paar Tage später saß Herbert seinem Freund Oswald wieder in dessen Vohn-/Arbeitszimmer gegenüber. Als sie die Gläser nach dem Begrüßungs-chluß auf den niedrigen Clubtisch zurückgestellt hatten, sagte Cohnen:

"Ja, es ist das erste Mal seit 1919, daß du wieder in Berlin bist. Und in seltsamer Zufall hat es gefügt, daß es, wenn ich mich recht erinnere, ıch der gleiche Monat und fast dasselbe Datum ist, an dem du damals erlin verließest. Die Tatsache, daß sogar die politische Situation sich ähnlich darstellt, wie in jenen weit zurückliegenden Tagen, bedeutet ei weiteres Zusammentreffen, das beinahe unwahrscheinlich anmutet."

"Es fehlt nur noch, daß auch jetzt die Weichen wieder falsch gestel werden. Sollte dies geschehen, dann werde ich bereit sein zu glauben, da es doch Wiederholungen geschichtlicher Prozesse gibt.

Kannst du dich noch der Hoffnungen und Befürchtungen erinnern, di wir damals hegten? Heute müssen wir leider feststellen, daß im wesent lichen nur die Befürchtungen berechtigt waren! Das ist ein trauriges Fa zit!"

"Erfreulich gegenüber damals ist jedoch der Umstand, daß du dich heut auf Anhieb für ein paar Stunden freimachen konntest, während du zu jene Zeit voll 'im Geschirr' standest und machmal wochenlang keine Minut erübrigen konntest."

"Die Metapher mit dem Geschirr ist gut", sagte Oswald, "wenn ich dab bleiben und sie bei der Begründung für mein Zeithaben verwenden dar dann kann ich nur sagen: Ich habe Zeit, weil wir Parlamentarier, seit Brünin und zunehmend unter Papen und Schleicher, von der Einflußnahme auf da politische Geschehen 'abgeschirrt' worden sind! Man hat uns immer meh Aufgaben und Entscheidungsbefugnisse entzogen, - und da dies auf verfas sungsmäßiger Grundlage geschah, waren wir dagegen machtlos!"

"Aber nicht schuldlos, da ihr ja damals die Artikel, die dies ermögliche in die Verfassung eingebaut habt!", bemerkte Herbert.

"Das läßt sich nicht bestreiten", gab Oswald freimütig zu. "Aufgrund dies Artikel wird uns auch morgen oder übermorgen eine neue parlamentarisch Tragikomödie vorgeführt werden. Dann soll nämlich der Reichstag zusam mentreten. Ich nehme an, daß dies nur geschehen wird, um das Auflösungs dekret zu verkünden.

Anfangs Januar hätte vielleicht noch eine Möglichkeit bestanden, zusam men mit Schleicher, das Entstehen einer weiteren Bresche in der sch brüchigen Mauer der parlamentarischen Demokratie zu verhindern. Ab Breitscheid und vor allem Leipart mit Genossen aus den Gewerkschafte haben durch ihre schroffe Ablehnung jeglicher Zusammenarbeit mit de General, diese Chance zerstört.

"Meinst du nicht, daß Schleicher ein höchst unsicherer und realitätsfern Kantonist ist?", fragte Herbert.

"Ganz bestimmt ist er das, - aber besser ein Schleicher als ein Hitler

"Dessen bin ich nicht sicher", warf Herbert ein.

Doch Cohnen überging diesen Einwurf und fuhr fort: "Sollte der Reichst übermorgen aufgelöst werden und es zu Neuwahlen kommen, so werd die auf jeden Fall zu sehr veränderten künftigen Mehrheitsverhältniss führen. Die Wahlen, die vor 14 Tagen in Lippe stattfanden und d Nationalsozialisten erhebliche Gewinne brachten, zeigen an, wohin d

Mehrheitsverlagerung erfolgen wird. Dann wird kein Weg mehr an Hitlers Kanzlerschaft vorbeiführen!"

"War die Weigerung der SPD-Spitze und der Gewerkschaftsführung, Schleicher wenigstens zu tolerieren, die Ursache für dessen erfolgten Sturz?"

"Sie war nicht die einzige, zweifellos aber eine mitentscheidende Ursache! Denn sie trieb Schleicher danach, in Ermangelung anderer Möglichkeiten, zu der Ultima ratio - Forderung nach Erteilung noch weitergehender diktatorischer Vollmachten, und, nach deren Ablehnung durch Hindenburg, zur direkten Intrige gegen den Präsidenten. Der Artikel in der schleicherhörigen 'Täglichen Rundschau', in dem er Hindenburg als in seinem Amt bedroht hinstellen ließ, und gegen Hugenberg einen Verdacht wegen angeblich geplanten Hochverrats lancierte, hat ihm dann den Rest gegeben. Dieser Artikel sollte nämlich ein geplantes Eingreifen der Potsdamer Garnison plausibel machen."

"Wie wird es denn deiner Meinung nach weitergehen?", fragte Herbert.

"Mit Sicherheit kann das niemand sagen. Es bleiben nicht mehr viele Möglichkeiten. Nach meiner Ansicht ...." Auf dem Schreibtisch hatte das Telefon zu läuten begonnen.

"Entschuldige", sagte Oswald, indem er aufstand und zu dem auf dem Schreibtisch stehenden Fernsprecher ging. Nachdem er den Hörer abgenommen und sich gemeldet hatte, sagte er: "Ach, du bist es! Was gibt es Neues?" Während des Zuhörens nahm sein Gesicht einen gespannten Ausdruck an. Nach einer Weile meinte er:

"Auch wenn der Ältestenrat die Vertagung der Sitzung beschlossen hat, wird Hitler, sobald er die Möglichkeit dazu erhalten hat, sich nicht von der Auflösung des Reichstages abhalten lassen. Er weiß sehr genau, was er von Neuwahlen erwarten kann!"

Dann hörte er wieder zu und machte nur noch einige kurze Bemerkungen, wie: "Ist das sicher?", "Sieh mal an!", "Mich wundert nichts mehr!"

Als das Gespräch zu Ende ging, sagte er nur noch: "Vielen Dank für die Unterrichtung. Ja, natürlich! Ich werde morgen vormittag pünktlich sein. Trotzdem einen Guten Abend!"

Dann kam er zur Leseecke zurück und nahm wieder in seinem Sessel Platz. "Jetzt brauche ich erst einmal einen Schluck, um die Neuigkeiten hinunterzuspülen", sagte er, indem er zum Glas griff. Als er das Glas wieder absetzte, war es geleert. Daraus schloß Herbert, daß Oswald einen dicken Brocken habe hinabspülen müssen. Doch er fragte nicht, sondern wartete, bis sein Freund erklärte: "Morgen werden die Zeitungen folgende Schlagzeilen aufweisen: 'Zusammentritt des Reichstages vertagt!' 'Hitler kurz vor dem Ziel!' 'Brüning, Schäffer und Dingeldey Minister in einem Kabinett Hitler?' 'Hitlers maßvolle Forderungen!'

Herbert konnte sich aus diesen Andeutungen noch keinen schlüssigen Reim machen. Deshalb fragte er: "Hat Hindenburg seinen Widerstand gegen Hitler aufgegeben?"

"Bis zur Stunde noch nicht. Aber auch er kann die nun einmal gegebenen Tatsachen und Machtverhältnisse nicht ignorieren. Hitler ist der einzige, der jetzt noch eine parlamentarische Mehrheit zustandebringen kann. Diese Voraussetzung will Hindenburg erfüllt sehen, nachdem die letzten beiden Präsidialkabinette so kläglich gescheitert sind. Gelingt Hitler eine Mehrheitsbildung, was ich nicht bezweifle, dann verbleibt Hindenburg kein sachlich begründbares Argument gegen dessen Kanzlerschaft!"

"Du nanntest die Namen Brüning, Schäffer und Dingeldey, und erwähntest auch angeblich maßvolle Forderungen Hitlers, was hat es damit für eine Bewandtnis?"

"Mir wurde eben mitgeteilt, daß diese drei sich bereit erklärt haben, in einem Kabinett Hitler Ministerposten zu übernehmen; das bedeutet zugleich, daß die drei bürgerlichen Parteien, die sie repräsentieren, bereit sind, Hitler die erforderliche parlamentarische Mehrheit zu verschaffen."

"Das erstaunt mich aber!", gestand Herbert.

"Mich nicht im geringsten. Der Zentrumsführer, Prälat Kaas, hat sich ja schon seit längerem für eine Regierungsbeteiligung der Nationalsozialisten eingesetzt und kürzlich sogar mit einer Kanzlerschaft Hitlers einverstanden erklärt. Na, und wo das Zentrum ist, da ist auch die Bayerische Volkspartei nicht weit, und steht auch die Deutsche Volkspartei in Rufentfernung. Addiert man Stimmen und Mandate dieser Parteien mit denen der Deutschnationalen Volkspartei und der Nationalsozialisten, dann wird ein Kabinett Hitler mehr parlamentarische Unterstützung haben, als jede andere Regierung der letzten Jahre!"

"Hinter der Bereitschaft dieser Parteien, mit den Nationalsozialisten zu kooperieren, steht aber wahrscheinlich mehr als die Absicht, Hitler in den Sattel zu helfen", vermutete Herbert.

"Natürlich! Auch sie stehen unter Zugzwang. Sie können ja das Reich nicht ohne Regierung lassen und die ungelösten, aber drängenden Probleme weiter vor sich herschieben! Da es, wie wir festgestellt haben, keine Möglichkeit gibt, ohne Nationalsozialisten eine parlamentarisch abgesicherte Regierung zu bilden, - die instabilen hängen dem Volk zum Halse heraus - wird man wahrscheinlich versuchen, sie einzubinden und ihnen auf diese Weise die Flügel zu stutzen."

"Was hat es denn mit Hitlers angeblich maßvollen Forderungen für eine Bewandtnis?"

"Er fordert lediglich die Kanzlerschaft für sich, sowie das Reichsinnenministerium, und ein Ministerium ohne Geschäftsbereich für seine Partei. Die Einflußmöglichkeiten, die mit diesen Ämtern verbunden sind

ind zwar recht beachtlich, halten sich aber in einem tolerablen Rahnen."

"Nachdem er den Fuß zwischen die Tür gesetzt hat, wird er später vahrscheinlich mehr fordern", vermutete Herbert.

"Das ist anzunehmen. Doch dazu müßte er das Einverständnis der Kabinettsmehrheit und wahrscheinlich auch der Parlamentsmehrheit gewinen. Wenn er die nicht vorweisen kann, wird auch Hindenburg seine Zustimmung verweigern! Schalten und Walten, wie er es gern möchte, kann r jedenfalls nicht!"

"Nein, das wird er nicht können", stimmte Herbert zu. "Schließlich ist a, trotz aller Bedenken die gegen die Einbeziehung der bewaffneten Macht n innenpolitische Kalkulationen sprechen, die Reichswehr auch noch da, m Hindenburg und der Verfassung Rückhalt zu geben! Wer soll denn neuer Vehrminister werden?"

"Der steht noch nicht fest. Nach der Konspiration Schleichers und Iammersteins wird Hindenburg wohl darauf dringen, daß dieses Mal ein Jeneral ohne politische Ambitionen dieses Amt übernimmt."

Herberts Gedanken wandte sich nun anderen Problemen zu. Nach einer leinen Gesprächspause sagte er: "Wenn Hitler die Flügel allzusehr beschniten würden, dann könnte das dazu führen, daß auch er nichts Entscheidendes egen die Arbeitslosigkeit zu unternehmen vermag."

"Daran wird aber niemand in der Regierungskoalition ein Interesse haben; wenngleich Hitlers Scheitern in dieser Frage der sicherste Weg wäre, um einen Sturz herbeizuführen."

"Wir reden schon von Sturz, obwohl er noch gar nicht am Ruder ist", agte Herbert amüsiert. "Doch wenn es ihm gelingen sollte, binnen relativ urzer Zeit, ein paar Millionen Arbeitslose wieder in Lohn und Brot zu ringen, wird er damit auch den übrigen Millionen Hoffnung auf eine baldige eendigung ihrer Misere vermitteln. Das würde seine Stellung vorerst nahezu nangreifbar machen."

"Das würde sicherlich der Fall sein", gab Cohnen zu, "doch ein solcher rfolg ist höchst unwahrscheinlich, weil die Wirtschaftskrise weltweite usmaße hat."

"Sie ist in dem Maße, in dem Deutschland davon erfaßt wurde, auch darauf urückzuführen, daß wir in Form von Tributleistungen mehr abliefern ußten, als unsere Volkswirtschaft erarbeiten konnte! Und natürlich hat auch as Anschwellen der Kommunisten verhindert, daß in der privaten Wirthaft, im Rahmen der ohnehin nur noch sehr eingeschränkten Möglichkeiten, ivestiert wurde. Wer wird denn sein allerletztes Kapital in einen Betrieb ecken, wenn er damit rechnen muß, daß der in Kürze verstaatlicht, ihm so weggenommen wird? Kein vernünftiger Mensch tut so etwas! Nebenbei emerkt, haben ja auch SPD und Gewerkschaften die Verstaatlichungsme-

lodie gepfiffen und damit wesentlich zu der Verunsicherung unsere
Wirtschaft beigetragen!"

"Im Ernst haben wir nicht daran gedacht, - jedenfalls nicht in den letzte
Jahren", behauptete Cohnen.

"Umso unverantwortlicher, daß, vermutlich aus wahltaktischen Erwägun
gen, trotzdem getan wurde 'als ob', und damit die Wirtschaft aus partei
egoistischen Gründen verunsichert wurde", sagte Herbert. "Doch bleiben wi
bei Hitler. Wenn er von den 3 Milliarden Goldmark und den dafür fällige
Zinsen, die wir noch zahlen sollen, keinen Pfennig mehr entrichtet, sonder
dieses Geld in die Arbeitsbeschaffung steckt, wenn er dazu noch di
kommunistische Gefahr beseitigt und der Wirtschaft wieder Vertrauen un
Mut zur Investition gibt, dann wird das zu Buche schlagen und auch sei
Ansehen steigern!"

"Gewiß, 3 Milliarden Goldmark sind eine Menge Geld. Aber die liege
ja nicht auf einem Haufen zum Zugreifen bereit, - und selbst, wenn si
sofort verfügbar wären, könnten sie bei der Größe des Problems nur eine
Anstoß bewirken."

"Jedenfalls brauchte dieser Betrag der Wirtschaft nicht mehr entzogen z
werden. Schon das allein würde ihr sehr gut bekommen, - ebenso auch ei
'Nur-Anstoß'. Denn ein Anstoß ist ja in jedem Fall erforderlich, wenn sic
überhaupt etwas bewegen soll!", meinte Herbert.

"Zur Zahlung der 3 Milliarden haben wir uns verpflichtet! Es war übrigen
Papen, der die Unterschrift erst im vorigen Jahr in Lausanne leistete!"

"Hitler ist nicht Papen und die Verpflichtung erfolgte auch in Lausann
unter Druck, weil immer noch unter der Einwirkungen der Bestimmunge
des Versailler Diktats! Dieses Diktat und alles, was auf ihm fußt, sieht Hitle
wegen der Diktateigenschaft als moralisch unhaltbar und wegen der Nich
teinhaltung der darin fixierten Verpflichtungen seitens der Alliierten, auc
als rechtlich nicht mehr gültig an.

Dieser Auffassung stimme ich vorbehaltlos zu! Die Einstellung de
Zahlungen ist meiner Meinung nach sogar das Mindeste, was er tun wir
Eigentlich müßten wir das uns abgepreßte Geld zurückfordern, - gewißer
maßen als ein Minimum an Wiedergutmachung für die uns angetane, i
der Geschichte sich kultiviert nennender Völker einzig dastehende Ausplün
derung! Wegen den uns zugefügten Demütigungen stehen die Diktatmächt
zudem in einer Rehabilitierungsschuld!"

"Das sind sehr radikale Gedanken, die du da äußerst! Sie sind mir z
gewagt, als daß ich sie als politisch realisierbar ansehen könnte!", sag
Cohnen, ziemlich verblüfft.

"Von dir, als Sozialdemokraten, erwarte ich das auch nicht, als Mensc
mit Sinn für Gerechtigkeit solltest du mir aber hinsichtlich ihrer moralische
Berechtigung beipflichten können!"

"Moral hat in der Politik keinen Stellenwert. Sie dient nur zur Schaufensterdekoration. Zudem würde ich eine Einstellung der Zinszahlungen für die noch zu entrichtenden Milliarden, für risikoreich halten. Von der Verweigerung die Restsumme zu bezahlen, ganz abgesehen!"

"Das ist ein Ausdruck jenes Kleinmutes, der alle Regierungen des Weimarer Staates davon abgehalten hat, wenigstens einen konsequenten Versuch zur Beseitigung des an uns verübten Unrechts zu unternehmen!", sagte Herbert. "Diese Feigheit hat uns dahin gebracht, wo wir jetzt sind!

In diesem Zusammenhang möchte ich auch die Überzeugung äußern, daß die SPD in einer ganz besonderen Weise versagt hat! Ein erheblicher Teil der Ziele, die die Nationalsozialisten vertreten oder richtiger, die zu vertreten man ihnen überlassen hat, hätte sehr gut in das Programm einer Partei gepaßt, die sich, dem Namen nach, der Demokratie und dem Sozialismus verschrieben hat!

Hätte die SPD mit gleichem Nachdruck das Selbstbestimmungsrecht gefordert, hätte sie sich ebenso energisch gegen Tributversklavung, Gebietsraub und Menschenschacher gewandt, hätte auch sie Gewinnbeteiligung für die Arbeiter in den Betrieben gefordert, hätte sie sich ebenfalls für die Einziehung der Kriegs-, Inflations- und Schiebergewinne eingesetzt, hätte auch sie eine Bildungsreform verlangt, - hätte sie all das mit gleicher Konsequenz wie die Nationalsozialisten getan, was meinst du, wieviel Wähler sie heute hätte?

Aber die SPD hat ausgerechnet diese durchaus freiheitlichen, demokratischen und sozialen Forderungen nicht nur nicht vertreten, sondern, sie hat sich sogar zum Handlager imperialstischer Ausbeuter und innerdeutschen Zwistes gemacht! Sie hat Verzichtpolitik betrieben oder toleriert und sie hat Klassenkampf gepredigt, statt Volkssolidarität! Glaub mir, ich wäre heute noch Mitglied der SPD, wenn sie nicht hirnverbrannt gegen alles Sturm gelaufen wäre, was in allen anderen Ländern der Welt als selbstverständliche, legitime Vertretung nationaler Interessen angesehen wird!"

Oswald hatte aufmerksam zugehört. Als er nach einer Weile auf Herberts Kritik einging, sagte er: "Es wäre sicherlich verfehlt, wenn ich die Berechtigung all deiner Vorwürfe bestreiten würde. Das ist nicht meine Absicht und ich will auch jetzt nicht im Detail darlegen, wo sie mir überpointiert erscheinen. Im Gegenteil, ich gebe zu, wir haben Fehler gemacht. Große Fehler! Nicht nur taktischer, sondern auch grundsätzlicher Art. Sicher, ich könnte Entschuldigungen anführen - aber sie können kein Ersatz für Erfolg sein. Nichts wird in der Politik mehr bestraft, als Niederlagen!"

"Und die größte Niederlage wird der SPD wahrscheinlich noch bevorstehen", vermutete Herbert, diese Thema abschließend.

Am Vormittag des nächsten Tages traf Herbert im Flur zufällig mit Frau Radtke zusammen. Nachdem sie sich nach Georgs Befinden erkundigt hatte, fragte sie: "Wie lange soll dieses Elend denn noch weitergehen?"

"Das vermag niemand zu sagen, Frau Radtke. Wir können nur hoffen, daß bald ein Wandel eintritt."

"Ja, es muß sich schnell etwas ändern, sonst werden die Leute anfangen, die Geschäfte zu plündern. Betrugsskandale, Diebstähle und Raubüberfälle sind ja schon seit langem an der Tagesordnung, - aber davon hat ja die Masse der ehrlichen Armen nichts! 'Ehrlich währt am längsten', diesen Spruch hat uns unsere Mutter beigebracht, - aber wenn ich ihn an der Wirklichkeit messe, dann denke ich manchmal, das sei ein Spruch nur für die Dummen!"

"Zu dieser Auffassung kann man allmählich gelangen", gab Herbert zu.

"Na, das ist doch wahr!", entrüstete Frau Radtke sich."Da kürzt man jedes Jahr ein paar Mal die Arbeitslosen- und Wohlfahrtsunterstützung und andere verdienen durch Betrug Millionen! Nächstens fange ich auch an zu Klauen! Hilf dir selber, dann hilft dir Gott! Und wenn sie mich dann in Plötzensee hinter Gitter stecken, dann kriege ich wenigstens regelmäßig etwas zu Essen und habe eine warme Zelle!"

"Diesen Weg wollen Sie sicherlich nicht im Ernst gehen", sagte Herbert, "aber ich verstehe, daß Ihnen die Galle überläuft. Das tut sie bei Millionen!"

"Na ja, das habe ich nicht ernst gemeint. Aber viele gehen sogar einen Weg, der noch schlimmer ist. Da werden sie zum Schluß gefahren, - zum Friedhof! In der vorigen Woche hat sich im Nebenhaus ein alter Rentner aus Verzweiflung erhängt. Bei meiner Tochter, die in Spandau wohnt, hat die Flurnachbarin vor ein paar Tagen den Gashahn aufgedreht und sich mit ihren drei kleinen Kindern umgebracht. Gucken Sie doch in die Zeitung, da können Sie lesen, wieviel Selbstmorde aus Not und Verzweiflung täglich passieren!"

"Ich weiß, daß die Selbstmordrate ständig ansteigt. Aber Selbstzerstörung ist doch kein Ausweg. Damit ändert man nichts an den Verhältnissen!"

"Da haben Sie recht, wir können ja nicht alle Selbstmord begehen! Aber irgendetwas muß geschehen. Mein Mann meint, hier hilft nur noch eine Revolution, egal ob von links oder von rechts! Aber davon verstehe ich nichts. Ich kümmere mich um meine Familie, und nur soweit es sie betrifft, auch um das, was die Politiker machen oder was sie nicht machen, obwohl es von ihnen erwartet wird!"

"Und ich muß mich jetzt um Georg kümmern, Frau Radtke. Er braucht einen neuen Brustwickel. Ich hoffe, Sie werden Verständnis haben, wenn ich vorschlage, unsere Unterhaltung zu beenden?"

"Natürlich, Herr Seller. Ich habe ja auch zu tun."

Am Nachmittag kam Gustav Radtke in die Dachstube gestürzt und erkündete aufgeregt: "Hitler ist Reichskanzler geworden! Das wurde eben n Radio gemeldet!"

Auf Herberts Frage, ob er wisse, wie das Kabinett zusammengesetzt sei, ntwortete er:

"Papen ist Vizekanzler, Frick Innenminister und Göring Minister ohne ieschäftsbereich, zugleich aber, wenn ich richtig verstanden habe, auch reußischer Innenminister. Alle anderen sind, wie Papen, Erzreaktionäre!"

"Kannst du noch einige Namen nennen?"

"Ja, ein paar", sagte Gustav, "Seldte vom 'Stahlhelm', Hugenberg von en Deutschnationalen, und ... an die anderen erinnere ich mich nicht mehr.)ie Namen sind mir alle neu; aber sie haben, ich glaube bis auf einen, lle das Wörtchen 'von' davorstehen. Damit passen sie zum reaktionären 'orturner von Papen!"

"Brüning, Dingeldey und Schäffer sind nicht dabei?", fragte Herbert, weil ohnen sie als mögliche Kabinettsmitglieder genannt hatte.

"Nein, ganz bestimmt nicht!", erklärte Gustav.

Georg hatte sich in seinem Bett etwas aufgerichtet und sagte nachdenklich: Nun ist der von Albert so lange herbeigesehnte Tag gekommen. Aber unter anz anderen Begleitumständen, als er sich das vorgestellt hatte. Die Iationalsozialisten als eine kleine Minderheit im Kabinett, umgeben von reaktionären Zopfträgern', wie er die Partner in der 'Harzburger Front' nmer bezeichnet! Das ist nicht der strahlende Sieg, von dem er und mit ım viele seiner Parteigenossen geträumt haben!"

"Trotzdem beginnt jetzt für Hitler eine Phase, in der er einige wesentliche 'ersprechungen einlösen muß. Ob er das mit der Reaktionären Riege in einem Kabinett fertigbringt und mit welchen Schwerpunkten das geschieht, arauf darf man gespannt sein", sagte Gustav.

Er wandte sich wieder zur Tür, um die Stube zu verlassen. Als er die linke bereits in der Hand hielt, drehte er sich noch einmal um und sagte: "Die Hoffnungen derer, die geglaubt haben, daß Hitler ihnen wieder Arbeit nd Verdienstmöglichkeiten verschaffen kann, werden jetzt, nachdem sie die ielen Namen mit dem 'von' gehört haben, in ein Nichts zerrinnen!" Dann ing er hinaus und schloß die Tür hinter sich.

Kurz vor Einbruch der Dunkelheit kam Gustav noch einmal, um den beiden ıitzuteilen, daß er jetzt auch die anderen Minister nennen könne. Er hatte ie auf einem kleinen Zettel geschrieben, und las vor: Außenminister von Ieurath, Reichswehrminister von Blomberg, Finanzminister Graf Schwerin-rosigk, Verkehrsminister von Eltz-Rübenach und Justizminister Gürtner.

Außerdem gab Gustav zu wissen, daß für den Abend ein Fackelzug ngekündigt worden sei, der sich, vom Tiergarten her, durch das Brandenurger Tor und die Wilhelmstraße bewegen werde, um dort am Präsidentenpalais und an der Reichskanzlei, dem 'Kabinett der Nationalen Konzen tration' - dieser Begriff war bei der Durchsage verwendet worden - zu huldigen. Das Ereignis werde auch im Radio übertragen.

Als Herbert sich mit ein paar Sätzen dazu äußerte und in eine Nebenbemerkung zu erkennen gab, daß er sich das Spektakel gern ansehen würde, da erklärte Georg spontan, er fühle sich wohl und sein Vater soll sich keinesfalls aus Rücksicht auf ihn davon abhalten lassen, das Schauspie anzusehen.

Herbert hatte aber zunächst abgelehnt. Erst als Georg weiterdrängte, ein nochmalige Fiebermessung zufriedenstellende Werte ergab, und Gustav sich erbot, während Herberts Abwesenheit Georg Gesellschaft zu leisten, erklärt er sich bereit, das Geschehen anzuschauen. Mit Hin- und Rückweg werd er nicht länger als 2 bis 3 Stunden abwesend sein, versprach er, als e schließlich ging.

Aus Sparsamkeitsgründen war er dann die ganze Strecke zu Fuß gegangen Jetzt hatte er den Bahnhof Friedrichstraße passiert. Bald darauf erreicht er die Straße 'Unter den Linden'. Dort angekommen bog er nach links a und bummelte am Schloß und am Lustgarten vorbei, bis zur zweite Spreebrücke. Er wollte sich einen Eindruck von der Reaktion der Berline Bevölkerung auf die Ereignisse des Tages verschaffen. Dies glaubte er an besten in den Straßen und im Vergleich mit dem Verhalten tun zu können das die Berliner am 9. November 1918 gezeigt hatten. Damals war er, au dem Wege zum Schloß, zusammen mit Werfels, diese Straße ebenfall entlang gegangen.

Wie damals, so zeigte das 'zivile Berlin' auch heute ein relativ ruhige Gesicht. Gewiß, an einigen Stellen waren in Eile Hakenkreuzflaggen un Schwarz-Weiß-Rote Fahnen aufgezogen worden, aber von Begeisterung wa kaum mehr zu bemerken, als an jenem Schicksalstag vor 14 Jahren. Nach dem er eine Weile auf der Brücke gestanden hatte, wandte er sich nac Westen!

Das Brandenburger Tor war bald erreicht. Wie damals sah er hinauf zu Quadriga. Die Siegesgöttin hatte in jenen Tagen auf zurückkehrende Truppe geblickt, denen von der Heimat, zu deren Schutz sie hinausgezogen waren eine Niederlage bereitet worden war. "Heute werden Sieger durch das To marschieren; werden sie die Freiheit, die Sicherheit und den Frieden bringen nach denen unser Volk sich seither sehnt?"

Nachdem er das Tor durchschritten hatte, erblickte er rechts das Reichs tagsgebäude. Es stand wie damals, breit und wuchtig.

Herbert entschied sich zur Umkehr. Er beabsichtigte, an der Ecke zu Wilhelmstraße zu warten und dort den Fackelzug anzuschauen. An der Eck angekommen, gelang es ihm trotz vieler bereits Wartender, noch einen gute Platz zu finden, der Sicht nach beiden Seiten bot, - zum Brandenburge

Tor hin und in die Wilhelmstraße hinein. Während des Wartens bekam er kalte Füße und spürte, wie die Kälte auch durch seinen dünnen Mantel kroch.

Es war ziemlich spät geworden, als die Spitze des Fackelzuges am Brandenburger Tor erschien.

Die Fahnen mit dem Hakenkreuz wurden von vielen der mittlerweile dicht gedrängt stehenden Menschen mit erhobenem Arm gegrüßt. Händeklatschen und Heilrufe ertönten jedes Mal, wenn ein neuer Marschblock herankam. Doch es hatte den Anschein, als sei die Anzahl derer, die auf diese Weise Zustimmung zu erkennen gaben, nicht wesentlich größer als die jener, die ihre Arme nicht erhoben. Von einem Begeisterungstaumel konnte keine Rede sein.

Herbert versuchte sich darüber klar zu werden, ob dieses Reserviertsein vieler Zuschauer ein Zeichen verständlicher Skepsis sei, wie sie nach zwanzig vorausgegangenen Regierungsumbildungen nicht anders erwartet werden könne, oder ob mehr damit ausgedrückt werde. Abwartende Neutralität schien wahrscheinlich.

Von der Wilhelmstraße erscholl plötzlich lauter Jubel aus Zehntausenden von Kehlen. Dort drängten sich jene, die diesen Tag herbeigesehnt hatten und nun hofften, des neuen Kanzlers und der Mitglieder seiner Regierung, vielleicht aber auch des Reichspräsidenten ansichtig zu werden. Herbert vermutete, daß dieser Wunsch jetzt erfüllt worden sei. Wahrscheinlich hatte das Kabinett sich an die Fenster der Reichskanzlei begeben, um die ihm zugedachte Ehrung entgegenzunehmen und den Massen zu danken.

Dort schien echte Begeisterung zu branden. Doch Herbert war auch bewußt, daß an vielen anderen Orten und in den Herzen von Hunderttausenden, vielleicht von Millionen, sich auch Beklemmung verbreitete. Ähnlich wie 1918, als der Ausbruch der Revolution die letzte Hoffnung auf einen gerechten Frieden zerstörte, und mit der Errichtung der Republik die Zeit der deutschen Demütigung, Zerstückelung und Ausplünderung begann. Die Hoffnungen der einen, waren auch damals Anlaß zur Sorge der anderen gewesen.

Herbert sah nach seiner Uhr. Überrascht stellte er fest, daß die zwei Stunden, die er sich für den Aufenthalt am Ort des Ereignisses dieses Abendes zugestanden hatte, bereits überschritten war. Er wartete daher das Ende des Fackelzuges nicht ab, sondern bahnte sich eine Gasse durch die Menge, um zum Wedding zurückzugehen.

Während er, nachdem er die Menge hinter sich gelassen hatte, zügig voranschritt, fragte er sich, ob er eben nur Zeuge einer gut inszenierten, beeindruckenden Begleiterscheinung eines neuen Regierungsintermezzos gewesen sei, oder ob er einem symbolischen Akt zu Beginn eines Aufbruchs beigewohnt habe, der Deutschland in eine bessere Zukunft führen werde.

Je weiter Herbert sich vom Ort des Geschehens entfernte, je mehr verflog auch der Rest der Gefühlsregungen, die ihn vorhin überfallen hatten. Als er die Friedrichstraße erreichte, hatte die kalte Nachtluft die nüchterne Wirklichkeit wieder voll in sein Bewußtsein gerückt.

*

Gustav Radtke hatte, nach Herberts Weggang, von einem in der Nachbarschaft wohnenden Bekannten, einen kleinen Lautsprecher und ein langes Anschlußkabel ausgeliehen. Dieses Gerät hatte er in Georgs Stube aufgestellt und in der Wohnstube seiner Eltern an den Empfänger angeschlossen.

Jetzt verfolgten die beiden die Berichterstattung über die Ereignisse vor der Reichskanzlei und am Reichspräsidentenpalais.

Als wieder einmal Jubel der Massen aus dem Lautsprecher zu hören war, kam Herbert zurück. Überrascht stellte er fest, daß Gustav eine Möglichkeit geschaffen hatte, die Übertragung anzuhören. Um die Aufmerksamkeit der beiden nicht abzulenken, nickte er ihnen nur wortlos zu und begann seinen Mantel auszuziehen. Der Reporter erging sich unterdessen in allgemein gehaltenen Schilderungen.

Plötzlich, nach kurzer Überleitung, war der Gauleiter von Berlin, Goebbels, am Mikrophon. Er, der sonst so wortgewandte Meister der Rhetorik, schien bewegt zu sein. Er gestand, daß er glücklich sei, schrieb den Erfolg der Unbeirrbarkeit zu, mit der seine Partei das Ziel der Regierungsübernahme verfolgt habe und sagte, es sei ergreifend, zu sehen"... wie das ganze Volk aufsteht, wie unten die Menschen vorbeimarschieren, Arbeiter und Bürger und Bauern und Studenten und Soldaten - eine große Volksgemeinschaft, in der man eben nicht mehr fragt, ob einer Bürger oder Proletarier, ob einer Katholik oder Protestant ist, in der man nur fragt: Was bist du, wozu gehörst du und bekennst du dich zu deinem Lande?"

Fortfahrend führte er aus, daß nun eine neue Arbeit und ein neuer Kampf beginne und das Deutsche Volk sich auf seine Urwerte besinnen müsse. Dann rief er aus: "Für Arbeit und für Brot haben wir zu kämpfen begonnen und diesen Kampf werden wir zu Ende führen. Und wir glauben, daß er der deutschen Nation zum Segen und zum Glücke gereichen wird. Das, was wir unten erleben, diese Tausende und Tausende und Zehntausende und Zehntausende ..."

In diesem Augenblick bekam Georg einen Hustenanfall. Dadurch waren nur noch Bruchstücke des nächsten Satzes zu verstehen, in dem vom Jubel und Begeisterung die Rede war. Doch dadurch wurde nicht viel versäumt, denn Goebbels kam bereits zum Schluß. Seine letzten Worte sprach er mit einem Klang in der Stimme, der Befriedigung und Hoffnung verriet: "Deutschland ist im Erwachen!"

Danach meldete der Reporter sich wieder. Ein paar Augenblicke hörten sie noch zu. Doch als der Sprecher nur mit einer neuen Variante bereits rfolgter Schilderungen begann, sagte Gustav: "Ich schlage vor, den autsprecher jetzt abzuschalten."

"Damit bin ich sehr einverstanden", stimmte Herbert zu, "denn Georg nacht einen recht strapazierten Eindruck. Aus diesem Grunde möchte ich uch über meine Erlebnisse des heutigen Abends erst morgen früh berichten. ch hoffe, ihr seid damit einverstanden; - zumal ihr ja das Wichtigste am autsprecher verfolgen konntet."

Ohne Zustimmung oder Einwände abzuwarten, fragte er, zu Georg lickend: "Was macht denn dein Fieber?"

"Es ist nicht weiter gestiegen, sogar etwas zurückgegangen, vor etwa einer alben Stunde zeigte das Thermometer 37,5 Grad."

"Das ist einigermaßen zufriedenstellend", kommentierte sein Vater. Ein aar Augenblicke später setzte er hinzu: "Ich hoffe, das politische Fieber, as unser Volk in den letzten Jahren geschüttelt hat, wird sich nun ebenfalls enken!"

"Wenn die Arbeitslosigkeit beseitigt und gegen Hetzer und randalierende chlägergruppen energisch vorgegangen wird, werden auch die politischen chüttelfröste aufhören", meinte Georg.

"Das ist sehr zu wünschen", ging Herbert darauf ein, und sich auf die etzten Worte beziehend, die aus dem Lautsprecher gekommen waren, fuhr r fort: "Goebbels hat eben erklärt: 'Deutschland ist im Erwachen!', - ich offe, daß dies sich als zutreffend erweist und unser Volk sich nie wieder, vie 1918 und in der Folgezeit, in eine Lage bringen läßt, aus der, nach ahren der Selbstzerfleischung und willenlosen Objektseins, ein erneutes rwachen notwendig wird!"

"Das sind fromme Wünsche", meinte Gustav, "aber meiner Ansicht nach tehen uns die härtesten Auseinandersetzungen noch bevor. Bei der Wahl m vergangenen November hatten die beiden Linksparteien über 13 Millionen Vähler; davon die kompromißlos antinazistisch eingestellten Kommunisten und 6 Millionen.

Wenn ich vor diesem Hintergrund an die martialischen Ankündigungen enke, die von der SPD-geführten 'Eisernen Front', von der 'Antifa' und om illegal operierenden 'Roten Frontkämpferbund' verlautbart wurden, - venn ich daran denke, was für Kampfmaßnahmen sie für den Fall einer legierungsübernahme durch Hitler in Aussicht stellten, dann meine ich, ommen noch blutige Zeiten auf uns zu!

Haben Sie denn vorhin nichts von Protestaktionen der Linken in den traßen bemerkt?", fragte Gustav zu Herbert gewandt.

"Nein, nicht das Geringste! Keine Gegendemonstration, noch nicht einmal ransparente oder Protestplakate an den Häuserwänden!"

"Vielleicht werden die im Schutze der Dunkelheit, nach Mitternacht, wenn ie Straßen nicht mehr so sehr belebt sind, noch angeklebt?"

"Das wäre ein lahmer, nicht sehr wirkungsvoller Protest, - und noch lang kein Widerstand! Aber wie gesagt, ich habe weder von dem einen noc von dem anderen etwas bemerkt, obwohl ich Hin- und Rückweg zu Fu zurückgelegt habe. In anderen Stadtteilen mag das vielleicht anders sein!

"Das ist kaum anzunehmen", sagte Georg, "wenn hier, im sprichwörtliche 'Roten Wedding' nichts passiert ist, dann wird sich auch anderswo nicht getan haben. Von Einzelaktionen vielleicht abgesehen."

"Organisierte Protest- oder Widerstandshandlungen brauchen etwas Ze zum Anlaufen. Möglicherweise werden wir in den nächsten Tagen od Wochen einen Generalstreik oder einen Aufstand erleben, - weshalb hat di Linke sich denn ihre Parteiarmeen geschaffen, wenn sie sie nicht einsetze will?", fragte Gustav.

"Vielleicht rühren sie sich nicht, weil die Nationalsozialisten auf verfas sungsmäßige Weise in die Regierung gekommen sind?", vermutete Georg

"Verfassungsmäßiges Zustandekommen von Regierungen hat die Linke noch nie und nirgends davon abgehalten Streiks und Aufstände auszulösen" bemerkte Herbert dazu. "Die meist von Sozialdemokraten geführten Regie rungen der jungen Weimarer Republik, unter der Präsidentschaft Friedric Eberts, waren sämtlich auf verfassungsmäßige Weise zustande gekommen und doch haben Unabhängige Sozialdemokraten, Gewerkschaften un Kommunisten sie fast ununterbrochen mit Aufständen attackiert!"

"Na, dann ist ja jetzt erst recht damit zu rechnen", folgerte Gustav.

"Es ist durchaus möglich, daß man auf der Linken solche Absichten hegt" meinte auch Georg, "den starken Worten, die gerade in letzter Zeit gebraucht wurden, müßten derartige Aktionen zwangsläufig folgen!"

"Die Frage ist nur, ob Hitler, nun am Schalthebel der Macht, so lang wartet, bis die Herren Aufstandsplaner mit ihren letzten Vorbereitungen ferti sind", bemerkte Herbert dazu. "Das ist nicht anzunehmen! Wenn ich an di schnellen und konsequenten Reaktionen denke, mit denen er den Spaltungs versuchen von Stennes, den Machenschaften der Brüder Strasser und de Intrigen Schleichers entgegengetreten ist, dann komme ich zu dem Schluß daß seine vorbeugenden Maßnahmen gegen mögliche Aufstandsversuch auch jetzt nicht lange auf sich warten lassen werden!

Nebenbei bemerkt, halte ich Vorkehrungen, die geeignet sind, unserer am Rande völliger Verelendung befindlichen Volk einen Bürgerkrieg z ersparen, im Interesse aller Kreise der Bevölkerung, nicht zuletzt auch au Gründen der Aufrechterhaltung relativer Sicherheit vor Einmischungen vo außen, für berechtigt und erforderlich!"

"Na, wir werden ja sehen, was die nächsten Tage und Wochen bringen" sagte Gustav, "noch ist nicht aller Tage Abend!"

"Sicherlich nicht", stimmte Herbert zu. "Und eben, weil das Ende alle Tage noch fern ist, das des heutigen Tages aber schon bald erreicht sei wird, schlage ich vor, unser Gespräch jetzt ohne weiteren Verzug zu beenden. Georg braucht Ruhe und morgen können wir uns ja weiter unterhalten."

"Einverstanden", sagte Gustav, indem er sich erhob.

Als er kurz darauf, nach dem üblichen Gutenachtwunsch, gegangen war, holte Herbert seine Matratze und legte sich, mit einem an Georg gerichteten: "Schlaf gut" zur Ruhe. Doch nachdem das Licht gelöscht war, lag er noch lange wach. Die Ereignisse des Tages und die Themen, die eben noch besprochen worden waren, beschäftigten ihn weiter.

Er versuchte sich vorzustellen, was von der neuen Regierung erwartet werden könne. "Es ist anzunehmen", ging es ihm durch den Kopf, "daß die Wahrnehmung nationaler Interessen jetzt wieder in den Vordergrund gerückt wird, nachdem diese seit 1918 geradezu sträflich vernachlässigt worden sind. Diesbezüglich könnten die beiden im Kabinett vertretenen Lager sich am ehesten einig werden. Doch das bedeutet noch nicht, daß eine nationale Erhebung erfolgen wird. Nationale Erhebung bedeutet Volkserhebung, - nicht nur Regierungsübernahme durch national eingestellte Parteien und Persönlichkeiten, die noch dazu auf gesellschafts- und sozialpolitischem Gebiet sehr unterschiedliche Vorstellungen haben! Eine Volkserhebung setzt vor allem das Vorhandensein eines einheitlichen Willens auf breitester Basis voraus. Davon sind wir aber, nach fast 14 Jahren Klassenkampf und Hingabe an utopische Ideen, noch weit entfernt!

Unserem Volk muß erst wieder bewußt werden, bewußt gemacht werden, daß das Wohl und Wehe jedes Einzelnen vom Wohl und Weh des Volksganzen beeinflußt wird, von diesem teilweise völlig abhängig ist.

Unser Volk muß erst wieder erkennen, daß die Lösung sozialer Probleme solange nicht erfolgen kann, wie wir weiterhin von außen her in vielfältigen Abhängigkeiten gehalten werden und uns zusätzlich im Innern kräftezehrend aufreiben. Doch wie können nach der stattgefundenen Vernebelung der Geister, Erkennen, Bewußtwerden erwartet werden, wenn nicht zuvor die Vernebelungsapparate abgestellt und die sichtversperrenden Dunstwolken von einem frischen Wind weggeblasen werden?

Tatsachenverdrehende, falsches Maß und Gewicht vermittelnde Meinungsmacher dürfen überhaupt keinen Zugang mehr zu Verbreitungsinstitutionen erhalten, - egal, ob sie mit Druckpressen, Bildern, Bühnen oder Podien arbeiten. Notwendig ist allein Aufklärung in Form von Wissensvermittlung, notwendig ist Tatsachenkenntnis!

Unserem Volk müssen Wahrheiten gesagt, das heißt, Tausend bisher vorenthaltene Tatsachen und Sachzusammenhänge offenbart werden! Das ist das Gebot der Stunde! Dann wird die Volkserhebung, der Aufbruch der Nation, von der Dynamik die diesen Wahrheiten innewohnt, ausgelöst werden!"

An diesem Punkt seiner Betrachtungen angekommen, wurde Herbert sich bewußt, daß er sich in Wünschbarkeiten verloren hatte. "Wie soll es möglich sein, Freiheiten zu erringen - allen voran Gedankenfreiheit auf unverfälschter Informationsgrundlage, wenn, am Steuerorgan von Staat und Gesellschaft, im Kabinett Vertreter jener 'Herrenschichten' von gestern und vorgestern die Majorität besitzen, die im Bund mit Krone und 'Hirtenstab', dem Volk jahrhundertelang Wissen und Bildung vorenthielten, weil sie im Unwissen des Volkes das Fundament ihres Einflusses, ihrer Herrschaft und Macht erkannt hatten!

Wie können Klassenunterschiede beseitigt, wie kann soziale Gerechtigkeit hergestellt, wie kann eine Volksgemeinschaft geschaffen werden, - von der Albert, Fritz Werfels und viele andere träumen -, wenn kein Sturm entfacht wird, der den reaktionären Muff vertreibt und dessen Erzeuger ihrer Einflußmöglichkeiten entkleidet?

Falls es dem neuen Kanzler nicht gelingt, diese Cliquen in die Schranken zu weisen, dann werden wir nicht nur, wie Gustav vorhin befürchtete, keinen Fortschritt erzielen, sondern vielleicht um Jahrzehnte zurückgeworfen werden! Um dies zu vermeiden, müssen wir jedem national und sozial orientierten Kanzler Erfolg wünschen. Gleichgültig wie er heißt und wie die ihm tragende Partei sich nennt.

Der Versuch eines Aufbruches zu neuen Ufern muß unternommen werden!"

Nachwort

Dem Verfasser ist bewußt, daß er das politische Geschehen zwischen 1918 und 1933, sowie die Reflexionen, die es im deutschen Volk hervorrief, im Rahmen dieses Buches nicht in allen Einzelheiten schildern konnte. Er ist jedoch der Überzeugung, jene Ursachen und Wirkungen aufgezeigt zu haben, die damals die politischen Akzente setzten.

Die Geschehnisse jener Jahre waren zwangsläufige Resultate des auf Entrechtung, wirtschaftliche Ausplünderung, moralische Demütigung und Entwürdigung unseres Volkes ausgelegten Versailler Diktats, sowie der auf Verewigung des ihm angetanen Unrechts ausgerichteten Nachkriegspolitik der Siegermächte des ersten Weltkrieges.

Reichsaußenminister Gustav Stresemann kennzeichnete das Verhalten der Machthaber in den Siegerstaaten gegenüber den deutschen Ausgleichsbemühungen, kurz vor seinem 1929 erfolgten Tod, in einem an französische Adresse gerichteten Brief, wie folgt:

"Ich habe aufrichtig für den Frieden und für die Versöhnung gearbeitet. Ich habe mich für eine englisch-französisch-deutsche Verständigung eingesetzt. Achtzig Prozent der deutschen Bevölkerung habe ich für meine Politik gewonnen. Ich habe mein Land in den Völkerbund gebracht. Ich habe den Locarnopakt unterzeichnet. Ich habe gegeben, und nochmals gegeben, bis meine Landsleute sich gegen mich wandten. Es ist jetzt fünf Jahre her, daß wir Locarno unterzeichneten. Wenn Sie mir nur ein einziges Zugeständnis gemacht hätten, so hätte ich mein Volk gewonnen. Auch heute noch. Aber Sie haben nichts gegeben und die winzigen Zugeständnisse, die Sie gemacht haben, kamen immer zu spät..."

Diesen Zeilen ist eindeutig zu entnehmen, daß Stresemann nicht nur das Scheitern der deutschen Erfüllungspolitik gegenüber nimmersatten Tributforderungen beklagte, sondern auch über die ständige Zurückweisung des, trotz jahrelanger Vergewaltigung, in breiten Schichten unseres Volkes vorhandenen Aussöhnungswillens durch die in überheblicher Siegerpose verharrenden 'Mächtigen' in den sogenannten Siegervölkern tief enttäuscht war.

Der als Youngplan in die Geschichte eingegangene neue Tributplan, den die Unfriedensmacher von Versailles dem zum 'Völkerbundskollegen' ernannten Stresemann auf sein Sterbelager legten, wurde deshalb, von vielen Deutschen, nicht nur als eine schäbige Verhöhnungsgeste gegenüber seinen Ausgleichsbemühungen angesehen, sondern auch als eine besonders schroffe, weil zum mehrfach wiederholten Male erteilte, Absage an alle Hoffnungen gewertet, mit denen das deutsche Volk sein Bestreben um Aussöhnung und einvernehmliche Beseitigung der ihm zugefügten Frevel begleitet hatte.

Die nach langen Jahren des Erduldens, friedlichen Bemühens und Hoffens auf Einsicht erfolgte Auflehnung unseres Volkes gegen die andauernde Zurücksetzung, Beschneidung seiner Souveränität, Verleumdung mit der Kriegsschuldlüge und Verweigerung des Selbstbestimmungsrechtes gereichte ihm zur Ehre!

Der Umstand, daß die als Ausdruck völkischer Selbstachtung höchst anerkennenswerte deutsche Erhebung gegen fremde Willkür von den damaligen Nutznießern der Unterdrückung und Ausplünderung, seit Jahrzehnten als Rechtsbruch, Friedensstörung oder gar aggressiver Akt mit kriegerischen Ambitionen diskriminiert und verteufelt wird, kann nicht verwundern. Noch nie haben Zwingherren auf Befreiungstaten Unterjochter anders reagiert!!

Angehörigen des deutschen Volkes, die sich als Erzeuger, Verbreiter oder Dulder geschichtsverfälschender Besudelungstiraden betätigen, sei eine Zensierung ihres peinlich-würdelosen Verhaltens aus der Feder Thomas Manns ins Gedächtnis gerufen.

Manns, den derzeitigen, nestbeschmutzenden 'Vergangenheitsbewältigern' wie auf den Leib geschrieben anmutende Begutachtung lautet: "Die Tatsache besteht, daß die deutsche Selbstkritik bösartiger, radikaler, gehässiger ist als die jeden anderen Volkes, eine schneidende ungerechte Art der Gerechtigkeit, eine zügellose Herabsetzung des eigenen Landes nebst inbrünstiger, kritikloser Verehrung anderer!"

Möge das deutsche Volk sich von solchen, den Interessen fremder Herren und Mächte dienenden Polit-Exhibitionisten in gleich eindeutiger Weise distanzieren, in der andere, auf Selbstachtung bedachte Völker dies, Nationalmasochisten in ihren eigenen Ländern gegenüber, mit größter Selbstverständlichkeit tun, weil sie dies als einen notwendigen Akt zur Aufrechterhaltung geistiger und politischerHygiene ansehen.

D.V.

ANHANG

Anlage 1
DIE 14 PUNKTE WILSONS

Zur Vorgeschichte:

Die Vereinigten Staaten von Amerika hatten die Gegner Deutschlands seit Kriegsbeginn mit großen Materiallieferungen, Krediten, sowie auf vielfach andere Weise massiv unterstützt. Die Kriegserklärung der USA an Deutschland erfolgte nach einigen, den schon seit langen bestehenden Einmischungswillen verschleiernden Aktionen, am 6. April 1917.

Damit zu einem offenen Hauptakteur in der antideutschen Koalition geworden, glaubten die Vereinigten Staaten einen, ihren Interessen entsprechenden, entscheidenden Einfluß auf die Friedensregelung und die Nachkriegsentwicklung in der Welt nehmen zu können. In einer Rede vom 8. Januar 1918 gab US-Präsident Wilson 14 Punkte bekannt, nach denen die Friedensregelung erfolgen sollte.

Die Punkte im einzelnen:

1. Abschaffung geheimer internationaler Verträge
2. Freiheit der Meere
3. Welthandelsfreiheit
4. Rüstungsbeschränkung
5. Regelung der Kolonialfrage
6. Räumung der von Deutschland und Österreich-Ungarn besetzten russischen Gebiete
7. Räumung und Wiederherstellung eines souveränen Belgien
8. Räumung der französischen Gebiete und Abtretung Elsaß-Lothringens
9. Abtretung österreichischer Gebiete an Italien
10. Autonomie der Völker des österreich-ungarischen Staatsverbandes
11. Souveränität der Balkanstaaten
12. Öffnung der Meerengen am Bosporus
13. Zugang eines neuen polnischen Staates zum Meer
14. Gründung eines Völkerbundes

Obwohl die Punkte 8 und 9 bereits die Absicht, das Selbstbestimmungsrecht zu mißachten erkennen ließen, war von einer Anlastung der Alleinkriegsschuld und einer beabsichtigten Vergewaltigung Deutschlands in diesen Punkten, sowie im übrigen Text der Ausführungen Wilsons noch nicht die Rede. Dieser Umstand veranlaßte die deutsche Regierung später, die Waffenstillstands- und Friedensregelung auf der Grundlage dieser Punkte und des Selbstbestimmungsrechts zu suchen.

Anlage 2
DASVERSAILLERDIKTAT

Vertrauend auf die Ankündigungen des US-Präsidenten Wilson und in der Annahme, die Vereinigten Staaten, als stärkste Kraft der Feindkoalition, würden die Grundsätze, die in mehreren Reden des Präsidenten und teilweise auch in dessen 14 Punkten zum Ausdruck gekommen war, bei der Friedensregelung zur Geltung bringen, hatte Deutschland die Waffen niedergelegt und die Waffenstillstandsbedingungen unterzeichnet. Entsprechend groß war daher die Enttäuschung, als Wilson in Versailles nicht nur seine vorgespielten Grundsätze verriet, sondern am 16. Juli 1919, mit einem Vormarsch bis Berlin und mit einer Verschärfung der Hungerblockade drohte, falls Deutschland das Diktat nicht akzeptieren sollte.

Die mit dem Diktat bezweckte Knebelung und Ausplünderung Deutschlands war in 440 Artikeln, die 300 Druckseiten umfaßten, präzisiert worden. Deutsche Vertreter waren beim Zustandekommen dieses Machwerkes, das man der Welt als "Vertrag" verkaufen wollte, nicht angehört, geschweige denn beteiligt worden. Verhandlungen, die die Bezeichnung "Vertrag" wenigstens pro forma gerechtfertigt hätten, fanden nicht statt. Die deutschen Vertreter wurden in einem mit Stacheldraht abgegrenzten Gebäude isoliert, und später nur zur Unterschriftsleistung zugelassen.

Auch der deutschen Regierung ließen die Sieger keine Zeit, den umfangreichen, verklauselierten, mit Fallstricken versehenen und schicksalsschweren Text des Diktats gründlich zu analysieren und zu beraten. Um dies zu verhindern, wurde, nachdem das Diktat bereits fertiggestellt war, für deutsche Gegenvorschläge nur eine Frist von 14 Tagen eingeräumt. Da die Entscheidung bereits gefallen war, wurde ihnen ohnehin keine praktische Bedeutung zuerkannt. Das erwies sich auch in der verletztenden Form ihrer Ablehnung. Mit dem Diktat sollte jenes Werk vollendet werden, das der britische Marineminister Winston Churchill bereits 1915 mit den Worten beschrieben hatte: "Wir wollen Deutschland an der Kehle würgen, bis sein Herz aussetzt!"

Ausgehend von der die historischen Tatsachen verfälschenden Behauptung, Deutschland trage die Alleinschuld am Kriege, wurde dem Deutschen Volk folgende Hauptbedingung für einen Pseudo-Frieden diktiert:

1. Anerkennung der Alleinkriegsschuld.
2. Abtretung von 87 000 Quadratkilometern Reichsgebiet mit 7 Millionen Einwohnern (In einigen kleineren Teilen dieses Gebietes wurden später Volksabstimmungen erlaubt. Dadurch reduzierte sich der Gebietsverlust auf 70 587,947 qkm mit 6.475.640 Einwohnern. Dennoch gingen unter anderem drei Viertel der Eisenerze, ein Drittel der Kohlenlager, ein Fünftel der landwirtschaftlichen Nutzfläche verloren.). Hauptnutznießer der Gebietsamputationen war Polen, dem 46.412 qkm mit 3.857.960 Einwohnern zugeteilt wurden.
3. Abtretung sämtlicher Kolonien mit rund 29.520.000 Quadratkilometern und 12.295.000 Einwohnern.

4. Sofortige Ablieferung von 140 000 Milchkühen, 4 000 Zuchtstieren, 30 000 Pferden, 700 Zuchthengsten, 120 000 Schafen, 10 000 Ziegen und 15 000 Zuchtsauen (damals hatte die Anzahl der Hungertoten im blockierten Deutschland die Schwelle von 700 000 bereits erheblich überschritten).

5. Ablieferung von 60 Milliarden Mark in Gold innerhalb von 6 Jahren. (Diese Forderung an das ausgeblutete Deutsche Volk wurde später auf 269 Milliarden Goldmark, zahlbar in 42 Jahren erhöht, wegen Zahlungsunfähigkeit 1921 jedoch auf 137,6 Goldmilliarden herabgesetzt.)

6. Ablieferung aller deutschen Seehandelsschiffe über 1300 Tonnen, darunter auch die der Fischfangflotte. (Die Kriegsflotte war bereits gemäß der Waffenstillstandsbedingungen ausgeliefert worden. Sie versenkte sich selbst in der Bucht von Scapa Flow.)

7. Ablieferung von jährlich 200 000 t Schiffsraum aus Neubauten, ohne zeitliche Begrenzung.

8. Sämtliche deutsche Flußschiffe und Verladeeinrichtungen sind an die Alliierten zu übergeben.

9. Alle deutschen Überseekabel sind an die Alliierten abzutreten.

Die deutschen Ströme, der Nord-Ostsee-Kanal und der deutsche Luftraum werden "Internationalisiert". Handels- und Kriegsschiffe fremder Staaten dürfen nach eigenem Ermessen die deutschen Häfen und Binnenwasserstraßen benutzen; fremde Zivil- und Kriegsflugzeuge in gleicher Weise den deutschen Luftraum.

Die deutschen Sachlieferungen an Eisenbahnmaterial, Maschinen aller Art, Kohle, Holz, Chemiekalien, Kraftfahrzeugen, Nahrungs- und Futtermitteln sowie an sonstigen Materialien werden in besonderen Bestimmungen spezifiziert.

Das gesamte deutsche Eigentum in anderen Ländern fällt an die Alliierten.

Das Saargebiet wird Frankreich für 15 Jahre zur Ausbeutung der Bodenschätze überlassen. Deutschland darf die Gruben später zurückkaufen. (Die Rückgabe der Saar wurde 1935 vom Ausgang einer Volksabstimmung abhängig gemacht, die ein über 90prozentiges Votum für Deutschland ergab.)

Die Alliierten übernehmen die deutsche Finanzhoheit; sie kontrollieren die deutsche Zahlungsfähigkeit, verfügen über die deutschen Zolleinnahmen, überwachen die gesamte deutsche Volkswirtschaft und den Haushaltsplan des Reiches.

Die Alliierten besetzen das linksrheinische Reichsgebiet für eine Dauer von 5 bis 15 Jahren, sowie Brückenköpfe rechts des Rheins.

Die Kosten für die Besatzungsarmeen und die Kontrollkommissionen trägt Deutschland.

Die Stärke des deutschen Heeres wird auf 100 000, die der Marine auf 15 000 Mann beschränkt. Mittlere und schwere Artillerie, Tanks (Panzer), Flugzeuge, U-Boote, chemische Waffen sind gänzlich verboten, die Anzahl der Infanteriewaffen und der Munition wird auf ein Minimum begrenzt. Anzahl und Größe der Bewaffnung der deutschen Kriegsschiffe werden von den Alliierten bestimmt.

18. Wehrpflicht ist verboten, die deutschen Streitkräfte sind aus Berufssoldate zu rekrutieren. (Damit sollte die Ausbildung von Reservisten verhinde werden.)
19. Deutschland darf keinen Generalstab und keine Militärmissionen im Au land unterhalten.
20. Die Vorbereitung von Mobilmachungsmaßnahmen ist verboten.
21. Befestigungsanlagen im Westen, Osten, südlich der Donau und an de deutschen Küsten sind verboten, bestehende Anlagen in diesen Gebiete sind zu zerstören.
22. Das linksrheinische Reichsgebiet und eine Zone von 50 Kilometer Tie rechts des Rheins ist von deutschen Truppen freizuhalten.
23. Den Alliierten ist im deutschen Handel Meistbegünstigung einzuräumen
24. Die Produktion bestimmter Güter sowie nennenswerte Rüstungsbetriel sind in Deutschland nicht erlaubt.
25. Der Anschluß Österreichs an das Deutsche Reich ist verboten, die Bezeicl nung Deutsch-Österreich unzulässig.
26. Kaiser Wilhelm II. und eine größere Anzahl hoher deutscher Offiziere sir zur Aburteilung als "Kriegsverbrecher" an die Alliierten auszuliefer (Diese Forderung, wie auch die nach Anerkennung der Kriegsschuldlüg wurden von der Weimarer Nationalversammlung abgelehnt).

Die vorstehend angeführten Hauptbedingungen wurden durch ein eng g knüpftes Netzwerk von Ausführungs- und Kontrollbestimmungen, sowie v zusätzlichen Auflagen diskriminierender Art ergänzt. Eine besondere Klaus erhielt die Zusicherung eigener Abrüstung, sobald die deutsche Entwaffu erfolgt sei, - sie wurde von keinem der Alliierten eingelöst.

Einen Bericht zum Zustandekommen des "Vertrages" lieferte der spätere U Außenminister John Forster Dulles: "Ich erinnere mich noch lebhaft, wie dort d Mitglieder der deutschen Friedensdelegation in ein mit Stacheldraht eingefaßt Gehege verwiesen wurden, den Blicken wie Tiere in einem zoologischen Gart ausgesetzt und ihnen jede persönliche Berührung mit den alliierten Delegiert versagt ..." (wurde).

Den Charakter des Diktats beschrieb der italienische Ministerpräsident Fra cesco Nitti wie folgt: "Noch niemals ist ein ernstlicher und dauerhafter Friede a die Ausplünderung, die Quälerei und den Ruin eines besiegten, geschweige de eines besiegten großen Volkes gegründet worden. Und dies und nichts ande ist der Vertrag von Versailles!"

Der sozialdemokratische Reichskanzler Gustav Bauer sah das ähnlich: " dieser Stunde auf Leben und Tod, unter drohendem Einmarsch, erhebe ich z letzten Mal in einem freien Deutschland Protest gegen diesen Vertrag der Gew und Vernichtung, Protest gegen die Verhöhnung des Selbstbestimmungsrech gegen diese Knechtung des deutschen Volkes, gegen diese neue Bedrohung Weltfriedens unter der Maske eines Friedensvertrages!"

Und der französische Historiker Jaques Bainville prophezeite: "Danzig u der Korridor sind der Keim für den nächsten Krieg!"

Anlage 3
PERSONEN-KURZBESCHREIBUNGEN

BADEN, PRINZ MAX VON; geb. 1867 in Karlsruhe. Von 3. 10. 1918 bis 9. 11. 1918 Reichskanzler. Erzwang die Entlassung Ludendorffs, der bis zum Abschluß eines annehmbaren Waffenstillstandsvertrages Widerstand leisten wollte. Gab eigenmächtig die Abdankung Kaiser Wilhelms II. bekannt. "Übergab", verfassungswidrig, die Kanzlerschaft an den Vorsitzenden und Franktionsführer der SPD, Friedrich Ebert. Verstarb 1929 in Konstanz.

BARMAT, KUTISKER und Brüder SKLAREK. Aus Polen eingewanderte, jüdische Kaufleute, die durch Millionenbetrügereien, Urkundenfälschungen und Steuerhinterziehungen von sich reden machten und dadurch antijüdische Gefühle auslösten.

BETHMANN-HOLLWEG, Theobald von; geb. 1856 in Hohenfinow. Reichskanzler von 1909 bis 1917. Trat vor und während des Krieges vergeblich für Ausgleich mit England ein, und war für Mäßigung in der Reaktion auf den Thronfolgermord von Sarajewo. Vermochte jedoch die österreich-ungarische Politik der letzten Wochen vor Kriegsausbruch nicht zu verhindern. Gestorben 1921 an seinem Geburtsort.

BISMARCK, Otto von; geb. 1815 in Schönhausen. Abgeordneter; preußischer Gesandter in Petersburg und Paris. 1862 preußischer Ministerpräsident. Lehnte den österreichischen Imperialismus ab, weil er dadurch Verwicklungen des Deutschen Bundes mit Rußland befürchtete. Erstrebte Bundesreform; nach erfolglosen Bemühungen suchte er 1866 eine kriegerische Entscheidung gegen die habsburgische Politik. Verzichtete im Frieden von Prag auf Gebietserwerbungen zu Lasten des Habsburger Reiches; Österreich schied jedoch aus dem Deutschen Bund aus. Danach Gründung des Norddeutschen Bundes.

Nach Frankreichs Kriegserklärung und dessen Niederlage 1870/71 bewirkte er die Gründung des Zweiten Deutschen Reiches (Kleindeutsche Lösung). Bismarcks Bündnispolitik erstrebte Ausgleich im Westen und Rückversicherung im Osten. Im Innern beschnitt er den politischen Einfluß der römischen Kirche und wandte sich, mit umstrittenen Gesetzen, gegen "geheimgefährliche Bestrebungen der Sozialdemokratie". Führte die damals fortschrittlichste Sozialgesetzgebung der Welt ein. Nach Spannungen mit dem jungen Kaiser Wilhelm II. erfolgte im März 1890 seine Entlassung. Gestorben 1898 in Friedrichsruh.

BRAUN, Otto; geb. 1872 in Königsberg/Ostpreußen. SPD-Politiker. Von 1920 bis 1932 mit kurzen Unterbrechungen preußischer Ministerpräsident. Wegen vermuteter Vorbereitung eines Staatsstreiches durch Reichskommissar von Papen aus dem Amt entfernt. Emigrierte in die Schweiz.

BRÜNING, Heinrich; geb. 1885 in Münster. Von 1920 bis 1930 Geschäftsführer des christlichen "Deutschen Gewerkschaftsbundes". Von 1924 bis 1933 Mitglied des Reichstages (Abgeordneter des Zentrums). Ab März 1930 Reichskanzler. Regierte, unter Umgehung des Reichstages, weitgehend mit Notverordnungen. Lebte ab 1934 in den USA. Dort starb er 1970 in Norwich.

CLEMENCEAU, Georges; geb. 1841 in der Vendee. Deutschenhasser; linker Vertreter der französischen Revanchepolitik. In den Panamaskandal verwickelt; danach ein Jahrzehnt politisch kaltgestellt. 1917 bis 1920 Ministerpräsident. Ließ die Meutereien im französischen Heer mit Massenerschießungen unterdrücken. Hauptträger der gegen das Deutsche Volk gerichteten Vernichtungspolitik und Hauptinitator der Härten des Versailler Vergewaltigungsdiktats, mit dem nach seinen eigenen Worten, "zehn Jahre der Konflikte in Europa gesichert" wurden.
Der Hauptverursacher der Spannungen, die zum zweiten Weltkrieg führten, starb 1929 in Paris.

CHURCHILL, Winston, Spencer; geb. 1847 in Oxfordshire. Journalist, abenteuersuchender Offizier, Deutschenhasser, Conservativer/Liberaler/Conservativer Abgeordneter. Ab 1911 Erster Lord der Admiralität (Marineminister). Inszenierte 1915 den "Lusitania"-Zwischenfall und das gescheiterte Gallipoli-Unternehmen. Von 1917 bis 1921 Munitions- und Kriegsminister. Mitinspirator der antideutschen Greuelpropaganda und des Haßgeistes von Versailles. Von 1924 bis 1929 Schatzkanzler.
1939 erneut Erster Lord der Admiralität und einer der Hauptbefürworter für die Ausstellung eines kriegspolitischen Blankoschecks an Polen.
Ab 10. 5. 1940 Premierminister. Veranlaßte noch in der Nacht vom 10. zum 11. 5. die ersten Luftangriffe des 2. Weltkrieges auf offene Städte außerhalb des Frontgebietes. Initiator der systematischen Vernichtungsbombardements gegen die deutsche Zivilbevölkerung. Mitverantwortlicher für die Ausweitung der deutsch-polnischen Auseinandersetzung zu einem Weltkrieg. Bewirkte mit seiner Politik den Zusammenbruch des britischen Empire und mit seiner Kapitulation vor Stalin in Jalta, Teheran und Potsdam, die Sowjet-Knechtung Mittel- und Südosteuropas.
Nach dem Kriege versuchte er mit seinen geschichtsentstellenden "Memoiren" seine Fehlleistungen zu entschuldigen und zu beschönigen. Für seine literarischen "Verdienste" erhielt er den Nobelpreis; und für seine Verdienste um das durch seine Mithilfe gespaltene Europa den Karlspreis der Stadt Aachen.

EBERT, Friedrich; geb. 1871 in Heidelberg. Sattler, Redakteur, Sekretär im SPD-Vorstand. Koordinator zwischen SPD und Gewerkschaften. Ab 1913 Parteivorsitzender und Vorsitzender der SPD-Reichstags-Fraktion.
Ebert bekam am 9. November 1918 von Prinz Max von Baden das Amt des Reichskanzlers "übertragen". Danach Vorsitzender des "Rates der

Volksbeauftragen". War während der Revolutionswochen um Aufrechterhaltung der Ordnung, und in Verbindung mit der Heeresleitung, um ordnungsgemäße Rückführung des deutschen Feldheeres bemüht. Verhinderte, gestützt auf hauptsächlich aus Freiwilligen der zurückgekehrten Fronttruppen bestehende "Regierungsverbände", die Errichtung deutscher Räterepubliken nach bolschewistischem Vorbild.
Ab 22. 2. 1919 bis zu seinem Tode Reichspräsident. Bestimmte das Deutschlandlied zur Nationalhymne. Verstarb am 28. 2. 1925.

EHRHARDT, Hermann; geb. 1881 in Diersburg/Baden als Sohn eines Pastors. Im Kriege Korvettenkapitän und Chef einer Torpedobootsflottille. 1919 Freikorpsführer (Brigade Ehrhardt).Einsatz gegen Aufstände in Braunschweig und München, Grenzschutz in Schlesien. Beteiligung am Kapp-Putsch. Gründete die Geheimorganisation Consul, der die Attentate auf Erzberger und Rathenau zugeschrieben werden. 1922 verhaftet, floh aus dem Gefängnis ins Ausland. Nach dem Röhm-Putsch erneutes Exil. Starb 1971 in Krems/Donau.

EISNER, Kurt; vormals Kosmanowski; geb. 1867 als Sohn eines jüdischen Fabrikbesitzers in Berlin. Journalist, Redakteur beim SPD "Vorwärts". Ging im Krieg zur USPD, organisierte Munitionsarbeiterstreiks und inszenierte bereits am 7. November 1918 die Revolution in München. "Ministerpräsident" der Revolutionsregierung. Nach vernichtender Niederlage bei den Landtagswahlen verhinderte er wochenlang den Zusammentritt des Landtags und verweigerte seinen Rücktritt.
Am 21. Februar 1919, von Graf Arco erschossen.
In der Wohnung Eisners wurden Bestätigungen über den Empfang von 164 Millionen Mark "unbekannter Herkunft" gefunden, mit denen die Revolution finanziert worden war.

ERZBERGER, Mathias; vormals Herzberger; geb. 1875 als Sohn getaufter jüdischer Eltern in Buttenhausen/Württemberg. Volksschullehrer, Redakteur, Zentrumsabgeordneter im Reichstag. Unterzeichnete als Staatssekretär am 11. 11. 1918 den Waffenstillstand. 1919 Finanzminister. Mußte wegen Verwicklung in eine Korruptionsaffäre zurücktreten. Am 26.8.1921 von Angehörigen der Geheimorganisation Consul erschossen.

HINDENBURG, Paul von; geb. 1847 in Posen. Generalfeldmarschall. Befreite 1914 Ostpreußen von den eingefallenen russischen Armeen. Ab November 1914 Oberbefehlshaber an der gesamten Ostfront. 1916 Chef der Obersten Heeresleitung. Führte 1918 das deutsche Feldheer geordnet in die Heimat zurück. Wurde 1925 zum Reichspräsidenten gewählt. Seine Wiederwahl zu einer zweiten Amtsperiode erfolgte 1932, im Alter von 85 Jahren, mit den Stimmen der Sozialdemokraten. 1933 berief er, nach längerem Widerstand, den Führer der damals stärksten Partei, Adolf Hitler, zum Reichskanzler, weil nur dieser die von Hindenburg gewünschte parlamentarische Mehrheit im Reichstag zustande zu bringen vermochte. Verstorben 1934 in Neudeck/Grenzmark Westpreußen.

HITLER, Adolf; geb. 1889 in Braunau/Inn als Sohn eines österreichischen Zollbeamten. Kämpfte im 1. Weltkrieg als Kriegsfreiwilliger im deutschen Heer. Mitbegründer und Führer der Nationalsozialistischen Deutschen Arbeiterpartei (NSDAP). Erhielt 1932 die deutsche Staatsbürgerschaft. Von 1933 bis 1945 Reichskanzler. Regierte ab März 1933 aufgrund eines "Ermächtigungsgesetzes", mit dem die Abgeordneten des Reichstages - mit Zweidrittelmehrheit, gegen die Stimmen der SPD - ihm diktatorische Vollmachten erteilten.
Die Ziele und Motive seiner Politik werden extrem unterschiedlich dargestellt; sie können, da die vollständigen Akten, mit denen seine wahren Absichten zu belegen wären, bis über das Jahr 2000 hinaus, unter Verschluß gehalten werden sollen, nicht eindeutig beurteilt werden.
Hitler starb am 30. April 1945 durch eigene Hand.

HOELZ, Max; geb. 1889 in Moritzburg/Sachsen. Zunächst christlicher Antialkoholiker. 1918 Mitglied des Soldatenrates im Falkenstein/Vogtland; gründete die dortige Ortsgruppe der KPD. Kommunistischer Wanderagitator. Entfachte 1920 und 1921 Aufstände in Mitteldeutschland. Zu lebenslänglichem Zuchthaus verurteilt. 1928 begnadigt, setzte er sich in die Sowjetunion ab. Wurde 1933 von der sowjetischen Geheimpolizei in der Nähe von Gorki ermordet (im Fluß Oka ertränkt).

KAHR, Gustav, Ritter von; geb. 1862 in Weißenburg. Jurist, Regierungspräsident von Oberbayern. 1920 bayerischer Ministerpräsident. Partikularist. Gegensätze zur Reichsregierung führten 1921 zu seinem Rücktritt. 1923 Generalstaatskommissar; versuchte die in Bayern stationierten Teile der Reichswehr der Befehlsgewalt der Heeresleitung und des Reichspräsidenten zu entziehen. Schwankende Rolle am Vorabend des Hitlerputsches, den er schließlich niederschlagen ließ. Von 1924 bis 1930 Präsident des Bayerischen Verwaltungsgerichtshofes. 1934 in Verbindung mit dem Röhmputsch erschossen.

KAPP, Wolfgang; geb. 1858 in New York. Generallandschaftsdirektor in Ostpreußen. Gründete 1917 die Deutsche Vaterlandspartei mit patriotischen Zielen. Löste 1920 im Verein mit Lüttwitz, den SPD-Oberpräsidenten der preußischen Provinzen Schlesien und Ostpreußen, sowie mit Berliner Polizeiführern den sogenannten Kapp-Putsch aus. Floh zunächst ins Ausland; nach Rückkehr verhaftet. Starb 1922 in Leipzig in Untersuchungshaft.

KORFANTY, Albert; geb. 1873. Von 1903 bis 1918 als Vertreter der polnischen Minderheit Mitglied des deutschen Reichstages. Organisator der polnischen Überfälle in Oberschlesien.

Organisator der deutschfeindlichen Maßnahmen und Terrorakte in den Provinzen Westpreußen und Posen. Von 1922 bis 1923 polnischer Ministerpräsident, gestorben 1939.

LEDEBOUR, Georg; 1850 bis 1947. SPD-Politiker des linken Flügels; radikal eingestellter Gewerkschaftsführer. Während des Spartakusaufstandes gleichberechtigter Führer neben Liebknecht. Mitverantwortlich für blutige Straßenkämpfe, Streiks und Plünderungen. Von 1900 bis 1924 Mitglied des Reichstages.

LEVINE-NISSEN, Eugen; geb. in Petersburg als Sohn begüteter jüdischer Kaufleute. Besuchte Schulen in Deutschland. Ab 1906 Anhänger, Mitarbeiter und Schwager Lenins, mit engen Verbindungen zu Trotzki. Während der Rätediktatur in Bayern Leiter des Aktionsausschusses. Ließ Tausende Münchner auf der Theresienwiese zusammentreiben, um sie als Geiseln zu benutzen und, mit der Drohung sie zu erschießen, den Einmarsch der von Reichswehrminister Noske entsandten Befreiungstruppen zu verhindern. Verantwortlich für die Erschießung von 10 Geiseln, im Hof des Luitpoldgymnasiums.

LUDENDORFF, Erich; geb. 1864 in der Provinz Posen. Generalstabschef bei Hindenburg, später Generalquartiermeister. Maßgeblich beteiligt an den Erfolgen Hindenburgs. In Konsequenz der Streiks und Meutereien in der Heimat forderte er 1918 zunächst den Abschluß eines Waffenstillstandes, trat aber für Aufrechterhaltung des Widerstandes bis zur Erreichung akzeptabler Waffenstillstandsbedingungen ein. Wurde auf Betreiben des Prinzen Max von Baden entlassen. Beteiligte sich 1923 am "Hitlerputsch". Gründete später den "Tannenbergbund" und trat für völkische Selbstbesinnung ein. Starb 1937 in Tutzing.

LUXEMBURG, Rosa; geb. 1870 als Tochter wohlhabender jüdischer Eltern in Zamosc/Polen. Beteiligte sich 1905 an der Revolution in Rußland, obwohl sie bereits 1897 nach Deutschland eingewandert war. Hielt während des Krieges umstürzlerische Reden, in denen sie zu Streiks und Meuterei aufforderte. Mitbegründerin des Spartakusbundes und der Kommunistischen Partei. Am Spartakusaufstand beteiligt. Am 15. Januar 1919 von Regierungstruppen erschossen.

LÜTTWITZ, Walter Freiherr von; geb. 1859 als Sohn eines Oberförsters in Schlesien. Generalstabsoffizier; später Kommandeur eines Armeekorps. 1919 vorübergehend Befehlshaber der Reichswehr. Beteiligte sich am Kapp-Putsch, nachdem er zuvor am 10. März, dem Reichspräsidenten und dem Reichswehrminister die Forderungen Kapps nach Wahlen und der Einsetzung von Fachministern unterbreitet hatte, und diese abgelehnt worden waren. Floh ins Ausland. Starb 1942 in Schlesien.

LICHTSCHLAG, Otto; geb. 1885. Generalstabsoffizier. 1919 Freikorpsführer. Einsatz gegen Rote Ruhrarmee. Große Verluste in harten Kämpfen. Im 2. Weltkrieg Oberst und Kommandant eines Wehrbezirks.

LIEBKNECHT, Karl; geb. 1871 in Leipzig als Sohn des jüdischen SPD-Führers Wilhelm Liebknecht. Ab 1912 SPD-Abgeordneter im Reichstag Während des Krieges Organisator von Wühlereien und Streiks. Gründet mit Rosa Luxemburg 1917 den linksradikalen Spartakusbund und 191 die Kommunistische Partei. Inszenierte im Januar 1919 den blutige Spartakusaufstand und erklärte die Regierung der Volksbeauftragten unter Vorsitz Friedrich Eberts, für abgesetzt. Wurde am 15. Janua zusammen mit Rosa Luxemburg verhaftet und von Regierungstruppe erschossen.

NOSKE, Gustav; geb. 1868 in Brandenburg. Holzarbeiter, Redakteur, sei 1906 SPD-Reichstagsabgeordneter. Wandte sich gegen zu großen Einflu ostjüdischer Einwanderer auf die deutsche Arbeiterbewegung. Nac Ausbruch der Revolution in Kiel und Berlin maßgeblich an de Niederschlagung der Meutereien und Aufstände beteiligt. 1919 Reichs-wehrminister; mußte nach Zerschlagung der Roten Ruhrarmee, im Mär 1920 auf Druck linker Genossen zurücktreten. Verstorben 1946 i Hannover.

PAPEN, Franz von; geb. 1879 in Werl/Westfalen. Von 1921 bis 193 Zentrumsabgeordneter im Preußischen Landtag. Ab Juni bis Novembe 1932 Reichskanzler. Regierte mit einem Präsidialkabinett und mit Not-verordnungen unter weitgehender Umgehung des Reichstages. In Kabinett Hitler zunächst bis 1934 Vizekanzler. Von 1934 bis 194 Botschafter in Österreich und in der Türkei. Wurde vom Nürnberge Siegertribunal freigesprochen. Gestorben 1969 in Oberasberg.

PIECK, Wilhelm;geb. 1876 in Guben. Mitbegründer des linksradikale Spartakusbundes und der KPD. Spielte eine zwielichtige Rolle bei de Verhaftung Karl Liebknechts und Rosa Luxemburg. Deshalb erfolgt 1932/33 auf Anordnung Thälmanns eine parteiinterne Untersuchun durch den KPD-Spitzenfunktionär Kippenberger. Sein Pieck kompromit-tierender Bericht konnte jedoch vom Zentralkomitee, wegen desse Flucht vor Hitler, nicht mehr ausgewertet werden.

Pieck war, wie Kippenberger, nach Moskau geflohen. Dort begann e gegen den einzigen mit allen Einzelheiten seiner Rolle in der Liebknecht-Luxemburg-Affäre vertrauten Kippenberger zu intrigieren und veranlaßt dessen Erschießung durch die GPU.

Laut Zeugnis kommunistischer Moskau-Emigranten hat er auch den To weiterer Genossen verschuldet. Im Krieg gründete er, im Auftrag de Sowjets, das "Nationalkomitee Freies Deutschland", das kommunistisch Zersetzungspropaganda unter deutschen Kriegsgefangenen, sowie, mi Lautsprechern und Flugblättern, an der Front betrieb. 1949 Präsident de DDR.

RADEK, Karl, vormals Sobelsohn; geb. 1885 als Sohn begüterter jüdische Eltern in Lemberg/Polen. Nahm 1905 an der bolschewistischen Revo lution teil. Lebte danach in Deutschland und in der Schweiz. 1917 Rückkehr nach Rußland. Abgesandter Lenins bei der Gründung der KPD. Später als "Berater" an den Aufständen in Deutschland beteiligt. Versuchte während der Ruhrbesetzung vergeblich ein Bündnis mit Rechtsgruppen zu knüpfen. 1937 im Rahmen der Stalin'schen Säuberungen `verschollen'.

RATHENAU, Walter; geb. 1867 in Berlin als Sohn eines jüdischen Großindustriellen. Vorstandsvorsitzender der AEG. Im Krieg Leiter der Rohstoffabteilung im preußischen Kriegsministerium. 1921 Reichsminister für Wiederaufbau. 1922 "Rapallovertrag" mit Rußland. Von rechten Wirrköpfen im Juni 1922 in Berlin erschossen.

SALISBURY, Arthur Talbot, Marquess of; geb. 1830 in Hatford. Mehrmals britischer Premierminister. Betrieb imperialistische Politik. Erwerb von Ostafrika, Niederwerfung des Sudans, Zerschlagung der Burenrepubliken in Südafrika, Einrichtung von "Conzentration Camps" für burische Frauen und Kinder. Brachte 1901 deutsch-britische Bündnisverhandlungen zum Scheitern. Gestorben 1903.

SCHEIDEMANN, Philipp; geb. 1865 in Kassel. Buchdrucker, Redakteur. Seit 1903 Reichstagsabgeordneter der SPD. Im Oktober 1918 Staatssekretär im Kabinett des Prinzen Max von Baden. Rief am 9. November, von einem Balkon des Reichstagsgebäudes, die Republik aus. Danach im "Rat der Volksbeauftragten": Seit Februar 1919 Reichskanzler. Trat im Juni aus Protest gegen die Annahme des Versailler Diktats zurück. Danach Oberbürgermeister von Kassel und erneut Reichstagsabgeordneter. Ging 1933 ins Ausland. Verstarb 1939 in Kopenhagen.

SCHLAGETER, Albert Leo; geb. 1894 in Schönau/Baden. Im Krieg Batteriechef. Freikorpskämpfer im Baltikum und in Schlesien. Einer der Hauptträger des aktiven Widerstandes gegen die Okkupationsarmeen im Ruhrgebiet. Von französischer Polizei verhaftet, von einem Kriegsgericht zum Tode verurteilt und am 26. Mai 1923 in der Golzheimer Heide bei Düsseldorf, unter entwürdigenden Begleitumständen erschossen.
Als Symbolfigur des Freiheitswillens verehrt. Das Denkmal an seiner Hinrichtungsstätte wurde nach dem 2. Weltkrieg von den Siegern zerstört.

SCHLEICHER, Kurt von; geb. 1882 in Brandenburg. Mitarbeiter Seekts beim Aufbau der Reichswehr. Später General mit politischen Ambitionen. Unter Papen Reichswehrminister. Reichskanzler vom 3. 12. 1932 bis 28.1. 1933. Windungsreicher Politiker. Versuchte durch Einflußnahme auf Georg Strasser die NSDAP zu spalten. Scheiterte an eigenen und fremden Intrigen. Wurde im Zusammenhang mit dem Röhmputsch am 30. 6. 1934 in Neubabelsberg erschossen.

SEEKT, Hans von; geb. 1866 in Schleswig als Sohn eines Offiziers. Generalstabschef bei der 11. Armee, danach bei der Heeresgruppe des

Generalfeldmarschalls von Mackensen auf dem Balkan und in Rußland, ebenso der Heeresgruppe des Erzherzogs Karl. Ab Januar 1918 Chef des Generalstabs des Türkischen Reiches. Nach dem Krieg Chef des Truppenamtes und der Heeresleitung der Reichswehr. Besondere Verdienste erwarb er sich um deren Geist und Leistungsstandard, mit denen er die Wirksamkeit der militärischen Fesseln des Versailler Diktats, im Interesse der Sicherheit des Reiches, herabsetzte.
Wurde 1926, wegen der Teilnahme des ehemaligen Kronprinzen als Gast an einem Manöver, entlassen. 1934 und 1935 war er Berater des chinesischen Marschalls und Staatschefs Tschiang-Kai-Scheck. Seekt starb 1936 in Berlin.

SEVERING, Karl; geb. 1875 in Herford. Schlosser, Gerwerkschaftssekretär, Redakteur, SPD-Abgeordneter im Reichstag. 1919/20 Reichskommissar für Westfalen, von 1920 bis 1928 fast ununterbrochen preußischer Innenminister. In diesen Ämtern nahm er maßgeblichen Einfluß auf die Niederschlagung der roten Aufstände im Ruhrgebiet und in Mitteldeutschland. Von 1928 bis 1930 Reichsinnenminister, danach von 1930 bis 1932 erneut preußischer Innenminister. Wurde von Reichskanzler Papen wegen des Verdachts einen Staatsstreich zu beabsichtigen, aus dem Amt entfernt. Erhielt 1934, zusammen mit den früheren SPD-Politikern Braun, Noske und Löbe von Hitler eine außerplanmäßige Pensionserhöhung zugesprochen. Nach dem Krieg Redakteur und Landtagsabgeordneter. Starb 1952 in Bielefeld.

SINOWJEW, Georgie, vormals Hirsch Apfelbaum; geb. 1883 in der Ukraine, als Sohn jüdischer Eltern. Ab 1912 im Zentralkomitee der bolschewistischen Partei. Von 1919 bis 26 Vorsitzender des Vollzugsausschusses der Kommunistischen Internationale (Komintern). In dieser Eigenschaft führend an der Vorbereitung und Durchführung der roten Aufstände und an den Versuchen beteiligt, Sowjetrepubliken in Deutschland zu etablieren. Wurde im Rahmen der Stalin'schen Säuberungen nach einem Schauprozeß 1936 erschossen.

SIXTUS; Prinz von Bourbon-Parma; geb. 1886, Schwager des Kaisers Karl von Österreich, Führte 1917 mit Billigung der österreichischen Regierung und des Kaiserhauses Geheimverhandlungen mit den Kriegsgegnern wegen eines Sonderfriedens. Der Verrat des Österreichischen Kaisers an seinen deutschen Verbündeten wurde offenbar, als Clemenceau zwei Briefe Kaiser Karls veröffentlichte, in denen dieser Sixtus zur Führung der Verhandlungen ermächtigt hatte. Die Verhandlungen scheiterten an Gebietsforderungen Italiens. Als Preis für den Sonderfrieden hatte Karl etwas angeboten, worüber er gar nicht verfügen konnte: Das deutsche Reichsland Elsaß-Lothringen! Sixtus verstarb 1934.

STALIN, Josef, vormals Dschugaschwili; geb. 1879 in Georgien. Zögling eines Priesterseminars. Schloß sich um 1900 den Bolschewisten an. Ver-

bannung nach Sibirien. Chefredakteur der Parteizeitung "Prawda". Ab 1922 Generalsekretär der Bolschewistischen Partei. Gegner Trotzkis. Nachfolger Lenins. Verantwortlich für Massenerschießungen und die "Liquidierung" der alten bolschewistischen Führungsschicht. Veranlaßte die endgültige Beseitigung selbständigen Bauerntums und setzte die Industrialisierung, mit besonderer Berücksichtigung des Rüstungssektors, durch.
1939 verhandelte er zunächst mit Frankreich und England wegen einer antideutschen Militärkoalition. Hitlers Bestreben, das Zustandekommen eines solchen Bündnisses zu verhindern, führte schließlich zum sogenannten Hitler-Stalinpakt, der die Rückholung der Gebiete beider Länder ermöglichte, die Polen in den Jahren zwischen 1918 und 1921, im Westen wie im Osten, annektiert hatte (Westpreußen, Posen, Oberschlesien, West-Galizien, Westukraine, Wolhynien, Weißrußland).
Stalin plante 1941 einen Angriff auf Deutschland und die Balkanstaaten. Zu diesem Zweck zog er die Masse der Sowjetarmee an der deutsch-russischen Demarkationslinie am Bug sowie in der Ukraine zusammen. Hitlers Präventivschlag im Sommer 1941 kam dem sowjetischen Angriff zuvor.

STRASSER, Gregor; geb. 1882 in Geisenfeld. Apotheker, Reichsorganisationsleiter der NSDAP. Führer der sozialistischen Flügels dieser Partei. Wegen eigenmächtiger Verhandlungen mit General Schleicher im Dezember 1923 aus der Partei ausgeschlossen. Im Zusammenhang mit dem Röhm-Putsch am 30.6.1934 in Berlin erschossen.

STRESEMANN, Gustav; geb. 1887 in Berlin als Sohn eines Kaufmanns. Mitbegründer der Deutschen Volkspartei. 1923 für 3 Monate Reichskanzler; danach in mehreren Kabinetten bis 1929 Reichsaußenminister. Zunächst Gegner des Versailler Diktats und der Weimarer Verfassung, suchte er später die Verständigung mit den Siegermächten und verteidigte die Republik gegen innere Angriffe.
Akzeptierte den Dawesplan, schloß die Locarnoverträge, konsolidierte, fußend auf dem Rapallovertrag, das Verhältnis zur Sowjetunion und führte Deutschland in den Völkerbund. Erhielt, zusammen mit dem französischen Außenminister Briand, 1926 den Friedensnobelpreis.
Nach vordergründigen Ehrungen und eher symbolischen als sachlich gewichtigen Erfolgen zeigte er sich von dem hartnäckigen Widerstand, mit dem die Sieger trotz größtem Entgegenkommens deutscherseits, Deutschland weiterhin volle Souveränität und effektive Gleichberechtigung verweigerten, tief enttäuscht. Verstarb am 3. 10. 1929.

THÄLMANN, Ernst; geb. 1886 in Hamburg. Transportarbeiter. Kam über SPD und USPD 1919 zur KPD. Inszenierte 1923 in dilletantischer Weise den Hamburger Aufstand.

Von 1924 bis 1933 Reichstagsabgeordneter und Vorsitzender des Rote
Frontkämpferbundes. Ab 1925 Vorsitzender des Politbüros der KPD
benutzte diese Stellung, um die deutsche KP in völlige Abhängigkei
zur kommunistischen Zentrale in Moskau zu bringen. 1933 verhafte
Starb 1944 unter nicht eindeutig geklärten Umständen während eine
Angriffs alliierter Bomber auf das Konzentrationslager Buchenwald.

WELS, Otto; geb. 1873 in Berlin. Tapezierer, Gewerkschaftsfunktionär. 191
Reichstagsabgeordneter. 1913 Mitglied des SPD-Vorstandes. 1918 Stadt
kommandant von Berlin. Wurde 1931 zum Vorsitzenden der SPI
gewählt. Hielt am 23. 3. 1933 im Reichstag eine Rede gegen das vo
Hitler geforderte Ermächtigungsgesetz, bot jedoch zugleich die Mitarbei
seiner Partei bei der Bewältigung der anliegenden Aufgaben an
Emigrierte ins Ausland, leitete dort die Exil-SPD und betrieb antideutsch
Propaganda. Starb 1939 in Paris.

WILHELM II.; geb. 1859 in Potsdam, König von Preußen, Deutscher Kaise
von 1888 bis 1918. Versuchte Ausgleich zwischen Monarchie un
Arbeiterschaft. Bewunderer Englands. Gutwillig, diplomatisch nicht seh
geschickt. Bemühte sich 1914 den Kriegsausbruch zu verhindern. I
Übereinstimmung mit den historischen Tatsachen stellte der US-Senato
Owen fest: "Wilhelm der II. war der einzige, der, als er bemerkte, da
ein europäischer Krieg drohte, die größten Anstrengungen unternahm
den Krieg zu unterdrücken."
Wurde durch die eigenmächtige Bekanntgabe seiner (angeblichen) Ab
dankung durch Prinz Max von Baden, und durch Scheidemanns Bal
konerklärung am 9. 11. 1918 zum Thronverzicht veranlaßt. Gestorbe
1941 im Exil, auf Schloß Doorn bei Utrecht.

WILSON, Woodrow; geb. 1856 in Virginia als Sohn eines Geistlicher
Professor der Rechte. Von 1913 bis 1921 Präsident der USA. Erklärt
im April 1917 mit geheuchelter moralischer Begründung Deutschlan
den Krieg, verkündete aber nach dem Krieg 1919 der staunenden Wel
"Dieser Krieg war ein Industrie- und Handelskrieg!"
Für seine Mitarbeit an der Versailler Zeitbombe wurde ihm der Frie
densnobelpreis verliehen. Der bigotte Präsident - dem nachgesagt wird
er habe während seines Aufenthaltes in Paris nicht nur politische Abweg
beschritten - starb 1924 in Washington.

Anlage 4
BEGRIFFSERLÄUTERUNGEN

ALLIIERTE

Die Kriegsgegner Deutschlands und seiner Verbündeten. Insgesamt wurden, von den Hauptfeinden Deutschlands und seiner Verbündeten, 30 Staaten gegen die Mittelmächte mobilisisert. Neben Großstaaten wie die USA, Rußland und den britischen und französischen Imperien, standen Kleinstaaten wie Monaco und weitentfernte Länder wie Liberia und Uruguay. Der größte Teil der Klein- und halbkolonialen Staaten war in die antideutsche Front gepreßt worden. Rein numerisch standen den 155 Millionen Einwohnern der Mittelmächte, eine Bevölkerung von 1.365 Milliarden Menschen den Ländern der Alliierten gegenüber.
17 Staaten der damaligen Welt verhielten sich im 1. Weltkrieg neutral.

ARBEITER- UND SOLDATENRÄTE

In den Revolutionstagen von 1918 nach bolschewistischem Vorbild gebildete Vertreter meuternder Soldaten und umstürzlerisch eingestellter, linker Arbeiter. Auf sie stützte sich, kurzzeitig, widerwillig und mit Vorbehalten, der Rat der Volksbeauftragten. Nach Rückehr der Fronttruppen und Aufstellung von loyalen Freikorps wurde der Einfluß der A.u.S. Räte zunehmend zurückgedrängt.

DAWESPLAN

Dieser Plan, 1924 von dem amerikanischen Bankier Dawes entworfen, legte Details zu Formen, Terminen und Verzinsung der von Deutschland geforderten Tributleistungen fest. Er scheiterte, weil die Leistungsfähigkeit der um wichtige Produktionsstätten, Arbeitskräfte und Rohstoffquellen beraubten deutschen Wirtschaft überschätzt worden war.

FREIKORPS

Aus Freiwilligen bestehende Truppe. Erste Freikorps traten in Deutschland während der napoleonischen Besetzung zwischen 1806 und 1815 in Erscheinung (Freikorps Schill und Lützow). Nach der Revolution von 1918 wurden Freikorps zur Bekämpfung der roten Aufstände, zum Schutz der Nationalversammlung in Weimar und zum Grenzschutz eingesetzt. Diese Verbände bildeten auch den Grundstock der späteren Reichswehr. Obwohl die Weimarer Republik den Freikorps ihr Weiterbestehen in den ersten Jahren zu verdanken hatte, werden sie von den Erben der politischen Nutznießer ihres damaligen opferreichen Einsatzes, bis zum heutigen Tage ebenso angegriffen, wie von den Nachfolgern ihrer einstigen Gegner.

HUNGERBLOCKADE

Von den Alliierten im 1. Weltkrieg verhängte und in der ersten Nachkriegszeit beibehaltene Lebensmittelblockade, mit dem Ziel der Aushun-

gerung des deutschen Volkes. Ihr fielen fast 800 000 Menschen, insbesondere Kleinkinder, Alte und Kranke zum Opfer.
Mit der Drohung, die Blockade noch länger aufrechtzuerhalten, sie zu verschärfen und zusätzlich mit Truppen einzumarschieren, erzwang US-Präsident Wilson im Jahre 1919 die Annahme des Versailler Diktats durch die Weimarer Nationalversammlung.

KELLOG-PAKT

Angeregt von dem Außenminister der USA, Kellogg. Dem Pakt wurde die Aufgabe gestellt, Krieg als Mittel der Politik zu ächten. Obwohl insgesamt 54 Staaten diesem Pakt beitraten, erwies er sich bereits ein Jahr nach seiner Unterzeichnung unwirksam, als 1929, sowjetische Truppen in die Mandschurei einbrachen. Später verhinderte er weder die zahlreichen, relativ regional begrenzten Kriege in vielen Teilen der Welt, noch den, unter maßgeblicher Mitwirkung der USA ausgelösten, 2. Weltkrieg.

KORRIDOR, "polnischer"

Bezeichnung für die durch das Versailler Diktat ohne Volksabstimmung abgetrennten deutschen Provinzen Posen und Westpreußen, mit deren Zuteilung an Polen die Landverbindungen zwischen Ostpreußen und dem übrigen Reich unterbrochen wurde und Polen einen Zugang zur Ostsee erhielt.

KRIEGSSCHULDLÜGE

Die in dem Artikel 231 des Versailler Diktats fixierte Behauptung der Siegermächte des 1. Weltkrieges: Deutschland trage für diesen Krieg die Alleinschuld.
Dazu erklärten später international anerkannte Historiker und maßgebliche Politiker des Auslandes folgendes:

1. Der ehemalige Lordkanzler Viscount Maugham zweifelte "ob ein internationaler Gerichtshof ... zu dem Urteil kommen würde, daß im Ersten Weltkrieg das Deutsche Reich der Angreifer ... gewesen sei"
2. Der italienische Ministerpräsident F. Nitti: "Poincaré (Präsident Frankreichs) sagt, Frankreich sei in den letzten hundertzwanzig Jahren fünfmal von den Deutschen heimgesucht worden, aber nichts kann unwahrer sein als diese Behauptung und man brauchte eigentlich kein Wort darüber zu verlieren, daß die Dinge gerade umgekehrt liegen!"
3. US-Historiker S.B. Fay: "Deutschland hat einen europäischen Krieg nicht angezettelt, es wollte ihn nicht und bemühte sich aufrichtig ... ihn abzuwenden".
4. Der britische Historiker Seton Watson: "Die Anklage ist absurd und unhaltbar."
5. Der US-Historiker H.E. Barnes. "Deutschland ist von allen kriegsführenden Mächten die einzige gewesen, die am Ausbruch des Krieges überhaupt keine Schuld trägt."

LOCARNOPAKT

"Vertrags" - Bündel, geschnürt 1925 in Locarno, das die in Versailles zudiktierten Grenzen Deutschlands, insbesondere im Westen, sowie die Fortdauer der Entmachtung Deutschlands gewährleisten sollte. Zu den Unterzeichnern gehörten, neben dem noch immer von fremden Truppen teilweise besetzten Deutschland, Frankreich, Großbritannien, Italien, Belgien, die Tschechoslowakei und Polen; also fast sämtliche Nachbarstaaten, die durch Gebietsgewinne auf Deutschlands Kosten, oder als Empfänger von Tributleistungen, an einer Aufrechterhaltung des Status quo interessiert waren.

MITTELMÄCHTE

Deutschland und seine Verbündeten (Österreich-Ungarn, Bulgarien, Türkei).

SIEGFRIEDLINIE

Tiefgestaffelte deutsche Sehnenstellung zur Verkürzung des vorspringenden Frontbogens zwischen Arras und Soissons, im nördlichen Teil des Mittelabschnitts der Westfront.

UNABHÄNGIGE SOZIALDEMOKRATEN (USPD)

1917 durch Abspaltung von der SPD entstandene Partei radikalen Zuschnitts, unter Führung von Karl Kautsky, Hugo Haase und Karl Liebknecht. Ein Teil der USPD schloß sich später der Kommunistischen Partei an, der Rest vereinigte sich 1922 wieder mit der SPD. Solange die USPD existierte, wurde die SPD, da ihr die Mehrheit der Linksanhänger erhalten geblieben war, im Sprachgebrauch auch als die "Mehrheitssozialisten" bezeichnet.

VOLKSBEAUFTRAGTE

Der Rat der Volksbeauftragten wurde am 10. November 1918 nach dem Vorbild der bolschewistischen Volkskommissare gebildet. Er bestand bis zum 10.2.1919, bezeichnete sich aber zwischenzeitlich auch als Reichsregierung. Dem Rat gehörten mit Ebert, Scheidemann und Landsberg, drei Vertreter der SPD und mit Barth, Dittmann und Haase, drei Abgeordnete der USPD an. Aus Protest gegen den Einsatz von Regierungstruppen gegen die radikale "Volksmarinedivision" (die zeitweilig den Kommandanten von Berlin, Otto Wels als Geisel genommen hatte) traten die Vertreter der USPD am 29.12.1918 zurück. Sie wurden durch die SPD-Politiker Noske und Wissel ersetzt.

Nach der Regierungsbildung durch die Weimarer Nationalversammlung (Kabinett Scheidemann) verlor der Rat seine Regierungsbefugnisse.

VÖLKERBUND

Aus der Koalition der Kriegsgegner Deutschlands hervorgegangener Zweckverband zur Sicherung der Kriegsbeute und Niederhaltung Deutschlands. Diese Zweckbestimmung ergab sich aus der Tatsache, daß das Versailler Diktat zu einem Bestandteil der Satzung des Bundes gemacht und Deutschland, samt seinen ehemaligen Verbündeten jahrelang ausgeschlossen wurden. Als die Aufnahme schließlich erlaubt wurde, war damit die erneute Anerkennung des Diktates verbunden. Dieses Exekutionsinstrument der Sieger ging in den 30er Jahren an innerer Auszehrung zugrunde.

YOUNGPLAN

Tributplan, konzipiert von dem amerikanischen Industriellen Young, der den Dawesplan, der sich als undurchführbar erwiesen hatte, ersetzen sollte. Der Youngplan sah, bei sehr hoher Zinsbelastung, "Reparations" - Leistungen für weitere 59 Jahre, bis in das Jahr 1988 vor.

Karl Rammelt

DIE GESCHOLTENEN

Die Generation zwischen 1918 und 1933

Der im Zweiten Weltkrieg hochdekorierte Offizier, Jahrgang 1914, schildert in diesem Buch aus persönlicher Sicht und Erfahrung die politischen Ereignisse, die vom Ende des Zweiten Deutschen Reiches bis zur Machtübernahme durch Hitler und dem damit verknüpften Beginn des Dritten Reiches führten.

Diese 15 Jahre, gezeichnet von Räterevolution und Bürgerkrieg, vom leidenschaftlichen Gegeneinander zwischen Rechts und Links, von Reparationen und Rheinlandbesetzung, von Inflation und Dawes- und Young-Plan, haben wie kaum eine andere Epoche die Entwicklung dieses Jahrhunderts beeinflußt. Versailler Vertrag, Mißachtung des Selbstbestimmungsrechts der Völker, Ohnmacht der etablierten Parteien, Weltwirtschaftskrise und Verelendung der Deutschen waren es, die gerade die damals jungen Menschen veranlaßten, sich von den „Systemparteien" abzuwenden und in einer Zeit ohne Hoffnung ihr Glück bei Thälmann oder Hitler zu suchen. Hitler versprach nicht nur Brot und Arbeit, sondern eine lebenswerte Zukunft und gewann damit die Mehrheit in Deutschland.

In diesem oft vom Erleben geprägten Buch berichtet der Verfasser eindringlich von den damaligen Geschehnissen und versucht deutlich zu machen, warum die damals junge Generation nach 1918 in ihrer überwältigenden Mehrheit dem unbekannten Frontsoldaten des Ersten Weltkrieges folgte und sich von ihm und seiner Bewegung den Ausweg aus der Krise der „Goldenen Zwanziger Jahre" erwartete.

Dieses Buch spricht einerseits jene an, die bewußt jene ereignisreichen Jahre erlebten; aber auch jene Menschen werden zu diesem Buch greifen, die wissen wollen, warum Hitler kam.